THE HOUSE OF
ROTHSCHILD

罗斯柴尔德家族（中）

[英] 尼尔·弗格森◎著
顾锦生 何正云◎译

中信出版集团 | 北京

图书在版编目（CIP）数据

罗斯柴尔德家族（中）/（英）弗格森著；顾锦生，何正云译. —北京：中信出版社，2012.6（2024.5重印）
书名原文：The House of Rothschild
ISBN 978-7-5086-3288-9

I. 罗…　II. ①弗…　②顾…　③何…　III. ①金融－经济史－世界　②金融家－家族－史料－世界　IV. ①F835.09
②K835.160.9

中国版本图书馆CIP数据核字（2012）第049538号

罗斯柴尔德家族（中）
LUOSICHAI'ERDE JIAZU（ZHONG）

著　　者：[英] 尼尔 · 弗格森
译　　者：顾锦生　何正云
出版发行：中信出版集团股份有限公司（北京市朝阳区东三环北路27号嘉铭中心　邮编　100020）
承 印 者：北京通州皇家印刷厂
开　　本：787mm × 1092mm　1/16　　**印　　张**：23.5　　**字　　数**：443千字
版　　次：2012年6月第2版　　**印　　次**：2024年5月第19次印刷
京权图字：01–2008–3954
书　　号：ISBN 978-7-5086-3288-9 /F · 2595
定　　价：69.00元

服务热线：400-600-8099
投稿邮箱：author@citicpub.com

THE HOUSE OF ROTHSCHILD

目录

THE HOUSE OF ROTHSCHILD

序

如果我们把1789~1848年间看成是"大革命时代"的话，那么，罗斯柴尔德家族毫无疑问是大革命最大的受益者。而1848~1849年间发生的政治剧变，则让他们付出了巨大的代价。当时的政治剧变有点像1830年的情形，但规模远比1830年的要大，革命使得受到影响的那些政府所发行的债券的价值成自由落体式下跌。对于罗斯柴尔德家族来说，在他们所拥有的巨额财富里，这种债券占了很大的比例，发生这种情况也就意味着巨大的资本损失。雪上加霜的是，大革命将他们设在维也纳和巴黎的银行带向了破产的边缘，迫使他们其他地方的银行——比如设在伦敦、法兰克福和那不勒斯的银行——进行救援。罗斯柴尔德家族总是大难不死，并成功地挺过了1815~1914年间所有重大的金融危机以及其间所爆发的革命。事实上，如果他们没能挺过来，那真是一个让人感觉奇怪的嘲讽：因为要是没有发生革命，他们也就不会有什么可以损失的东西。

最初发端于1796年的法国大革命真正地拆除了法兰克福犹太人聚居区的藩篱，使罗斯柴尔德家族得以开始他们那非凡的、史无前例的，而且空前绝后的经济起飞。在1789年之前，迈耶·A·罗斯柴尔德以及整个家族的生活受到了种族歧视法律的重重限制。犹太人被禁止从事农耕以及武器、香料、酒类和粮食的交易。他们被禁止在犹太聚居区以外的地方居住，而且在夜晚、星期天以及基督徒的节庆日不得离开聚居区。此外，他们还受到了税收歧视。无论迈耶怎样努力工作，他起初作为金银币经销商之后又成为纸币经纪人和商业银行家所能取得的成就，都受到了极大的限制。但当法国向德国南部发动革命的时候，所有这一切都发生了翻天覆地的变化。不仅有了犹太人街，对法兰克福犹太人的法律限制也在很大程度上被取消了——这主要得益于迈耶对拿破仑在莱茵地区的追随者卡尔-冯-达尔伯格的经济影响力。在法国人及其支持者被驱逐之后，无论法兰克福的非犹太人怎样努力，过去种族隔离式的居住和社会限制体系不再可能被完全恢复。

另外，这些革命战争把连做梦都想象不到的机会呈现在了罗斯柴尔德家族的面前。由于法国与欧洲其他地区出现冲突的规模以及军费开支呈现节节上升的趋势，交战各国的借款需求也随之上升。同时，战争对过去建立起来的贸易及银行格局的破坏也给野心勃勃的冒险家们提供了很多发挥空间。就这样，拿破仑驱逐赫思-凯瑟威廉王子家族的决定，使迈耶（自1769年起出任威廉王子指定代理人）成为威廉王子的资金管理人，负责替他收取那些瞒过了法国人的资产所赚取的收益，并用这些钱进行再投资。这可是一个风险很大的工作：法国警察对迈耶的活动保持着相当的警惕，曾多次审问他和他的家人，但是他最终也没有遭到起诉。利润和风险是对等的，而且罗斯柴尔德家族很快就掌握了保守秘密的艺术。

同时，革命和战争也给了迈耶专横跋扈的儿子内森崭露头角的机会，他整天忙于从曼彻斯特运送英国纺织品到为英国的战争准备提供资金的伦敦金融城。要是在平常的情况下，内森无疑会成为一个成功的布匹商人：他通过压低价格来扩大销量的策略无疑是正确的；他在工作中表现出来的旺盛精力、远大志向以及极强的能力无一不是惊人的。（"我不看书，"他在1816年告诉他的兄弟们，"我不玩牌，我也不去戏院，我唯一的兴趣是我的生意。"）英国与法国之间发生的战争所带来的环境，特别有利于那些勇敢而富有创新精神的新生力量。拿破仑在1806年对英国向欧洲大陆的出口所进行的封锁，在增加了贸易风险的同时，也为像内森这样愿意去突破禁运的人，提供了潜在的高额回报的可能。法国政府允许英国金条通过英吉利海峡的天真想法给予了内森更多有利可图的生意机会。在1808年，他从曼彻斯特搬到了伦敦，因为在阿姆斯特丹被拿破仑占领后，当时的伦敦已经确立了世界金融中心的地位。

让内森能跨越式地跻身于商业银行家第一集团军的"妙招"，是用威廉王子在英国的投资来支撑他自己的生意。1809年，内森获得了授权，可以用威廉王子现有资产组合所获取的收益购买新的英国债券。在此后的4年中，他所购买的债券总值超过60万英镑。要是在正常的时期，这可能已经使内森变成有名的基金经理人。在战时的动荡时期，内森可以将威廉王子的债券当做自己的资本。不知不觉间，这位被放逐的威廉王子成为一家新银行——罗斯柴尔德银行——的匿名股东。（而他的大臣布德鲁斯则是法兰克福银行的自愿投资人。）因此，在1813年的时候，内森有能力在英国政府倾囊相助威灵顿将军抵抗拿破仑的倒数第二次战役时，向英国政府提供服务。这就是卡尔在后面说到的“这位老人”——指的是威廉王子——“给我们带来了富贵”的真实含义。

实际上，他们或许更应该感激这个行业以及他们自己“老人”的聪明才智。是迈耶·A·罗斯柴尔德在1810年设计的合伙制，将家族的男性谱系结合在了一起，长达4代，同时又严格地将女性及其配偶排除在外，使家族企业保持了几近一个世纪的活力。这个制度虽然在执行过程中几经修改，但其精神实质得到了保留。还是迈耶·A·罗斯柴尔德教会了他的儿子们这些精明实用的生意信条，例如，“最好的生意伙伴是陷入困境中的政府，而不是被幸运眷顾着的政府”；“如果你不能够被人爱戴，就要让人畏惧”；“如果一个高层人士与犹太人成为（金融）伙伴，他就属于犹太人”。最后这条来自于几个兄弟长期以来通过送礼、贷款、投资红利及毫不掩饰的贿赂与政治实权人物保持交往的实践。最为关键的是，迈耶教会了他的儿子们团结的价值：“阿姆谢尔”，他在1812年临终前告诉守在床边的长子，“只要你能让你的兄弟们不分开，你们就会成为德国最富有的人。”30年后，他的儿子们仍然在重复着这句箴言，而此时，他们已经是世界上最富有的人，事实上，是人类历史上最富有的家族。

发生在1814年和1815年的那些军事行动，把我们带入了金融史和政治史的新时代，而在这期间，内森和他的兄弟们不仅为威灵顿将军，同时还为英国的大陆盟友们筹措了数额巨大的金条。罗斯柴尔德家族把他们的信用用到了极致，有时候甚至完全忽视了他们的资产和负债的关系，为了获取政府的佣金、利息收入，为了从汇率和公债红利的波动中获取投机收益，而把全家的身家性命都搭了上去。仅在1815年，内森与英国政府的来往账目就接近1 000万英镑，这在当时可是一个天文数字。当利物浦勋爵（Lord Liverpool）称内森为“一个非常有用的朋友”时，他采用的是一种史诗般的低调陈述修辞手法。正如其他同时代的人所评述的，这是一种拿破仑式的金融手段，如果没有这些手段，拿破仑的军事统治就不会被推翻。路德维希·伯尔内(Ludwig Borne)很客观地把这几个兄弟称为“理财能手”；而内森被萨洛蒙称为几兄弟的“总司令”。尽管当法国人在滑铁卢遭到惨败时——战争结束得远比内森当初预见的要快很多——他们已经濒临破产，但在1815年的时候，罗斯柴尔德家族成为货真价实的百万富翁。几乎是与此同时，内森开始着手一项也许算得上是他职业生涯中最成功的交易：大量投资于英国政府债券①。由此，他搭上了政府战后稳定经济政策

① 指永续公债，一种由英国政府发行的无到期日的永续年金式债券。——译者注

所带来的高速增长快车，而且恰好在市场见顶之前收获了自己的利润。这是内森的超级商业杰作，这样一买一卖之间就获利超过 25 万英镑。

19 世纪 20 年代是欧洲政治和经济双重复辟的时期。在整个欧洲大陆，被废黜的王室几乎全部返回重掌王权。在梅特涅王子（Prince Metternich）的领导下，欧洲大陆的几大势力联合起来镇压任何可能出现的革命萌芽。毫无疑问，罗斯柴尔德家族为复辟提供了经济支持。他们的资助使奥地利、普鲁士和俄国这些神圣同盟的成员国，也包括在法国复辟的波旁王朝，可以以先前只有英国和荷兰可以享受的利率水平发行债券。有了这些基础，梅特涅王子“维护欧洲治安”就变得更加容易——最有名的要数奥地利和法国在那不勒斯和西班牙恢复波旁王朝统治遇阻的事件，有人曾开玩笑说罗斯柴尔德家族是“神圣同盟最主要的盟友”，事实确实也是如此。罗斯柴尔德家族的贷款还支持了那个时期很多上层人士的私人财务，包括梅特涅本人、乔治王四世及其女婿萨克森–科堡–利奥波德（Leopold of Saxe-Coburg），他后来成为比利时国王。正如路德维希 · 伯尔内所抱怨的，“罗斯柴尔德”是“这样一个人，他赋予了贵族们践踏自由并剥夺人们抵御暴力的勇气和力量……是恐惧的大祭师……在他的神坛上，自由、爱国、荣耀及所有其他的人类美德都成为祭品”。

然而，罗斯柴尔德家族对于复辟的态度，一直存在两种截然不同且自相矛盾的情况。他们基本上不愿意看到权力重新回到那些试图把犹太人变为二等公民的保守派精英手中——最明显的当然是德国。另一方面，内森不是那种仅因为意识形态问题就放弃千载难逢的商业机会的人。神圣同盟在西班牙和意大利对革命运动的干预其实就生意来说不见得是好事，最主要的原因是战争对各国国家预算的破坏性影响。在西班牙、巴西和希腊等国出现的新政权也是潜在的新客户。过去的经营似乎表明，君主立宪制与集权制相比，前者是更好的债务人。颇令人玩味的是，费尔南德七世复辟成为集权体制后，罗斯柴尔德家族更倾向于借钱给西班牙解放者，而拒绝继续资助费尔南德七世。正如拜伦在《唐璜》（*Don Juan*）中所描绘的，罗斯柴尔德家族在“保皇主义和自由主义”之间摇摆不定。海因里希 · 海涅走得更远，他称罗斯柴尔德在革命和罗伯斯庇尔之间是“半斤对八两”的关系，因为：

> 罗斯柴尔德……使土地丧失了固有的优势，把国家债券体系的作用提高到了极致，因此让资产和收入能够流动起来，与此同时，还把以前土地所拥有的特权赋予了货币。

同时，还是海因里希历史性地断言：“货币是我们这个时代的神，而罗斯柴尔德是神的先知。”毫无疑问，罗斯柴尔德家族在经济史上最重要的贡献是建立起了一个真正国际化的债券市场。当然，以前也存在资本的跨境流动：18 世纪时，荷兰曾经投资于英国政府债券，与此同时，罗斯柴尔德家族的竞争对手贝斯曼家族也大量买卖奥地利债券。但以前从来没有任何一个国家的债券能同时在数个市场按照（以 1818 年的普鲁士债券为例）以标准银计价、在发行地付息而且还是偿债基金这样一些颇具吸引力的条件来发行。

债券发行不是罗斯柴尔德家族唯一的业务。他们也做商业票据的贴现、贵金属的经纪业务、国际汇兑业务、直接参与商品贸易、涉足保险业务，甚至还为个人精英客户提供私人银行服务。他们在贵金属市场上的作用举足轻重：罗斯柴尔德家族起到了“最终贷款人对最终借款人”的作用，从而帮助英格兰银行在 1852 年的时候避免了可能被迫暂停交易的危机。但他们最先进入的还是债券市场。另外，在不同的二级市场间买卖债券几乎是与发行债券同等重要的利润来源：这种方式是几个兄弟乐此不疲的主要的投机手段。罗斯柴尔德家族明显区别于其他竞争者的地方就在于他们业务的跨国特点。当内森的长兄阿姆谢尔在法兰克福继续家族原有业务的同时，他最小的兄弟詹姆斯自己在巴黎开始创业。在稍后的 19 世纪 20 年代，萨洛蒙和卡尔在维也纳和那不勒斯建立了法兰克福银行的分行。这五家机构形成了一个独特的合伙体制，联手进行大宗交易，分享利润并分摊成本。经常性的事无巨细的互通信件克服了地理分割的障碍。合伙人之间只有在环境变化需要对他们之间的合伙条约进行修改时，大家才会聚首，而这种情况也是很多年才会出现一次。

这种跨国的结构给罗斯柴尔德家族提供了几方面特别重要的优势。首先，这种结构使他们可以进行套利操作，充分利用市场间——比如说伦敦市场和巴黎市场的价格差异。其次，他们相互间可以在某一机构出现资金困难及偿付压力时进行相互救助。金融危机从来就没有以同等的严重性在欧洲各地同时出现过，就连 1848 年的时候也没有。当英国在 1825 年遭受严重危机时，詹姆斯可以援助内森。而 1830 年巴黎市场出现暴跌时，内森有了报答的机会。一个毫无疑问的事实是，如果维也纳的银行是一个独立实体的话，它在 1848 年的时候就已经破产。只有在其他银行愿意勾销掉巨额欠债的情况下，萨洛蒙的儿子安塞尔姆才有可能重建它。

通过快速的资本积累——罗斯柴尔德家族不分配利润，只是以他们各自的合伙股份为基数收取很低的利息——他们很快就有能力操作那些规模空前的业务，并理所当然地成为世界上最大的银行。到 1825 年的时候，他们的银行规模已经 10 倍于与他们差距最小的竞争对手——巴林兄弟的银行。反过来，这又使他们开始修正他们的经营战略。在经过早年的高风险和高收益的经营后，他们现在可以在不危及他们的市场支配地位的情况下，从事利润摊薄的业务。事实上，这个从追求利润最大化上退下来的转变，可以帮助我们解释罗斯柴尔德合伙制银行作为企业能做到基业常青的原因。在他们的发展道路上曾经反反复复遭遇过很多对手——雅克·拉斐特是在复辟时期的一个经典例子，他在市场上涨时通过高风险交易已经超过了他们，但在跌落周期出现时，他只是保全了自身。

贵随富来。在同时代人的眼里，罗斯柴尔德家族成为新金融的化身：他们出生于犹太家庭，没有受过良好教育，他们很粗俗——但只是数年的时间，他们积蓄的账面财富已经远远多于大多数贵族的资产。从表面上看，这些暴发户都渴求那些原有精英们的接纳。似乎是为了抹去那些过去（像卡尔所说的）“我们都挤在一个小小的阁楼间里睡觉”的记忆，他们购买了繁华大街上雅致的联排别墅，比如皮卡迪利大街、拉斐特大道，不久之后，他们在加奈斯贝里、弗里耶尔和希勒斯多夫等地购买了第一批乡村别墅。他们用17世纪的荷兰油画和18世纪的法国家具装饰这些房子。他们举办奢华的宴会和珠光宝气的舞会。他们追寻名衔和其他荣誉：平民雅各布·罗斯柴尔德摇身一变，成为了詹姆斯·罗斯柴尔德男爵阁下、奥地利驻巴黎总领事、荣誉军团骑士。他们把自己的儿子作为绅士来培养，为他们提供在犹太聚居区闻所未闻的休闲活动：骑马、打猎和艺术欣赏。他们的女儿上肖邦的钢琴课。那些知名的人物——最有影响的，比如迪斯雷利、海涅、巴尔扎克都向这些新的“美第奇家族”寻求赞助，对这些新贵的讥讽，只会偶尔出现在他们的作品里。

然而，罗斯柴尔德家族私底下对自己社会地位的急剧上升却常常自嘲。头衔和荣誉称号只是“社交的一部分”，可以为这几兄弟进入权势的中心提供帮助。做东并不是一件轻松的工作，结果却都是大同小异：大多数情况都是工作应酬，这与我们今天的说法几乎一模一样。他们对下一代的绅士化教育也很肤浅：他们的儿子真正的教育课堂还是在“账房”。

罗斯柴尔德家族最重要的社会认同传统是宗教。他们不像很多其他富裕的欧洲犹太人那样在19世纪20年代改为信奉基督教，而是一直坚定不移地信奉着他们祖宗的信仰。尽管他们每个人对信仰的虔诚度不一——阿姆谢尔严格遵守各种教规，而詹姆斯却相对懈怠，但几兄弟却都认同这个观点，即他们能取得这种世界性的成功与他们的犹太信仰密不可分。正像詹姆斯所说，宗教就是“一切，我们的好运和我们的祝福都依赖于它”。当内森的女儿汉娜·迈耶为了能与亨利·菲茨罗伊结婚而在1839年改信奉基督教时，她所有的亲戚，包括她自己的母亲，几乎都与她断绝了关系。

罗斯柴尔德家族坚信他们对犹太教忠贞不渝的信仰与他们取得的全球性成功密不可分所产生的一个必然结果，就是他们对那些“穷困的同教兄弟姐妹”命运的关注。他们把自己对更广大的犹太社区所肩负的这项使命的范围，从传统的慈善捐助扩展到了为犹太人的完全解放进行系统的政治游说。由迈耶·A·罗斯柴尔德在拿破仑时代所采取的用罗斯柴尔德家族的金钱保卫犹太人的公民及政治权利的做法，几乎通行无阻地持续了整整一个世纪。当 1840 年犹太人在大马士革被错误地指控“宗教谋杀”的时候，罗斯柴尔德家族指挥了一场非常成功的运动，结束了对他们的指控，这只是众多成功案例中的一个。罗斯柴尔德家族提供给天主教大主教的贷款也被用来改善那些天主教国家中犹太人的地位。但很有意思的是，英国罗斯柴尔德家族在家门口的努力却很不成功。内森和他的妻子汉娜早在 1829 年时就开始参与了结束国会排斥犹太人的运动。但一直到内森死了 7 年之后，事情仍然毫无起色。这就留给他的儿子列昂内尔一个领导盎格鲁——犹太人争取解放的机会：这就是本集开篇的事件。

然而，罗斯柴尔德家族对更广大的犹太社区的认同感并不是绝对的。这不仅是由于他们的富有，也因他们的家族谱系把他们与其他欧洲犹太人割裂了。因为罗斯柴尔德家族推崇同族通婚——婚配不仅限于他们的共同信仰，甚至只限于自己最近的血亲家庭。当时的情况似乎是只有罗斯柴尔德家的人可以娶罗斯柴尔德家的人：在 1824~1877 年间，迈耶·A·罗斯柴尔德的后代有 21 桩婚事，其中不少于 15 桩出现在他的直系后人中。最典型的要数内森的儿子列昂内尔和卡尔的女儿夏洛特在 1836 年的婚姻，这是一桩包办的并不太幸福的婚姻。这种做法背后最主要的考虑是加强经济合伙制的凝聚力。尽管用现代的眼光来看，那一阶段的“家族树”看起来充满了遗传风险，但他们的这个目的还是达到了。堂表亲间的婚姻确保了家族的资本不会被分散。与被奉为圣典的不准女儿和女婿参与合伙的严格规定，以及迈耶·A·罗斯柴尔德要求兄弟间保持团结的不厌其烦的交代一样，血缘婚姻也是防止罗斯柴尔德家族重蹈托马斯·曼所描写的布登勃洛克家族（Buddenbrooks）覆辙的一项重要策略。当然，其他的王朝家族也采用类似的做法。堂表亲婚姻在犹太商业家族里相对比较常见。其实这种情况也不仅限于犹太人：英国的贵格会教友之间也有类似的习俗。事实上，甚至欧洲的皇室家庭也都采用堂表亲婚姻来加强他们之间的政治关系。然而，罗斯柴尔德家族对血亲婚姻推崇的程度，连萨克森–科堡皇族[①]都难以望其项背。正是这个原因使海因里希·海涅称他们为“异乎寻常的家族”。确实，其他的犹太人基本上都把罗斯柴尔德家族看做某种类型的希伯来皇族：既是“犹太人的王者”，同时也是“王者的犹太人”。

1830 年的革命揭示了两件重要的事情。第一件是罗斯柴尔德家族并没有跟神圣同盟狼狈为奸，而是完全愿意对解放者，甚至是革命政权提供他们的金融服务。要是

---

① 萨克森–科堡皇族为英国王室（1901~1910）。——译者注

说有什么不一样的话，就是在被革命的第一声春雷吓得魂飞魄散之后回过神来，詹姆斯发现与路易·菲利普这样的“资产阶级领主”做生意要更容易。与这种情况完全一致的还有新的比利时政府，特别是当它（像希腊一样）接受了一位“听话的”日耳曼王子作为他们的领主（这位新领主早已经是罗斯柴尔德的客户）并屈从于这些大国制定的共同国际准则时。第二件是罗斯柴尔德家族对于这些大国达成这种局面持乐观的态度，并且深信在这种局面下，金融的杠杆作用可以得到尽情发挥。

革命的爆发一度引发了法国的长期公债暴跌（法国的长期公债就相当于英国的永续公债）。这场灾难几乎让詹姆斯在惊恐中陷入了灭顶之灾，他的账面出现了巨额赤字。但是，造成欧洲金融市场在 19 世纪 30 年代出现如此巨额缩水的原因——甚至还推延了长期公债在相对稳定的君主立宪体制确立后的恢复——是担心像 18 世纪 90 年代那样，由法国革命引发欧洲大陆的战争。正是这种担心与那些引发当时金融市场恶化的所有其他原因一起推高了公债的利息，连那些没有受到革命波及的国家也未能幸免。

在 19 世纪 30 年代，比利时、波兰和意大利多次面临战争一触即发的险境。这期间，每一次危机出现时，罗斯柴尔德家族都很好地联合扮演了和平使者的角色。他们独特的高速通信网络——主要依靠私人信使带着信件穿梭往返——直到现在都还被欧洲大陆的主要政治人物用来作为特快邮件服务。这给了这个家族另外一种权势：知识。詹姆斯面见路易·菲利普，聆听他的意见，之后把他的这些意见写在他给萨洛蒙的信里；萨洛蒙去拜会梅特涅，把这些意见传过去。然后，这个过程又反向重复，当梅特涅的回复到达路易·菲利普手上时至少经过了两名罗斯柴尔德家族的人。我们这里不需要点明，信使在这个过程中可以很巧妙地改变信函的内容；或者，在信函被送达之前，相关的消息已经在股票交易中发挥了作用。

同时，罗斯柴尔德家族对国家债券市场的控制又赋予了他们另外一种权势。因为任何一个图谋发动战争的国家都需要借钱来做军备，一旦罗斯柴尔德家族洞悉了这种可能性，他们可以行使否决权：不和平，不借钱。或者是像奥地利外交官普鲁克西·冯·奥斯登在 1830 年 12 月时所说的：“这完全是一个方法和手段的问题，而且罗斯柴尔德的意见是决定性的，他不会为战争提供一分钱。”

事情并不是如此单纯。尽管他们同时期的人都被这种观点所迷惑，认为罗斯柴尔德家族只要通过威胁调整贷款就可以保持欧洲的和平，但实际的情况是，在 19 世纪 30 年代，之所以没有爆发战争还有其他的原因。在某些时候，罗斯柴尔德家族仍然可以通过经济手段来操纵政治势力。在萨洛蒙于 1832 年明确地拒绝提供新的贷款后，梅特涅的好战即使不能说是被阻止，起码也是被压制了。而希腊和比利时建立新的国家确实是得到了罗斯柴尔德家族提供金融支持的书面承诺，以一种由几个大国提供担保，罗斯柴尔德家族发放贷款的方式才得以确立。

到内森在1836年令人遗憾而且在巨大的痛苦中去世的时候，罗斯柴尔德家族已经建立起了让人叹为观止的巨大商业帝国，控制了无人可敌的巨额资源，横跨广大的地理区域。通过代理和建立分行的方式，覆盖的地区还可以进一步延展到欧洲其他的市场，甚至整个世界——从马德里的威斯威勒尔到圣彼得堡的盖塞尔，再到纽约的贝尔蒙特。他们的权势之所以让同时代的人如此着迷，很重要的原因在于他们的发家来得如此迅猛，而起点又是如此之低。一位美国的观察家是这样描绘这五兄弟的："他们傲视群王，居于众王之上，将整个大陆掌控于他们的股掌之间"。"罗斯柴尔德家族统治了基督徒的世界……没有他们的同意，没有一个内阁敢越雷池一步……罗斯柴尔德男爵手里掌握着选择战争还是和平的钥匙。"这种说法虽然有点夸张，但却并非无根无据。这个庞大而且强大的组织一直保持着家族企业的内核。它一直以私营——事实上是特别神秘的合伙制方式运营，主要的业务是经营家族的自有资本。

当第三代加入到这个合伙制中的时候，依然保持了创业者的精神，尽管五个机构之间出现了稍许的联盟倾向。在某种程度上，詹姆斯继承了内森的遗志，担负起了"盟主"的责任。他也是一个专横跋扈的人，全身心地投入到生意中，既沉迷于那些票据经纪和套利的吃饭生意，也不放过那些利润丰厚的大额债券发行业务。他的长寿使法兰克福犹太聚居区的民族特质一直到了19世纪60年代都还保持得相当完好。然而，詹姆斯不再可能像内森一样去操控其他的四家机构。尽管内森的儿子之一纳特成为了他在巴黎的传声筒，但其他人却从没有受制于他。特别是列昂内尔证明了自己在商业上的辉煌足以与其父比肩，但他的性格和行事风格却不像内森那样火暴，反而是相当低调。萨洛蒙的儿子安塞尔姆也证明了自己是一个意志坚强的人。詹姆斯也无法真正控制他的兄长们：特别是萨洛蒙，他明显更多地关注与奥地利政府和其他维也纳银行，而他的其他合伙人却并不喜欢这种做法。

从某些方面看，家族中出现的这种从独裁向寡头垄断的转变是有益的：这使得罗斯柴尔德家族在应对19世纪中叶出现的新的金融机会时，可以脱离内森以前的那种严密控制，从而变得更加灵活。举个例子说，萨洛蒙、詹姆斯和阿姆谢尔可以在奥地利、法国和德国的铁路融资活动中起主导作用，而他们在英格兰的兄弟却很显然忽略了这件事情。

内森把19世纪20年代的习惯延续到了19世纪30年代。由于主要欧洲国家的金融状况很稳定，他便把眼光投向了更远的地方去寻找新的客户：西班牙、葡萄牙和美国。但是，成为比利时的"金融之主"是一回事，在伊比利亚和美国复制这种方式又完全是另一回事。在西班牙和葡萄牙，由于政治的动荡使罗斯柴尔德家族发行的债券出现了令人尴尬的失败。在美国，所遇到的问题是财政和货币体制的权力下放。罗斯柴尔德家族希望联邦政府能成为一个优良的业务源泉，但联邦政府则倾向于把对外国举债的权利留给各州。同样，他们希望美国银行能发展成为一家英格兰美洲银行。但情况恰恰相反，由于政治上的阻挠，加上金融上的经营失误，这家银行在 1839 年倒闭了。罗斯柴尔德家族在美国建立稳固基地计划的失败——他们对自己委派的在华尔街的代理没有信心——成为他们家族历史上犯下的最大的战略性决策错误。

在熟悉的政府金融市场方面的这些挫折，使多元化成了顺理成章的事。因此，收购控制欧洲水银市场的决策就是应对政府拖欠风险的部分尝试。通过拥有像艾尔梅登矿山——当时世界上最大的矿山——这样的有形资产，罗斯柴尔德家族就可以通过水银寄售预支现金的方式，以最小的风险为西班牙提供金融支持。参与水银开采获得了双重的收益，因为水银被用于白银的精炼生产。由于 1815 年前就参与了贵金属的经纪业务，罗斯柴尔德家族也顺理成章地进入了铸币领域。

铁路融资是最有意思的新的业务线。在大多数欧洲国家，政府在铁路建设中或多或少都起着一定作用，有的是直接融资建设（比如俄国和比利时），有的是进行补贴（比如在法国和一些日耳曼小国）。这就意味着为铁路公司发行股票或者债券与发行政府债券并没有什么太大的不同——除了铁路股票的波动区间要比政府债券大很多。起初的时候，罗斯柴尔德家族只想扮演单纯的融资角色。但从铁路公司成立到铁路线真正运营需要漫长的时间，不可避免地使他们深陷其中，更不用说股票红利的支付。到 19 世纪 40 年代，列昂内尔的兄弟安东尼和纳特将他们的大部分时间花在了料理他们的叔叔詹姆斯在法国铁路的投资上。这是第三代不喜欢风险的一个明显的证据，纳特严厉批评了詹姆斯对像北方和隆巴多这样的铁路线的“挚爱”，当事故不断发生（比如 1846 年在凡勃发生的事故）时，纳特只能眼睁睁地看着自己担心的事情终于降临了。但是詹姆斯的做法仍然可以说是对的：在整个 19 世纪期间，对大陆铁路的投资收益是法国罗斯柴尔德银行发展速度超过英格兰银行的主要原因。到了 19 世纪中叶，罗斯柴尔德家族已经着手准备修建高赢利的泛欧洲大陆铁路网了。

但是从另一方面看，纳特的忧虑是有道理的。与国债的经营管理不同，铁路的营运对普通人的生活有着直接且切实的影响。因此，由于参与到铁路的建设管理事务中，罗斯柴尔德家族将自己彻底暴露在公众面前，并受到了空前的批评。那些激进的（首次出现的）社会主义作家开始用一种全新且耸人听闻的笔触来描绘他们：人民大众的剥削者，通过增加纳税人和普通乘客的负担来获取资本收益和利润。罗斯柴尔德家族之前也曾经受到过口诛笔伐，但在 19 世纪 20 年代和 30 年代的时候，他们所受到的批评主要是支持政治反对派和（被商业对手批评为）过激的商业行为。在19世纪40年代，对富人的仇视与对犹太人的仇视被搅和在一起：反资本主义和反犹太主义互相支持。罗斯柴尔德家族成为这种思潮运动完美的靶子。

伴随着这些具有煽动性的辩论，19世纪40年代中期萧条的经济情况预示着政治动荡即将来临。与1830年不同，1848年的革命在爆发之前很早就可以看到革命的脚步正在逼近。对这些情况，罗斯柴尔德家族并非视而不见，然而他们低估了危机的程度。现实的问题是经济萧条减少了政府的税收收入，增加了政府的赤字。这种情况从短期看，意味着罗斯柴尔德家族新的商业机会，他们无法抵御这种机会的诱惑。萨洛蒙和詹姆斯两人在革命爆发的前夜都承销了大量的贷款。随着革命从巴黎向东一直延伸，萨洛蒙的工业和铁路债券以及股票已经不可能再销售，他对奥地利政府的合同业务也不可能再履行。詹姆斯也只能通过与这些新的在财政方面还比较稚嫩的政府进行谈判，对最新签订的贷款合同的主要条款进行修改来熬过这场风暴。

借助于其跨越多国的结构、手中掌控的大量资源以及完善的政治合同，罗斯柴尔德家族得以在1848~1849年的剧变中独善其身。在遭受了接近天文数字的损失后，他们相应的地位却比之前稍稍得到了加强。然而，欧洲经济的复苏（绝非巧合）和政治重新归于稳定又带来了新的挑战。

首先，革命所带来的一个并不太引人注目的成果是弱化了政府官僚主义对成立合股和有限责任企业这种观点的阻碍。一旦成立公司变得容易，进入金融领域的新竞争者的数量就会增加。佩雷尔兄弟开始时以铁路狂热分子的面目示人，他们有很好的技术构想，但苦于没有足够的资金去实现——因而在19世纪30年代投靠到罗斯柴尔德家族门下。在19世纪50年代，他们开始独立出来，将无数的小投资者结合起来筹集到了“地产信贷银行”的资本金。与这个以佩雷尔家族为标志的挑战相关的是政府财政与债券市场之间关系出现的变化。19世纪50年代出现了第一次通过公众认购方式销售债券的尝试，这种方式不再使用银行作为中介，或者说是银行不再全部包销，而只是以认购人的方式出现。最起码来说，政府开始利用私营及合伙银行间不断增加的竞争来压低手续费。尽管罗斯柴尔德家族还在债券市场占有支配地位，但他们的垄断地位已经大不如前。电报的普及进一步削弱了他们的掌控，终结了他们的信使能带给他们在竞争中领先别人一步的市场敏感信息的时代。

但是，对罗斯柴尔德家族金融霸权的最大威胁或许还是来自政治方面。路易·拿破仑·波拿巴在法国的胜利给欧洲外交带来了新的不确定因素。一直到1870年，他效仿他叔父的可能性从来就没有完全消失。与此同时，国际游戏规则也由于各地不断涌现的政治家——比较著名的有帕默斯顿、凯沃尔和俾斯麦——而发生了微妙的变化，他们把国家利益看得高于国际利益，而且对大炮的信任与对国际会议的信任几乎是一样的。与 1815 年开始到 1848 年结束的相对平静的 30 余年相比，接下来的 35 年的基本特点就是欧洲大陆延绵不断的战争（先不说美洲）：对于这些战事，罗斯柴尔德家族无奈地发现，虽然他们尽了最大的努力，但他们已经无力阻止。

在 1848 年 5 月，夏洛特 · 德 · 罗斯柴尔德声称，她确信“欧洲和罗斯柴尔德家族将会有一个光明的未来”。她的信心在法国大革命出现衰落的时候得到了验证。在 19 世纪下半叶，威胁帝王政治和资本主义经济的危险确实在减少。但罗斯柴尔德家族的光明未来取决于家族所具备的迎接新挑战的能力。当然，民族主义以及那个时代风行的社会主义思想将会成为必须面对的最大挑战——特别是在二者有机结合在一起的时候。

我只是不明白为何我们要求你们不要做某件事的时候，这件事却没有任何原因地发生了；每个人一定知道对于他所在的地方，什么是最好的。

詹姆斯

1836 年 10 月致他英国的侄子们

第一章

扩张与阻碍
（1834~1839 年）

罗斯柴尔德发行和交易欧洲大国的债券系统给他们带来了丰厚的利润，同时也给整个家族带来了真正的政治影响力。但是，它仍然存在缺陷。当罗斯柴尔德家族在 19 世纪 30 年代试图扩张他们在地域上的版图时，他们遇到了困难。历史学家能够发现，这个时期最大的疏漏就是未能在美国建立一个稳定可靠的罗斯柴尔德基地。但是，要弄明白为何这样的情形未能发生，就有必要讲明白一个关于尝试和错误的复杂故事，它起源于西班牙与葡萄牙极不稳定的金融市场；因为罗斯柴尔德家族迈向美国的第一步就是从西班牙和葡萄牙开始的。

王朝内战中的获利

当欧洲其他地方处在革命浪潮中时，伊比利亚则处在一场激烈的王朝内战当中。表面上，与别的地方一样，极端保守的教派、相对温和的立宪自由派以及比较激进的民主派之间存在着意识形态方面的分歧。但是，本质上，19 世纪 30 年代和 40 年代的西班牙与葡萄牙的政治与英国的玫瑰战争在政治上有很多的共同点。从一个银行家的角度来看，参与到外国的内战中没有丝毫的对错之分。与其他任何战争一样，内战也需要金钱支撑，但是由于税收系统的瘫痪，这些钱通常需要通过借贷获得。尽管罗斯柴尔德家族比其他银行家更为谨慎，但他们也作好准备，并愿意向他们认为可能获胜的一方提供贷款。他们刚开始参与这个国家的内战时，主要的忧虑就是其他国家可能卷入冲突，继而引发欧洲大战，这对于罗斯柴尔德家族来说，无异于一场噩梦。后来证明，战争扩大的情形并没有出现，尽管英国、法国和奥地利都试图间接地干预伊比利亚半岛的局势。真正的困难在于，由于缺乏具有决定性的外来势力的干预，伊比利亚内战一直拖了下去。这意味着到 19 世纪 30 年代末，几年前筹集的贷款就收不到利息了。随后，西班牙和葡萄牙的债券在 19 世纪 30 年代的债券市场中扮演了与拉丁美洲债券在 19 世纪 20 年代类似的角色：就如詹姆斯简单（并一再重复）地说，它们比“狗屎”好不到哪里去。

这种情况并非巧合。因为之前在拉丁美洲发生的事件不仅将诸如佩德罗这类闹事成瘾的人送回了欧洲，还动摇了葡萄牙和西班牙财政系统的根基，这两个国家的财政主要依靠大西洋对岸的王国收入支撑。因此，不仅仅葡萄牙和西班牙政治上不稳定，在许多方面，法国也是如此。1830 年之后，法国似乎也出现了类似的王朝内斗迹象。伊比利亚问题是一种慢性的国家破产。试图从两个一直徘徊在破产边缘的国家里赚钱，比乐观的罗斯柴尔德家族起初设想的要困难得多。

在两个国家中，葡萄牙的故事没那么复杂，但利润也没那么丰厚。我们已经看到，19 世纪 20 年代，内森已经对葡萄牙和她的姐妹王国巴西表现出了兴趣，向两者都提供了贷款，他当时是出于这两个地方都是英国传统利益圈的考虑。这样做的时候，他相当于向即将到来的内战对立双方提供了贷款：内森在 1828 年支持了米格尔的政变；佩德罗——巴西国王，玛丽亚二世的父亲，而玛丽亚二世正是米格尔推翻的葡萄牙女王。1831 年 4 月，佩德罗被迫将王位传给儿子，并且立刻动身前往法国，打算将他的女儿重新扶上葡萄牙王位。不知道出于什么样的原因，法国自由派（以及一些英国辉格党人）倾向于认为与佩德罗志趣相投，而把米格尔看做葡萄牙的查理十世。因此，佩德罗在巴黎筹集资金，在英国准备队伍就十分容易。到 1832 年 7 月，他攻占了波尔图。但是，由于民心相悖，他直到 1834 年 5 月才最终迫使米格尔投降——这一胜利主要归功于英国海军上尉查尔斯 · 内皮尔的帮助。4 个月后，佩德罗去世，刚好可以将自己的女儿重新推上王位。

但是，这一切并没有结束葡萄牙的政治问题。在玛丽亚第一任丈夫——洛伊希滕贝格公爵婚后 4 个月去世之后，为她找一个合适的丈夫比预想的要困难得多；她的第二任丈夫——萨克森-科堡的费尔南多王子，比利时国王的侄子——直到 1836 年才确定。更为严重的是，玛丽亚的支持者很快分裂成了两个对立的阵营：温和的“民权派”（维护 1826 年宪章）以及更为激进的“九月派”（他们寻求恢复 1822 年版本的宪章）。在玛丽亚和费尔南多婚后不久，九月派武力夺取了政权。民权派在 1837 年也进行了类似的尝试，5 年后终于获得成功。但是，1846 年，葡萄牙又爆发了另一场革命，最终导致了英国与西班牙在随后一年采取了联合干预行动。

罗斯柴尔德家族以复杂的心情看着葡萄牙内战的逐步发展，不愿错过每笔利润丰厚的生意，但是又担心冲突可能会升级。到 1832 年的时候，詹姆斯开始试探性地参与西班牙金融家胡安 · 阿尔瓦雷斯 · 门迪萨瓦尔的业务活动，后者于 1831 年在巴黎为佩德罗发行了 200 万英镑的债券。这是一项豪赌，尽管英国和法国间接地支持佩德罗，但是奥地利对米格尔的支持仍不能视而不见。此外，米格尔同年在巴黎筹集了 4 000 万法郎的资金。这也是为何詹姆斯从一开始就对葡萄牙持悲观态度的原因。他认为，只有英国和法国提供担保，提供给葡萄牙的贷款“才是一桩好生意”，但是这一点英国首相巴麦尊拒绝提供。因此，可以合理地得出结论称，当詹姆斯与内森在 1835 年为重新上台的玛丽亚二世政府发行 400 万英镑的贷款债券时，他们很清楚地意识到，他们所交易的是今天被称做“垃圾债券”的东西。因为，即便佩德罗去世以及米格尔流亡，葡萄牙为这些债券支付利息的可能性仍然非常低。因此，詹姆斯认为那些买他债券的人，用客气一些的话说，太过幼稚。“我们有如此多的傻瓜一直在购买这种垃圾债券。”他在 4 月初直率地向内森汇报说。3% 利率的债券——罗斯柴尔德兄弟发行价格为 67.5 点——短期内出现了猛烈上涨的势头，但是几个月后，随着里斯本的持续政治动荡继续，债券的价格也一路暴跌。不到一年，它们跌到了 55 点；到 1839 年，它们的价格只剩下了 25 点。詹姆斯后来解释了罗斯柴尔德家族参与其中的原因：这类债券“是我们唯一可以下注和投机的东西，我们能从法国公债里得到什么？什么也得不到。因此，全世界现在都在投机这种‘垃圾’。人们可以在这些东西上赌一把，但绝不能持有它们。”换句话说，对于长期投资者来说，这些高回报的债券从没有被看做一项资产。它们只是投机的目标。

售卖“垃圾债券”的麻烦在于，一些幼稚的投资者或不幸的投机者，在利息停止支付的时候，不可避免地持有债券，他们自然会对最初的卖出者心怀怨恨。为了维持自己的名声，以便在将来发行更多的债券，罗斯柴尔德家族必须要保证葡萄牙继续履行支付利息的义务。早在 1835 年 3 月，詹姆斯焦虑地建议，在利息到期前两个月，罗斯柴尔德家族“应该派某个人去里斯本，向葡萄牙政府提供协助。我们过深地卷入了这件事，因此不得不向这些人提供协助。”到 5 月的时候，形势变得很明显，即便更换了财政部长，也缺少足够的现金支付当年到期的利息。“我想我们必须支付利息了。”詹姆斯沮丧地得出结论说。但是这么做的另一个不利之处在于，债券持有人会“习惯地认为你总会伸出援助之手，最终你将无法脱身”。

但是后来，内森计划再发行 100 万英镑债券的计划遭到了葡萄牙的拒绝，因为戈尔德施密特银行提供了更好的条件，从而引发了罗斯柴尔德家族在伦敦和巴黎报复性的抛售行为。“我们没有必要再托市了，因为其他人涉足了葡萄牙的事务。”列昂内尔在法兰克福他父亲的病床前写信说，“我们可以进出市场赚取利润，只需要考虑我们自己的优势。”詹姆斯对于里斯本政府的行为，也表示赞同列昂内尔的观点：“可怜的葡萄牙首相想要毁灭自己的信用，从而使任何人都无法确定地告诉全世界利息能否得到支付，此举似乎告诉人们，他想要推倒一切。”“你们葡萄牙人简直让我发疯，”詹姆斯于1836年12月在伦敦写信说，“在这之前，我从未遇到过如此让我不安的事情。这些人简直就是地球上的渣滓。”此时的唯一目的就是“说服公众相信这些人已经下定决心要摧毁信誉，而我们正在做一切可能的事情来阻止这样的情形发生”。“我们必须尽可能快地脱离这些麻烦，”詹姆斯一天后重申，“因为这里与我们交易的所有人全部品行不端，还有一个投机自己国家灭亡的首相。”

当同样的问题在1837年出现时，列昂内尔没有别的选择，只能再次拯救葡萄牙政府：毕竟，利息到期的债券仍然是罗斯柴尔德家族两年前发行的。詹姆斯也找不到其他可替换的方法，只能提供另一笔短期贷款，尤其是此时，罗斯柴尔德家族的老朋友萨克森–科堡家族通过费尔南多与玛丽亚的婚礼参与到了葡萄牙的事务中。1837年的策略是，向葡萄牙提供最后一笔现金，“以阻止一笔罗斯柴尔德贷款将不支付利息的传闻”，然后撤出。即便这样的减少损害的尝试也能奏效，最终导致了罗斯柴尔德家族与葡萄牙政府陷入了长久而且十分尴尬的法律争论。列昂内尔试图弄清楚所发生的一切：葡萄牙政府债券可能是从75点跌到了25点，但是“我们的名声仍然未受影响”。他的叔叔对此并不赞同，“我不希望在这种垃圾上再投机一分钱”可能是他对葡萄牙事务的最后评价。随后试图让罗斯柴尔德家族参与这个国家金融事务的尝试均遭到了拒绝。他们的竞争对手也没有忘记他们所遭遇的失败。当巴林兄弟在1846年收到提供贷款的请求时，一个合伙人表示强烈反对，因为“葡萄牙的信用遭到了犹太人和投机者糟糕管理的玷污……”

西班牙政治上与葡萄牙相差不大，尽管经济上的抗击打能力比葡萄牙要强。它发生冲突的源头也是因为王位争夺：《萨利克法典》（倾向于采用男性继承人优先原则）是不是适合西班牙，按照这一法令，费尔南多七世的弟弟卡洛斯将是他的合法继承人，或是将王位传给他唯一的孩子——1830年才出生的伊莎贝拉。从技术上讲，伊莎贝拉显得更正统一些：尽管《萨利克法典》自1713年就已引入，但是它曾被卡洛斯四世在1789年国事诏书中废止过，尽管是秘密进行的；而且费尔南多在他女儿出生前5个月将这一事实予以公开，相当于是先一步下手。另一方面，当他于1832年患病时，形势变得很明显，他的弟弟卡洛斯已经拥有足够的权势来挑战伊莎贝拉，并迫使她的母亲玛丽亚·克里斯蒂娜暂时撤销了国事诏书。费尔南多出乎意料的康复迫使卡洛斯逃亡到葡萄牙，但是内战此时已经或多或少地难以避免了。费尔南多最终在

1833年9月去世的时候，卡洛斯表示他无意承认玛丽亚·克里斯蒂娜的摄政地位，并在10个月后返回西班牙，动员他的支持者（争夺王位）。如葡萄牙一样，西班牙王权之争带有意识形态的意义：卡洛斯是西班牙的米格尔，反动的“邪恶叔叔”；而他的嫂子克里斯蒂娜与“温和的”自由派站到一起，如马丁内斯·德·拉·罗萨，继而获得了更“激进”的民主党人的支持，后者希望恢复1820年革命的成果。内战同时也有地域上的划分：卡洛斯阵营在纳瓦拉地区的乡村以及巴斯克省实力强劲，伊莎贝拉倚仗的则是马德里的官僚和西班牙主要商业中心的金融家们。

向年轻的女王提供财政支持有4个原因，与葡萄牙的情形类似，可以通过向那些厌倦了越来越容易预测前景的英国和法国公债的投资者出售新的高回报债券来获得短期利润；但是，这些债券对于卡洛斯来说，要发行也是一样容易。支持伊莎贝拉的部分原因是出于外交考虑：1834年英国、葡萄牙、西班牙和（后来的）法国达成的四国同盟协议似乎发出了模糊不清的信号：传统上对这个半岛拥有最大影响的两个国家将支持伊莎贝拉。但是，更为重要的是，西班牙（与葡萄牙不同）拥有一种难以抵制其诱惑的资产，它对于罗斯柴尔德家族来说，足够作为提供贷款的抵押品：绵延阿尔马登到雷阿尔城西部的汞矿，这是当时世界两种主要贵金属的一种。在300多年的时间里，这些金矿在国际货币体系中扮演了重要角色，因为拉丁美洲用汞（或“水银”，罗斯柴尔德家族更乐意这样称呼它）来提炼银和黄金。这使得水银本身对于银行家产生了巨大的吸引力。关键的一点是，西班牙政府传统上都是将采矿以及出售水银的权利出售给私人公司，最典型的事例就是在16世纪将它们抵押给了奥格斯堡银行家富格尔家族。具有决定性意义的是，这些金矿在内战的大部分时间里都控制在伊莎贝拉阵营的手里。最后，尽管西班牙在美洲的殖民地大大收缩，但是它仍然与其余的殖民地保持着利润丰厚的商业联系，最著名的就是古巴和菲律宾：前者尤其吸引罗斯柴尔德家族，因为它对于烟草贸易相当重要。

另一方面，涉及西班牙的任何金融活动都会伴随着3个难题。第一个也是最明显的一个，这个国家长期看不到明确结果的内战引发了外界的困惑。直到1839年——费尔南多死后6年——卡洛斯一派才最终被打败。在这期间，马德里的政府不停地变换，温和派和改革派争夺着对政府的控制权，后者要求建立一个更为开明的君主立宪体制，并且反对教会控制，这超出了玛丽亚·克里斯蒂娜当初的设想。而随着军队高级将领影响力的日益增加，局势变得更为复杂，实际上，正是这些人当中的巴尔多梅罗·埃斯帕特罗将军在改革派的支持下，在玛丽亚获得胜利后仅过了一年，就迫使她放弃了摄政。埃斯帕特罗1843年遭到放逐，一年后其职位被他的对手——纳瓦埃斯将军取代，后者维持了温和派长达10年的掌权地位，直到另一次革命在1854年爆发。

第二个反对参与这个动荡国家金融活动的理由是19世纪20年代自由派政权发行的债券，以及所谓的“议会”债券，费尔南多国王在镇压了革命之后，拒绝继续履行偿付义务。1831年的一项法令正式将这些债券利息的支付“延期”40年，但是这对于买了这些债券的投资者来说，很难说是一个安慰；英国的西班牙债券持有人决心反对在伦敦股票交易所发行任何新的证券，直到他们能够获得更好的条件。事实将揭示，在人们对拒绝履行义务的印象仍然记忆犹新的时候，重建西班牙在国际上的信用是何等的困难。最后，所谓“北方王朝联盟”——奥地利、俄国与普鲁士——对卡洛斯阵营的支持被证明比他们给予米格尔的支持要强势很多。梅特涅即便不考虑采取直接的军事干预行动，仍然可以对西班牙的局势施加一定的外交压力。

鉴于这些原因，罗斯柴尔德家族一开始就不愿在西班牙单独行动。早在1830年12月，詹姆斯和内森就与租赁了阿尔马登矿山的公司建立一种“睡眠”合伙关系（每笔交易得到的回报是2.5%的佣金）。这被看做是进行更大规模参与而迈出的第一步。“当（西班牙）政府希望发行债券的时机到来时，”詹姆斯跟哥哥内森说，“你届时就能处于一个有利的位置，能够准确地知道顾客都是谁，每个人能卖给他们多少债券，你那时也会比较容易地就能提交债券发行总额的方案。”詹姆斯将西班牙的所有金融业务与一个巴黎银行家财团共同分享操作，该财团由西班牙人阿瓜多率领，这一举措后来被证明导致了许多问题。与财团联手为投机西班牙现有的证券提供了一定程度的掩护（当时议会债券仍然在交易，尽管价格仍在30点左右徘徊），不过，当罗斯柴尔德家族与西班牙政府要讨论新的生意时，这种分享制度也限制了他们的活动空间。到1833年夏季的时候，当一宗烟草大买卖空手而归时，列昂内尔已经发现与阿瓜多以及他的同伙签订的协议更多的是绊脚石，而不是帮手。

围绕是增加还是减少参与西班牙业务的争论给罗斯柴尔德家族的和睦带来了严峻的考验，这是他们在1848年之前从未遇到过的一个紧张局面；实际上，可以不夸张地说，这威胁到了五家分行的合伙关系。内森显然希望在西班牙金融领域里扮演更大的也更独立的角色，他的这一立场得到了侄子安塞尔姆的支持，列昂内尔勉强表示支持。詹姆斯仍然犹豫不决，有时看到的都是优势，接下来的一天却又只看到风险：“能够从这个国家赚很多钱，但另一方面，我们可能会损失太多的名声”——这是詹姆斯在19世纪30年代不停重复的态度。“亲爱的父亲，您知道他（詹姆斯）是怎么样的一个人，”列昂内尔不耐烦地跟父亲说，“前一分钟他支持生意，后一分钟又表示反对。”与儿子安塞尔姆的立场不同，萨洛蒙总体上反对直接，或准确一点说，公开参与西班牙的业务，这主要是因为他受到了梅特涅施加给他的压力。但是，他也犹豫不决，“读到萨洛蒙叔叔的信真是太好了，”列昂内尔于1834年3月用讽刺的语调敦促父亲，“第一封信表示支持西班牙的业务，第二封表示反对，第三封又表示支持。”

内森最开始的策略是确保在旧议会债券上获得一些协议，作为发行新西班牙债券的铺垫。但是，罗斯柴尔德接触的所有西班牙谈判对象对这一问题都采取了谨慎回避的态度。经过无比艰难和冗长的谈判后，内森决定无视梅特涅、奥地利大使奥波尼、俄国大使波佐以及不少于 3 位法国大臣的警告，所有这些人都强烈建议罗斯柴尔德家族避开西班牙。尽管詹姆斯和列昂内尔保留态度，仍然希望继续联合巴黎财团并匿名参与西班牙事务，但是内森还是在 4 月 18 日单方面决定提议向西班牙政府提供 1 500 万法郎的资助，用来支付没有延期债券 6 月底到期的利息。他并没有获得马德里坚定的重新估价议会债券的保证，只得到了一个空头承诺：议会召开时将讨论重新估价的事。而且，6 月 7 日，他和西班牙大使以及圣 · 费尔南多银行的一名代表在巴黎签署协议时，他也没有收到贷款的任何抵押品。支持卡洛斯一派的威灵顿公爵嘲讽地评价说，罗斯柴尔德家族此时确实“上了贼船”，而且就如梅特涅和其他的人所预测的那样，“贼船”几乎立刻开始下沉。鉴于西班牙臭名昭著的不履行义务的记录，内森决定介入西班牙金融业务遭到嘲讽并不让人感到奇怪。两幅漫画将他描绘成“精明的蛋糕贩” （前面一个词是利用同音词），内森站在他标志性的柱子旁边，兜售印着“贷款”的“蛋糕”（见图 1–1 与图 1–2）。“谁要一块？”第一幅漫画上写着这样的说明，“全部是热的！全部是热的！注意别烫着你的手指，（别处的）蛋糕有很多，但没有一个像我这样的。”他的口袋里露出一张写有“西班牙”字样的票据。第二幅漫画显示，这个“蛋糕贩”提着货摊，已经卖完了蛋糕。“那个蛋糕卖得很好——我希望它很合顾客的胃口——我会再做一个。”

图 1–1 佚名，第一幅，《伦敦政治——精明的蛋糕贩：谁要一块？》（1834 年或 1835 年）

资料来源：鲁本斯，《漫画中的罗斯柴尔德家族》，第 15 插图页。

不难看出内森这样做的原因。他可能（与安塞尔姆一起）受到了四国同盟声明的影响，认为内战的危险即将过去，尽管这方面巴麦尊政府并没有给出任何正式的指示；恰恰相反，巴麦尊在马德里的心腹查尔斯 · 维利尔斯愤怒地指责内森“以不是非常有利的条件”为西班牙政府“服务”。内森此举最可能的解释是，他希望优先获得竞争对手托马斯·威尔逊或阿瓜多正在竞标的生意，并将自己（或詹姆斯）塑造为玛丽亚·克里斯蒂娜的“御用银行家”。他预计，西班牙议会召开后，将会筹集一笔巨额贷款并转换之前的债券。内森已经准备了一个计划，用来转换旧的议会债券，他可能也希望从中获得短期的投机利润，认为罗斯柴尔德预支现款的声明将提升债券的价格。一个（很明显怀有敌意的）奥地利外交官回忆内森当时说的话：“我必须拿到这笔贷款（债券）的发行权，如果我拿不到的话，别人就会拿到。”不管他的动机是什么，提供现款的举动并非一个鲁莽的决定。如詹姆斯、列昂内尔和安塞尔姆预测的那样，其他法兰西银行家迅速起诉了詹姆斯，理由就是内森的举动违反了他们与财团签订的协议。詹姆斯后来与阿瓜多签订了一份新协议，承诺提供将来贷款中的一个份额给后者，他才避免在法庭上遭到代价沉重的失败。西班牙政府将延期债券的问题提交到新议会的承诺也未能让伦敦股票交易所委员会感到满意。在巴黎，市场同样没有被内森的举动所说服：西班牙债券价格在6月下旬急速下挫。更糟糕的是，1 500万法郎刚支付给西班牙政府，它的财政大臣就换了人，而且这位大臣一个月后就背弃了与内森签订的协议，声称罗斯柴尔德家族本来承诺提供3 000万法郎的贷款；这种情形，内森之前也曾收到过警告。

图1–2 佚名，第二幅，《伦敦政治——精明的蛋糕贩。那个蛋糕卖得很好》（1834年或1835年）

资料来源：鲁本斯，《漫画中的罗斯柴尔德家族》，第15插图页。

这位名为托雷诺的财政大臣为何成了“敌人”（詹姆斯语），原因并不确定。他可能是迫于国内压力，与阿杜安等西班牙银行家达成了交易，后者向他提供了一笔400万英镑的替代方案；更为重要的是，托雷诺打算大规模“削减”西班牙公共债务的规模——债券转换将使得西班牙债券的面值减少75%——此举被罗斯柴尔德家族认为是“宣布破产”。雪上加霜的是，托雷诺的上台恰逢卡洛斯回归西班牙以及在马德里爆发了霍乱疫情。此外，奥地利驻法大使奥波尼发出可怕的警告，一旦法国干预反对卡洛斯，将会引发严重的后果。在这一系列因素的影响下，西班牙债券价格暴跌，巴黎股票交易所出现了自杀和死亡威胁的情形。尽管罗斯柴尔德家族也加入了抛售大军，但是亦不能冒险对托雷多发起全面的金融“战争”，因为这次挫折中的首要事项是尽可能多地拿回内森提供给西班牙政府的1 500万法郎；如果只是以“这些不断发臭的（债券）来作为抵偿，那么他将会破产”。如詹姆斯所说，这是“一个糟糕的乱局”，它反映出金融力量面对一个不惧怕国际债券市场的政府显现出致命的弱点。“我们希望你宣告的就是，我们可以拿回我们的钱，我不会再向你们索要任何东西。”詹姆斯哀求西班牙代表。“我们的委任期现在已经结束了，”后者回答说，“我已经接到了召回的命令。”绝望中詹姆斯向西班牙大使、向法国政府以及托雷多本人发出了呼吁。“我亲爱的内森，”他坦白说，指出了罗斯柴尔德家族的致命弱点，“我们没有任何军队可以迫使政府做它不愿意做的事。”

自始至终，罗斯柴尔德对于西班牙事务都缺乏第一手的认识，这让他们吃了大亏：在这之前，没有一个人去过马德里；直到这年7月，才设了一名全权雇员。这也是1834年8月决定派列昂内尔（由律师阿道夫·克雷米厄陪同）前往马德里的原因，他们希望他与托雷多进行面对面的协商，竭力达成一些协议。英国驻西班牙大使对列昂内尔的谈判技巧印象深刻，但是，罗斯柴尔德家族的通信显示，托雷多说服了列昂内尔，使其相信再次向西班牙提供一笔巨额贷款是避免破产以及出现一个共和党政府的唯一途径。这一提议，只有安塞尔姆一个人表示赞同。詹姆斯和内森此时只关心如何拿回提供给托雷多前任的钱。1835年1月，他们不情愿地同意用之前的1 500万法郎入股阿杜安将要发行的新一批债券。萨洛蒙后来估计，他们在西班牙合约上损失了160万法郎。

不过，列昂内尔的谈判也获得了一个成果，这被证明是托雷多作出的一个重要让步：在列昂内尔停留马德里期间，阿尔马登汞矿的合约到期，准备重新签订。上文提到，罗斯柴尔德家族已经涉足这些矿产的业务，他们在1834年已经开始考虑加强对西班牙汞市场的控制。实际上，列昂内尔已明确表示，希望以汞矿作为已经提供给西班牙的1 500万法郎的抵押品。他此时击败了四家其他公司，获得了新的合约——主要是通过贿赂托雷多和女王，并以高出对手最高报价5%的价格（并不是通过密封投标）确保了合约。第二年，合约以这样的方式重新签订，这对于罗斯柴尔德家族来说获利颇丰。根据罗斯柴尔德家族自己的估算，1835年协议签订时，汞矿每年出产1.6万~1.8万英担水银。按照1835年合约的规定，他们付给西班牙政府的费用（每英担54.5比塞塔或2.18英镑）比之前合约高了很多（37比塞塔）；但是他们在伦敦卖出水银的价格是每英担76~80比塞塔，卖给墨西哥白银炼制厂的价格可高达150比塞塔。按照英镑来计算，汞矿每年的利润至少为1.3万英镑，而且如果矿山产量增加、价格不跌，利润还有增长的可能。当产量在1838年出现增长时，罗斯柴尔德家族每年从汞矿中的收入增加到了3.2万英镑，尽管这个水平的产出被证明是难以持久的。这年，罗斯柴尔德家族净利润总额中，超过13%的份额来自矿山收入——至少占伦敦分行利润的38%（尽管一半的收入要与巴黎分行对分）。到19世纪40年代，詹姆斯希望从阿尔马登获得的收入占家族总利润的20%。

获取矿山的经营权也标志着罗斯柴尔德家族的经营策略发生了重要的转变。从这个时候起，他们不再以实际上一文不值的纸质证券作为抵押，为西班牙政府发行债券，而是提供预付期限相对较短的资金，抵消他们经营阿尔马登所需缴纳的税款。后来，类似的预付款所采用的抵押品是来自古巴的铜和烟草。商品因此也成为向动荡国家提供贷款的最好的一种抵押品。海涅在一首谐趣诗中开玩笑说，门迪萨瓦尔（他在1835年成为财政大臣）典当了一条古董珍珠项链"以填补国家财政的赤字"，这些珍珠自然会在"蒂伊尔里……萨洛蒙男爵夫人的脖子上闪烁"。

当然，西班牙政府本来希望汞矿的交易能够诱惑罗斯柴尔德家族提供大规模的贷款。但是，在这方面，他们无疑相当失望。诚然，到1835年春天的时候，随着阿杜安的贷款获得胜利，詹姆斯对西班牙更加有信心。但是，这种信心并没有持续多久，因为卡洛斯阵营似乎占了上风。此时关键的问题是，是否有别国进行干预，从而决定内战的结果。这种可能性一直存在：法国10年前就曾干预过西班牙战争，而且1830年革命后，一次远征计划也未得以实施。四国联盟似乎也计划以玛丽亚·克里斯蒂娜政权的名义采用英国的一些行动。但是内森在托雷多搞砸了他的财政计划后，才转而相信可能会发生国外军事干预的情形，列昂内尔也是如此。而被召集到伦敦商讨下一步对策的詹姆斯，再一次出现了犹豫不决的情形。19世纪30年代早期的经历，使他对法国鹰派政客产生了严重的怀疑，他更倾向于支持路易·菲利普的和平倾向政策，而不是梯也尔的干预政策。另一方面，他发现在西班牙事务上，很难反对哥哥内森的立场，逐渐地同意支持干预政策。而他们的兄弟萨洛蒙此前一直对参与西班牙业务持怀疑态度，此时则竭力反对内森的干预观点，在他写给梅特涅的信中，他竭力将自己与其他兄弟的举动分离开来。

梅特涅通过奥地利驻伦敦代办胡梅劳尔，对内森的行动了解得一清二楚；另一个帮梅特涅搜集情报的是名为基希纳的高级官员，名义上协助内森履行领事职责。因此，梅特涅知道内森正在游说英国进行干预；实际上，内森似乎公开向奥地利大使艾什泰哈齐承认了这一点。萨洛蒙为了撇清自己与整件事的干系，写了一封极不寻常的信件，地址写的是给他在维也纳的高级秘书利奥波德·冯·威瑟姆斯泰因，但显然是写给梅特涅看的。信的开头就声称，托雷多被任命为财政大臣之后，西班牙的债券价格出现了崩溃，这引发了罗斯柴尔德家族对托雷多采取了"报复"行动，因为他给他们带来了巨额亏损。按照萨洛蒙在信中的说法，内森至少抛售了200万英镑的西班牙债券，毁坏了托雷多的信誉，这表明此时的罗斯柴尔德家族已经是“西班牙坚定的敌人”。他的举措还不止这些，他和詹姆斯还接连见了塔列朗、基佐、布罗伊和路易·菲利普，声称“如果法国采取干预行动，那么法国的信用将毁坏殆尽，也将会面临第二次和第三次革命”。罗斯柴尔德家族不会向西班牙再提供“一分钱”。似乎为了让梅特涅相信自己的忠诚，萨洛蒙的信件末尾数落了内森。“我的弟弟内森·迈耶，”他写道，

在支票业务以及价格走向方面是个行家，但对于其他事情却没有什么过人之处……他在政治方面还是个小孩子……认为各国乐于看到干预……在其他与股票交易所无关的事务上，他尤其愚钝；他在自己的办公室里，无人能敌，但一离开那里，他连自己的名字都拼不全。但是，我的这个弟弟如此憎恶西班牙，他几乎难以控制住自己的情绪，就像我们一样；尤其是他意识到，自己是在没有征求任何一个合伙人的情况下，就向西班牙提供了1 500万法郎的贷款。

这还没完。萨洛蒙甚至暗示，内森的错误已经威胁到了几兄弟合伙关系的未来：

我自己还不知道我们几兄弟何时碰面；西班牙贷款是否会导致分裂，还有待观察。我已经60岁，在法兰克福的哥哥已经62岁；我只有两个孩子，如果我小心谨慎地活着，我靠自己资本的利息就够了；我很幸运地能够让我的儿子，还有我的贝蒂能和他们父亲一样富有。我并不是说要放弃生意，只是想能够安稳地入睡。西班牙事务完全扰乱了我的神经；这损失的并不是钱，即便1 500万法郎全部亏掉，我的份额也只有300万法郎；我们损失的是往日的快乐。现在，内森·迈耶·罗斯柴尔德有4个成年的儿子，卡尔有两个年纪小一点的儿子，因此，他们能够有更多的人手可供差遣。因为我的父亲如此希望我们保持团结，我们可能还会这样继续下去，但是我必须承认，这真让人筋疲力尽。

你的，

萨洛蒙·迈耶·德·罗斯柴尔德

另外，萨洛蒙还指责俄国大使波佐诽谤詹姆斯，这是因为前者被排除出奥地利一项利润丰厚的生意。这不是单纯的猜字游戏：罗斯柴尔德家族的私人信件显示，萨洛蒙对这件事的反应是何等强烈。以至于一直到1840年——卡洛斯已经被击败——詹姆斯仍然能够对侄子们说：

我们不能以我们自己的名义向西班牙提供贷款，除非得到英国和法国的担

保……但是我告诉你们，我不想做任何与它有关的事情……只有（英法）政府给我们提供必要的担保，从而使得我们可以给“北方国家”提供一个理由，否则，我可以告诉你们，亲爱的侄子们，我的哥哥萨洛蒙要做的一定是从生意中退出。

外界普遍认为，在这起事件上，梅特涅的政治权势压过了罗斯柴尔德的金融利益。由于掌握了高质量的情报，以及抓住了萨洛蒙急于给儿子和侄子寻求奥地利领事职位的心理，梅特涅似乎成功地阻止了英法联合担保提供给托雷多继任者门迪萨瓦尔的一笔贷款。与英国驻西班牙的大使一样，西班牙金融家门迪萨瓦尔认为罗斯柴尔德家族会支持这笔贷款的计划，不仅仅是因为他与詹姆斯之间的生意来往，两人在葡萄牙债券上也有过来往。但是内森——显然迫于萨洛蒙的压力——选择将英法计划透露给了维也纳，这或多或少地是故意让此计划破产，让门迪萨瓦尔孤立无援。实际上，他告诉巴麦尊，他对西班牙政府的偿付能力失去了信心。当英国外交大臣指出西班牙计划出售王室土地来筹集资金，内森以一种非常直接的方式给予了答复：“是的，貌似很及时，但是对 5 月的利息来说并不及时。这就好像我想在 7 点吃早饭，但是（却告诉我）一头小牛还在 1 英里外的地里养着。”与外交圈普遍认为的情形相反，他们并不渴望提供这样一笔获得担保的贷款，实际上，内森和詹姆斯一起逐步地退出了西班牙债券事务。

西班牙内战的决定性时刻与罗斯柴尔德家族在法兰克福的“峰会”以及内森的去世恰巧重合。最终，尽管法国政府由于支持玛丽亚 · 克里斯蒂娜而向罗斯柴尔德家族施加了压力，但他们仍然持续地抛售了西班牙债券；事实上，内森临终前给儿子们的指示就是抛出手中所有的西班牙债券。在他死后，这种清仓行动一直在继续，因此到 1837 年，罗斯柴尔德家族已基本退出西班牙债券市场。此时的西班牙首相是那个“非常令人讨厌的门迪萨瓦尔”，詹姆斯对他“从未信任过”；西班牙债券——此时交易价格只有 19 点——与“垃圾”无异。萨洛蒙在内森死后，如此迅速地确保了列昂内尔担任奥地利驻伦敦领事的职务，似乎也说明了梅特涅当时的影响力。

但是，尽管梅特涅似乎成为赢家，但罗斯柴尔德的私人信件却表明，如果法国和英国采取军事干预行动——而不是财政干预——罗斯柴尔德家族可能会立刻恢复向西班牙提供大规模的贷款。为了抛开门迪萨瓦尔，内森不只是屈从于来自维也纳的压力，也是出于自己利益的考虑；他相信，如果没有军事干预，提供给西班牙的任何贷款最终都会以失败收场：不管什么样的西班牙政府，此时都无力支付外债的利息，也无力承担更大规模的军费开销，以击败卡洛斯一派。尽管萨洛蒙向梅特涅说了那么多，但詹姆斯在 1836 年 3 月还是私下游说法国采取干预行动。在与路易·菲利普以及梯也尔一次无果而终的会晤之后，他对内森说：

> 如果我们能够如此幸运，我们（法国）决定干预（西班牙内战），这会给我们带来数十万英镑的生意，我们能够赚很多钱，因为我们届时可以冷静地交易汇票、水银和其他一切东西。但是不幸的是，我没有任何影响力，实际上没人有这样的影响力来左右国王……我希望上帝能够帮忙，让他们决定干预，你那时就可以想象这会带来多少生意。我（为支持干预）竭力游说，我的嘴几乎都起泡了。

当法国干预的可能性在 7 月再次浮现时，詹姆斯和列昂内尔也出现了短暂的狂喜，但最终被法国虚情假意的措施泼了一头冷水。1837 年春天，类似的故事又出现了一次，这次是梯也尔未能克服国王对干预的反对。而且，也不能认为罗斯柴尔德家族拒绝向门迪萨瓦尔提供全面的贷款，意味着他们完全退出西班牙金融业务。不久，以阿尔马登水银为抵押的预支贷款业务就得以恢复（尽管这与萨洛蒙向梅特涅所作的承诺相抵触），向西班牙政府提供了 10 万英镑。詹姆斯对西班牙从古巴获得的收入产生了越来越大的兴趣。1837 年 1 月，由门迪萨瓦尔参与的一些交易方案被提了出来，计划用古巴汇票回购议会债券。有趣的是，罗斯柴尔德家族——包括萨洛蒙——对这件事非常热心，当然前提是保密。他们在这个时期还继续支付西班牙驻巴黎大使的薪水，这一安排可以追溯到 1834 年。他们的底线就是不再发行债券。即便以古巴收入作为贷款抵押的想法得到认可之后，他们也没有对债券发行产生什么兴趣（尽管这种犹豫可能被 1837 年发生在古巴的美洲危机以及卡洛斯同一时期在西班牙得到的权势进一步加强）。

当然，不向西班牙政府作出一些让步，就很难继续控制利润丰厚的水银生意。在 1837 年 8 月，门迪萨瓦尔政府倒台后不久，罗斯柴尔德家族就面临着失去汞矿的危险，西班牙议会寻求重新签订阿尔马登合约，声称两年前的合约被不合理地修改了。马德里支持 1835 年合约的人则警告说，如果剥夺罗斯柴尔德家族对于阿尔马登矿山的经营权，他们可能会倒向卡洛斯，“他们是欧洲的货币王朝，是平衡大国的新杠杆，他们可以通过提供大规模的资助，把冒充者推上台”。但是，罗斯柴尔德家族也只有在同意以水银以及古巴汇票作为抵押，提供更多贷款的基础上，他们才能继续保留合约；而且他们越来越多地允许他们的代理人威斯维勒在处理这些预付款项时拥有较大的自由度，甚至对他与女王所在州的州长曼努埃尔·加维里亚建立了合伙关系都睁一眼闭一眼。在威胁到他们对阿尔马登控制权的所有危险中，最大的一个可能来自银行家阿瓜多，他在埃斯帕特罗政府上台前提出提供更大一笔贷款的意向，而他的目的就是要挑战罗斯柴尔德家族对阿尔马登的垄断。新任财政大臣亚历杭德罗·蒙尽一切可能让詹姆斯相信，如果不提供500万英镑的贷款，罗斯柴尔德家族将会失去矿山。但是被梅特涅卡住脖子的萨洛蒙对参与这类贷款仍然持反对意见，除非通过诸如圣·费尔南多银行这样的“代理”机构进行；詹姆斯则对其中涉及的经济风险保持戒心（不仅仅是因为卡洛斯一派在1838年4月短暂地占领了阿尔马登）。再一次，罗斯柴尔德家族通过提供预支款继续掌控着矿山，预支数额在20万~40万英镑之间波动。1839年，随着卡洛斯一派的势力基本消亡，围绕贷款的谈判再次出现，但是罗斯柴尔德家族仍然不愿参与其中，而是对建立某种烟草垄断权更感兴趣。如詹姆斯精明地预测，卡洛斯的失败只是解开了温和派的手脚，使得他们能够起来反对埃斯帕特罗政府，从而用另一种形式的政治动荡代替前一个动荡。

这种策略的代价——向西班牙政府提供了与债券发行同样多的钱，甚至更多——就是让奥地利政府大为恼火。尽管他们尽了最大的努力，罗斯柴尔德家族还是对梅特涅隐瞒自己的行动（也就是在这个时候，他们开始意识到基希纳是一个密探）。但是后果并不严重：就连詹姆斯对列昂内尔可能会失去奥地利领事头衔的担心都被证明是多虑了。在19世纪40年代早期发生的一系列革命、政变和军事革命中，罗斯柴尔德家族的政策始终没变：继续掌控阿尔马登（尽管利润已经没那么丰厚），扩大对于古巴和菲律宾贸易的参与程度，但绝不碰债券发行。政治上，他们仍然保持了骑墙派的角色：他们显然仍充当着玛丽亚·克里斯蒂娜的银行家，即便她被埃斯帕特罗推翻之后也是如此；但同时又让威斯维勒继续为埃斯帕特罗以及他的继任者纳瓦埃斯提供优先服务。这被证明是协调伦敦、巴黎和维也纳三家分行尖锐冲突的唯一途径。他们在1843年与西班牙政府签订的一项进口1 200万支哈瓦那雪茄的协议，可以被看做是罗斯柴尔德家族伸出的橄榄枝，目的是让梅特涅接受这种与西班牙以及它的殖民地之间的生意。

19世纪40年代中期，一个十分不同的外交困境浮现，当时各国开始围绕伊莎贝拉女王的婚事展开了争论。法国人希望她嫁给可能患病的（而且他们希望，没有权能的）表兄弗朗西斯科·德·阿西斯，她的妹妹嫁给路易·菲利普的一个儿子蒙庞西耶公爵；英国首相巴麦尊认为，法国的做法有一天或许会让路易·菲利普的孙子登上西班牙的王位，他更倾向于科堡家族；而梅特涅则希望伊莎贝拉与卡洛斯儿子蒙特莫林联姻，象征性地弥合王位争夺造成的伤口。当然，与以往一样，各国的计划中包含了经济因素，法国与英国寻求与西班牙达成贸易协议，同时还有一直在讨论的国际担保贷款问题，以及英国债券持有人希望获得未支付利息的问题。这件事在当时成为一个热点话题，在马德里流传的怪诞传闻中就包括：詹姆斯拒绝借钱给西班牙，除非伊莎贝拉生出一个儿子，解决了王位继承问题后再谈。但是，罗斯柴尔德家族在这些事务中只不过是一群不情愿的看客，偶尔充当信使的角色：女王的婚事只坚定了他们放弃西班牙债券的决心。当基佐和他在马德里的大使将詹姆斯拒绝向纳瓦埃斯和蒙提供贷款的举动解释为他对法国的婚姻计划没有信心时，他们没有意识到这其实只是罗斯柴尔德10年前便已确定的一个政策。再一次，大国间的利益冲突威胁到罗斯柴尔德家族的利益；但是这次中立的地位更容易维持，因为女王所有可能的配偶对于罗斯柴尔德家族对阿尔马登的垄断不会带来威胁。控制汞矿继续成为罗斯柴尔德家族西班牙政策的唯一目标。他们后来还涉足矿物冶炼（以及再后来的精炼），但这也不是他们跳离“纯”金融和商业的最后一步。

即便对阿尔马登的控制也不是无条件的。恰恰相反，1847年合约重新签订时，罗斯柴尔德家族对于西班牙政府提出的条件毫无兴趣，进而开始考虑撤出西班牙。这部分地反映了他们对于世界水银市场的评估。列昂内尔·戴维森在1845年证实墨西哥蕴藏着大量的水银，进而使得在世界其他的地方开采水银变得可能。（罗斯柴尔德家族为水银的垄断权支付的成本已经由最初的每英担54.5比塞塔涨到了1850年的每英担70比塞塔，而随着新的汞矿的发现，水银在国际上的价格开始滑落。）对水银需求的下降，尤其是1847年不景气的经济状况下更是如此，罗斯柴尔德家族希望西班牙政府给予更好的条件也合情合理。对于一直在财政匮乏中挣扎的西班牙政府，它的面前只有两个选择：要么从矿产收入中攫取最大的回报，要么确保将来的现金资助。选择了前者之后，当选财政大臣相当于关上了讨价还价的大门。结果是僵持不下，西班牙政府希望得到60万英镑预付金的要求遭到断然拒绝，因为汞矿合约的条件难以让罗斯柴尔德家族满意。正如詹姆斯所说的那样，“如果能得到20%的利润，那么我就会接受这笔交易，而现在我们只能获得微不足道的利润……我认为这笔交易不会给我们带来大笔的财富，我们为何要在这样的时机将我们的钱投在这类高风险的项目上？”到这个时候，我们将会看到，詹姆斯已经发现了更具赢利潜力的机会。

“被诅咒的国家”：美国

罗斯柴尔德家族在西班牙的投资，不仅让他们与古巴、菲律宾和墨西哥建立了新的联系；而且也让他们在大西洋彼岸的一个新兴国家美国建立了一个永久性代理机构，不过后者更多的是出于偶然。但是，尽管美国在1820年之后呈现出的经济增长潜力以及发展的迅猛势头，它——可以说从一开始——就是罗斯柴尔德从未遇到过的一个挑战。

其中的原因，此前没人解释过。当然，美国的商业文化在许多方面与欧洲存在着巨大的差异——“非常特别”是纽考特曾经用过的一个词，狄更斯在他的小说《马丁·霍述伟》中对这一观点也表示赞同。但同样可以很容易地说，美国不过是更有特色的巴西而已，罗斯柴尔德家族与后者建立了非常牢固的关系。外界普遍认为，在罗斯柴尔德家族出现在美国之前，这里的市场已经被巴林兄弟所占据，而且后来美国本土的银行家也迎头赶上，比如摩根大通，他们最终不仅削弱了罗斯柴尔德在美国的地位，而且也动摇了它在世界范围内的地位。但这点也很难说得通：罗斯柴尔德家族在19世纪通过无数个事例告诉我们，只要他们看中的生意，他们总是能够将最强劲的对手赶出局。他们为何在美国没有做到这点，需要一个更好的解释。

实际上，部分答案可能源自美国民主的独特性。我们已经看到，罗斯柴尔德家族通常将公共财政作为首要业务，他们在一个国家进行商务活动时，几乎都会借钱给当地政府。但是，这一做法在美国被证明很难行得通。美国的联邦制意味着中央政府财政方面的需求受到了严格限制，其中一些州被证明是19世纪最不可靠的债务人。另外，也是最大的一个障碍，是美国人对于大银行的不信任。罗斯柴尔德家族总体上喜欢在当地找到一个可靠的合伙人来负责他们的国际业务，这个合伙人通常是类似于英格兰银行或法兰西银行的国立银行或中央银行。在西班牙，这个角色由圣·费尔南多银行扮演。但是在美国，从政治上来说，要在一个牢固的基础上建立这样一个机构几乎不可能。第一家美国银行由亚历山大·汉密尔顿于1791年创立，但20年后即关门大吉，因为共和党控制的国会拒绝给它发放执照，理由则是它违反了宪法。第二家美国银行成立于1816年，注册资金为2 500万美元，但是很不幸，它成为一场政治风暴的攻击焦点，被认为是导致持续数年通货膨胀的罪魁祸首。尽管它熬过了马里兰州提出的一项法律挑战，但是这家建立在费城的银行还是成为平民主义总统安德鲁·杰克逊的受害者，杰克逊在与对手亨利·克莱竞选的过程中，通过攻击“野兽（美国银行）”确立了自己的优势。当美国银行总裁尼古拉斯·比德尔于1832年申请更新执照时，遭到了杰克逊的断然拒绝，后者还发誓说：“这家银行试图杀死我，但是我会消灭它。”尽管比德尔试图制造金融恐慌来实施报复，但“老山核桃”——杰克逊的绰号——还是成功地对美国银行下了手，该行在1836年失去了联邦银行的地位，只是作为一个州立银行继续存在于宾夕法尼亚州。此外，我们也将看到，罗斯柴尔德家族的本能驱使他们希望与美国银行合作，但是杰克逊的攻击给这个银行的地位带来了致命打击。而且，美国对于大银行心存疑虑，对外国银行，尤其是犹太人银行同样如此。当罗斯柴尔德家族在美国亮相后不久，密西西比州州长麦克纳特就宣称“罗斯柴尔德男爵的血管里流着犹大和夏洛克（莎士比亚剧作中放高利贷的犹太人）

的血，他……身上集中了这两个人的阴暗面”。

罗斯柴尔德与美国最早的业务往来可以追溯到19世纪30年代初，当时他们抓住了一个机会，安排了一笔数量为100万英镑的资金由法国支付给美国财政部。这次行动也使得他们取代了巴林兄弟成为美国联邦政府在伦敦的代理机构。与此同时，内森和詹姆斯也第一次对美国州政府债券和商业金融产生了兴趣。美国对欧洲的棉花与烟草出口飞速增长，到19世纪30年代中期，伦敦和巴黎分行已经处理了大量由这些贸易带来的票据生意，向许多美国银行家预支了大量款项。在1836~1837年的美国金融危机中，两家著名美国银行以及其他与罗斯柴尔德家族有生意来往的银行均陷入了极为艰难的境地，也正是在这个时候，罗斯柴尔德家族被迫对自己在美国的将来作出决定，最重要的是他们以何种方式在美国存在。

奥古斯特 · 贝尔蒙特作为罗斯柴尔德家族在纽约的代理人完全是出于偶然。贝尔蒙特15岁的时候作为学徒加入了法兰克福分行，随后其职位不断提升；他每天早上5点起床，不断地提高自己的法语、英语以及算术水平。到1834年，他以一个合伙人秘书的身份访问了巴黎、那不勒斯和罗马；1837年，罗斯柴尔德家族决定派他前往大西洋彼岸。但是，与《犹太人消息报》的报道相反的是，派遣贝尔蒙特的动机并不是要他充当罗斯柴尔德银行在巴黎的代理人，他接到的命令是去那里评估金融危机的情况——让“我们知道那里正在发生些什么，使我们能够采取相应的对策”——然后再转道前往哈瓦那。在詹姆斯眼里，这个事先设定的行程表明，罗斯柴尔德家族在古巴的利益才是重中之重：如詹姆斯所说的那样，除了已经在那里投入的10万英镑，“西班牙所有的收入也来自那片土地，这是利润最为丰厚的商业冒险之一。”与此形成对比的是，到1837年4月底，他和他的侄子们竭力将他们在美国的投资减少到了9 000英镑，而且詹姆斯准备将这些剩余的投资当做“投资损失”来对待。但是，在纽约设立罗斯柴尔德分行的可能性并没有完全被排除在计划外，因为詹姆斯意识到美国市场的潜力，并且相信银行业危机留下的“废墟”中存在不少获利的机会，但是他显然认为这样一个工作远远超出了贝尔蒙特的能力范围。他的旅程被安排得非常短暂，甚至连接管哈瓦那办公室的问题都没有提及。詹姆斯真正希望的是让罗斯柴尔德家族的一个成员前往美国。

但是，派谁去呢？围绕这一问题发生的争执，反映了在这之后数十年一直折磨罗斯柴尔德家族美国政策的一个基本难题：没人希望去那里——詹姆斯劝说侄子们接受这个任务，但一次次无功而返。詹姆斯声称，安东尼“很久之前就表示，他希望去美国，很乐意抓住这次机会”：

> 我强烈地敦促他立刻付诸行动，一刻都不要延误。我们在那个国家以及哈瓦那存在太多利益了，我们当中的某一个人应该立刻动身去那里。但是，我认为，我亲爱的安塞尔姆，你不应该去那里。应该让安东尼去那里。我知道这不会是一个惬意的旅程，但是生意必须要做，但是你，我亲爱的安塞尔姆，你不能去那里。第一，因为我的哥哥阿姆谢尔在今年夏天可能不会与我的弟弟卡尔一起留在法兰克福，后者也想去大西洋那边……第二，你是一个已婚的人，而安东尼是个单身汉，我找不到不让他去美国而让你去的理由。而且，我这里没有一个懂英语的人……我认为在美国我们能够赚到很多钱。在伦敦售卖的美国基金在美国那里几乎一文不值，因为没有一家银行在那里拥有信用度……所以我们能够获取非常丰厚的利润。一旦你到了美国，你就可以把贝尔蒙特先派去哈瓦那……简而言之，我亲爱的侄子，我希望你再仔细地考虑一下，无论你决定处理主要事务的计划是什么，要立刻付诸实施，不要延误。

不知道出于何种原因，这一提议最后被放弃或遭到否决，可能是由于安东尼母亲的反对。但是，一个月后——贝尔蒙特抵达纽约一周半后——詹姆斯又尝试了一次。“难道你不认为，”他有些虚伪地问他的侄子们，“贝尔蒙特从美国到哈瓦那，我们在美洲的利益变得不那么重要了吗？我这里没有任何一个人（可以派遣），如果你们如此希望（我去），我就会去那里。这样一来，贝尔蒙特就可以动身前往哈瓦那。因为美国之旅不是多么重要的一件事，就像孩子游戏‘过家家’一样。”如果詹姆斯此举是向他的侄子们下最后通牒的话，他差一点就成功了，从詹姆斯的下一封信里，我们看到：

> 我亲爱的纳特，你问我说“如果我年轻一点的话，我就会去哈瓦那”这句话，是不是想给你一个重要的暗示。我将十分坦白地告诉你，我对这件事的想法。（如果年轻一点的话）我肯定亲自去哈瓦那了……因为对我来说，这是我乐意接受的一个旅程。但是，如果我的一个侄子想去那里，我会尽一切力量阻止，我不会允许他前往哈瓦那，因为那里太过遥远，而炎热的气候也非常危险。此外，它对我们生意的重要性还没到值得冒这么多的风险。

当然，这只是在故意兜圈子。詹姆斯逐渐说到了重点。

> 但是，美国的生意是一个完全不同的事务，因为去那里的旅程不会比从加莱到多佛安全，而后者所需花费的时间我们预先就可以计算出来。但是，我想问你们一个问题，难道我们不想介入美国政府的生意吗？如果答案是“不想”，那么我就可以说，任何一个人都没有必要去那里了，因为我们难以获得成功，

没有一个人可以胜任那边的事务。但是，（如果答案是“想去”）我就要说，我们有必要近距离地审视，如何在那里开展业务……十分坦白地说，为何安东尼不能去那里呢，他或许可以与安塞尔姆一起去，如果大家认为这样的旅程对我们来说大有裨益的话？如果汉娜不赞同的话，我们就想都不要想这个问题了，但是将我们的信任完全托付给陌生人，这实在是太困难了……我一点也不反对为美国的生意成立一家公司，但是由那些实际上不用承担职责的人建立一个分行的目标能实现吗？现有的分行在那里会不会享有优先权？那些同意加入我们行列的人会不会只是为了谋取自己的利益，尽管我们也能够同样分得一点利润？

罗斯柴尔德家族从没有让人满意地回答这些问题。尽管詹姆斯再三保证，他们在那里只要待“3~6个月”，但是纳特、安东尼或迈耶都没有去纽约，尽管詹姆斯的儿子阿方斯和萨洛蒙几年后去了美国，但是他们也没有在那里待下去。最基本的问题是，詹姆斯对美国的热情高涨，但家族与美国的大部分生意是由他的侄子们在处理，因为英国相对于法国来说，一直是美国棉花和烟草的大客户。因此，詹姆斯也不得不尊重侄子们对于美国市场业务的精通，即便他认为他们错过了一个极为重要的机会。他也经常坦白地承认：“美国业务更适合于英国，而不是法国。”（伦敦与巴黎分行之间的这种不平衡性也增加了利润以及损失分配方面的摩擦。）

最后，奠定他们19世纪在美国成立分公司的决定，由当时在美国的贝尔蒙特自行决定的。尽管詹姆斯一再要求，但贝尔蒙特并没有前往古巴，相反，让他的主人们感到恼火的是，他在华尔街78号购置了一间办公室，宣布成立奥古斯特·贝尔蒙特公司，他的计划是充当罗斯柴尔德家族在纽约的代理人。“我们收到了一封贝尔蒙特的信，”暴怒的詹姆斯说，“但是我没有耐心读完它”：

他是一个愚蠢的年轻人……我们对新生意还没有到达如此渴求的程度，更不会把旧的生意抛到一边，因此没必要派人去美国。这就是我们对于像贝尔蒙特这样的无赖所寄托的看法。他不仅没去费城收取科恩的30万法郎，反而说：“我应该留在纽约。”这样的混蛋，应该牢牢地拴着他。

但是，詹姆斯发现自己也别无选择，只能回信；自那年9月开始，形成了定期通信的规则。当贝尔蒙特要求有权打折票据（可能以罗斯柴尔德的名义）时，詹姆斯难以拒绝：“他每天都写信给我，希望得到打折的授权。对此，我表示十分理解，他做得很对。当一个人提到‘A’的时候，他一定还会想要‘B’（詹姆斯最喜欢用的口头禅），尽管这样做通常都很危险。”第二个月，詹姆斯又同意将贝尔蒙特的薪水提高到500英镑，由伦敦分行与巴黎分行共同支付。到19世纪40年代的时候，贝尔蒙特在伦敦分行中拥有了1万英镑的信用透支额度。当他希望提高这一限额时，他采取的方式是威胁要与别的银行做生意。

罗斯柴尔德家族对于贝尔蒙特如此复杂的举动一直耿耿于怀，也一直认为他不可靠（贝尔蒙特的一系列举动更是加深了这一感觉，比如他在1841年参与了一场决斗，以及为追求社会地位而皈依了基督教）。“我今天收到了贝尔蒙特的信，”安东尼于1838年8月写道，“它让我们感到无比惊恐。这个家伙怎么会如此疯狂地想到做现在所做的这些事……我并不介意跑一趟……如果你们认为我去那里能够起到作用，我会立刻动身，并写信让安塞尔姆来我这里……我想任何一个人都不能在未经询问的前提下做他现在做的这些事。”两个月后，詹姆斯指责贝尔蒙特今天“给英国分行一点儿好处，明天给巴黎分行一点儿好处”来挑拨伦敦分行与巴黎分行之间的关系。“我认为贝尔蒙特是一个大混蛋。”纳特于1840年说，“他如此轻描淡写地对待生意，我一点也不喜欢把他当做我们的代理人。”他太过“无能，以至于难以离开纽约一步，他管理的每件事，对我们来说，都是极大的不幸”。詹姆斯对此表示赞同。“我对贝尔蒙特没有太多的信心，”他评价说，“因为他做生意只为自己。”罗斯柴尔德家族断断续续地采取了一些措施，试图取代贝尔蒙特，或至少派遣另一名代理人前往纽约牵制他。后面的这个建议是安塞尔姆提出的，因为当时贝尔蒙特被传有自杀倾向。1839年，列昂内尔·戴维森被派往纽约，主要就是为了控制贝尔蒙特。“他似乎是一个聪明人，”纳特评价说，话里也暗含了与贝尔蒙特相比较的意味，“如果你能够控制好他的话，他便会出色地完成工作。”这句话也反映了罗斯柴尔德家族对于代理人的态度。但是，将戴维森派往墨西哥与美国西部更有意义，哈瑙在1843年也被派往美国的新奥尔良。贝尔蒙特继续留在了纽约，随后不久他转入政坛，此举让他最终获得了美国民主党内呼风唤雨的地位。

围绕美国代理机构的争吵暴露出伦敦与巴黎分行之间的重要利益冲突，这也反映了詹姆斯对于侄子们的影响力有限。谁对谁错毫无疑问非常清楚：拒绝在纽约设立一家分行，英国的罗斯柴尔德成员可能犯了家族历史上最大的一个战略错误。另一方面，也很容易发现他们犹豫不决的原因。因为，他们即便勉强同意贝尔蒙特作为代理人，可以有限地参与美国市场的活动，这边花费了他们大量的资金。而且，即便安东尼或纳特出现在贝尔蒙特的位置上，能否避开灾难也不得而知。

其实在贝尔蒙特抵达纽约之前，罗斯柴尔德家族就面临着一个难以抗拒的诱人机会，即取代亚历山大·巴林空出来的一个位置。美国银行曾经雇用巴林兄弟作为它在欧洲的代理人，但是两者之间的关系在1836~1837年间破裂，罗斯柴尔德连忙提供了自己的服务。比德尔制订了雄心勃勃的计划，包括“一笔200万英镑的货物、股票预付款的担保生意”，这是个类似于垄断棉花出口的计划。对詹姆斯来说，这似乎就像是天上掉下来的馅饼：他满腔热情地认为，这些都是“美国最富有的人”，并不比法兰西银行的地位差。他也立刻开始幻想他的水银将“布满美国市场的每一个角落”，“因此，6个月内，我们将成为美国市场的主人”。

一开始，与美国银行的合伙关系进展得很顺利。罗斯柴尔德发现自己接收了大量美国州政府债券，这些债券不仅来自于纽约，还来自于更小的州，比如印第安纳、密苏里甚至密歇根，它们只有在北方联盟内部才能得到承认，此外还包括许多新的银行和一家运河公司的股票。但是，到了1839年9月，詹姆斯和他的侄子们开始知道为何巴林兄弟与美国银行分道扬镳了。没有了执照以及政府业务，美国银行变得极为脆弱，当美国的棉花歉收时，它出现了大麻烦，所有的资金全部冻结在长期投资中，它的经理们依赖高回报的债务、汇票（6个月到期的期票）以及外国汇票。为了确保从罗斯柴尔德那里获得资金，美国银行在欧洲的代理人萨穆埃尔·若东警告说，他可能无法承兑他的票据。罗斯柴尔德意识到，他们预支给美国银行的资金已经达到了30万英镑——“都是以一些难脱手的股票为抵押品”——詹姆斯和他的侄子们别无选择，只能向若东伸出了援手。他们也不情愿地同意接收美国银行开给法国奥廷格银行的550万法郎的汇票，尽管他们希望通过出售美国银行信用债券的方式将这些东西转嫁给其他投资者。詹姆斯对此表示反对，如果美国银行崩溃的话，罗斯柴尔德的声誉可能会因此受损。“你什么都不用担心。”列昂内尔向他保证说：

> 每个人都了解信用债券是以什么东西作为抵押品发行的，如果他们没有得到兑现，那也不是我们的过错。我认为这个世界最疯狂的事就是给予某种道义上的担保，一只股票的利息达到了10%~20%，而且准时支付利息，那么购买者必须抓住他的机会，同时也必须了解要承担的风险……即便我们遭遇了最糟糕的情况……我仍然持同样的观点，即我们非常恰当地脱离了一起凶险的事务，我们应该对自己能够如此轻易地拿回自己的钱而感到高兴。

这反映了列昂内尔的无情，有人怀疑，他父亲对此可能甚为赞同。此外，如纳特指出的那样，正是詹姆斯起初敦促他们参与美国银行的业务：

> 你似乎忘记了，正是巴黎分行（从若东那里）接受了550万法郎，这与我们的信件内容以及期望完全相反；你也似乎忘记了，正是巴黎分行而不是我们，鼓励贝尔蒙特将生意扩大到这样的程度。现在我们尽一切力量，通过发行可流

通证券拿回我们的钱……你写信给我们，似乎劝你发行类似数量的信用债券会让你失去好名声。

没有其他事情比美国问题更能刻画此类利益冲突——这一冲突一直持续到第二年年底。

但是，詹姆斯的悲观理论是合理的：因为1839年10月，美国银行暂停支付款项，1841年该银行最终破产。它的失败与各州一系列草率的过失巧合地同时出现，其中包括若干作为抵押品交给罗斯柴尔德家族的大量州政府债券。这次惨败，给伦敦分行以及巴黎分行带来了大量的坏账，罗斯柴尔德家族此时非常乐意将美国联邦政府银行家的位置还给巴林兄弟："你可以如实地告诉你的政府，"詹姆斯据称如此告诉美国财政部的代表，"你们认识的那个人现在是欧洲金融业之首，这个人现在告诉你，他不会再借1美元给你们，1美分都不行。"与美国银行的合作让詹姆斯懊悔不已，他希望"从没有涉足美国"。他总结说，将来除非联邦政府"准备为所有的州提供担保，并通过我们支付各种款项"，可以建立一个官方支持的中央银行，否则他将继续远离美国市场。他的侄子们也非常赞同这个观点。1842年，安东尼写信给他的兄弟，敦促他们抛售"所有还未支付利息的纽约州以及其他州的股票"：

几乎可以肯定，所有的州都会变得一样……没有一个州会支付利息，因此采纳我的建议——让我们从中抽身——持有这些股票，我很难脱身，因此我们必须下定决心，接受我的建议，让我们远离这个受到诅咒的国家——不管我们能获取多少利润。它是世界上最该受诅咒，也是最让人恶心的国家——我们必须远离它，另外，也要远离那个让人恶心的贝尔蒙特。

当然，这种极端的解脱行动并没有出现：尽管仍然沉浸在美国银行贷款的余痛中，但罗斯柴尔德家族已经恢复了他们在美国棉花以及烟草的贸易中的业务（因此将哈瑙派去了新奥尔良）。我们将看到，在1848年，派遣一名罗斯柴尔德成员前往美国的计划也再次提上日程表。但是，美国银行事件留下的伤疤是我们能够找到的最佳解释——对美国经济的持续怀疑主导了罗斯柴尔德家族在此之后的政策。

艰难时期

但是，美国危机的负面冲击并没有就此终结。1836~1839年间的金融危机也让罗斯柴尔德家族与英格兰银行之间的关系紧张到极点。退一步说，这是英格兰银行的一个艰难时期。在英国，1825 年金融危机之后就出现的通缩趋势或多或少地继续存在着：英格兰银行的纸币流通在 1825~1840 年间几乎一直呈下降趋势，这也部分地反映了金本位制缺少重大黄金矿产的约束效应。同时，美国金融危机也严重地破坏了国际支付体系，使得黄金和白银大量地流向美国。罗斯柴尔德家族发现自己处在了一个骑虎难下的两难境地，一方面他们需要继续保持在美国的新投资，另一方面也要承受来自英格兰银行和法兰西银行要求保持欧洲流通性的巨大压力。

困难在罗斯柴尔德五兄弟在 1836 年的法兰克福峰会期间浮现。美国危机一开始，詹姆斯与患病的内森就敦促纳特“不要仅仅因为行长的反对，就让人牵着你的鼻子走，并说服你不再运送任何黄金。你应该一直要考虑这样的情形：任何你没有做的事，其他人就会毫不犹豫地去做。巴林会因为胆怯而不运送一些黄金出美国吗？”“只要可能就会运黄金过来，”列昂内尔也说道，“不要劳烦你自己和银行行长，用钱打发他。”这反映出一个事实，即伦敦分行至少欠英格兰银行 30 万英镑，这是 1835 年借出的钱，1836 年 10 月到期；另外，还有一笔于 6 月 1 日商定的 12 万英镑的短期预支款，其目的是“应对货币市场的压力”。在返回巴黎的路上，詹姆斯就迅速承诺向法兰西银行提供白银，同时猛烈地批评了英格兰银行行长，指责他让该行的黄金储备减少到如此低的水平。直到 11 月底，他才向伦敦发送黄金。不久之后，一则传言让他感到惊恐不已：

> 你的政府希望引进白银标准，就如当时的黄金一样。我认为此举对于欧洲来说是一件非常不幸的事件……如果英国这样做的话，（黄金就会）从这里流到你们那里，这将给所有地方带来一场危机。我想我们必须尽一切可能阻止这样的动议。

当然，他指的是，此举对于法国来说是一件非常不幸的事，如果英国开始与法国竞争，把白银当做储备金属的话：当英格兰银行在 1837 年夏天确实开始买进白银时，詹姆斯会立刻威胁停止向伦敦运送黄金。另外，他指责英格兰银行在他（以某个价格）提供黄金时犹豫不决，使得黄金没有立刻被接收。他抱怨说，英格兰银行行长的“想法每天都在变，他明天的想法可能都完全不一样”。更糟糕的是，这位行长似乎无视詹姆斯的建议，即“无论在什么情况下，都不能让一家美国银行倒闭”。英格兰银行前行长蒂莫西 · 柯蒂斯给詹姆斯写了一封信，试图从中调和，他向詹姆斯保证说，“我热忱地希望与你的侄子们在外汇领域里进行合作”，并且“尽我们一切可能与你的银行保持合作”，但是他坚称，“英格兰银行持有大量的白银既符合你们的利益，也符合我们的利益”。这一政策的损害已然造成：到第二年 3 月的时候，詹姆斯认为“你的英格兰银行破坏了我们的生意”。英格兰银行在第二年 12 月向罗斯柴尔德伦敦分行提供的20万英镑的贷款也未能修补两者之间的裂痕。

双方的摩擦在1839年达到高峰，英格兰银行的储备资金受美国金融危机冲击减少到了370万英镑，它转向法兰西银行寻求帮助，增加库存资金数额。当詹姆斯听说法兰西银行行长达尔古特伯爵准备向英国提供协助时，他起初表示完全反对：

法兰西银行很久以来一直都在寻求与英格兰银行达成谅解，因为他们完全出于一种自傲的心态，希望能够向世人宣称英国欠他们的钱。但是，如果战争爆发的话，局势该如何收场？如果法国将来也需要钱怎么办？我在报纸上看到，两家银行正准备达成谅解，这也是我写这封信给你的原因。我们自己的利益与这一计划相冲突，因此，我们必须尽一切可能阻止这一计划获得成功。

尽管法兰西银行副行长苦苦哀求“像我们这样为英格兰银行提供了杰出服务的银行应该参与到这一行动中来”，但是詹姆斯和安塞尔姆不为所动。为了坚定他在伦敦堂兄弟的想法，安塞尔姆特地加了咄咄逼人的附言：

不要鲁莽地参与任何大型的业务活动。你们的母亲告诉我，赫里斯在她在场的时候，跟你们的父亲说，在没有任何担保的情况下，不要相信英格兰银行……因为这家银行目前困难重重，可能会突然关门。注意，你们不像你们的父亲，也没有他那样的影响力，除了引导你们审慎，他还能够采取别的方式实施行动。

这一观点几天后也得到了汉娜的印证：“我不会向英格兰银行预付任何东西，除非能有国债或其他政府证券作为抵押，这是绝对需要事先准备好的，对获得足够的资产供给也是必需的。我不会忘记之前发生过的事，当时赫里斯就认为英格兰银行有可能会停止付款。”

罗斯柴尔德家族真的相信英格兰银行可能会停止支付款项吗？似乎不太可能。真正的问题是法兰西银行与英格兰银行在不依赖罗斯柴尔德家族的情况下能否解决货币危机。但是，如果詹姆斯认为罗斯柴尔德家族采取抵制行动就足以破坏两家银行达成协议，那他就大错特错了。詹姆斯在意识到难以阻止协议的达成且利润又非常丰厚的情况下，被迫来了一个180度转身，“尽我所能地与英格兰银行做生意”。但是为时已晚，生意已经交给了巴林兄弟以及巴黎诸多银行组成的一个财团。这是压垮詹姆斯的最后一根稻草：

（在1825年）我们向英国输入了数量如此巨大的黄金，从而拯救了英格兰银行，但是现在巴林接管了一切。英格兰银行至少应该将业务平均分配……这样生意才能合理地分配……在英格兰银行内部，没人比柯蒂斯更像个卫道士了，他是个“两面三刀”的无赖……如果黄金应该让位给白银，那么它对巴黎来说也没有什么差异，我非常肯定地会给予黄金优先权，这次我不会说，“因为英格兰银行的关系，我不会做这些生意”。不！一方面，我要明确一点，如果我们在一桩交易中有利可图，我们会尽一切可能为英格兰银行提供服务；另一方面，他们也必须尊重我们……我们只有不择手段地参与，才能继续保持公众对我们的注意，并敬畏我们。巴林不可能说，“我不会给罗斯柴尔德任何东西”。

但是，这只是徒劳的恐吓罢了。尽管詹姆斯发出了破坏市场的言论，因为巴林需要买进大量在伦敦兑现的票据，但是詹姆斯也非常清楚地意识到，有英格兰银行做客户，“每个人只能舔他的屁股以希望得到一笔生意”。没有任何现实的途径来“与英格兰银行开战，至少目前不行”，因为，他也承认：“他们比我们强”。他所能做的只是悲惨地总结什么地方出错了，并疯狂地策划报复行动：

就英格兰银行而言，当时机来临且我们的力量足够时，我们就能向他们展示，跟我们保持友好关系才是最佳选择。我不知道我要不要给柯蒂斯写信，告诉他我们下次可能不打算再提供5 000英镑的资金了（可能是提供给柯蒂斯的个人贷款）。此举需要深思熟虑，因为它毫无疑问会使柯蒂斯对我们产生巨大的敌意。实际上，他最近并没有表现出是我们朋友的意思，要不是替伦敦分行考虑，我才不在乎他的友谊呢……如果当时我们从英格兰银行的佣金中给他一个小份额，可能会更聪明一些，这比其他任何东西都要管用。这个人与我们一样，都是生意人，完全没有朋友的感觉，他不会总是优先对待我们。

尽管在当年年底，罗斯柴尔德家族采取了一些努力，试图重建相互间的联络关系，但是损害已经造成。“我还没准备好跟在副行长的后面溜须拍马。”当围绕美国银行的谈判进行时，詹姆斯这样说。1843年，经过了一段时间的冷冻期过后，列昂内尔封存了罗斯柴尔德家族在英格兰银行的账户。

事实上，这种纷争的出现、发展大大偏离了本该持有的态度：如纳特事后敏锐地观察到，“我认为央行的唯一优势就是能够给你提供资金，无论你什么时候提出需要，在意别人怎么说都是很愚蠢的事。”詹姆斯决心压倒巴林，并在美国为罗斯柴尔德家族谋求一个占上风的位置，这使得他失去了应有的视野。他对于美国的热情——他的侄子们从未完全赞同他的这股热情——最终的结果就是美国银行带来的巨额坏账，以及对于英格兰银行产生的同样巨大的憎恶之情。

罗斯柴尔德先生通过一个个王子了解了欧洲，通过一个个大臣洞悉了股票交易所。他的头脑里装满了大臣和国王的银行账目；他能够告诉他们，如果没有征询他的意见，将会面临什么样的后果。他曾经对一个人这样说过：“如果你任命那个大臣，那么你的账户状况将极为堪忧。”

米舍莱

第二章

撤退与重整之间（1840年）

THE HOUSE OF ROTHSCHILD

1830年之后的艰难岁月里，詹姆斯和他的兄弟们一直劝诫大国避免开战。如果说他们在这方面取得了很大成功，其实有些夸大了他们对于大国外交的影响力；实际情况是罗斯柴尔德家族得到了他们想要的东西：和平。但是，在罗斯柴尔德和平主义的核心中存在着一个根本性的矛盾。因为那些采纳他们的建议避免国际冲突的国家，同时也在缩减他们的军事开支，进而减少了对贷款的需求。这意味着1833年之后，所有大国都一一停止了与罗斯柴尔德家族的业务往来。和平似乎让5家罗斯柴尔德银行变得多余。

这一现象对于巴黎分行尤为明显，在那里，对于新贷款的需求几乎完全消失。1834年成立的关税联盟让普鲁士的收入增加，而开支则没有增加抑或下降，这使得它能够将总体开支减少一半，需要借贷的比例已经从1821年的22%减少到1850年的11%。到19世纪中期，普鲁士的收入增加了3倍，而公共债务只增加了两倍。这样一来，在1844年当重新谈判恢复转换1818年英镑债券的有关事宜时，罗斯柴尔德希望以此带来新贷款业务的想法是不现实的。他们的老朋友罗特尔已经用不着贷款了。

在英国，情况也是如此，1848年之前的一段时期，公共借贷几乎缩减为零。1835年，补偿西印度奴隶主的贷款是英国政府在克里米亚战争前筹措的最后一笔大额贷款。这首先反映了英国公共财政所进行的自由化改革，这与保守领袖罗伯特·皮尔的职业生涯紧密地联系在一起。1835年之后的数年里，辉格党政府遭到了皮尔的猛烈攻击，因为政府财政出现了赤字，尽管从经济环境的角度看，这些赤字的数额微不足道。1836~1841 年这 5 年内，政府的净借款只约为 400 万英镑。但是，辉格党仅够糊口的财政收入也让皮尔的攻击站得住脚，此外，大多数超出收入的开支来自于海外“冒险”的事实也起到了同样的作用。1839 年资助的一项涉及 500 万英镑国债的业务（由英国的罗斯柴尔德分行愉快地独自接受）便是这些冒险当中的一个例子。皮尔 1841 年压倒性地赢得了大选，他一上任便提出经济“疗法”——花费 20 年时间思考自由主义财政与货币政策的产物，它包含了四个方面。第一个也是最为常规的举措，是实施了一次转换债券行动，将 2.5 亿英镑的股票利息从 3.5%降到了 3.25%；第二个也是前所未有的举措，他重新采用了收入税（统一税率，超过 150 英镑的收入，每增加一英镑征收 2.92 便士），将其作为战争时期的权宜之计；第三个利用他从 1819 年领导货币政策委员会时就开始制定的货币政策概念，他重新修订了英格兰银行的章程，试图进一步完善金银本位体系。最后，效仿赫斯基森 19 世纪 20 年代的做法以及遵从经典经济学家的自由放任原则，他加快了贸易自由化的步伐，削减了大量的进口税。在 1842~1846 年间，共有 605 项进口税被废止，另有 1 035 项进口税被削减。这一过程的高潮是《玉米法》的废除，这一举措也触及了皮尔等大部分支持者的利益，他们将其视为背叛了 1841 年大选期间对农村选民所作出的承诺。

现在看来，当时这一系列的改革对于皮尔来说，并没有看起来那么清晰。除了政治上自我破坏的特性外（这点在 19 世纪的英国史上并不罕见），它的经济后果也很难让人满意，即便按照所谓的“赎罪时代”的标准来说也是如此。从理论上来说，较低的进口税能够提供贸易成交量，从而带来额外收入。但是，在 19 世纪 40 年代的通缩情况下，这一政策并不能见效；而《银行特许条例》更是雪上加霜，由于英格兰银行的黄金储备减少，这一法令限制了纸币的流通。于是，收入税——本认为是一个暂时性的措施——很快开始变得像是一个永久性的税种，即便皮尔的继承人格拉德斯通也从未想过放弃这项税收。皮尔也难以减少国家的债务：1844~1845 年间，英国政府才能够消除财政赤字，而且也只是在 1847~1848 年之前的 3 年，财政有所盈余；这之后的危机再次将政府拖进了赤字行列。但是，“皮尔式财政”在当时有着不可否认的“优点”：实际上，它确立了 19 世纪后期的财政与货币正统理论的基准点。3%利率的统一公债在 1841 年 10 月的价格为 87 点，3 年后便攀升到了 101 点，这是伦敦获得认同的一个清晰标志。

另外，银行家们仍然可能会抱怨政府给他们所开的“药剂”，尽管他们也知道这些对国家的财政是有好处的。在这样的情形下，皮尔在 1830 年筹划恢复收入税就别有寓意了，他计划将其作为一种“接触巴林、他（皮尔）的父亲、罗斯柴尔德和其他人，以及爱尔兰的富豪们……的方法，调和底层阶层与上流阶层的收入，从而消除穷人身上的税收重担。”罗斯柴尔德家族在1842年确实被“接触”时，很难开心起来。当然，他们敌视皮尔政府还有其他原因。不仅是因为保守党政府反对犹太解放运动，而且还因为保守党政府的出现使得英国–俄国联手对付自由法国的可能性再次浮现。罗斯柴尔德家族从一开始就反对皮尔的财政政策，其主要的原因似乎是收入税。

尽管纳特能够看到平衡政府预算的好处，正确地预见了统一公债价格将随即攀升，但是他并不喜欢皮尔所采用的方式。比如，他预见了实际操作过程中，评估收入将面临非常多的困难。“税收征稽人员怎么可能确定商人和银行家的真正收入？”他在皮尔的财政大臣公布的第一份预算案之后思索道：“总体来说，这些人自己也只是在编制资产负债表时才能知道收入是多少。”一年后，他坦率地问他的兄弟，他们准备缴税时：“是否按照市场价格评估了所有股票，然后将新的利润加进收入里，或是否以上一年的价格评估未兑现的股票，只计算以兑现股票的利润和收入的应纳税额？”——这个问题揭示了向诸如罗斯柴尔德家族的这些人征税时存在的一些固有困难，罗斯柴尔德家族的会计方法一直十分专横。“与你那个让人恶心的纳税官相处真是件最不舒服的事，”纳特在1844年年初写道，“尤其是需要将你的账本提交给税收长官审查时更是如此——跟我说说你们的资产负债表是如何编制的，我建议你们不要计算未售股票的利润。”

这并不意味着罗斯柴尔德家族试图偷税。恰恰相反，纳特“极为强烈地”建议他的兄弟们“(向税收官员）提供利润的准确数字……数百英镑的收费无足轻重，但是一旦被罚款，就会让人颜面扫地，甚至会在办公室里遭到异教徒的嘲笑”。他们也非常清楚地意识到，“讨论中的应纳税额”是“收入的一个重要组成部分”。他们担心的并不是纳多少税的问题，而是这个新的税种可能带来的副作用。他们最大的担心是，如果国外投资所得的利润要纳税，那么债券持有人就会转而投资国内产品——这对于一个专门从事资本输出的银行来说，前景值得忧虑。“我亲爱的列昂内尔，”纳特从巴黎敦促道，“我想你应该坚定地向政府表明，对所有外国债券息票征收收入税……是一个巨大的遗憾，将会使得这类生意失去存活的空间。”至少，英国（非其他国家的）债券持有人投资外国债券所得需要纳税的事实，似乎可能让一些英国人用伪造的外国名字通过罗斯柴尔德家族做生意。收入税的出现——詹姆斯担心其成为一个范例，其他国家很快也会如法炮制——似乎宣布了一个黄金时代的终结，在这个黄金时代里，政府一直从诸如罗斯柴尔德家族的资本家手里借贷，从而成为他们的客户，而不是征收他们的税。

尽管在奥地利和法国，对财政体系进行类似的修正仍然遥不可及，但罗斯柴尔德家族在1834~1841年间的收入相对较少。在奥地利，公共开支相对稳定，不需要筹措新的贷款。它甚至能够偿还“要塞借款”，这是它于1831年以日耳曼联盟的名义从罗斯柴尔德家族借得的。在法国的情形也是如此：尽管七月王朝实施了公共工程计划，但这些用的钱都是1841年之前的税款。实际上，1839年的开支比1831年的开支还略微下降了一些，国债实际上减少了1.69亿法郎。莫莱能够提供的只是另一次的债券转换业务，而詹姆斯由于之前的失败经历，对此已经毫无兴趣。

俄国的财政情况与其他国家相比截然不同，尽管对罗斯柴尔德家族来说，其最终的效果实际上没什么差别。从面值上来看，俄国的公共开支在1833~1839年间处于持续增长的状态，但是这在某种程度上是一种货币现象，因为俄国通过印刷卢布的方式来减少赤字。随之而来的通货膨胀因为康克林在1839年与1843年的货币改革而暂时得到抑制，他用一种新的“硬”卢布代替了纸质卢布，新的卢布以金银储备作为支撑。这种改革提出了一个可能性，即通过筹措一笔稳定贷款，建立新的金银本位的货币体系。詹姆斯急切地提议在伦敦和巴黎同时筹措这笔贷款。“让俄国政府意识到此举的优越性并不困难。”他在信里写道：

> 不仅仅是因为这可以增强他们的信用，而且还因为这符合他们的最大利益，此举可以确保英国和法国所有的富豪都在俄国身上投下巨资；如果这两个国家试图威胁俄国或与俄国开战，抑或抨击俄国的某一个州，英法的富豪们都会蒙受损失，所有这些都是有利因素……我对这起交易活动的成果抱有极高的期望，这并不是因为我们能够获得利润，而是因为我想重建我们过去与俄国的关系。

萨洛蒙对此也完全赞同。他认为，向俄国提供贷款，将是“一个非常有必要……甚至是一个非常杰出的交易”：“除了金钱方面的回报，这样一笔贷款对我们还有其他重要的意义，与俄国达成全新、紧密的关系将使我们重新成为所有欧洲大国的‘座上宾’，提供给俄国的贷款向来能够激发我们家族的斗志。”阿姆谢尔对萨洛蒙的想法也表示了赞同。但是，罗斯柴尔德家族试图取代霍普公司在圣彼得堡的主导地位的尝试再一次宣告失败。年青一辈的罗斯柴尔德成员，尤其是英国的成员显然对这一计划抱有疑虑，他们提出的条件让萨洛蒙大吃一惊：

> 俄国3%的年利率的债券你们出价70点，除去2%的佣金，只剩下68点！这是一个合理的价格吗，你们想想……奥地利3%年利率债券的价格为81点，比利时年利率3%债券的价格为71点？而一个刚从革命中脱身的国家，它的债券价格只值这么多？对此我们必须持有怀疑态度，否则这样一个来自罗斯柴尔德家族的方案将会使我们沦为笑料。除了定价过低以外，你们还提议只承销100

万英镑的债券，剩余的部分只收取佣金（不负责销售），这样的条件即便在欧洲或美洲的两个大国爆发战争前夕也不会被附加到协议里。

即便一笔 4 000 万卢布的贷款在 1841~1842 年以更好的条件浮出水面，双方依旧未能谈拢。这次是萨洛蒙发出了警告。显然是收到了梅特涅的情报，他认为康克林声称将钱投入铁路中去，但实际上这只是个幌子，他是要用来应对军队开支的提高。他同时还响应了阿姆谢尔的观点，认为俄国贷款与其他大国的任何一笔贷款都有所不同："提供给英国、法国或奥地利的钱仍旧保持着流通，很快就从政府的保险柜中流到公众领域。但是在俄国，任何流入的钱都被'埋了起来'，然后扔到它的欧洲，甚至亚洲的庞大疆域里。"

罗斯柴尔德家族再一次因为条件开得过高而未能打破霍普公司的垄断，他们拒绝只购买一小部分的债券，同时反对以收取佣金的方式销售债券（销售不完的债券可以返还给俄国）。此后，罗斯柴尔德家族与俄国在 1844~1846 年间断断续续进行的谈判也无果而终。一度，罗斯柴尔德家族似乎不再需要大国支持了；而现在，情况似乎变成各个大国不再需要罗斯柴尔德家族了。

拓展网络

我们将看到，对于政府业务萎缩的一个应对措施——也是詹姆斯与萨洛蒙最为热衷的举措——就是涉足工业金融，尤其是成立铁路公司。另一个途径就是招揽较小国家的生意。这也是法兰克福分行所采取的策略。伯格菲尔的研究记录的这一时期的重要交易有：法兰克福分行在 1837~1842 年间，为萨克森-科堡-哥达公国发行了总额为 350 万古尔登的债券，为拿骚公国发行了 990 万古尔登的债券；1845 年，他们又为家族的老客户黑森-卡塞尔发行了 670 万帝国元的彩票债券，同时也向黑森-卡塞尔的邻居黑森-达姆施塔特提供了一些贷款；同年，也向巴登提供了 1 400 万古尔登的贷款。1835 年，他们向巴伐利亚提供的贷款让卡尔和安塞尔姆获得了"宫廷犹太人"的身份以及其他各种荣誉（包括安塞尔姆的巴伐利亚驻法兰克福领事头衔）。19 世纪 40 年代中期，他们也为符腾堡和法兰克福自身筹措了贷款。他们也接触了汉诺威，但交易在最后一刻功亏一篑。而且，罗斯柴尔德家族不仅仅活跃在德国西部。1835 年，他们通过一笔 300 万英镑的贷款试图恢复与丹麦王国的联系。如果其他国家都像普鲁士一样吝啬的话，这些交易无一能获得成功。而普鲁士是三月前期[①]的德国公国中，唯一债务没有增加的国家。汉诺威、符腾堡、巴登和巴伐利亚债务与收入的比率在1825~1850年之间，一直处于上升的态势；唯有普鲁士呈下降趋势。（这种差异可能最好的解释就是德国西部的公国在这段时期，逐渐参与了铁路建设；此外，普鲁士于1819年颁布的国债诏令也限制了普鲁士的借贷行为。）

在罗斯柴尔德家族看来，即便提供给中等大小公国的贷款，也只是一些相对较小的交易；但是，他们为这些贷款所花费的时间经常与提供贷款给大国所花费的时间不分上下。另一方面，生意的成交量显然也回报了所投入的努力——这点可以从法兰克福这段时期的利润中看到。阿姆谢尔在法兰克福协助他的侄子们，他显然并不在意与他们做生意的公国的政治特性：比如，巴登是典型的君主立宪制，而汉诺威——国王恩斯特·奥古斯特在1837年废除宪章之后——是德国最为保守的政权之一。

在德国的公国看来，如果不向罗斯柴尔德家族寻求帮助，筹措贷款将变得越来越难，因为他们在德国的资本市场占据了如此牢固的支配地位。在德国西南部，情况更是如此。不仅在法兰克福，在其他商业中心，如科隆，罗斯柴尔德家族都能够施展如中央银行一般的影响力：当地人称为“罗斯柴尔德的钱”。这种统治地位不可避免地引发了人们的议论，大多数都是敌意的。如19世纪20年代一样，罗斯柴尔德家族被自由党人认为支持反动政权。“许多小公国政府，”奥地利一名外交官报告说，“完全依赖于罗斯柴尔德家族，而拒绝受臣民不满情绪的影响，这些不满情绪时常可见。”这种不满日积月累，已达到危急关头。比如，汉诺威自由党人约翰·施蒂韦在1848年执政之后，他寻求避免“与罗斯柴尔德进行肮脏的交易”，他将这些交易与梅特涅时代联系到了一起。

除了向中等大小的德国公国提供贷款外，法兰克福分行也通过向小公国的王子们提供贷款赚取了丰厚的利润，比如冯·本特海姆-特克伦伯格王子和伊森堡的维克托王子；他们同时也向大贵族地主提供贷款，比如雨果·亨克尔·冯·唐纳斯马克伯爵。从许多方面来讲，这可以看做是迈耶·阿姆谢尔时代生意模式的延续。19世纪40年代新增加的内容就是这种生意扩展到了哈布斯堡帝国内非德国的地方。1843~1845年期间，萨洛蒙与维也纳的合作伙伴向一个奥匈帝国的贵族团体提供了1 230万古尔登的贷款，这些贵族都拥有庞大的房产以及巨大的政治影响力，其中只有一个人——哈布斯堡大公卡尔·路德维希——不是匈牙利人。当然，最大规模的贷款提供给了保罗·艾什泰哈齐王子，这不是提供给这个权势显赫家族的第一批罗

---

① 三月前期指1815~1848年期间德国境内的历史发展。——编者注

斯柴尔德贷款。不过，大量贷款突然流向了其他匈牙利权贵，还是让人很吃惊。客户名单中的莫里茨·山多尔伯爵、约瑟夫·匈雅提伯爵和洛约什·塞切尼伯爵（匈牙利全才改革家伊斯特兰·塞切尼的哥哥）等人，都是匈牙利社会地位极高的人。总体来说，这些交易与伦敦西区的银行，如库茨银行提供给英国贵族的贷款没什么差异。（实际上，白金汉公爵家族里有一个可以与艾什泰哈齐“媲美”的人，另一个拥有大量土地但现金匮乏的贵族。）但是，这种与匈牙利上层精英发展的新关系对于罗斯柴尔德家族来说，将被证明在政治上是一种资源，但在金融方面却是一个困扰，因为仅仅过了几年，匈牙利与奥地利就陷入了分裂战争。

在意大利，罗斯柴尔德家族追求类似的多样化经营战略。他们继续在两个西西里波旁政权的财政中扮演主导者的角色，尽管詹姆斯和他的侄子们担心当地银行家迟早会挑战卡尔的统治地位。与西班牙一样，意大利1830年发行的传统债券也正在转型。比如，国有的西西里硫矿被认为可以作为向政府预付现金的抵押品。另一个可能性是彩票贷款（发生变化），詹姆斯对这种贷款并不欣赏，因为它被禁止在巴黎交易所交易。罗斯柴尔德家族的私人通信明显表明，他们对于那不勒斯政府评价很低（它在1850年也遭到了格拉德斯通的猛烈抨击）。另一方面，他们对于继续与“通心粉陛下”做生意并没有表现出任何迟疑。“你们的财政大臣并不是一个可以信赖的人。”詹姆斯于1839年访问过那不勒斯后对卡尔说，“他是真正的无赖。他害怕与国王交谈，如果有人想在那不勒斯做成什么事，那么国王自己以及内政大臣是唯一（原文如此）能胜任的人，后者是个非常聪明的人。”

罗斯柴尔德家族与教皇的关系也有类似的特点：对于罗马政府的根本性蔑视并没有妨碍维持有利可图的生意关系。比如在那不勒斯，19世纪30年代中期，一些竞争对手试图打破罗斯柴尔德家族在1830年之后确立的对于教皇财政的垄断地位，但都无功而返，教皇债务的管理事宜牢牢地掌握于罗斯柴尔德家族在罗马的伙伴托洛尼亚手里。这也使得罗斯柴尔德家族对于教皇政府有了一定的影响力：萨洛蒙至少两次通过梅特涅向罗马政府提出抗议，指责其境内的犹太人受到了不公正的对待，这也强化了广为流传的一种说法（用阿尔弗雷德·德·维尼的话来说就是）：“一个犹太人现在凌驾于教皇和基督教之上。”但是，两者之间关系在这个方面不应该被夸大，罗斯柴尔德家族主要关注的是从教皇政权中获取利润，而不是寻求改革政权。

而与皮德蒙特-萨丁尼亚王国建立金融关系被证明更为困难，这个国家后来最为成功地挑战了哈布斯堡帝国在意大利的权势。1834年，詹姆斯的巴黎分行受到位于都灵的这个政府的邀请，竞标一笔贷款为100万英镑的管理权。从一开始，竞争就无比激烈，列昂内尔被派往都灵，试图敲定交易。这次任务中，他和詹姆斯之间的通信不仅揭示了罗斯柴尔德家族的谈判技术，而且也揭示了与一个本质上是专制政权的政府谈判所遇到的困难。列昂内尔发现皮德蒙特的财政大臣根本不可能被收买时，他准备与大臣的秘书达成幕后交易，但是仍然不能解决国王对于贷款如何安排的意见。詹姆斯建议说：

> 如果我们的竞争者找到你（无论如何你都不能去找他们），说他们愿意对于贷款的事宜与你达成共识，那么我们希望你接受他们的条件，与他们签订一项协议，让出 1/4 或 1/2 的业务份额给他们，按照他们希望的方式处理……不过在这种情况下，生意必须只用你一个人的名义来完成，因为你是在现场的人，无论如何都不适合我们这些在后方的人，把我们的名字加到里面也不合适。

但是，如果他们不接受这样的提议，列昂内尔应该提高条件，因为“我们决心要拿下这单生意，即便不是不惜一切代价，也要让超出我们的对手为此付出高昂的代价……如果生意有一线希望（都要争取），即便它可能没有任何利润可言；如果有必要向那些先生证明，只要我们想阻击他们，我们甚至都可以损失二三十万法郎。”詹姆斯仔细地向列昂内尔列出了与皮德蒙特政府谈判的细节，以打压其他竞争者：

> 你的主要目标（他写道）就是要很好地迷惑住财政大臣，必须非常明确地向他证明，他与我们而不是与其他人签约更符合他自己的利益，不要向他透露你的最终决定。你必须向他表明，如果他不能让你超越其他人开出的条件，他就什么都得不到——如果你必须亮出最终的决定时，你必须坚持保证它确实是最后的决定，你开出的条件必须立即无条件地被接受。

但是，如果这些先生们足够聪明，占据了与你同等甚至更好的位置……你的计划必须要让他们尽可能付出高昂的代价，你只有种下了许多荆棘之后，才将“田地”让给他们，他们只能收获一些草籽。这种情况能让我们比较容易地得到安慰……胜利比昂着头撤退付出更高代价的事例数不胜数……

这番话意味着，如果詹姆斯独自在都灵的话，他一定会这么做，而且可能获得成功。但是，经验不够的列昂内尔最终被阿格曼率领的法兰西银行家团队（列昂内尔称为“黑帮”）击败——甚至是竞价失败。之后直到 1843 年，罗斯柴尔德家族才再次尝试与都灵做生意，而且双方的关系在 1848 年前一直若即若离。

这种新领域里的扩张解释了为何截至 19 世纪 40 年代早期，许多观察家开始认为罗斯柴尔德家族不仅仅是欧洲国家的盟友：他们此时似乎获得了属于自己的独特力量，这种力量独立于各大国，它几乎是世界性的。亚历山大 · 魏尔（出生于犹太家庭的众多作家之一，对罗斯柴尔德现象颇为痴迷）在他的《罗斯柴尔德与欧洲金融》（1844 年）一文中，简洁明了地指出：尽管“罗斯柴尔德”一直需要各个国家变成“罗斯柴尔德”，但是他现在已经不再需要它们了。1842 年，自由派历史学家儒勒 · 米什莱在他的日志中宣称，詹姆斯“通过一个个王子了解了欧洲，通过一个个大臣洞悉了股票交易所”。这样说可能有些夸张。罗斯柴尔德家族除了两次最著名的失败——葡萄牙与美国——以及比较例外的西班牙投资经历，他们在西班牙对水银矿的控制已经优先于筹措贷款；他们在 1848 年之前 10 年左右的时间里，从他们手里获得贷款的国家排成了长长的一串。保守国家借贷以避免议会对财政政策施加影响，通常是要求进行税收改革；更多的进步国家借贷用来进行公共建设，比如铁路，当时私有领域似乎难以或不愿出资建设这些项目。几乎没有国家考虑过雇用罗斯柴尔德家族作为银行家和保险商。这种拓展的金融网络，其好处显而易见；但其风险直到 1848 年才变得清晰起来。

比利时金融的主人

1848 年之前，罗斯柴尔德策略最成功的例子可能是他们参与了刚刚诞生的比利时王国的金融业务。詹姆斯和他的哥哥们在 1830 年比利时脱离荷兰统治的前夕，就迅速地在布鲁塞尔建立了一个金融根据地，在新政府成立后风雨飘摇的前 3 年里，向其提供了生死攸关的资助。1833~1838 年这段相对平和的时期，詹姆斯积极地寻求维护和巩固比利时通用银行在布鲁塞尔确立的主导地位。一系列交易帮助维持了罗斯柴尔德的利益——最重要的是，国家贷款资助了利奥波德一世的经济发展政策，其核心部分是修建铁路网络。

在直接参与铁路（和运河）的建设过程中，比利时政府在某种程度上打破了英国人的惯例，修建铁路的资金刚开始或多或少地全部由私营部门负责。但是这一先例随后被其他国家所效仿。比利时人所期待的是拥有一个铁路网带来的战略意义——这种远见很大程度上来自于他们与荷兰的紧张关系，比利时尤其需要避免依赖现有低地国家（指荷兰、比利时、卢森堡三个国家）的运河网络，因为荷兰控制了这些国家。在罗斯柴尔德家族看来，这种政策有着显而易见的优势：他们一直感觉发行政府债券的风险要小于私有铁路股份。更为重要的是，比利时铁路系统的发展与一项连接巴黎与比利时的铁路计划能够“无缝结合”，而詹姆斯对于后者已经表示了浓厚的兴趣。另一方面，比利时工业化发展战略如果缺少自身银行系统的同步发展，那么只能是一纸空文。詹姆斯与通用银行携手创立了 3 个新的机构（布鲁塞尔商业协会、英国工商协会和土地银行），他竭尽全力维持自己的优势地位。但是，比利时银行（1835年成立，资金大多来自法国）是一个真正的对手，詹姆斯必须决定是抵制该银行对自己地位的挑战，还是与其联手。在19世纪30年代中期的繁荣时期，罗斯柴尔德巴黎分行与比利时通用银行紧密合作，将一系列比利时矿业公司在巴黎交易所上市。但是在政府金融方面，就如1837年围绕债券转换进行的谈判不欢而散一样，即便通用银行也必须被看成既是盟友，也是对手。尽管罗斯柴尔德家族与比利时国王利奥波德关系非常紧密，但是他们从未能安享独立金融家的荣耀，尤其是注意到比利时议会和媒体经常以质疑的目光审视他们。此外，还有一个可能性不能被排除在外，即比利时政府将来或许会将铁路网络用于军事用途，或者它实际上用借来的钱支付组建军队的费用。在19世纪30年代，比利时政府在组建军队上所花的钱大约是铁路投资额的3倍。

当荷兰–比利时问题在1838~1839年再次回到欧洲外交日程表上时，这些相互冲突的因素必须仔细斟酌。此时，最关键的问题是，比利时政府是否应按照1832年协议条款的规定从卢森堡和林堡撤军，换取荷兰对其独立的承认。除了领土上的牺牲，1832年的条款还让比利时付出了经济上的牺牲，因为这两个地方在1830年前欠荷兰的债务均分给了比利时。和谈重启也恰好与比利时筹措3 600万法郎的提议巧合在一起，这给予罗斯柴尔德家族比以往更多的外交杠杆优势。尽管只分到了非常小的份额，但詹姆斯急切地希望参与这笔新贷款业务，部分原因是他认为筹集资金相对容易，但最主要的还是因为这是内森去世后，罗斯柴尔德家族经手的第一笔较大额度的贷款生意。换个角度来说，这对他来说也是一个机会，他可以借此宣布罗斯柴尔德家族继续维持了债券市场中的主导地位，同时也宣告了他在家族里的地位。他在1838年5月宣称，如果条件合适："我会立刻应允，不管会遇到多少政治难题，因为不会再有战争了。比利时将被迫让步，全世界都急切地想（到那里）做生意，我们真应该抓紧了。"詹姆斯分析说，比利时人可能会暴跳如雷，但没有法国人的支持，他们几乎什么都做不了。

但是，他的话音刚落，普鲁士就占领了卢森堡，试图迫使比利时政府屈服，詹姆斯有些犹豫了："隆隆的炮声"为巴黎股票交易所带来了一如既往的效果。但是，即便这样的情形也难以让法国在边境地区采取支持布鲁塞尔的行动时，他迅速地提供了贷款，以便在外交局势出现任何恶化迹象之前，尽快在伦敦、巴黎和布鲁塞尔售出债券。尽管债券市场走向比詹姆斯预想的要艰难一点，但其发行进展得还是非常顺利。比利时煤炭泡沫在1838年破灭的事实，可能进一步巩固了詹姆斯的地位，因为突然下跌的工业股票几乎让比利时银行濒临破产，通用银行自身也遭遇了重重压力。

此时，正是詹姆斯向两家银行伸出了援手。

詹姆斯预料得很准，比利时问题的谈判迟早会遇到麻烦，尽管对他来说，这一麻烦出现之前，新发的比利时债券大部分已经幸运地售完了。在比利时（以及法国），对于1832年协议存在着大量的反对意见，尽管当时的事实是比利时仍然不具备抵制该协议的财力，因为筹措新贷款的债券虽然已经发售完毕，但罗斯柴尔德家族尚未将筹集到的资金支付给比利时政府。为了进一步明确自己的地位，詹姆斯在1838年12月要求在贷款协议中增加一项条款，即“如果爆发战争或出现任何争端，那么我们将有权废除条约”。比利时人仍乐观地与罗斯柴尔德家族进行谈判，希望以国债作为担保，获得后者提供的预付资金。“比利时人都是混蛋，”詹姆斯听到布鲁塞尔进行军事准备时评价说，“看到所有军队集结，我一点也不高兴，他们真的可能把一个玩笑转变成一起严重的事件，尽管只要大国反对战争，他们就难有作为。”比利时政府预付资金的要求遭到了断然拒绝。萨洛蒙（危机期间他在巴黎）如之前一样，利用了梅特涅对“革命”政权的敌意，他向奥波尼展示了他写给罗斯柴尔德家族在布鲁塞尔代理人瑞琪森柏格的信件内容：

> 我们一点也不担心（比利时）政府因我们拒绝国债有关的要求而不满的事实。这根本就不是一件坏事，这些先生们应该认识到，他们只有采取明智且温和的政策，才能得到我们的支持。我们显然已经给予了足够的证据来显示我们乐意支持和帮助比利时政府，但是我们的良好意愿也必须审时度势，不能搬石头砸了自己的脚，换句话说，提供（比利时人）发动战争需要的钱，最终会将我们目前全心全力维持的信用破坏殆尽。你可以一字不漏地告诉这些先生们我所写的一切。

为了防止奥地利对罗斯柴尔德的政策有所存疑，萨洛蒙随后又给维也纳分行写了一封信，写有“提供给梅特涅王子的信息”字样，详细地记录了里希滕贝格与比利时政府的对话：

> 他们只有让步才行，否则不会从我这里得到一分钱。我离开之前，也会给我的弟弟詹姆斯留下类似的指示……我希望比利时政府现在就签署24项条款，尤其是他们现在缺少“本质上的忧虑”，只要没有签署条款，比利时政府就不会从我们这里得到半个便士，尽管他们已经哀求了几个月。虽然我发现一直拒绝十分困难，但我仍会感到得到了补偿，如果比利时屈服并且和平得以恢复，那么我就会为自己所做的一切感到欣慰。

当然，迫使比利时人屈服的不仅仅是缺少了罗斯柴尔德家族提供的400万法郎的资金，还因为法国政府对比利时未提供支持。罗斯柴尔德家族在布鲁塞尔的影响力还是举足轻重的。此外，当时也出现了一个完美的机会来巩固罗斯柴尔德家族在比利时金融领域中的统治地位。在条约签署之前，詹姆斯便敦促他的侄子们，“比利时的证券销路一直都很好，我建议你们当中的一个人……应该前往布鲁塞尔，认识新上任的（财政）大臣，以便与他建立紧密的联系，并告诉他，你们现在准备负责筹措所有的贷款并接受国债（作为抵押）”，国债此前曾遭到詹姆斯的拒绝。詹姆斯此时的目标就是确立垄断地位。他也非常直白地表示：“比利时问题的安排将带来对金钱的需求，这是我们应该利用的时刻，以便让我们自己成为这个国家财政的绝对主人。”即便以罗斯柴尔德的标准来衡量，这也是一件了不起的事情；不过从许多方面来说，罗斯柴尔德家族后来取得的地位应该是近乎完全掌控了比利时政府的借贷业务，尽管这必须与通用银行分享。1840年年初，詹姆斯前往布鲁塞尔讨论一笔6 000万~8 000万法郎的新贷款时，他发现比利时政府“很容易被牵着鼻子走”：“我让那里的所有人对我的到来感到无比开心，并给他们作了如何让他们获得更好立足点的演讲。他们十分乐意得到我们的指导，因为我向他们指出了试图撇开我们、自行其是的时候所犯的所有错误。”

经过冗长的商讨，贷款的协议最终在11月达成，并且两年后提供另一笔（2 860万法郎的）贷款。无论是支付给荷兰的赔款还是建设新铁路项目的资金，比利时政府似乎都“沉迷于”借贷，它们对于罗斯柴尔德家族搜罗债券买家的依赖几乎是全方位的。比较典型的一个例子是，当1842年詹姆斯与一个比利时大臣年闹翻后，他要求列昂内尔“星期天去温莎城堡，面见比利时国王”：

> 你会在适当的时机收到康斯坦丁写的一封信，信里说明了布鲁塞尔目前的形势，你可以根据信里的内容跟国王说，如果……现在（这个）大臣仍然留任，那么比利时债券就不会有任何市场，同时也无法进行大规模的金融活动，你必须小心谨慎，不能透露反对（这个大臣）的话，让国王陛下听出你话里的意思就行了。

1830~1844年期间，比利时一共筹集了5笔大额贷款，票面总值接近3亿法郎，几乎所有的债券全部由罗斯柴尔德家族承销。

而且，比利时财政并不是罗斯柴尔德家族试图控制的唯一目标。1840年10月，安塞尔姆造访了海牙，当时荷兰政府正要求比利时人支付最高赔款额（作为对其未遵守承诺在1839年支付500万法郎赔款的惩罚）。荷兰人指责其财政赤字就是因为比利时人拖延支付这些款项造成的，安塞尔姆适时地（替比利时）提供了一笔规模适中的预付款。两年后，比利时与荷兰达成了一项协议，用债券的形式冲抵赔款，而罗斯柴尔德家族替荷兰政府提供现金买下了债券（享受了非常大的折扣）。这是罗斯柴尔德家族同时代表两方负责此类国际款项转移的典型事例之一。

在比利时与荷兰，对于罗斯柴尔德在公共财政领域扮演的角色也都存在着大量的反对声音。比如，罗斯柴尔德家族被认为参与了法国“流产”的一起阴谋——与比利时结成关税同盟。布鲁塞尔的贸易保护主义者觉察到法国图谋以这项“用心险恶的”计划经济上吞并比利时，尽管实际上并没有证据显示罗斯柴尔德支持了这一阴谋。安塞尔姆担心，比利时赔偿给荷兰的债券在1841年可能需要转换时，罗斯柴尔德家族在荷兰可能也将遭到自由派媒体类似的攻击。他抱怨说：

> 荷兰财政大臣竭尽全力地讨好我们，但是他受舆论以及报纸的影响太大了，有报道说他把自己卖给了我们。实际上，这个人没有勇气与我们接触，尽管他非常清醒地意识到，其他任何人都不具备我们所拥有的方式、信誉以及影响力，不可能像我们一样能够筹集如此巨额的贷款……他被报纸的文章吓坏了，他告诉我，“最热切地希望与你合作，只要我能够保住我诚信的声誉或向其他人证明，他们不可能与你做得一样好”。

这位财政大臣的担心是对的；3个月后，他在反对派的压力之下被迫递交了辞呈。

尽管安塞尔姆能够继续保持罗斯柴尔德家族对于比利时所欠荷兰的4 000万古尔登款项拥有控制权，但荷兰与比利时政府此时已经开始寻求摆脱罗斯柴尔德家族的掌控，两个政府希望以公众预订的方式发售债券，而无须罗斯柴尔德家族负责承销。毋庸讳言，罗斯柴尔德家族对此极为敌视，担心其他政府会效仿跟进，就如英国的收入税一样。纳特尤为悲观：“我担心各个地方的人都变得聪明了，当所有政府（无须我们帮助）能够管理债券的话，它们就不会支付佣金了。”“如果政府成功了，”他沮丧地对他的兄弟们说，“这很可能，他们现在以及将来都不再需要我们了——我们不能公开地反对他们。”但是，他的叔叔詹姆斯从不会轻易放弃生意。“男爵希望政府不会成功，”纳特报告说，“相应的，要避免帮助财政大臣——政府如果发行公共债券向民众筹措资金，肯定触犯了我们的利益，如果我们能够阻止他们这样做，那么采取相应行动将是我们的职责。”

詹姆斯侵略性的立场似乎获得了胜利。“比利时财政大臣会发现通过订售的方式来获得贷款，并不是一件容易的事。”纳特几天后写道，“我认为他将被迫再次向我们求助，这将会让我们感到非常高兴——试着卖出一些1840年或1842年的债券，让比利时债券价格下挫，如果他们从各地写信给布鲁塞尔宣称市场重挫，对我们来说将是一件好事。”这是一个经典的罗斯柴尔德战术——抛售债券，“教训”那些不合作的政府。抛售比利时债券的目标就是迫使比利时政府毕恭毕敬地重返罗斯柴尔德家族的怀抱。这招似乎收到了效果；因为尽管4.5%年利率的债券继续向公众发售，但没过多久，政府就再次向罗斯柴尔德家族求助。同时，安塞尔姆在海牙不知疲倦地进行谈判，最终让荷兰财政大臣相信，应该由罗斯柴尔德家族处理价值600万英镑的比利时2.5%年利率的债券，这些是他想兑现的债券。1845年，比利时政府“翻然悔悟地”回到了罗斯柴尔德的怀抱，詹姆斯也能够为1846年以及1847年规模不大的预支款提出了非常苛刻的条件。法国驻布鲁塞尔大使报告说，没有罗斯柴尔德（的帮助），比利时政府“意识到，想要从股票交易所——无论是国内的还是国外的——都无法获得一个便士”。这稍微夸张了一点。无论从哪方面来说，罗斯柴尔德对比利时公共金融领域的垄断都是难以撼动的——尽管比利时政府失败的反抗尝试（直接向公众发售债券）为将来如何打破这种垄断提供了方向。

拯救犹太族人

从许多方面来讲，比利时在1838~1839年间爆发的危机最重要的方面便是对法国的冲击。由于之前在西班牙以及瑞士遭遇了外交惨败，奥尔良王朝不愿出面支持比利时的做法受到了广泛批评，反对派认为这是取悦法国的传统敌人：保守的奥地利与背信弃义的英国。自1830年革命开始，罗斯柴尔德家族就一直担心法国重归传统政治的模式：对内激进，对外富有侵略性，这种模式在18世纪90年代让整个欧洲陷入了战火之中。当另一次国际危机——这次出现在中东地区——让法国面临外交孤立境地时，罗斯柴尔德的担忧有可能成为现实。这也是罗斯柴尔德家族将被迫面对的众多“东方危机”之一。它的后果——好战的梯也尔政府倒台，法国再次遭遇了外交羞辱——也揭示了罗斯柴尔德家族政治权势所达到的高度。

实际上，詹姆斯从未停止过担心，他害怕国际形势的发展将会导致巴黎的政权发生改变。1837年4月，当听闻梯也尔可能重返政府时，他发出警告说：“法国公债的价格将会下跌，因为梯也尔偏好干预（西班牙）政策。”后者在1836年曾经试图派遣军队跨越比利牛斯山，进入西班牙。实际上，另一个梯也尔政府可能出现的想法，已经足够让詹姆斯相信需要“从法国基金中抽身，因为结果不是很妙”。“一个好政府”，按照詹姆斯的定义，从其本质上来说，对外应该追求和平政策，对内应保持预算平衡：他认同4月上台的莫莱政府，准确地说，就是因为它很“脆弱”。当莫莱在第二年11月的大选中获胜时，詹姆斯认为他们“运作得不错”；当梯也尔1838年12月提出新挑战后，詹姆斯敦促政府“保持团结，相信自己坚强有力”，并承诺提供“坚定的支持”。

而1839年3月大选之后，莫莱最终下台时，罗斯柴尔德家族再次忧虑起来，他们担心政府被“梯也尔的政党”以及“空想自由派”完全掌控。“在我看来，这是一件非常糟糕的事，”安东尼不安地在信里说，“国王被迫让步并且只能按照梯也尔的意愿行事——我向你们保证，我们变得有点害怕了。”不过结果是，梯也尔对于外交政策更为侵略性的坚持，仍然让路易·菲利普觉得难以接受，所以由苏尔特元帅组成了另一个温和派政府。但是苏尔特政府存在时间也不长，1840年3月1日，梯也尔最终重返政府。因无法抵制他的崛起，让詹姆斯感到很悲观：

> 一个新政府组成后，没人对这一事件有任何想法，尤其是在这个夏天，但是从长远来看，我非常难过，法国只有发动战争才能从目前的窘境中摆脱出来。如果路易·菲利普能够保住他的王位，和平就能得到维持，但是他的儿子，我想，将别无选择，只能发动战争。我亲爱的侄子们，因为局势将进一步恶化，我倾向于坚持我之前提出的观点，慢慢地，但一定要抛出我们持有的3%年利率的法国公债……任何政府都无法组成，这是个耻辱，而且最终不论谁组成了政府……我们也能预见到议会里的各个政党依然钩心斗角。但是如果各种证券价格下挫，我们就能够重新买进，因为在法国，人们就像在西班牙一样，前一天打得不可开交，但第二天他们又变成了好朋友。

梯也尔担任总理之后，詹姆斯警告他的侄子们说，他对“基本形势，即事务的内部状态感到很不开心”。法国政权“失去了那些贡献最多的人”。尽管詹姆斯很快——秉承以往多变的风格——又开始谈论“与（梯也尔）建立一种友好的关系”，但这被证明并不现实。

导致罗斯柴尔德家族与梯也尔爆发公开“战争”的事务通常被称为“东方问题”：庞大的奥斯曼帝国，其概念上统治着大部分北非、巴尔干以及几乎整个中东，它能够保持完整吗？如果不能，谁能代替它的位置？经济落后，宗教林立，政府摇摇欲坠，政治暴虐——奥斯曼帝国囊括了所有这些特征。当然，罗曼诺夫王朝以及哈布斯堡王朝也是如此，但是程度没那么严重，而且它们是基督教国家——因此现代史当中，试图将奥斯曼帝国赶出欧洲大国“五头统治”行列的努力一直没有停息过。此时，“五巨头”中的4个对奥斯曼的统治呈现衰落态势的地区垂涎不已。奥地利与俄国出于明显的地缘原因，与他们南方的邻居存在着悠久的领土争夺史，而英国与法国对奥斯曼土地越来越浓厚的兴趣，是出于商业、战略和宗教等多方面原因。

在整个 19 世纪，奥斯曼帝国统治的未来取决于这些大国之间的相互作用：连接所有东方危机的主线是，每个国家都有着截然不同的目标，谁都不能单独实现。罗斯柴尔德家族在东方问题的外交中扮演了重要角色，主要是因为，无论是维持现状还是创造新的势力平衡结构，都需要资金；统治这些地区（奥斯曼疆域）最基本的一个难题就是税收长期处于微薄状态。但是，罗斯柴尔德家族对奥斯曼帝国事务感兴趣的第二个，也是非常不同的原因是：他们"共同信仰者"的地位。

我们已经看到，资助希腊成功独立是罗斯柴尔德家族第一次卷入东方问题。围绕希腊疆域以及宪章的外交纷争一平息，他们就非常开心地提供了希腊赔偿土耳其人所需的资金，并且让雅典的新政府恢复了健康。这笔贷款最初看起来似乎只是冲着生意去的，因为希腊债券得到了对该地区感兴趣的 3 个大国的担保：英国、法国和俄国。但是，詹姆斯在巴黎被迫苦战了一番，以便从阿瓜多以及戴希塔尔手里获得比较满意的份额，后者在这起交易中占据了主导地位，这主要得益于他与希腊新国王的紧密关系（都来自巴伐利亚）。此外，交易的执行比预想的要困难得多。本来，希腊计划发行 6 000 万法郎的债券，3 个大国各自担保 1/3。筹集的资金中，1 100 万法郎通过罗斯柴尔德家族用于支付土耳其的赔款，剩余部分通过戴希塔尔交给希腊政府。

但是，这个地区的紧张局势再次出现时，安全局势几乎立刻被打乱。1831 年 11 月，埃及帕夏穆罕默德 · 阿里起兵反抗苏丹马哈茂德二世，理由是他当年出兵在巴尔干地区对希腊采取的军事行动没有得到合理回报。出生于阿尔巴尼亚的阿里派儿子易卜拉欣入侵他最为垂涎的地区：叙利亚。几个月内，易卜拉欣攻占了加沙、耶路撒冷和大马士革。土耳其苏丹开始寻求获得英国的支持来镇压反叛的部下，但是巴麦尊否决了英国驻君士坦丁堡大使斯特拉特福德 · 坎宁的建议，拒绝提供帮助；相反，他试图从中斡旋，希望两方达成妥协。于是，苏丹转而向俄国求助，沙皇在 1833 年给予了军事援助。5 个月后，让英国与法国感到沮丧的是，土耳其与俄国签订了一个条约，其中包含了一项秘密条款，要求苏丹在"必要时"——实际上，是在俄国要求时，封锁黑海海峡，禁止任何国家的战舰通行。当奥地利与普鲁士也在条约上签字后，俄国获得了外交上的完胜。

对罗斯柴尔德家族来说，这只是许多威胁欧洲和平的事例之一。萨洛蒙匆忙地以梅特涅的名义警告詹姆斯，法国不应通过支持穆罕默德 · 阿里采取报复行动，后者在巴黎类似于拿破仑的公众形象因为他进步的经济政策进一步得到增强。但是，这次危机的金融寓意还不那么清晰，因为法国对于希腊贷款的担保没有获得批准，而赔给土耳其的款项已经到了支付日期。在紧张的外交环境下，也能够预测这些交易受到了（表面上的）技术上的困扰。比如，希腊推迟向英国发送必要的债券，而土耳其则宣称，如果希腊代表团乘坐战舰抵达君士坦丁堡，那么土耳其将拒绝承认其身份。纳特出发前往君士坦丁堡时，幻想着从苏丹那里获得有异国情调的装饰品，作为对他帮助赔款顺利支付的回报。但是，到他离开时，他“厌恶且厌倦了土耳其人，对他们的欺诈感到羞耻，非常后悔来到这个让人憎恶的地方做生意”。

1836~1837 年间，又出现了一些难题，希腊政府威胁停止支付贷款利息，这场危机让国际担保受到了考验，最终勉强平息。罗斯柴尔德家族采取了与同时期在葡萄牙类似的债券发行方式，利用新债券发行筹集的资金来支付之前债券的红利，但是金融市场很快学会区别对待希腊债券，英国担保的债券比法国和俄国担保的认可度高。这个难题一直持续到 19 世纪 40 年代，担保国试图只支付到期的利息，而不理会罗斯柴尔德家族的佣金。

也就是在这个时候，法国与英国在东方问题上的政策开始出现分歧。1836~1837 年间，法国再次将奥斯曼之前的属地阿尔及利亚变成自己的殖民地——对这个地区的争夺始于波旁王朝末期，成功地通过军事手段夺得。另一方面，巴麦尊此时的政策偏向于支持土耳其，其目的是要破坏俄国在君士坦丁堡的主导地位。当 1839 年 4 月，苏丹与穆罕默德 · 阿里之间再次爆发战争时，法国政府发现给后者提供支持后，自己面临着孤立的局面。在各国外交的纵横捭阖中，英国与俄国达成了交易，《斯凯勒西村条约》将被一个国际协议取代，黑海再次被打通，而穆罕默德 · 阿里也将被迫退出叙利亚，但可以继续保留阿卡要塞。1839 年，法国政府拒绝了这一提议，但是它除此之外，什么也做不了。就如罗斯柴尔德巴黎分行向纽考特报告的那样，“现在的处境十分尴尬。实际上……法国政府要么被迫接受（巴麦尊勋爵的提议），要么发现自己在东方问题上完全陷入孤立境地”。对于比利时危机迟缓的反应与这次反应形成了鲜明的对比，这种外交转变似乎给了梯也尔更为激进的外交政策一个机会。

直到此时，罗斯柴尔德家族一直没有采取什么行动，只是注视着外交方面的进展。1840 年 2 月 5 日，埃及占领的大马士革发生的一些事情戏剧性地改变了这场危机的复杂性。在形势仍不明朗的情形下，一个名叫托马索的行乞修道士以及他的仆人易卜拉欣在大马士革失踪，音信全无。他们最后出现的地方是城里的犹太人社区，于是很快有传言说，他们在那里遭到了谋杀。在法国领事拉蒂-蒙顿伯爵的唆使下，埃及总督逮捕了许多犹太人，并施以严刑。一个声称在穆斯林市场看到过托马索的犹太人遭到逮捕并拷打致死，他的仆人也遭遇了同样的命运。一个犹太理发师被打了 500 个耳光后声称，他看到过托马索与两个拉比以及犹太社区的 7 个主要成员在一起，其中有一个人叫戴维 · 阿拉里。这些人全部被捕，而且另一个拉比也被逮捕。当这些人自称清白时，不幸的理发师再次受到抽打，为了逃避刑罚，他声称疑犯曾经给他钱，让他谋杀修道士，以便他的血可以涂到逾越节的面包上。尽管他拒绝了疑犯，但理发师说他目睹了托马索在阿拉里的家里“遭到了残忍的谋杀”。

阿拉里的仆人遭到拷打并得到免于其他刑罚的承诺后，承认谋杀了托马索，而且在一条下水道里“发现了”托马索的遗骸，于是，7 名疑犯遭到进一步拷问，直到他们“坦白”了自己的罪行。其中一人——为拯救自己和家人，皈依了伊斯兰教——证实了残忍的谋杀故事：他说，托马索的仆人死于同一种方式。就如现代早期“猎女巫”的情形类似，故事变得越古怪，涉及的人越多。一共有 70 个人遭到逮捕，而且差不多还有同样多的孩子被扣为人质，迫使那些逃到大马士革的“疑犯”自首。整个过程中，法国领事扮演了“猎女巫”行动的总指挥，他不仅利用了天主教社区的反犹情绪，而且也利用了犹太社区内部的社会分化。

正是由于一个犹太商人伊萨克 · 德 · 皮乔托被捕，将这个“捕猎女巫”的行动变成了一个国际事件，因为皮乔托碰巧是一个奥地利人。为了阻止皮乔托遭遇到拉蒂-蒙顿其他受害者同样的命运，奥地利领事卡斯帕 · 吉奥瓦纳 · 莫拉托向大马士革政府提出了抗议，并请求他的上级、驻埃及总领事安东 · 劳林在亚历山大也提出同样的抗议。3 月 31 日，劳林——他认为整件谋杀事件是伪造的——不仅向穆罕默德 · 阿里发出了抱怨，并且试图向法国驻埃及总领事提出抗议，要求其对拉蒂-蒙顿加以约束。另外，劳林同时采取一些不同寻常的举措，他将自己所写的报告以及从莫拉托那里收到的报告直接抄送了奥地利驻巴黎总领事。劳林建议说，驻巴黎总领事应该迫使法国政府“发布一个强硬的命令……严厉批评在大马士革的领事”并且“让那里的政府采取负责的态度……（防止）非犹太人口的仇恨发展成为对犹太人的迫害”。

奥地利驻巴黎总领事及上述引用信件的作者，当然就是詹姆斯 · 德 · 罗斯柴尔德，劳林的信只是许多寄给他以及其他罗斯柴尔德成员的信件中的一封，这些信件都是希望为大马士革以及同样受迫害的罗兹岛犹太人寻求帮助。3 月 15 日，同样内容的求助信寄到了荷兰犹太人领袖希尔施 · 勒伦那里，信件出自贝鲁特的一个犹太人之手，他希望信件能够由勒伦转交给罗斯柴尔德家族，因为他们可能“能够与国王和大臣们说上话”。两天后，另一封来自英国驻中东商人的信敦促勒伦写信给詹姆斯，声称只有“名声响亮的罗斯柴尔德家族……拥有拯救受难同胞的权势”。3 月 27 日，君士坦丁堡犹太人社区将来自大马士革和罗兹岛的信件寄给了萨洛蒙、卡尔和列昂内尔，号召“建立一种紧密团结整个犹太人族群的纽带”。

詹姆斯按照劳林的建议做了。但是，法国外交部只是命令他们在亚历山大的副总领事调查拉蒂-蒙顿的行为，这样做，如詹姆斯所说的那样，只是一种敷衍行为，因为副总领事的官阶比领事要低，所以他根本没有权力让后者为自己的行为负责。“在这样的情况下”，他在 4 月 7 日通知萨洛蒙：

> 我们现在唯一可行的是万能的方法：呼吁媒体支持我们，我们现在根据奥地利驻大马士革领事的报告，已经有一个非常详细的事件描述，我们将其提供给《辩论日报》和其他报纸，同时也安排将这一事件详细地刊登在奥格斯堡《汇报》上。

利用媒体也是为了回应支持谋杀理论的法国媒体，比如《每日报》和《世界报》。詹姆斯下决心要尽可能有效地应对法国媒体，他找到了法国犹太人宗教法院的副主席阿道夫 · 克雷米厄，后者不仅擅长法务工作，文字功底同样深厚。克雷米厄针对叙利亚犹太人问题的长信第二天便出现在《判决公报》和《辩论日报》上。在随后的媒体争战中，詹姆斯同时授权克雷米厄出版劳林寄给他的文件——这让梅特涅感到大为恼火，尽管他同情犹太人，但是对于不受限制的（按照奥地利标准）媒体参与表示了憎恶。

这只是罗斯柴尔德家族参与释放大马士革（犹太）囚犯运动的开始。在伦敦，当英国犹太人代表局 4 月 21 日开会讨论这一事件时，列昂内尔出席了会议，克雷米厄也出现在那里。9 天后，巴麦尊同意成立了一个代表团，列昂内尔是其中一员。6 周后，纳特建议克雷米厄给列昂内尔与犹太人代表局写一封正式信函，“那样会给你提供一个机会，使你能够向巴麦尊勋爵陈述这一事件”；此外，也正是纳特建议列昂内尔“准备好一大笔捐款，尽快资助克雷米厄前往中东”。这也直接导致了一个想法的形成，即克雷米厄与摩西 · 蒙蒂菲奥里高调公开“远征”亚历山大，此行的目的便是讨回囚犯们的清白，确保他们获释。罗斯柴尔德家族捐献了一大笔资金——至少 2 500 英镑——资助了这次探险，同时还充当了大马士革犹太人基金的“出纳”。在维也纳，萨洛蒙说服梅特涅迫使梵蒂冈处理一则谣言，这则谣言声称托马索实际上还活着，藏在一个修道院里（实际上并不是）。在那不勒斯，卡尔给蒙蒂菲奥里补充了供应品，传授他一些谈判的技巧，后来还帮助他说服天主教堂将“谋杀”的字眼从托马索的墓碑上去掉。在巴黎，安塞尔姆定期与劳林进行沟通，详细地了解蒙蒂菲奥里在亚历山大谈判的进展。

很容易地认为，罗斯柴尔德家族参与拯救大马士革犹太人事业，是因为自己的族人所受到的不公正待遇让他们感到非常愤怒。海涅——詹姆斯给予暗示的记者之一——将詹姆斯的利他主义与其他法国犹太人的漠然进行了对比，尤其是铁路金融方面的竞争对手伯努瓦特 · 富尔德。海涅评价说，詹姆斯“在同情犹太人方面，比他的竞争对手显示出了更为高贵的精神”。毫无疑问，罗斯柴尔德家族的所有成员都对他们共同信仰者的遭遇表示了同情。纳特说，这是“一件不愉快的事情，但是我们必须尽力阻止针对我们信仰的诽谤流传，必须阻止针对我们不幸的东方同胞的酷刑”。他几天后又说，这样做的目的是“要让人们普遍地意识到，某一个教派可以不受惩罚的日子已经成为过去”。法国政府试图维护拉蒂-蒙顿的做法激怒了纳特：“当法国总理在议会宣布，他认为犹太人实施了谋杀，目的是得到基督徒的血用在希伯来宗教仪式上……这让人感到非常震惊，这样的中伤那些血管里流着犹太人血液的人都应该予以驳斥，并证明其荒谬绝伦。”他和家族里的其他人对于蒙蒂菲奥里远行的成功感到欢欣鼓舞，后者不仅从穆罕默德·阿里那里得到了一个庄严的指令，宣布残忍谋杀并非是犹太教的教义，而且一周之后，又“体面地释放了”囚犯们。这一切揭穿了19世纪30年代对于罗斯柴尔德家族的一个指责：他们对犹太同胞的命运漠不关心。“谁能站出来，”《汇报》编辑路德维希·菲利普森1839年就曾质问道，“说说这些人为犹太教、为了它的解放、为了它的公民权或精神地位的提升做过什么重要的事情？”一个美国作家曾经声称詹姆斯并不“关心巴勒斯坦贫瘠的海滨（的犹太人）”，与这个作家一样，菲利普森在大马士革事件之后，只能自食其言。

另一方面，罗斯柴尔德家族对于中东地区犹太人解放运动的雄心也不应被夸大。即便在1840年之前，就有一个说法在媒体以及其他地方流传，即罗斯柴尔德家族计划为犹太人重新索回圣地。早在1830年，一份美国报纸就声称，“土耳其苏丹财政上的窘境”可能迫使他将耶路撒冷卖给罗斯柴尔德家族：

> 他们的富有超出了渴求甚至贪欲所能企及的程度；以目前的显赫地位，很容易让人想到他们可能会寻求其他一些东西来满足自己的野心……如果得到了（圣地）——这或许可以用钱买到——他们可能立刻建立一个很大的国家，而且很快就能捍卫自己，并且会对东方的商业与形势产生巨大的影响——从而给犹太人的后代提供补偿，将那个曾经积聚“古代”大部分财富的地方重新交还给他们。对苏丹来说，这个国家没有什么价值；但是在犹太人手里，在诸如罗斯柴尔德家族的指引下，即便在非常短的时间，什么是它不能改变的？

差不多在同一时期，一个记者直接地问内森：“为何你们这些拥有影响力的人，没有进行任何努力，从土耳其皇帝、埃及统治者以及欧洲大国手里重新要回巴勒斯坦呢？那可是你们祖先的土地。”我们已经看到，这个问题在1836年的一本小册子《希伯来护身符》中给予了回答；一个支持犹太复国主义的犹太作家同年正式向阿姆谢尔提议购买巴勒斯坦的土地。法国早期社会主义者夏尔·傅立叶也认为，“重建希伯来将是罗斯柴尔德家族某一位先生最豪华的加冕礼：如埃斯拉和所罗巴伯一样，为了建立罗斯柴尔德王朝，他们能够带领犹太人重返耶路撒冷，再次竖起大卫王与所罗门的王冠”。《世界报》（*Univer*）于 1840 年 10 月的一篇文章也描述了类似的画面。英国的福音主义者也被这一想法吸引。如巴麦尊夫人在大马士革事件之后评论说：“这个国家……狂热与宗教因素……绝对决意认为耶路撒冷和整个巴勒斯坦将等待犹太人回归；这是他们唯一的渴望。”尽管 11 年后迪斯雷利再次提及这个问题时，斯坦利感到很吃惊，但它并不是一个独特的想法。实际上，或许从基督徒的千年祈愿中就能找到类似的话语，而罗斯柴尔德家族则被认为是基督再生。但是没有证据证明罗斯柴尔德家族有此类打算；这个家族中的一些成员参与犹太复国主义运动也是很久之后的事。

此外，罗斯柴尔德家族的许多成员，即便对于释放大马士革囚犯一事所采取的方式都持保留态度。从纳特的信中似乎可以看出，列昂内尔对于克雷米厄和一些更为喧嚣的英国犹太人所制造的“喧闹”感到不安。他觉得，这些人表露出的“热情太过了”。实际上，建议蒙蒂菲奥里陪同克雷米厄前往亚历山大的一个原因是“平和（后者的）狂热”。而且，纳特或安塞尔姆也没有期望那次远征能够实现它的目标。当确实获得成功时，安塞尔姆“反对举行任何公共示威活动”，并且强烈反对像法兰克福与其他地方那样以英雄般的方式欢迎克雷米厄。大马士革的胜利鼓舞了全欧洲的犹太人，随后出现了各种各样改善犹太人生存状况的计划，最著名就是菲利普森提出的一个方案：在耶路撒冷修建一个犹太人医院。起初，法国的罗斯柴尔德成员似乎愿意跟随蒙蒂菲奥里的领导，后者支持菲利普森的计划；但是他们在捐助医院旁边的牧师学校时附上了条件。当巴勒斯坦的犹太社区反对这一计划时，罗斯柴尔德家族便收回了资助，直到 1853~1854 年，修建医院的计划才再次浮出水面。罗斯柴尔德家族也一如既往地继续利用他们的影响力改善其他地方的犹太社区的生存状况（如俄国控制的波兰）；但是他们的努力通常被更为激进的犹太人所质疑，后者的目标不仅仅是得到经济上的改善。

对罗斯柴尔德家族来说，大马士革事件真正的意义只有置于外交环境中才能领会到。尽管，他们毫无疑问对大马士革的囚徒给予了同情，但詹姆斯和萨洛蒙更为看中其中的外交意义。因为大马士革事件给了詹姆斯一个理想的机会来破坏梯也尔的地位，后者在托马索神父所谓的“谋杀案”之后几个星期当选了总理。从本质上说，这起事件能够凸显法国外交政策的孤立主义问题，而这正是帮助梯也尔上台的因素之一。英国政府支持释放犹太人的运动也有自己的原因。巴麦尊决意打破穆罕默德·阿里的权势以及孤立法国，他很高兴地看到埃及人在叙利亚的政权被描述得无比邪恶。同样的，梅特涅也很高兴得到机会挑战法国，后者声称由它负责捍卫圣地所有天主教徒的利益。另一方面，梯也尔几乎没有对穆罕默德·阿里在叙利亚的政权提出过任何批评，更不用说他自己的领地了。相反的，他的言行更为出格。5月初，他对詹姆斯说："整件事是基于事实；我们最好平息它……因为中东的犹太人仍然如此的迷信……"他跟克雷米厄也说了类似的话。6月2日，为了回应富尔德在议会中的一个演讲，梯也尔嘲讽地质疑了法国犹太人的爱国主义：

> 你们以犹太人的名义进行抗议；那么，我以法国的名义抗议。如果我被允许这样说，我会说，犹太人中间正在发生一些荣耀的事。公众一获悉这一事件后，他们的担心便会在全欧洲范围内显现出来，他们用热情和狂热情绪处理它，在我看来，正是热情与狂热情绪使他们感到荣耀。如果我被允许这样说，我会说，他们的力量要比假装展现出的强大得多，此时此刻，他们正向每个外交大臣提出抗议。他们也狂热地做着这件事，这种狂热超出了人们的想象。一个总理必须有勇气保护受到此类攻击的下属。

梯也尔的这番话引发了法国媒体的攻击浪潮，"在拉斐特街上拥有豪宅的人……不惜一切代价武力反对……我们在大马士革的领事"（《世界报》）以及"罗斯柴尔德先生"的"难以置信的傲慢"[《每日报》（*Quotidienne*）] 等词句，不一而足。

当时，很容易将这类评价当做一种反犹言论，整个19世纪这种言论不时地出现在法国政治中。但是，还有一层含义是，梯也尔没有其他选择，只能捍卫拉蒂–蒙顿。罗斯柴尔德家族——尤其是詹姆斯——已下定决心要动摇他的地位，尽管主要是因为他威胁到了国际稳定，而不是威胁到了大马士革的犹太人（更不用说他威胁到了法国的犹太人）。

如果说罗斯柴尔德家族将梯也尔赶下台，那么这种说法有些过于简单了。除了大马士革事件，1840年夏季，法国的国际地位不断地恶化。梯也尔不仅拒绝了解决问题的英国–俄国方案，还寻求在阿里与苏丹之间达成双边协议。但是，这只促使其他国家于6月15日达成了一项协议，同意在必要时采用武力迫使穆罕默德·阿里接受他们的条件，其中，他们将确认他为世袭埃及帕夏，给予他阿卡帕夏的称号，但是只让他控制南叙利亚的政府。此时，毫无疑问，巴麦尊赶在垂死的国家间友好协议发挥作用前，对君士坦丁堡施加了压力。8月份的路易·拿破仑"流产"的回归图谋以及9月在巴黎发生的骚乱也打击了梯也尔。但是，无论怎样，纳特在危机最紧张的时候明确地表示，"几乎不可能推翻他（梯也尔），实际上，这么做也十分危险，而且不明智"。另一方面，当纳特痛斥"所有新贵中最傲慢的人"所表现出的"不负责任而且……民族主义的顽疾"和"虚假自由主义"时，他内心想的显然是"更为美好的将来”。问题是罗斯柴尔德家族能够多快地把梯也尔拉下台。

表面上，在1840年8~9月的动荡时期，他们的唯一目标就是通过可靠的外交沟通渠道促进和平的到来。列昂内尔向克拉伦登勋爵保证，法国不会开战；詹姆斯向梅特涅转达了路易 · 菲利普一再发出的请求：希望奥地利派出一个斡旋的人；列昂内尔试图让比利时国王从中调停；詹姆斯拜访了好战的奥尔良公爵；列昂内尔向巴麦尊转达了纳特的警告：不要过分地压迫法国，等等。这种外交活动的背后目的是从财政上削弱梯也尔的地位。关键因素是危机对于法国公债价格的冲击。8月3日，“公债价格出现了暴跌”，这让纳特和詹姆斯飞速赶回巴黎，与安塞尔姆一起静观形势发展。这只是一个冗长下跌的开始。当英国海军远征军包围易卜拉欣帕夏时，巴麦尊断然拒绝了梯也尔提出的保存颜面的妥协方案，而法国公债价格随之再次暴跌。公债价格从7月的87点跌到8月初的79点，到10月初只剩下73.5点。毫无疑问，认为罗斯柴尔德家族独自造成了公债价格的下跌是错误的，这是巴黎股票交易所里出现的普遍恐慌造成的。另一方面，他们没有做任何事来检查它。更为重要的是，他们也没有理由这么做。因为，与19世纪30年代初的危机不同，这次危机他们没有任何损失。我们可以从纳特8月2日的评论中看出端倪：“感谢上帝，我们几乎没有持有任何公债。”非常简单，他们在危机到来之前就一并抛出了所有法国政府债券。这也是法国驻伦敦大使基佐未能发觉的一件事。“你认为他正在祈求上帝保佑他的财产安全吗？”他9月9日拜访完列昂内尔之后，这样问列文公主。海涅也被詹姆斯紧锁的眉头所欺骗：“已经下跌了两个百分点的法国公债又跌了两个点，据说罗斯柴尔德先生昨天牙痛，也有人说他得了疝气。这意味着什么？风暴更加接近了。已经能够听到瓦尔基里（北欧神话中死神奥丁的婢女）的羽翼扇动的声音。”实际上，詹姆斯是在假装维护海涅读者们的利益。纳特唯一的遗憾就是他没有更多的流动资金用于投机，他开玩笑地说：“我不能发一笔横财。”

梯也尔进行了反攻。10月12日，支持政府的《宪章报》（*Constitutionnel*）炮轰“德 · 罗斯柴尔德先生与他的骗术”：

> [根据《泰晤士报》（*The Times*）的报道] 德 · 罗斯柴尔德先生是一位金融人士，并不希望发生战争。没有什么事比这点更容易理解。罗斯柴尔德先生是一个奥地利国民，也是奥地利驻巴黎领事，他对法国的荣誉与利益并不在意。这也很容易理解。但是，如果没有我们的议会，德 · 罗斯柴尔德先生，股市大师、梅特涅的代理人，你会做什么样的祈祷？这个“金融之王”凭借什么权力、什么权威来干预我们事务？他是我们荣耀的决断人？他的金钱利益可以凌驾于

我们的国家利益之上？谈到金钱利益，十分让人惊讶的是，如果能够相信受高度认可的报告，犹太银行家对内阁不满的还不仅仅是金融上的困境……另外，受伤的虚荣心也需要得到安抚。德·罗斯柴尔德先生已经向与他拥有共同信仰的同胞承诺，将把我们驻大马士革的总领事解职，因为他在那个城市逮捕犹太人的事件中扮演了一定的角色。多亏了议会主席（梯也尔）的坚持，大银行家的这些要求被一一拒绝，拉蒂–蒙顿先生得到了支持——因此，将大银行家卷入纷争的愤怒以及狂热让他一无所获。

这个攻击忽略了一个事实，从最基本的方面来讲，“金融之王”处在一个能够“干预”政府政策的地位上。如果梯也尔真正考虑进行战争准备并最终开战的话，有一个问题就不可避免地出现：他如何承担起相关的费用？考虑到法国政府已经十分紧张的预算，借贷是唯一可行的办法。但是在公债价格不断下跌的情况下，政府根本不可能借到钱。这不仅是罗斯柴尔德家族，也是整个金融市场对他们不赞成的政府所能施加的压力。金融危机剥夺了梯也尔的借贷可能，进而有效地破坏了他的外交政策。在回复《宪章报》的文章时，詹姆斯以巧妙的恐吓语调阐述了自己的观点：

我从没有鼓动过反对政府的行为，一个最简单的原因就是我从不希望承担政治角色。就如你们所说的那样，我是一个金融家。如果我期望和平，我会真心诚意地期望它的到来，不仅仅为法国，而是为全欧洲祈祷。金融家任何情况下都有机会为国家提供服务，我认为在这个方面我向来都迅速地作出了反应。

他的言下之意是，这次他可能不会提供服务。不到一个星期，也就是在10月20日，“小无赖”辞职。10天后，一个新政府由苏尔特组成，基佐也在其中。纳特满意地说：“股市得到了最大的信心。”

当然，安排中东地区持久和平的谈判持续了好几个月——在此期间，“战争狂热”的迹象不仅在法国出现，在德国同样如此。但是，对罗斯柴尔德家族来说，梯也尔的倒台是这场危机的转折点。海涅在1841年3月报告说：

德·罗斯柴尔德先生有段时间似乎感觉不适，现在已经完全恢复，看起来气色很好。股市占卜师，擅长解读伟大男爵外貌的专家向我们保证，和平之鸽在他的笑容里筑巢，对于战争的每一丝担忧都已经从他的面容中消失，他的眼里也看不到一丝预示风暴的光亮，因此，如战争般威胁整个世界的风暴天气，已经完全消散。这些占卜师告诉我们，他的喷嚏都是和平的预兆。

受制的权势

东方危机的结果证明了国际紧张状况能给罗斯柴尔德家族带来好处——因为国防费用的攀升并不会导致战争的爆发。可以确信的是，在19世纪30年代，罗斯柴尔德家族一直利用他们的金融力量促进和平。但是，当大国的外交政策完全处于克制状态时，新贷款的需求也趋于枯竭。形成对比的是，当他们采取重整军备的政策时（从1840年后他们一直在这样做），这对罗斯柴尔德家族的利益不再构成威胁。

梯也尔的倒台几乎立刻为詹姆斯带来了新生意。军备开支的攀升是梯也尔留下来的遗产——尤其巴黎周边的新防御工事更是花费不菲——迫使苏尔特元帅的新政府在1841年筹措了一笔新贷款。罗斯柴尔德家族有一万个原因不喜欢防御工事项目：除了引燃欧洲的战争气氛，它也使得萨洛蒙位于叙雷讷的别墅价值面临暴跌，它离计划中的防线非常接近。但是，他们丝毫没有犹豫地满足了政府的需求。坦诚地讲，詹姆斯对筹集贷款的债券数量以及新任财政大臣提出的发行价格满腹牢骚，新财政大臣泰奥多尔·于曼此前也是一个银行家，詹姆斯私下里将其视为一个“流氓”和“无赖”。实际上，整个谈判过程，即便按照詹姆斯的标准来衡量，也一直充满着扣人心弦的气氛。当于曼要求在巴黎会面时，在加斯泰因和维也纳办事的詹姆斯甚至未能抽空看望一下萨洛蒙，而且詹姆斯不止一次地表明，如果条件不提高的话，他就把生意让给别人。但实际上，他并没有放弃生意的打算：他解释说，“我们希望——实际上必须拿到这宗贷款生意”；他也十分自信地认为于曼不可能放弃他，因此更加坚定地讨价还价。1.5亿法郎的贷款债券最终在10月发行，协议条件或多或少地遵照了詹姆斯的要求。

对当时的人们来说，这只证明了詹姆斯对于法国金融无可匹敌的统治地位。但是，这笔贷款的重要性可能在于“武装和平”的特征，正是这一新式和平使得贷款成为必要。引人注目的一点是，此时詹姆斯与纳特不仅愿意证明重整军备政策的合理性，也乐意资助这一政策，而这恰恰是他们在梯也尔当政时所反对的。他们向伦敦以及维也纳分行保证，新法国政府重整武装只是为了安抚民意。“过去10年中，没有一个政府比10月9日组成的政府更渴求和平，但是它需要考虑一些事情，克服一些怀疑，防备狂热的敌人。”一旦军备增加的成本为人所知，民众的情绪便会变得更为平和。3月8日，詹姆斯能够报告“赢得大捷”：“处理预算的委员会拒绝批准建立36个新军团的计划，这也给了梯也尔一记响亮的耳光，他此前一直想扩大军队的规模，这也将节省4 000万法郎，同时也是真正意义上的裁军，这是维持和平的一个证据。我买进了法国公债……”

1841 年的贷款标志着罗斯柴尔德家族与法国财政部的“正常服务”得以恢复。1842 年与 1844 年，罗斯柴尔德家族又提供了另外两笔贷款（每笔两亿法郎），尽管他们的主导地位遭受了奥廷格、巴林和拉斐特的挑战。国际紧张形势也增加了德国各公国的军备开支。“只要法国持续武装，”安塞尔姆分析说，“德国必须跟上。”而这对于罗斯柴尔德家族来说，意味着新的生意。这样一来，在平淡的 7 年之后，奥地利政府在 1841 年再次筹措了一笔 3 850 万古尔登的贷款，罗斯柴尔德家族同样与希瑙以及阿恩施泰因和埃斯克尔共同接下了这笔生意。两年后，他们又筹措了另一笔 4 000 万古尔登的贷款。罗斯柴尔德家族曾经视和平为金融稳定的必要条件，但是一个武装的和平能带来更多的利润。

内塞尔罗德伯爵夫人认为这个时候的詹姆斯像个“总督，甚至像个国王”，就不足为奇了。詹姆斯告诉她，他认识法国所有的大臣，每天都能见到他们，如果他们采取的政策“与政府的利益相冲突”，他能够直接向国王表示抱怨；詹姆斯所说的这些并非夸大其词。“如他所知，我有太多的东西会失去，我并不渴望和平，他对我非常有信心，仔细听并斟酌我所说的话”：在那个句子里，除了巧妙地提及法国政权在财政上对罗斯柴尔德家族的依赖外，也揭示了詹姆斯掌控“中产阶级王朝”的关键因素。当海涅称詹姆斯是一个“风向标”时，低估了他影响世界风向的程度。1840~1847 年间，罗斯柴尔德给基佐提供的资助有效地让他避免与英国发生直接冲突——并增加了修建铁路而非防御工事的资金比例。这个时候，即便纳特和他的兄弟们对于叔叔在巴黎所拥有的影响力也都感到很吃惊。当英法围绕太平洋的塔希提岛产生争议，又在 1844 年平息纷争时，纳特评价说，“国王陛下让人吃惊的礼貌，几乎亲吻了他，他如此高兴”，法国国王（错误地）赞美罗斯柴尔德家族在伦敦约束住了（英国首相）皮尔。

但是，詹姆斯的权势是受到限制的，就如罗斯柴尔德家族的权势在 19 世纪 30 年代受到限制一样。1846~1847 年间，英法之间围绕西班牙问题爆发了更为严重的争执，这让詹姆斯感到非常恐慌，当时路易 · 菲利普决意让自己的儿子与西班牙女王的妹妹联姻，而这可能被巴麦尊看做一个开战的理由。詹姆斯不停地来回奔波，试图让法国同意签署一个英法贸易协定，作为对蒙庞西耶（法国王子）婚姻的一种补偿，但是基佐这个时候却坚持不让步。詹姆斯于 9 月 26 日寄给伦敦的信里透出了内心的不安：

> 我们非常焦虑……因为，就如我得知英国大臣（诺曼比勋爵）的状况一样，他非常忧虑，因此可能采取非常坚决的举措。我不能想象他们将立刻宣布开战。

真相是蒙庞西耶定于星期一前往（西班牙）。但是，基佐跟我说，即便英国准备宣战，婚礼仍将如期举行……我亲爱的侄子们，这让人感到太恐怖了。我没有想到形势会变得如此糟糕，我告诉你们一定要小心，因为最后肯定会发生一些事。英国大臣告诉我："我们不能冷静地坐着，等待局势发展。"他是否有意这样说，以便让我放出风去，只有上帝知道……我认为前景不容乐观。

詹姆斯甚至向基佐提议，蒙庞西耶应该宣布放弃继承西班牙王位。但是，安东尼焦虑地报告称："基佐认为我们一直在跟他对着干，你根本不知道我们必须多么小心谨慎……我向你们保证，我非常忧虑——法国人不想战争，也不能开战，但是他们让形势变得如此糟糕。"实际上，纳特不愿意将列昂内尔的来信转交给路易·菲利普，因为其中明显包含了巴麦尊所说的强硬词句：

我们叔叔支持英法同盟的理由是相当重要的，但是我们的巴麦尊勋爵担心，万一西班牙女王中毒（身亡），万一她没有任何后裔，万一女王的某个继承人为了王位不让她的女儿生孩子，那么现在的西班牙国王将会与蒙庞西耶公爵爆发冲突，勋爵了解什么将给我们的政治家带来恶劣的影响，让他们相信巴麦尊勋爵……跟你讲了一堆废话——我非常不幸地成为传递这类公文的信使。

到 1846 年 10 月的时候，詹姆斯已经非常悲观，他预测法国和奥地利的军队将可能在任何时候开赴西班牙，而且也担忧英国增加军舰的消息。当他在 29 日看望基佐时，他被确切地告知，法国不排除蒙庞西耶将来继承西班牙王位的可能。局势的最低点出现在詹姆斯寻求支持诺曼比的决定时，后者决定在蒙庞西耶从西班牙回到巴黎时，不参加他的欢迎仪式。如纳特报告的那样，基佐"非常生气……并告诉他，鉴于自己所处的境地，他坚持对他（詹姆斯）的观点是正确的"。詹姆斯得出了一个明显的结论："我担心这里与英国之间的所有外交沟通渠道将被打破，这里的政府准备所有可能发生的事情。我以前从没有看到过如此强硬的政府。我认为，即便现在的举动导致战争爆发，他们也不会改变自己的立场。"即便他向他的老朋友、比利时国王寻求帮助时，他得到的依然是"冷冷"的接待。

英法之间的这种公开冲突，不可避免地让海峡两岸的罗斯柴尔德家族之间的关系变得紧张起来。阿方斯对巴麦尊咄咄逼人的外交政策感到不满。当列昂内尔于 1847 年年初造访巴黎讨论英国事务时，他嘲讽地问道，是否法国的政策应该"要谦恭地亲亲英国狮子的脸颊"。差不多同一时期，前往法兰克福的汉娜尴尬地发现，安塞尔姆和卡尔都站在了法国一边。"我不时地与我们的朋友爆发口角，"她跟列昂内尔说，“尤其是安塞尔姆，他是基佐的狂热支持者。”安塞尔姆也对詹姆斯充当调停人不愉快的经历进行了评价，他建议叔叔“不要在伟大的历史事件发展的过程中掺杂进个人因素”。

每个人都担心的战争最终没有出现，这种情形在19世纪30年代与40年代的外交领域中经常可见。到1847年2月底，詹姆斯报告说，西班牙事务已经非常妥善地解决了：“奥波尼此刻和我在一起，他说现在即便想象战争都是多虑了。诺曼比邀请他和基佐在周二探访他。因此和平将在一杯香槟中达成，我和我的妻子将见证那一刻，感谢上帝。”但是，在香槟酒的软木塞还没拔出来之前，巴麦尊又找到一个新的争议话题：希腊拖延支付英国持有债券的利息。这是另一场英法“口水战”的开始，而罗斯柴尔德家族则再一次充当了不情愿的信使。“基佐告诉男爵，”纳特于1847年4月厌烦地报告称，“如果英国打算针对这一愚蠢事件大吵大闹的话，那么她将独自面对希腊……（基佐）将能够拒绝恭维，然后让他的国家进入一个让人担忧的状态——无论如何，不要以这样的条件重复这一点。”

此外，即便国家之间的战争从没有出现过，但是出现了第二个危险——这也是罗斯柴尔德家族有些忽视的危险。在19世纪40年代，如此多的欧洲国家背着赤字运转的趋势，对它们的银行家来说，不仅意味着利润丰厚的好生意，而且也标志着这些国家中出现了基本性的政治不适。实际上，军费开支并不是造成19世纪40年代各国财政赤字的唯一原因。我们将看到，各国对于铁路建设的补贴，以及税收不景气甚至下跌——经济低迷的一个副产品——也扮演了重要的角色。随着罗斯柴尔德家族不知足地将一个接一个的国家添加到他们的客户名单中，他们也能够为此举获得的外交影响力而恭贺自己。比利时与叙利亚危机实际上证明了一点：谨慎地操控欧洲国家的财政便可以避免战争。但是金融力量也不是绝对的，毕竟，它受制于欧洲国家的内部稳定。当这点难以维系时，罗斯柴尔德家族被证明与那些财政受他们控制的王子和大臣一样无能为力。七月王朝最终垮台并不是因为一场战争，而是因为一场革命；而对于革命，巴黎周边的防御工事形同虚设。

他们把魔鬼套进了缰绳！

艾兴多夫，《因科尼托》

我了解这些银行家是如何思考的。他们追逐的是获得最快利益的机会，不是那些他们必须埋头在投资组合里8个月的事务，不管它（的利润）多么好。

卡西米尔·勒孔特

1841年12月

第三章

铁路游戏（1830~1846年）

THE HOUSE OF ROTHSCHILD

1836年，作曲家罗西尼第一次乘坐火车旅行。他当时从巴黎前往法兰克福，刚刚在比利时境内建成的铁路加速了他的旅程。他对这次经历憎恶不已，拒绝再次乘坐火车；但尽管如此，铁路还是给了他灵感。对于新涌现的交通方式，他用一首钢琴独奏曲进行了嘲讽，这首曲子名为《欢乐的小火车》。他用幽默音乐的形式回顾了这一次铁路之旅：它的高潮部分是一次出轨、两名乘客死亡，他们的旅途经过了天堂，也路过了地狱。嘲讽式的乐章结尾描写的是富有受害者继承人的欢呼庆祝。

当然，灾难永远受人关注，19世纪并不缺乏刺激当时人们想象力的自然灾害与人为灾难。尤其是19世纪三四十年代，农作物连年歉收、大火与瘟疫不时浮现，这使得理想主义和唯物主义学派预言，1848年之前人类将面临一次灾难。但是，铁路事故是一种全新的灾难，它们提供了一种完全不同的艺术灵感。在修建铁路的工程师以及金融家眼里，铁路是现代社会最伟大的成就；铁路容易出现出轨以及其他重大事故的特征则迷惑住了更多带有怀疑目光的观察家；因为铁路事故在许多方面被称为是资本主义危机的完美标志，这是“左派”和“右派”不满现状的人都在等待的一个机会。比如，在喜剧话剧《因科尼托》中，浪漫主义倾向的德国剧作家约瑟夫·冯·艾兴多夫用一幕铁路灾难的场景将剧情推到了高潮：

卫兵拉响了火警，逃命的农民突然涌现在舞台上。

一些人：救命！失火啦！

其他人：他们把魔鬼套进了缰绳！

其他人：只有谋杀和烟雾！

声音（停）：唉！火车头横冲直撞！

仆人甲：不，那真是太莽撞了，它撞上了城市的护墙。

巨大的撞击声，激起尘土云团。当尘土散尽后，一个撞塌的城墙和车厢残骸映入眼帘……

除了烟与火营造的噱头，当时的观众还对一个恶魔般横冲直撞的火车头撞上一个古老德国城镇城墙的画面津津乐道。因为，艾兴多夫写这部话剧时，铁路的政治潜力已经广为人知。在民族主义经济学家弗里德里希·李斯特看来，铁路是“民族精神的主旋律”以及“系在日耳曼民族腰部的紧身腰带”——加上普鲁士在1834年成立的关税同盟，将带来德国的“内部统一”，这一目标之前一直未能实现。出于这点和其他原因，铁路让诸如梅特涅的保守派感到不安：他认为铁路发展的必然后果就是“政治与社会形势的转变”，这似乎无助于中欧保持现状。

乍看起来，罗斯柴尔德家族在欧洲铁路网的建设当中扮演了主导角色似乎很自然。毕竟，是列昂内尔说服罗西尼进行了首次，也是唯一的火车之旅，而且据说阿姆谢尔是话剧《因科尼托》一个主要角色的原型——王室顾问柏纳提阿斯。到19世纪40年代晚期，罗斯柴尔德家族已经牢固地确立了自己欧洲铁路建设主导金融家的地位。但是，这一切并不是不可避免的现象。实际上，从商业以及公共金融转到工业金融，从许多方面来说，都是一种不寻常的现象，只有很少的金融家曾经尝试过，成功者更是寥寥无几。

这方面最明显的例证就是内森几乎从没有涉足英国的工业金融。从许多方面来讲，他是所有罗斯柴尔德成员中最热心参与19世纪初萌芽的新兴工业；毕竟，他曾经做过近10年的棉布商人以及（一段时间的）制造商。但是，除了1825年在威尔士明显流产的矿业冒险外，内森移居到伦敦，确立作为一名银行家的职业方向后，他与工业金融便没有了接触。尤为特别的是，1830年利物浦与曼彻斯特之间成熟的客运与货运铁路线首次开通后，铁路“热潮”在英国兴起，但内森并未参与其中。当詹姆斯在1843年访问英国北部时，在这条铁路线上的旅程给他留下了深刻的印象：“围绕铁路发生的事情让人十分吃惊，如果我早一点来这里的话，这条铁路最有可能由我们来修建。它必定带来巨额利润。我从没有看到如此多的人来往于利物浦与曼彻斯特之间。”

但是，他的哥哥在英国铁路发展的初期对这一新兴事物无动于衷。一年后，内森的妻子汉娜以类似的口吻写信给他们最大的儿子，似乎他还需要经过劝说才能相信新型交通方式的用处：

铁路旅行给社会所有阶层都带来了诸多好处和普遍优势，因此我们需要感激这种科学发明——有了铁路，我们能够享受到最快的信息；我们能够与最遥远的朋友经常交流，他们社会地位的损失从这些便利中得到了弥补，而且这种美妙的快速交流也给予了我们很大的安慰，为我们的生活增加了很多欢乐。

汉娜的热情有些福音传道的意味，实际上有些空想。1846年，她以同样的热情再次提到了铁路的话题，在写给大女儿夏洛特的信里，她说：

乘坐马车是比较奢华；但是人们必须忍受的延误和其他不便，让我们更乐意乘坐火车……尽管它可能遭到很多人反对，尤其是那些举止优雅的人，但在我看来，我更喜欢这种旅行方式中各种场景所包含的欢乐。

这些信引人注目的地方，就是她觉得有必要详细地描述铁路的优势，尤其是向年青一代解释清楚，他们可能一直拿铁路不当回事。但显然情况并不是如此。实际上，汉娜曾就自己“洋溢”的言辞跟列昂内尔道过歉：“我感觉自己破坏了你的耐心，你会说我是铁路的狂热分子。”我们可以确切了解到，他的弟弟纳特对铁路的看法刚好相反：1848年他不愿与列昂内尔在加莱碰面，因为“坐火车让我头疼欲裂，我真的很难下定决心摇晃30个小时”。为何汉娜似乎是英国罗斯柴尔德成员中唯一的铁路“热心人”？在内森去世后40多年，迪斯雷利在小说里暗示，内森（书中人物“纳沙泰尔”）预测到不可避免的萧条，这使得第一次铁路投资热潮戛然而止。但是内森在这件事上并不是因为害怕风险，更多的是他更乐意集中精力做自己最擅长的生意，即政府和商业金融。在这点上，他提供给托马斯·福韦尔·巴克斯顿的建议值得重复一下：

“如果我听取提交给我的所有方案，那么我很快就会毁了我自己。坚持一宗生意，年轻人，”他对爱德华说，“坚持做你的啤酒厂，你或许会成为伦敦最大的啤酒商。做一个啤酒商，做一个银行家、一个商人或一个制造商，你很快就会出现在报纸上。”

尽管无法证实，但内森有可能是在1825年吃了大亏，他投资的矿产公司最终让他赔了一大笔钱。也可能是他发现英国的铁路是一个黄金机会时已经为时太晚；但这并不可能。实际上，这类推测性的解释可能全部站不住脚；因为在19世纪中期的伦敦，英国的罗斯柴尔德成员对国内工业缺乏兴趣并非不可理喻。简单地说，伦敦大银行占绝对优势的商业以及海外定位——只有格林银行例外——使得它们不愿意参与铁路建设。同时，铁路公司能够非常容易地直接向公众发售股票和权证——有时甚至在他们获得议会认可之前便能够售出股票——这使得银行介入或多或少显得多余。我们从列昂内尔作为奥地利领事发出的报告中得知，他关注着英国铁路系统的发展，同时也关注着海运蒸汽动力所带来的几乎同样具有革命性的冲击。但是从这些通信中可以很明显地看出，列昂内尔与他的兄弟们主要的兴趣在于，在英国试用以及测试过这些发明以后，将它们出口到别的国家。而确实需要银行服务的英国工业，倾向于找本地的股份制银行，而不是找伦敦的银行，股份制银行在19世纪三四十年代非常兴盛。

形成对比的是，在法国，巴黎所谓的“实业银行”对工业投资不像伦敦银行那么小心谨慎。从19世纪20年代起，组建新型金融机构的努力一直没有停息过，这些机构庞大而且野心勃勃，足以承担大型基础建设项目的投资，最著名的就是挖掘海底隧道的工程。但是很多项目，比如拉斐特在1825年主导成立的机构，是出于反对政府的需要。法兰西银行对创立股份制银行尤为存疑——因此采用了“机构”这个词。詹姆斯对股份制银行的态度也是如此。1837年，拉斐特再次提出他的1825年计划，提议成立一个“机构”，通过出售股份募集2.5亿法郎的资金；对此，詹姆斯表示怀疑。后来，在19世纪50年代，佩雷尔家族试图成立类似的机构挑战传统巴黎银行业结构时，詹姆斯同样心存疑虑。1835年之前，詹姆斯并不比内森更乐意扩大自己的金融业务范围。

但是，罗斯柴尔德家族政策的微妙转变在19世纪30年代初露端倪。我们已经看到，詹姆斯与内森为了为西班牙贷款争取更好的抵押品，最终控制了阿尔马登的水银矿。当然，这并不意味着罗斯柴尔德家族自身直接组织采矿业务。他们所买的是一种垄断权，即西班牙的水银一提炼出来，其销售便由他们垄断。但是，这种冒险的成功激励了几兄弟——尤其是萨洛蒙——试图与其他政府达成类似的安排。比如，取得奥地利控制的伊斯特里亚和达尔马希亚水银矿的垄断权，显然是阿尔马登交易的后续。此外，他们更多地直接参与金银提炼以及铸币业务也就很容易理解了，尽管直到19世纪40年代（在法国）和50年代（在英国），罗斯柴尔德家族才正式参与这一产业。

作为银行家，罗斯柴尔德家族很自然地对制造金钱颇感兴趣，而且经验丰富。可以这么说，他们对任何加速欧洲通讯的技术创新同样具有浓厚的兴趣，这也是他们对于金融和政治消息快速传递的传奇热情所致。铁路在人类沟通方面无疑代表了一个革命性的突破；但是它们在某些方面与罗斯柴尔德家族最初设想的情形相比，显得没那么激动人心。即便从19世纪30年代最好的情况来看，要缩短一封信从法兰克福到伦敦的传递时间，还需要很长的一段时期来铺设足够多的铁轨。而且，因为罗斯柴尔德家族感兴趣的是传递中的信件和金融文件，他们相对于商人、实业家或常年奔波的人来说，从铁路发展中获得的利益相对较少；商人或实业家寄望铁路运送大量的商品，如煤炭和粮食，而常年奔波在外的人，则将铁路当成更便捷的交通方式。无论如何，即便罗斯柴尔德家族开始利用火车传递邮件时，铁路给他带来的优势也非常有限；因为他们能够利用的东西，他们的竞争对手同样可以利用。

因为这点，罗斯柴尔德家族对于铁路发展的兴趣必须从金融而非发展的角度来理解。让内森的兄弟感兴趣的——精确一点讲，让萨洛蒙和詹姆斯感兴趣的——并不是从巴黎到布鲁塞尔的旅程将更加舒服，尽管他们对此也确实期待。他们感兴趣的显然不是经济史学家赋予铁路的“功绩”——大量的“社会剩余”，尽管罗斯柴尔德家族也认为铁路不仅能提高市场对煤炭、钢铁和蒸汽机的需求，而且还能整合地方商品市场，增加劳动力的流动性。吸引罗斯柴尔德兄弟的是铁路金融的短期利益；尤其是向公众发行铁路股份所赚取的利润。

实际上，罗斯柴尔德家族一度（19世纪30年代中期）将铁路股份看做是政府债券的替代品，因为当时欧洲政府发行的新债券越来越少。而且，由于欧洲大陆的政府与英国不太一样，他们从很早的时候便直接或间接参与铁路建设，罗斯柴尔德家族的这种想法并非不合理。事实上，在比利时以及德国南部的一些公国，国家铁路的修建就是以出售政府债券的方式筹集资金的，铁路建设由公共部门负责。罗斯柴尔德家族极其乐意承销这类债券：毕竟，政府债券就是政府债券，它是一种相对安全的资产，不管筹集来的钱用到了什么地方。当然，在国家没那么直接参与的地方，比如法国，情形有少许不同，但政府还是会参与其中，给私营公司发放牌照和提供补贴。但是，政府参与意味着罗斯柴尔德能够相对容易地将他们传统的承销技术应用于铁路股份的销售。从本质上来说，这正是维也纳和巴黎分行涉足铁路金融的方式。但是，铁路建设的现实使得萨洛蒙以及詹姆斯很难维持他们当初设想的保持一定距离的策略。通过一项铁路计划需要耗费时日；征地过程冗长；修建路线和车站亦需要大量时间——通常比预想的要长。即便一条路线开通，还需要一定时间来组织稳定的货运和客运数量，而这些数量并不能完全达到预期的设想，这大部分是一种臆测的工作。因此，铁路股份的投资者与债券投资者不同，后者能够从一国政府那里获得可预期的稳定利息，除了突然爆发革命或发生军事灾难。铁路投资者购买股份相当于下赌注，它只有在将来才能获得不确定的红利。因此，实际操作中，承销这些股份的银行家必须关注发行股票公司将来的赢利能力。就如密切注视发行债券国家的政治形势一样，罗斯柴尔德家族也不能忽视铁路公司（他们承销其股票）的管理。因此，铁路金融的短期吸引力必然会使得几个兄弟付出长期的投入。

此外，这种投入反过来也给罗斯柴尔德家族带来了新的、富有敌意的公众关注。

因为，铁路在许多方面给普通人的生活带来的冲击要比统治他们的国家更为直接；而罗斯柴尔德家族作为铁路金融家的曝光率远高于服务于政府的“御用金融家”。理论上说，普通民众可能会抱怨说，他们消费缴纳的一部分间接税变成了罗斯柴尔德家族的佣金以及他们手中债券的利息；但在实际操作过程中，在“三月前期”这段特殊的时期，几乎没人将两者联系起来。与此形成对比的是，铁路公司对于日常生活的冲击更为明显，尤其是事情出错的时候——而没有其他事情比铁路事故更令人关注了。罗斯柴尔德家族参与铁路金融一个意想不到的结果就是，他们被迫忍受一种新的且充满敌意的批评，他们不仅被认为是支持反动政权的“财主”，而且也是只顾私利的剥削资本家。有趣的是，“铁路热”早期的批评浪潮中，针对他们的“剥削”问题，罗斯柴尔德家族的犹太教信仰第一次被解释成种族因素，而不是此前的信仰因素。

萨洛蒙的铁路

鉴于铁路的革命性冲击，第一条罗斯柴尔德铁路的筹划以及建造地点出现在哈布斯堡王国境内不免让人感到有些吃惊。萨洛蒙并不是最具进取心的罗斯柴尔德兄弟之一；实际上，从某种程度上来说，他让自己变成了传统意义上的“宫廷犹太人”，他一心侍奉梅特涅，越来越认同后者的政治目标。萨洛蒙自己也不是很欣赏铁路旅行；直到 1846 年，他从法兰克福前往巴黎时，仍然拒绝搭乘经由比利时的火车。此外，从全局来看，哈布斯堡王朝远不是欧洲最富经济活力的国家；而且，它的官僚体制担心任何革新都可能带来不可预测的社会副作用，敌视创新的传统臭名昭著。但是，第一个涉足铁路项目的罗斯柴尔德成员恰恰是萨洛蒙，他直接参与了 1830 年的一个铁路计划。这并不是萨洛蒙自己的主意，而是来自于一个名叫弗朗茨 · 沙维尔 · 列佩尔的教授，列佩尔供职于维也纳工艺研究所，也是一名矿业专家，他认为铁路新技术可以应用于开采加利西亚省内的威利兹卡的盐矿以及摩拉维亚省内的奥斯特拉瓦的铁矿与煤矿，后者在维也纳的西南方向 200 多英里。但是，这一观点拓展了萨洛蒙的视野——或者可能助长了他鲁莽的行为——让他认为这一构想可行。退一步说，200 多英里的铁路，在当时是一个野心勃勃的长度。而且更引人注目的是，萨洛蒙似乎很早便构想将铁路从维也纳向南延伸，一直抵达亚得里亚海的里雅斯特。这样的计划在英国应该可行，萨洛蒙派遣列佩尔（和利奥波德 · 冯 · 魏瑟姆斯坦一起）前往英国学习铁路修建和运营的一些实际经验。但是，在哈布斯堡的领土上，修建这样一条铁路线现实吗？

起初，这项计划的最大阻碍是维也纳自身的政治惰性。列佩尔访问英国后，撰写了一份报告，萨洛蒙根据这份报告向奥地利国王提交了请愿书，希望获准为铁路项目进行征地。结果可想而知，请求遭到了搁置，奥地利王储的一番话代表了哈布斯堡王室的想法："即便去卡格兰的马车也不是经常能坐满人。"邮政部门对铁路计划也有所保留，担心这会威胁到他们的垄断地位。萨洛蒙不屈不挠地继续施加压力。他从一个破产的法国工程师左拉（小说家左拉的父亲）手里接管了一条用马拉车的铁路线，这条铁路连接了多瑙河与格蒙登瑟，并委托列佩尔调查通向摩拉维亚和加利西亚的最佳路线。最终，在 1835 年 4 月——奥地利国王弗朗茨死后 6 个星期——萨洛蒙感到可以更新自己的上书，要求得到帝国与王室的支持。这一次他获得了成功——这一结果可能更多要归功于梅特涅和科洛弗拉特支持这一计划的决定，而不是萨洛蒙慷慨陈述的可信度，他称，"这一伟大交流方式的成就将有利于国家和社会福利，其好处不会少于那些参与建设的人"，而且这一提议是"完全基于社会利益考虑"，并且出于"一片炽热的爱国情怀"。

各方同意成立一个合股公司来修筑位于维也纳与博赫尼亚（克拉科夫东南）之间的铁路。为保险起见，确保王室不改变主意，萨洛蒙建议新铁路线的名字应为"凯泽-费尔南多-北方铁路"。这个满足了王室虚荣心的呼吁很成功。另外，他还寻求——如他跟梅特涅所说的那样——"采取一些可以吸引政治家的举措，将那些有着响亮名头的人引进到铁路建设当中来"。他尤其想把梅特涅、科洛弗拉特以及奥地利财政大臣米特洛斯基伯爵吸纳为董事会成员。这种利用大人物名头的方法给新公司带来了社会地位，进而带来了金融上的好处。这也是在英国和其他地方广泛运用的策略，在奥地利，这种方法对于克服王室以及官僚主义的反对起到了至关重要的作用。

实际上，北方铁路（该铁路的通常称呼）在社会福利方面带来的好处要大于投资者所获得的利益。这条铁路原本计划花费 10 年时间，但是最后一段至博赫尼亚的铁路直到 1858 年才完成。计划耗费资金 1 200 万古尔登（合 100 万英镑），每英里造价 16 600 古尔登，而实际的数额接近 27 750 古尔登。但是，短期的好处能够让投资者觉得（或至少分散了注意力）弥补了长期的超额成本，这种现象在铁路史上经常可见。从铁路计划达成那刻起，对于新公司股票的需求大大超过了供给。12 000 份（每股价值 1 000 古尔登）股份中，萨洛蒙保留了 8 000 股，因此只有 4 000 股对公众发行。但寻购指令高达 27 490 股，从而将股价抬得远远超过了面值。

这些短期资本收益也解释了为何其他奥地利银行家急忙加入竞争行列的原因——即便他们比萨洛蒙更清楚地意识到这其中涉及非常巨大的操作难题。在萨洛蒙的北方铁路计划通过的同时，另一个银行家希瑙修建维也纳至的里雅斯特的铁路计划也获得了批准。希瑙的计划也得到了一些官员的支持，与萨洛蒙不同的是，希瑙出生于奥地利，因此是一个哈布斯堡臣民。现在，我们仍不完全了解为何在奥地利债券领域愉快合作了数年的维也纳各大银行，在铁路问题上却未能合作；但是，萨洛蒙确实不是打响第一枪的人。实际上，允许希瑙以及阿恩施泰因和埃斯克尔公司持有北方铁路大量股份，并按照他们对公司的影响力给他们分配董事会名额等举措，萨洛蒙单方面进行了调和。不幸的是，其他银行家似乎只对破坏活动感兴趣。在北方铁路第二次股东大会上，路德维希·冯·佩雷拉（阿恩施泰因和埃斯克尔公司的一个合伙人）针对工程计划和财务计划提出了精心准备的技术性批评，这一举动成功地引起了奥地利国王的忧虑，国王此前一直比较平静。萨洛蒙和列佩尔费了九牛二虎之力才反驳了佩雷拉的批评，而且，必须承认，这些批评中至少有一部分被证明确实有根有据。这种董事会战争的高潮出现在1836年10月，萨洛蒙提出一个决议要求，要么开始铁路修建工作，要么清盘公司。76票反对，83票赞成的结果，让萨洛蒙能够迫使希瑙和埃斯克尔辞去董事职务。

从一开始，萨洛蒙就计划将北方铁路当成是一系列通向两边城市的众多支线铁路的基础：他最初的请愿书中，特别提到了通向布隆、奥尔米茨和特罗保的支线铁路。甚至在他与佩雷拉缠斗时——当时铁路尚未开工——他仍在从政府那里得到了补充协议，允许他增修更多的支线：如至普雷斯堡、别利兹和德意志瓦格拉姆等地的铁路。1837年，从维也纳向南修建的第一段铁路终于动工；第二年年底，火车就在德意志瓦格拉姆与佛罗里斯多夫之间的线路上开始运营。但是，直到1839年，货物和旅客才开始搭乘火车在维也纳和布隆之间运行，因此在超过两年的时间里，公司投入大量资金在购置材料和雇用人员之上（总共雇用了1.4万人），但没有任何进账，而且还是依靠罗斯柴尔德家族预支的800万古尔登的资金，整个项目才得以继续进行。因此，列昂内尔觉得有必要再次向梅特涅保证，大多数英国铁路“最终都能收获8%~10%的利润”，这点结合当时的形势一点儿不令人感到惊讶；但这个时期没有任何迹象表明，奥地利的铁路也能收获如此高的利润，它的股票价格一路跌到面值以下。萨洛蒙后来回忆说，北方铁路要求“花费大量的资本，以及……耐心地等候；我被要求作出牺牲，数额嘛，大概是几十万英榜”。

但是从1841年起，萨洛蒙的高级经理戈尔德施密特每周去主要站点监测客流量时，开始觉察到情况有所改观。与英国铁路一样，乘客的数量空前庞大——尤其是星期天当天来回的家庭很多——这带来了收入的增加。早在1841年，超过1万人定期使用最初的一段铁路，即从维也纳到维也纳-诺伊施塔特郊区间的一段铁路。1843年，北方铁路的股价第一次攀升到103点；一年后，达到了129点；至1845年时，已经超过了228点。这对于最初的投资者，尤其是萨洛蒙自己来说，是一笔巨额的资本回报，尽管有些姗姗来迟。

但是，认为萨洛蒙一心只想获得投机性短期收益是不公正的。恰恰相反，他似乎对整合奥地利交通系统有广阔的视野，愿意冒长远的风险。他不仅从一开始就计划将加利西亚、摩拉维亚与维也纳连接起来，而且还计划将铁路向南延伸至意大利；同时他也希望将自己的铁路网络扩展至匈牙利。这段时期，萨洛蒙认为自己在哈布斯堡的疆域内所扮演的是一个非凡——甚至是救世主式的角色，最好的例证就是警方提供的一份报告，这份报告记录了他 1844 年 6 月的普雷斯堡之旅，他那次旅行的目的是参加匈牙利中央铁路公司的董事会议。这次行程不亚于一次皇家之旅。多瑙河蒸汽船特地破例在国王广场停靠，以便让他登陆（举行活动）。桑尼酒店的房客被随意赶出房间，以便为罗斯柴尔德的派对腾地方，尽管他们当天晚上就计划搭乘马车回维也纳。当有传言称，反复无常的匈牙利改革家伊什特万 · 塞切尼——当时已经运营他自己的蒸汽船公司——计划支持希瑙挑战萨洛蒙对于匈牙利中央铁路公司董事会的主导权，会议举办者迅速地作出了改变。更有甚者，对于卡尔 · 艾什泰哈齐、安德拉希以及其他亲罗斯柴尔德的权贵当晚奉承他的祝酒词，萨洛蒙用一个自大的演讲予以了回应，结尾时，他称将按照他的老师当年跟学生所说的方式去做：“我将离开，但我将留下我的斗篷，它将会告诉我每个人都做了什么，他们在我离开的情况下表现得如何。”萨洛蒙当天早些时候受到的热情欢迎也未能冲淡他的自负，他抵达那里时，当地许多犹太人站在河岸上迎接他。“艾什泰哈齐伯爵，”警方巡视员报告说：

> 打破了他们希望给男爵一个特殊欢迎的设想，他不允许他们实施燃放 40 支烟花的计划。他们就连欢迎的欢呼声都受到了限制，因为当地市民与犹太人之间的紧张关系，此举很容易带来争端。

艾什泰哈齐自己可能乐意讨好奥地利铁路之王，但是他没兴趣让萨洛蒙贫穷的共同信仰者借他的光。

萨洛蒙也并不满足于把持哈布斯堡铁路系统的发展。他还追求一种“垂直一体化”的策略（在一个公司的名下，将一个特定经济过程的各个阶段整合到一起）。早在 1831 年，他就发现有必要培养独立的奥地利钢铁供应，这样一来，哈布斯堡王朝铁路的发展将无须依赖从英国铸造厂进口材料。尽管他第一次竞购俄斯特拉发煤区的维克奥兹钢铁厂失败（因为他是犹太人，被禁止拥有自己的土地），但是他在 1841 年与银行家盖米勒合伙成立了一家公司，从奥尔米茨大主教霍泰克伯爵那里间接地租用了这家工厂。不久，盖米勒就宣告破产，萨洛蒙再次上书请求获准买下钢铁厂，这次他成功了。维克奥兹钢铁厂是哈布斯堡王朝第一家采用搅拌炉熟铁冶炼法的工厂，这种技术是制造铁轨所必需的；它作为罗斯柴尔德奥地利分行一项主要的工业资产，前后持续了将近一个世纪的时间。同时，萨洛蒙也开始对采煤业产生了兴趣。

最终，萨洛蒙对于连接维也纳与的里雅斯特铁路的先见之明，让他将罗斯柴尔德的兴趣从路上交通扩展到了水上。1835 年，他带头创立了奥地利蒸汽船公司或奥地利劳埃德公司。当公司在 19 世纪 30 年代遭遇困难时，萨洛蒙如同时进行的北方铁路拯救行动一样，给它注入了救命钱，提供了 50 万古尔登的贷款，抵押品是公司的 7 艘蒸汽船。与北方铁路一样，这次投资也被证明是一次正确的选择，利润从当初的 8.2 万古尔登，上升至 1841~1847 年间的 37 万古尔登。萨洛蒙在同一时期投资一家盐厂的决定需要被看做向亚德里亚海扩展战略的一个组成部分。

仍需解答的问题就是，这种大胆的商业策略是否能被证明在财政上具有可持续性。我们也看到，萨洛蒙整合各种相关的行业（企业）时，需要不断地注入现金。这种垂直整合策略，尽管十分理性，但是并不总能带来足够的内部增益和经济规模。此外，萨洛蒙修建的这种松散商业帝国面对经济环境恶化时，通常尤为脆弱。不幸的是，这种恶化很快便出现在萨洛蒙面前。

陶奴斯铁路

与维也纳分行相比，1848 年之前，法兰克福分行在铁路金融领域里扮演了一个相对适中的角色。这可能是性情所致；它可能更多地反映了“三月前期”这段时间，德国南部的不同政治环境。尽管（与英国一样）奥地利除了批准铁路合约之外，对修建铁路便没再提供什么便利，但是至少它是在一个实体（国家）里修建铁路，因此即便修建像北方铁路那么长的铁路，其谈判都能在帝国层面上进行。但在德国南部，即便相对较短的铁路线也可能穿越几个公国的边界，因此需要几个政府之间的合作。但是，排他主义式妒忌意味着这类合作很少能够出现；实际上，较大公国有意识地追逐铁路政策时，其目的都是以牺牲邻国间的沟通为代价，来增强国内的凝聚力。在巴伐利亚（德国第一条铁路在这里落成，连接了纽伦堡和不到 4 英里外的菲尔特），以及在巴登、符腾堡和汉诺威，铁路建设以比利时为范例，由各个公国政府修建。因此，这其中，罗斯柴尔德家族所能做的就是承销为资助铁路修建而发行的债券。与这几个公国形成对比的是，离罗斯柴尔德家族最近的国家黑森-卡塞尔允许一些铁路由私营公司修建，普鲁士与萨克森也是如此。结果就是带来了一定程度的混乱，这就不可能像萨洛蒙在维也纳那样采取一个宏大的策略，而且也注定让莱比锡的《汇报》一则报道中的希望落空，这份报纸于 1837 年声称：“罗斯柴尔德家族将正确地引领一次运动，它最终将彻底重塑欧洲货币体系，毁灭纸质交易（指股票交易投机），将资本投入工业（领域）。”

早在1836年1月，当阿姆谢尔试图获得法兰克福（自由城市）至美因茨（黑森–达姆施塔特境内）的铁路合约时，他遇到了困难，这条铁路自然地也经过黑森–卡塞尔境内：一条不到20英里的铁路涉及了3个国家的管辖权。在黑森–卡塞尔，为获得征地所需的立法程序就耗费了17个月。1838年，从法兰克福参议院获得所谓的陶奴斯铁路合约时，阿姆谢尔与贝特曼不得不买下一个竞争公司的全部股份，因为这家公司得到了卡塞尔的授权，修建一条平行的铁路。类似的冲突在科隆连接比利时铁路网的铁路计划中同样出现，这条铁路需要经过亚琛境内，支持者（以戴维·汉泽曼为首）与反对者（以鲁道夫·坎普豪森为首）之间爆发了纷争。两家公司合并成莱茵铁路公司的计划，在坎普豪森退出后才得以实现。

所有这些有助于解释阿姆谢尔和他的侄子安塞尔姆更乐意让这个地区的其他银行家在这类谈判中担任主角的原因。安塞尔姆于1838年曾解释说，“在德国，铁路需要花费很大的力气才能落实”。因此，黑森–卡塞尔选帝侯的儿子希望阿姆谢尔的公司给他一笔贿赂以获得法兰克福–卡塞尔铁路合约，这并非是罕见的情形。他抱怨说，除了谈判浪费了大量时间之外，铁路股份在法兰克福的价格也受到了这些延误的影响。比如在1838年，莱茵兰公司因成本超标而被迫再次发行6 000股新股时，它的股价约下跌了20%。因此，不是罗斯柴尔德家族，而是奥本海姆家族和贝特曼家族在德国西南部的铁路建造中起到了主导作用，尽管阿姆谢尔乐意作为一个不过问具体经营的合伙人参与其中。也是奥本海姆带领莱茵兰财团承担了300万泰勒元总资金中的25%，而罗斯柴尔德巴黎和法兰克福的两家分行总共持有的资金份额仅为1/40；同样的，领导资金总额为20万英镑的陶奴斯财团的是贝特曼家族。与这些活动相比，发行巴登政府的铁路债券更容易赚取利润，尽管这一生意也必须与别人分享；或者充当英国火车头出口商，比如乔治·斯蒂芬森的代理人，赚钱也同样容易。到19世纪40年代中期，法兰克福分行将自己限定在发行政府铁路债券的业务范围内（比如，1845年为黑森–卡塞尔发行的债券），拒绝私营项目，比如同年提出的莱比锡—法兰克福铁路计划。当安东尼在1844年前往法兰克福时，他对铁路股份的“大量投机”印象深刻，并将其视为（家族生意）明显转型的现象。

政治分裂（以及企业精神的不同）也解释了1848年之前罗斯柴尔德家族很少参与意大利铁路修建的原因。尽管有证据显示，伦敦与巴黎分行购买了米兰铁路的股份（该铁路修建于19世纪30年代中期），但是这种兴趣很快便消失于无形。随后的一年，一个计划在佛罗伦萨与莱戈恩修建铁路的意大利公司找到了詹姆斯，希望后者参与，但遭到了詹姆斯婉拒。詹姆斯对此解释说："我们不参与那些意大利的铁路，是因为我们自己（在法国）已经有了足够的铁路。"两西西里王国以及教皇国的铁路计划在19世纪40年代提上议事日程，尽管梅特涅有些出乎意料地鼓励罗斯柴尔德家族参与后一个计划，但是后者仍旧提不起兴趣，可能只是象征性地参与一下便置身事外。

投资右岸铁路

当海涅想要讨好詹姆斯的时候，他有时会颂扬詹姆斯是法国铁路网的源头。"德·罗斯柴尔德男爵独自发现了铁路方面的专家埃米尔·佩雷尔，他立刻任命他为首席工程师……"当时实际情形恰好相反：佩雷尔"发现"了罗斯柴尔德，他说服了詹姆斯将自己的巨额资金投入铁路。这是种不太可能的合伙关系，它反映了詹姆斯对于聪明的作家以及他的金融知识的敏感。确实，埃米尔和他的弟弟伊萨克都与詹姆斯一样，是犹太人；但是除此之外，他们之间没有其他的共同点。詹姆斯是从德国来的移民，而佩雷尔兄弟则是西班牙系犹太人，他们的祖父从西班牙迁居到波尔多。此外，詹姆斯没有明确的政治或哲学倾向，而佩雷尔兄弟则是亨利·德·圣西门伯爵的门生，后者是乌托邦大师，信奉专家治国、社团式的工业社会，认为在这一社会里，"生产"阶层是懒散阶层，并在"新基督教"的影响下仁慈地实行统治。

这样的人与罗斯柴尔德家族建立合伙关系代表了一种危险的妥协，甚至是浮士德式的契约：佩雷尔的朋友普罗斯珀·昂方坦对于和"罗斯柴尔德受诅咒的灵魂"发生联系感到犹豫不决。但是埃米尔·佩雷尔十分现实，他意识到，如果自己真的想把他的计划写到"地面上"，而不是写在诸如《国民报》（*National*）这样的报纸上，那么詹姆斯的财政支持是不可或缺的。他和弟弟能够筹集的资金不超过3万法郎。但是他们的实验计划——一条从巴黎通往圣日耳曼郊区佩克的铁路——所需成本大约为300万法郎。埃米尔在1835年5月解释说："罗斯柴尔德银行参与巴黎到圣日耳曼的铁路项目，对这项特殊的冒险不仅具有重要意义，而且对所有正在进行的大工业项目都会产生决定性的影响。"

佩雷尔兄弟并没有将全部的希望寄托在詹姆斯一个人身上。他们从桥梁与公路局（实际上相当于交通部）局长埃米尔·勒格朗以及持怀疑论的梯也尔（他称铁路是个"玩具"）那里获得了政治上的支持；然后接触了阿道夫·戴希塔尔和奥古斯特·图尔奈森，从他们那里获得了20万法郎，这是拿到铁路合约所必需的资金。他们接着招募J·C·达维利耶与詹姆斯一起担任了董事。实际上，戴希塔尔拥有与詹姆斯同等的权益——500万法郎启动资金的23.5%。作为未来铁路投资的"广告"，圣日耳曼铁路取得了并不完全的成功。12 英里长的铁路所花费的资金大大超过了预期（1 100 万法郎，而不是最初设想的 390 万法郎），乘客数量随季节的变化也大大出乎了人们的意料，夏季的星期天乘客最多，冬季的非周末时段人数最少。另一方面，它在 1837 年 8 月比预定日期提前完成并开放，在最初运营的 3 年里，佩雷尔兄弟成功地将运营成本从收入总额的 52% 降到了 44%，确保不让股东感到失望。詹姆斯改变了想法。他自己乘坐经比利时的火车前往法兰克福之后，在 1836 年 6 月写信给侄子安东尼说：

> 我建议目前不要卖出圣日耳曼的股份，因为我认为它的价格将会出现非常大的涨幅。我绝对相信在法国的人并不知道这种旅行方式是多么容易……我想告诉你，票价定得越低，乘客数量将会越多，而利润也将越丰厚。看到安特卫普所发生的一切之后，我越来越相信这是一个利润丰厚的成功企业。我确信，20 年后，这个世界将看不到一个邮政局长，人们将只乘坐火车……我爱上了铁路。

佩雷尔兄弟一直将圣日耳曼线路当做更庞大铁路系统的核心。他们的希望是通过圣日耳曼线吸引尽可能多的乘客进出巴黎以及他们在圣拉扎尔站修建的终点站。与此同时，他们也一直希望避免在财政上依赖任何一个银行家。这点很容易实现，因为法国铁路从最初的时候便是由财团提供资金，从而强化了松散商业“集团”形成的趋势，这些“集团”已经在巴黎债券市场上出现。但是，以佩雷尔兄弟为首的铁路交通垄断不可避免地导致了金融上的竞争和政治上的敌视。因此，当兄弟俩着手项目的下一阶段时——巴黎与凡尔赛之间的一段铁路，沿着塞纳河右岸——他们的动议受到了挑战。“右岸”（铁路线）是圣日耳曼线在财政以及地理上的延伸：德 · 罗斯柴尔德兄弟公司是最大的股东，其 1 100 万法郎的资金接近资金总额的 1/3；其他大股东仍旧是戴希塔尔、达维利耶和图尔奈森，另外 16% 的股份由 J · 勒菲弗家族公司持有。

起初，詹姆斯对他的投资感到十分乐观。圣日耳曼与右岸的股价都在猛涨：前者达到了 950 法郎的高峰，其发行价只有 500 法郎。“利润在微笑，”詹姆斯售出 200 股股份时，开心地在信里说，“从 500 法郎涨到 950 法郎，真是很开心。”但是，他很快便不安地听到，“那个卑鄙的富尔德正在组织资金，抢占我们已经工作许久的铁路。”在法国议会的“一场阴谋运动”之后，富尔德兄弟和他们的合伙人获得了一条竞争性铁路的修建权，他们将沿着塞纳河左岸修建一条通往凡尔赛的铁路。“这将毁了所有的事情，”詹姆斯哀叹道，“在这个世界里，人们不能再做任何事了。”继而发生的对抗，其荒谬的特征被当时的人们津津乐道。海涅嘲笑了“右岸的大拉比，罗斯柴尔德男爵”与“左岸的大拉比”：

对法国犹太人以及全体法国人来说，黄金是我们这个时代的上帝，工业是一种主流信仰。在这方面，将这个国家的犹太人分成两个教派是有可能的：右岸教派与左岸教派。这两个名字指的是两条通往凡尔赛的铁路，一条沿着塞纳河右岸，另一条沿着左岸，它们由两个著名的金融拉比控制着，他们彼此敌视，就如古巴比伦城里的拉比煞买与希列之间的关系一样。

但是，对于相关的投资者来说，他们却笑不出来。巴黎和凡尔赛之间没有足够的客流来维持两条铁路的存在，因此新公司的实际收入和红利相应地锐减（尤其是建造过程当中，成本超出了预期）。圣日耳曼的股价也开始受到影响，因为扩展凡尔赛线以及其他规划中的铁路线的吞吐能力，成本出现了大幅上涨，进而迫使它从它的银行家那里筹措了3笔贷款，总额约为1 000万法郎。此外，大量新工业公司的出现，开始让市场对于新股份失去了胃口，如詹姆斯在1837年9月警告的那样："不远的将来，人们会觉得恶心……因为太多的股票出现了。"差不多一年后，市场的突然重挫迫使相互竞争的两条凡尔赛铁路线开始讨论合并的可能，就詹姆斯来说，此举主要的目标就是踩着左岸（公司）来抬升右岸（公司）的股价。最终，罗斯柴尔德公司有效地接管了富尔德公司，两条铁路后来在1851年并进了西线。

这些问题揭示了佩雷尔兄弟下一阶段活动将会遇到的困难。从很早的时候开始，他们就一直设想建造更长的铁路线，而不是只连接巴黎与圣日耳曼和凡尔赛。他们考虑的各种计划当中，最富野心的是连接法国与比利时的铁路，在那里，第一条由法国提供资金建造的铁路已经运营。这个项目对于法国政府来说包含了重要的政治诉求，我们已经看到，法国政府渴望对新独立的邻居施加自己的影响力。它对詹姆斯同样具有很大的吸引力，他去法兰克福的路上领略过比利时铁路的好处；比利时的铁路也引起了英国铁路企业家乔治·斯蒂芬森以及比利时的约翰·科克里尔等人的兴趣。但是，通用银行——一直是罗斯柴尔德家族最明显的金融合作伙伴——对此却反应冷淡。通用银行行长梅乌斯表明，他"不想听到名字与比利时铁路联系在一起"，因为（投资铁路）将"冒极大的风险"，他将"荣誉放在第一位，金钱排第二位"。在詹姆斯这方面，他非常早的时候便表示："如果（梅乌斯）不准备……加入，那么我们也不得不远离这个项目，因为我们不想与他们为敌。"但并不仅仅是梅乌斯对这个项目持保留态度。詹姆斯也受到了法兰克福分行要求放弃的压力：如安塞尔姆所说的那样，提议中的铁路"太长了"。

尽管巴黎-布鲁塞尔铁路计划的中断部分是因为1838~1839年的比利时外交危机，但这主要反映了欧洲大陆银行家在缺少政府协助的情况下，对于资助一条大铁路线缺乏信心。早在1836年12月，詹姆斯就在盘算利用某种政府补助的噱头让提议中的北方线路（简称为“北线”）增加对投资者的吸引力。“这是宗困难的生意，”他对伦敦的侄子们说，“因为这里（巴黎）的银行家不愿给它提供支持。如果法国政府愿意为3%的利息提供担保，你们认为能够在伦敦卖出大量债券吗？”但是，詹姆斯也看到了这样一种安排所存在的困难。“如果我们选择支付利息，”他在几天后报告说，“那么每一个无赖都会出现，他们将会制订计划，并在我们的道路上放置障碍。第二，我认为（政府的）信用将会受到这一动议的严重影响，因为其他部门也会提出同等条件。”另一方面，他断定北方线路如果没有政府的某种支持，将不可能修建成功。他此时考虑到补助替换方法是“赠送”成本1/3的资金：“我们估算铁路的成本为7 500万法郎，政府将提供2 500万法郎，不期望得到任何回报，只是作为对我们的鼓励。”詹姆斯认为，没有补助，不可能向公众卖出足够数量的铁路股票，不管他们“对铁路多么的痴迷”；或者即便股票能够卖出去，但价格不会像投资者期望的那样上升15%或20%。但是，这对于梅乌斯来说似乎难以接受。或许这是因为，就如莱昂·福谢[1]怀疑的那样，法国政府对参与这类活动非常谨慎。詹姆斯认为“勒格朗，我们十分需要他的帮助……但他不是我们的好朋友”。

一直到这时，法国政府只限于制订粗略的国家铁路网计划，由巴黎向外辐射各条干线。比如，莫莱政府在1837年5月计划在北方修建6条干线连接巴黎与比利时，向南连接奥尔良，西北连接鲁昂，东部连接米卢斯，两条独立的路线连接更南端的里昂和马赛。一年后，勒格朗规划了9条干线，向西和西南增加了连接南特和波尔多两条线，同时计划修建从里昂到巴勒的铁路。但是，对于规划中的方案存在着反对的声音，这些计划直到19世纪40年代仍然停留在纸上。这让私营部门或多或少只能各行其是。

詹姆斯很快形成一个观点：“各种铁路应该被视做互为兄弟，当一条铁路的股价上涨后，其他的股价也会跟着涨。”但是，法国出现了不止一个铁路金融家“家族”浮现的趋势。比如，詹姆斯高兴地向保兰·塔拉博提供了财政援助，后者是格朗德孔布铁路的幕后推手，这条铁路计划将格朗德孔布的煤矿与博凯尔连接在一起，最终通向马赛。1838年前往法国南部的访问似乎让詹姆斯相信，这个地区适合铁路发展，而且1839年后期，他也不反对预支600万法郎以保证整个项目继续运行。与此形成对比的是，他对波尔多一线的铁路表现得十分谨慎，为修建巴黎至奥尔良的铁路而成立的公司里，詹姆斯只持有很少的股份——一个明智的决定，这家公司在1839年8

① Leon Faucher，法国政治家、经济学家，1851年任总理。

月拆解。合约随后转给了英法合伙的一家公司，法国方面是夏尔·拉斐特，英国方面是金融家爱德华·布朗特，他们同时还获得了修建巴黎经亚眠至布洛涅的铁路合约。尽管奥尔良线被迫使用圣日耳曼公司控制的圣拉扎尔站，但是拉斐特–布朗特集团与罗斯柴尔德集团之间的激烈竞争很快就形成了。

1839 年的危机让詹姆斯更加希望介入政府资助铁路方面的业务，目的就是提升圣日耳曼和右岸公司的股价。在这方面，就如国际事务一样，他毫不羞愧地动用了恐吓法国政治家的手段。“如果政府不准备在右岸（公司）的事务上采取任何举措，”他在 1839 年 6 月跟侄子们说，“我将确保所有的报纸都会抨击它”。两个月后，他更进了一步：

> 如果他们真让事情变得非常困难，你就应该告诉他们，我写信跟你们说，我将辞去在右岸公司里的主管职位。同时，我将在报纸上宣布，由于现任政府执拗的反对，我们被迫放弃自己的位置，并向公众申明，只要商务部继续掌握在现在这些官员手里，我们将从工业领域中完全撤出。如果你们将这点透露给苏尔特元帅，我可以向你们保证，迪富尔先生将会改变他的态度。如果你得不到某个人的友谊，那么就必须让人畏惧你。

所有这些话暗示，詹姆斯对于法国媒体的影响力是他的铁路政策的一个重要武器。

通往比利时的铁路问题，成为凸显法国政府屈从于罗斯柴尔德金融力量的最佳例子。即便 1839~1840 年间出现的各种外交风暴平息之前，詹姆斯就已经再次考虑北线铁路的问题，他比以往更加确定地认为，这条铁路将是“一宗非常好的生意”。他此刻透露给法国大臣们的想法是，政府在特定的时段应该为铁路债券的利息（4%）提供担保——这是埃米尔·佩雷尔的一个建议，目的是迎合更为谨慎的投资者，他们认为私营部门的铁路股票风险太大。此时法国政府显得更有合作性。勒格朗的 1842 年法令透露的主要信息就是，国家将购买铁路所需土地，建造铁路和相关建筑物，然后将铁路租给铁路公司，后者需提供车辆，并在特定的一段时期内运营火车。但是，这在实际操作中，花费了数年才得以实现，尤其是比利时的铁路问题。

在詹姆斯看来，从巴黎到里尔和瓦朗谢纳的北线铁路被认为是法国所有干线中最具赢利潜力的线路，因为它不仅将法国与比利时连接了起来，而且还通过至加莱与敦刻尔克的支线，将法国与英国联系了起来；政府补助的前景使得它变成了“一个黄金商业机会”。但是正是由于这个原因，政府内部必然会出现反对给予罗斯柴尔德家族铁路合约的声音。“现在，我亲爱的纳特，”当法国政府似乎要将詹姆斯拒之门外时，他抱怨说，“我们铁路的生意根本行不通。全世界都在反对我们。人们说，我们是一个寡头，说我们想要控制所有铁路，因为他们能看到，没有我们，根本就不可能修建比利时（铁路）。”詹姆斯是对的，尽管两方直到1845年才达成最终协议，但法国政府最终似乎别无选择，只能与罗斯柴尔德家族达成交易。一个关键的因素是，法国政府自己需要借钱来支持勒格朗的计划。詹姆斯在法国公债事务上近乎垄断的地位，对他获得北线铁路合约发挥了重要作用，这也是他的一个筹码。他在1842年12月满意地评价说：“如果我们能够提供贷款，那么我们将成为铁路的主人。财政大臣今天对我说，‘没有你，我什么都做不成，整个政府也是这么认为的。通往比利时的铁路（合约）将优先提供给你。’”

但是，詹姆斯为了获胜，也可能在两个方面作出让步。第一，佩雷尔兄弟梦想铁路以圣拉扎尔站为终点站的梦想被迫放弃，尽管这对圣日耳曼的股价带来了负面冲击。第二，詹姆斯的竞争对手被允许加入公司的财团：由于梅乌斯仍然不愿让通用银行较大规模地参与，詹姆斯别无选择，只能将大量的股份让给拉斐特-布朗特、奥廷格和其他次要的竞争对手。但是在操作过程中，这些是比较小的让步。对于将圣拉扎尔设为终点站，詹姆斯似乎并没有佩雷尔兄弟那么坚持；至于其他合作投资者，所有人都知道自己只不过是高级合伙人罢了。拉斐特曾希望重振自己谋算已久的计划，为勒格朗的全盘计划独立提供一笔巨额贷款；但最终成为一名相当于不过问具体经营的合伙人，他只得承认再次遭遇了失败。

当合约最终在1845年9月签署时，罗斯柴尔德巴黎和伦敦分行是最大的股东——占总资金两亿法郎的25.7%，奥廷格为20.15%，拉斐特-布朗特为19.5%——并且占据了主要的经理职位。唯一真正的妥协出现在合约的具体条款里：铁路每建成一英里，政府补贴款支付一部分；工程持续了多长时间，公司就将运营铁路多长时间；费用按照3个等级的乘客来收取；提供正常、规律的铁路运营服务。但是，这些只是政治妥协，而不是商业妥协，这反映了在议会中安抚反对派的必要性（议会中，一个有影响力的议员团体主张完全由国家建造并控制铁路）。类似地，詹姆斯3个月后决定从竞标巴黎-里昂铁路合约的财团中完全撤出，目的是为了确保获得同时竞拍的克雷伊至圣康坦的铁路合约。

北线铁路合约的获得需要被视为法国铁路网瓜分大行动的一个组成部分——在这一行动中，罗斯柴尔德家族起到了主导作用。尽管北线铁路很明显是詹姆斯感兴趣的一条铁路，但肯定不是他唯一的目标。我们也看到，他曾考虑适当地参与巴黎-里昂铁路项目；他还考虑过参与通往波尔多的铁路线工程，1844年，他组成了一个财团竞标这一工程。尽管这条铁路最终给了别的公司，但他很快便试图与这家公司结成某种合伙关系，为连接波尔多与塞特的铁路提供资金。罗斯柴尔德家族还持有了赢得巴黎至斯特拉斯堡铁路合约的公司大量股份；它在里昂–阿维尼翁合约中也有一小部分股份。小一点儿的玩家相互竞争，来寻求获得“全能的罗斯柴尔德家族”支持他们的公司。所有这些都是早期一个动议的组成部分，当时诸如昂方坦等圣西门当地人鼓励在法国铁路工业内部，将铁路的所有权集中。实际上，尽管法国的银行家缺乏昂方坦的广阔视野，但他们无须更多的游说。早在1844年，奥廷格、布朗特和戴希塔尔就向詹姆斯提议：“关于加莱到阿维尼翁铁路的事务……我们应该联手拿下整条铁路，以避免竞争，我们应该联合所有公司。”到1845年11月，“融合”的疯狂——即铁路公司之间的整合——正全力进行着。“你根本想不到会有多少人来到账房办理克雷伊和圣康坦至里昂（铁路）的公司融合事项，”安塞尔姆报告说，“融合制造了混乱，使得我们的办公室更像是瑞士的一家小旅馆，所有游客在山上长途跋涉之后全部来到了这里。”耗费时日的合约竞争开始减少。逐渐地，合作似乎比竞争更为理性。

地理上的集中也同时出现。确保获得北线铁路的最大股权以及克雷伊–圣康坦铁路的资金额多数地位（两者都是与奥廷格以及拉斐特–布朗特合伙），詹姆斯控制了连接法国北部与比利时的两条铁路干线，更不用说还有巴黎市内的两条重要路线——他控制的铁路总长达388英里。这为詹姆斯此时开始梦想的泛欧铁路王国提供了一个重要的地理基础。

英国成员的参与

一开始，詹姆斯的英国侄子们对这些项目的态度有些模棱两可。詹姆斯将大量的铁路金融细节工作委任给了他们——尤其是安东尼，后来他成了这方面的专家，甚至超过他的叔叔。但是他和他的兄弟们从没有对工业金融停止过怀疑，他们在纽考特曾经接触过这方面的业务。“这在我们这里一点不新鲜——但是铁路公司，”安东尼在1838年5月抱怨说：“如此多的铁路公司，你很快就会厌恶它们——他们对其他公司是如此妒忌，你都会有些担心。”纳特承认，巴黎分行“在这些（铁路）事务上，没有太多地考虑我们可怜的伦敦分行”；但是他自己也一直指责北线铁路项目的劣势。“我们一直厌恶佩雷尔和戴希塔尔，他们试图将我们拉进通向沙特尔的铁路项目中，”他在1842年春天抱怨说，“让人感到恶心的铁路耗费了我们所有的注意力，就我来说，我希望国王陛下拥有所有铁路，它们只给我们带来了麻烦、干扰，没有任何报酬……我并没有担心（巴黎分行）应该大规模地参与铁路项目。”几周后，他又抱怨说：“我们累得筋疲力尽，但是所有的麻烦没有得到任何收获。”他有时否认铁路会带来利润："人们害怕持有铁路股票，也害怕乘坐火车旅行。"另一些时候，他反对伴随铁路项目的风险：

> 在我看来，我希望并相信，我们不应该与比利时铁路扯上任何联系，除了持有大量它的股票，以便在机会好的时候抛售——我绝不想在一条让人恶心的铁路上拼命。而且，即便最细微的事发生了，某人弄脏了裤子，其他人也对此了如指掌；当我们希望熟悉周边的事情时，我们必须向佩雷尔汇报——除了与政府之间的麻烦……

但是，他经常提出批评的是参与铁路运营——而不是投机它们的股票——可能会使得资金遭遇被套牢的危险：

> 我反对（比利时铁路）事务，是因为我害怕肯定会发生在我们身上的焦虑和麻烦——道义上的责任完全依赖于我们，我宁可更早地将股票可能带来的利润留给别人，而不愿承受如此沉重的忧虑——这是我思考的方式，我也最诚挚地相信男爵（詹姆斯）将对我们所理解的金融事务保持满意，并且在我们觉得合适的时候从中撤出。

当北线合约似乎落空时，纳特很开心，但是合约最终敲定时，他惊慌失措。尽管没有纳特那么充满敌意，但安东尼对铁路同样没那么多热情。"就铁路而言，"他在1842年6月告诉列昂内尔，"我认为最好的事情是……不要与它们发生任何联系。"

这些话揭示了态度上的根本差异，尽管这更大程度上是由代沟所致，还是周边环境所致，很难说得清楚：安塞尔姆——他在巴黎或法兰克福度过了大部分工作时间——也反对过多地参与铁路事务，显示某种程度上存在的代沟。纳特承认"现在，保守的想法胜过了攫取的念头——至少我是这样的"，他其实道出了年轻的罗斯柴尔德成员的心声。如《辩论日报》报道的那样，他们倾向于认为竞标北线铁路合约，詹姆斯是在竞标"毁掉自己的优先权"。如纳特解释的那样，考虑到他们付出的程度：

> 用尽一切方法，我们已经在市场中拥有了大量股票，可能深入地参与其中——我不怀疑，如果形势保持现在这样的情况，那么所有股票将带来非常好的收获，但是如果发生了政治或金融危机，那么股票的价格将会出现什么样的情形？

但是，"男爵"过于沉迷于"运转和买卖"在市场上出现的大量新股票，以至于很难认真地考虑这样的结果。

关于这点，纳特对于詹姆斯前后不同的情绪描述是一个很好的例证：

> 男爵对它有些狂热，他将其视为一宗好生意，并为其担忧，他幻想别的公司将得到它，从而让他感到更加遗憾。另一方面，他又因为可能没有戴希塔尔和佩雷尔对投机者的支持、独自引导这样一家如此重要的铁路公司而担心不已。

换句话说，詹姆斯了解这些风险，但是不能面对生意输给竞争对手的事实；他的侄子们则不具备咄咄逼人的竞争意识。纳特认为“在铁路方面，不要太贪婪，不要想着扮演主角，我们可以占据一个份额，一个很大的份额，然后获取我们的利润，而不要比别人承担更多的责任”。与他们形成对比的是，詹姆斯难以抵制“担任主角”的诱惑。他对于“试图一蹴而就”所包含的危险以及困难并不是一无所知，但是一直劝告他的侄子们“认真地展现自己”：

> 我迫切地请求你们接受几个新交易员，这样我们就能在一个平等的基础上与其他人做生意，尽量投入一些时间到铁路生意里。我觉得，世界每年都希望发现一些新东西，它因此变得很忙碌。现在，“工业”似乎是很时尚的东西。如果确实如此的话，我们决定进入这个行业，我们必须认真地对待生意，即便我们什么都挣不到，得到的只是整月忙碌。

当昂方坦称，在詹姆斯的感觉中，“铁路游戏”甚至取代了“政治游戏”时，他并没有说错：“与梯也尔、基佐或莫莱玩闲聊的游戏——这个路易·菲利普非常擅长——对于罗斯柴尔德来说，只是个小孩子把戏，他很少屈尊；他从政治的起伏中获取利润，但是他喜欢铁路游戏……那是属于强人的伟大游戏。”

但是詹姆斯的项目最终需要依靠伦敦分行，因为只有伦敦资本市场的资源才能满足规划中的法国铁路线的需要，即便法国政府提供了补助亦是如此。如纳特观察的那样，北线铁路只会是“一个资本问题，如果我们能够在伦敦找到一些适合的人，深入地参与进来”。他向列昂内尔提出建议说：“我们不可能承担这么长的一条铁路，除非得到英国资本家的支持。”他特地敦促列昂内尔将格林银行和乔治·斯蒂芬森拉进来，前者对铁路十分感兴趣，后者的工程专长则是一笔无价的财富。鉴于北线铁路通往英吉利海峡支线的重要性，其他英国商人也争先恐后地加入进来，尽管并非所有人都受到欢迎：戴维·萨洛蒙挤进生意当中就带来相当大的不悦。如此多的英国人对这条铁路感兴趣，这可能解释了纳特反对参与铁路建设的声音在1843年消失的原因。此外，他开始相信股价将会涨到一个“非常高的水平上”。确实，法国铁路股票在伦敦市场上获得了极大的成功。如迈耶报告的那样：

> 这里的人们抓住在你们国家出现的每一个机会，不管它是一条铁路还是一笔贷款……鉴于股票投机者在这里获得的财富，人们确信，不管计划看起来多么庞大，一个非常壮大的派对肯定会组织起来。

尽管他们对于法国铁路的长期赢利能力持保留态度，但伦敦几个兄弟也难以抑制自己对于英国市场超级能力的自豪之情。“我希望你已经卖出了大量的北线股份。”安东尼于1845年9月敦促列昂内尔，“让我的拉比向我们展示，英国人能够消化所有的股票，尽管它们多得像恶心的法国蛙（英国人对法国人的蔑称）一样。”他的弟弟在第二年也表达了类似的感觉：“我看到的越多，我就越相信，世界上没有任何一个地方像我们的老纽考特；如果我们不托市的话，那些垃圾一样的法国股票能卖得出去吗？我想我们应该置身事外一点，像其他人那样做个大人物。”这种盲目的爱国情感，也是罗斯柴尔德代沟的一个重要方面。

詹姆斯开阔的视野加上伦敦市场的能量，是一个成功的秘诀。当北线股份的每股价格从500法郎蹿升到760法郎时，他在这条铁路上的豪赌似乎非常正确。即便他的英国侄子们也不得不承认它的前景看起来非常好：自上市之日起，每天的进账额都超过了两万法郎，尽管铁路还远未完工，而且公司还缺少合适的火车司机。此外，公司许诺向运作者提供非常可观的回报，尽管这笔数额占了公司预期收入的一半——而且经过调整，又多了一些。詹姆斯很快便效仿哥哥萨洛蒙，寻求“垂直整合”的可能性，他准备进一步投资比利时的煤矿。“每个人都认为煤炭就像黄金。”他对此热情高涨，这一观点即便连谨慎的安塞尔姆都未提出异议。他非常有信心地说，巴黎分行投入煤矿的300万法郎（联合了塔拉博兄弟），“过一段时间，将成为最重要的一笔投资，因为煤炭的消费需求与日俱增，这归结于欧洲大陆开通了如此多的铁路以及工业的发展……”北线铁路能够以具有竞争力的价格拿到煤炭；同样的，运送比利时煤炭成为这条铁路的稳定收入来源。

那些指责詹姆斯在铁路事务上只注重眼前利益的人，此时不得不放弃这一观点：与萨洛蒙一样，詹姆斯构建了一个长期工业投资的投资组合，其核心是他在北线铁路中的投入。这是非常重要的一次分离举措，不仅仅是因为伦敦分行没有作出同样的选择。这在短期内是一个更为安全的选择，而且无疑减少了纽考特在1847~1848年的铁路股份价格重挫时的损失；但是从长期来说，这意味着只有巴黎分行能够从19世纪50年代工业投资中获得巨额的资本回报。

铁路的冲击

铁路的经济重要性能够在一定程度上予以精确量化。1828~1848 年之间，法国大约修建了 1 250 英里的铁路，投资高峰出现在 1841 年、1843 年和 1846~1847 年间。起初，铁路的资金来自于多个小公司组成的集团——1826~1838 年期间，大约 500 家普通合伙制公司名下的资产总额达到了 5.2 亿法郎。仅 1845 年，就新成立了 28 家公司，资金规模几乎与之前的总额相当。在这一过程中，罗斯柴尔德家族毫无疑问是主导力量。确实，1835~1846 年间的 32 份铁路合约中，只有 4 份没有出现他们的名字。但是，1835~1846 年法兰西银行组织的 2.25 亿法郎的资金中，罗斯柴尔德家族贡献了 8 460 万法郎——占总额的 38%，几乎是补贴款总额的 1/10。

这种主导地位从许多方面来说十分自然。除了德 · 罗斯柴尔德兄弟银行与其他法国竞争对手相比，拥有绝对优势的资源，詹姆斯还拥有独一无二的优势：与伦敦市场有着“亲戚”关系。这至关重要，因为没有英国资本（和技术），法国铁路建设的过程无疑将会放缓。粗略地估计，截至 1847 年，法国铁路 1/2 的资本来自英国，而且只有 1/4 的法国火车头是自己制造的。国家在铁路兴起中的角色也可以量化。1840 年，第一批国家补贴款由新成立的公共工程部发放，到 1849 年，国家每年在铁路上的花费约为 720 万法郎，约占国民生产总值的 1/5。从总体上来讲，这些被现代经济史学家认为是应用得当。尽管计算铁路具体带来多少“社会剩余”（不仅是更为有效的内部和外部沟通，而且还有“连锁”效应，连接起煤炭、钢铁产业）存有疑问，但是如果没有铁路，法国经济无疑会更差。

但是，当时的人们不会用这样枯燥的宏观经济学术语来评价罗斯柴尔德家族在铁路方面的角色。总体上来说，他们更关注铁路兴起所带来的利润分配，而不是它们带来的进步冲击。同时，他们也比现代经济史学家更关注铁路耗费的社会成本。这有助于解释，对于铁路，文化和政治方面的反应为何与它们对宏观经济的冲击截然相反的原因。

确实，当时并不缺乏愿意“鼓吹”铁路旅行是时代奇迹的作家。19 世纪三四十年代，出现了大量赞美铁路的诗歌，一个经典的例子便是蹩脚诗人赫格尔曼撰写的一首诗，它描述了 1846 年 6 月 1 日北线铁路开通仪式的场景。这首诗的标题很简单：“致罗斯柴尔德”：

> 一条巨龙在空中翻腾，
> 向车道上喷射着火焰；

一个天才站在它的头顶；
用锁链锁住了它有力的爪子；
然后向我们的世界冲来，
他急速地吐掉了灰尘，
牵着喷着烟雾的猛兽，
他牢牢地牵着它走；
然后向人们展示这头被锁住的巨兽，
面对数百万等在那里的人，
他说：“我将使你们接受我的驾驭；
做我的奴仆，这是我的金子……”
他的话让四周的山峰臣服，
它们纷纷倒下，悬崖顶峰也沉了下来；
巨龙在地上穿行，
大地在它的镣铐下战栗；
德国人，与高卢人一起，
因为这样的力量，他们的防线垮了，
谁复活并重新取得，
国王们退出的城堡，
谁的骨灰缸，
倾倒在貂皮铺就，点缀着工人们简陋村落的路上，
播撒他的神圣种子。

就连平时尖酸刻薄的海涅也写了一首类似，甚至更夸张的诗。“现在，所有的目光都集中到了罗斯柴尔德家族身上，”当詹姆斯希望竞标北线铁路合约的消息第一次公布于众的时候，他报告说，“这代表着社团组织起来建设法国北线铁路系统，这一方式在财政以及社会层面上都应值得赞扬。罗斯柴尔德家族，此前将其才能和资源排他性地提供给政府，现在又带头承担起国家的大项目，将它庞大的资本和无价的信用投入到工业发展以及人民的富足当中。”当奥尔良至鲁昂的铁路在1843年5月开通时，海涅欢欣鼓舞。他在巴黎：

都感觉到了颤动，所有人都觉察到了，除了他被送进了坚固的密室中。所有的巴黎人此刻形成了一根链条，将这种电击般的振动从一个人传递到另一个人。当大多数人对这些巨大的移动力量所表现出来的震撼惊骇时，哲学家被一

种奇怪的恐惧所占据，我们只有在最可怕、从未听过的事情发生时才会有这种感觉，它的结果难以预知和估算。这样说吧，我们的全部存在正被抛到新铁轨上；新的关系、欢乐和痛苦在等着我们，这种未知散发着它可怕的吸引力，难以抗拒而又让人恐惧。当美洲大陆被发现时，当火药随着第一声爆炸宣告到来时，当印刷术第一次将《圣经》印在纸上展现给世界时，我们的祖先一定也是这样的感觉。铁路是另一个幸运的此类事件……

但是，海涅此时也提出了一个模棱两可的警告，他认为铁路的政治影响力此时被授予了修建他的人。他认为，“金钱统治贵族”此时“对国家的航舵施加了与日俱增的影响力”：“不久，这些人不仅将组成铁路公司的董事会，而且还将组成监管整个文明社会的董事会。”对海涅来说，铁路兴起最吸引人的一个方面就是贵族以及军界精英（甚至军队司令）如何聚集到一起，然后与铁路扯上关系的方式。他们担任了不参与经营的董事，并将自己的积蓄投入铁路中。他们甚至祈求得到诸如北线等新公司的期权：

这个家族（罗斯柴尔德）的成员提供给每个个人的股份实际上都是一种莫大的恩惠——坦白地说，我应该说它实际上是德·罗斯柴尔德先生用来交朋友的一份金钱大礼。最终发行的股票……从一开始，其价格已经高出面值好几百法郎，而不论是谁，只要向詹姆斯·德·罗斯柴尔德男爵要求买这些股票，都能以面值的价格买，从字面上来说，是他发出请求。但是很快——整个世界开始求他；他被祈求的信件淹没了，最尊贵的贵族为人们树立了一个很好的例子，祈求不再被认为是丢脸的事。

用轻松诙谐的手法刻画詹姆斯转变为一个“铁路男爵”，并不是海涅的专利。罗斯柴尔德铁路笑话是这个时代的另一个特色产品。利用法语单词的双重含义，作家普罗斯佩·梅里美在1846年2月讲给德·蒙蒂约夫人的笑话便是一个经典的例子：

德·罗斯柴尔德先生孩子的老师问7岁的学生，他是否知道好行为与坏行为之间的差别。“当然！”这个孩子回答说，“一只好股票就是北线铁路的股票，坏股票就是左岸公司的股票。”相信我，那个男孩不会挥霍掉他父亲的数百万家财。

7年后，内塞尔罗德伯爵对他的表弟说，一个“罗斯柴尔德箴言”可能确实存在。“塔西洛·费斯特蒂茨伯爵向他咨询一大笔资金的投资问题。‘伯爵先生，’罗斯柴尔德告诉他，‘如果你不想资本生利的话，购置土地。如果你想得到利息而不考虑本金，那么买股票。'”“这发生在巴黎，”内塞尔罗德接着说，“但是，这个理论放之四海而皆准。”这类逸事很容易被认为是伪造的，不足信。但是，罗斯柴尔德家族的私人通信证实，至少有一则逸事离真相并不远。1848年11月，贝蒂告诉儿子阿方斯，他4岁的弟弟埃德蒙“养成了一个习惯，喜欢拿我的祈祷书进行祈祷。昨天，他虔诚地说，‘我愿我们万能的上帝帮助我爸爸以及北线铁路！’”

但是，并非每个人都这么有趣。19世纪40年代，越来越多的记者开始对他们认为危险、腐败的个人垄断表达了自己的不满。首当其冲，北线铁路合约成为了七月王朝“彻底腐烂”的标志。激进批判言论开始出现在诸如《法国信使报》、《改革》、《世界》和《每日》等报纸上。但最恶毒的形式是廉价翻印的书和小册子，比如阿方斯·图斯内尔的《犹太人，新时代的帝王：金融封建主义的历史》。

在许多方面，图斯内尔所秉承的传统可以追溯到19世纪20年代，当时的激进批判家将他们对政治腐败的批判用强烈的反犹色彩作为包装。他的批评直接针对的是北线合约背后的金融条款（可以很容易地避开不谈詹姆斯的犹太人身份）。根据图斯内尔的说法，法国政府放弃了向罗斯柴尔德为首的公司收取北线铁路长达40年的所有利润，但是同时却承担了所有的费用——这是“为了整个国家”。政府为了取得铁路所需的土地，大概付出了1亿法郎的资金，而公司只需要向政府支付铁轨和车辆的成本，大概为6 000万法郎，而这些钱在合约期满后，政府还要返还给公司。图斯内尔认为，公司实际上是借给政府6 000万法郎，从而换取每年高达1 400万法郎的收入，更不用说它向公众发行的股票给它带来的投机性收入。他问道，换种方式来操作是不是更为理性？政府自己借贷——每年只需支付240万法郎的利息——然后以国有企业的形式来建造和运营铁路。为何要支付5倍多的成本来换取一条40年后才能到手的铁路呢？

某种程度上，这是一个颇为真实的言论，它所提及的是按照比利时的模式，由国有部门控制铁路网：差不多同一时期，类似的经济民族主义论调也在德国回荡着。在批判国家政策导致的分配不公方面，图斯内尔的书给了早期社会主义思想家，如傅立叶等人以启发。铁路带来的“巨额利润”部分来自于“法国工人与艺术家的劳动”：“谁为投机者数亿奖金埋单？是工人，是人民。谁被当权者忽视？是人民。”

但是，图斯内尔的经济言论本质上与反犹是密不可分的。他愤怒地宣称：“在这个敏感的时机以及腐朽的政治环境下，叛徒、雇用文人、议员、大臣们将把法国卖给犹太人……”将铁路公司认定为一个单一的宗教团体无疑需要很大的定义弹性，因为主要角色显然有来自英国和瑞士的非犹太人投资者。但是，图斯内尔却毫不费力地给出了答案，这也为将来反犹的数代人确立了一个范例。罗列出各个铁路公司的名字和它们主要股东的姓名之后，他将他们描绘成了一个世界性犹太实业银行的分支，这个银行拟人化成“罗斯柴尔德男爵、金融之王、一个由基督徒国王授勋的犹太人”。在19 世纪 40 年代，“犹太人”不再是一个纯粹的宗教类别，而是成为剥削资本家的代名词。

图斯内尔的书产生了复杂的影响，此后出现了一系列的模仿者——他们通常很乐意逐字逐句地重复他的指责，并添油加醋。在图斯内尔的书第一版问世后不到一年的时间，另一本措辞更为激进的小册子也随即上市，作者用的是假名“撒旦”，其真实身份是不出名的文人乔治 · 戴恩韦尔，小册子名为《罗斯柴尔德一世——犹太人之王传奇》。根据戴恩韦尔的说法，罗斯柴尔德家族通过贿赂才获得北线铁路的合约，他们向议员们派发了 1.5 万股股票；此后，他们又欺诈了这些股东，私下发行了新的股票，稀释了原始股的价值。詹姆斯是“罗斯柴尔德一世……投机帝王……只顾攫取财富，其他孩子的父亲则失去了一切，只剩下最后一块面包皮”。在 19 世纪八九十年代的反犹报道浪潮中，类似的指责再次出现：比如，希拉克声称詹姆斯将北线铁路的股份分给了友好的报纸，如《宪章报》或《辩论日报》，甚至在邀请前来用餐的宾客餐巾纸下面塞了几份股份。德吕蒙则重复了图斯内尔的指责，舍尔布将戴恩韦尔的相关言论翻译成了德文。同样的故事甚至在 1945 年之后还被重复着。

这些攻击有什么实质内容吗？一个现代历史学家曾说：“（铁路）金融系统……似乎最大化了国家的成本，给股东则带来了最大化的收益。”公众对于北线股份的需求是巨大的。以此目的接触詹姆斯和列昂内尔的人数不胜数：一个当时的人开玩笑说，股票申请截止时间到的时候，詹姆斯手里拥有了“一本珍贵的签名册”，上面全部是巴黎上流社会的达官贵人。斯托克马男爵是比较早投资法国铁路的人，可能是代表阿尔贝王子进行投资的。艾尔斯伯里夫人是另一个投资者。迪斯雷利在 1845 年购买了 150 股巴黎–斯特拉斯堡铁路的股票，尽管这被证明是“非常随意的”投机，他在几个月后就卖掉了它们。列昂内尔也“给了”他一些北线铁路的股份。北线铁路的另一个投资者是巴尔扎克，尽管他必须为他的 150 股股份付钱——与一个不太有名的作家朱勒 · 雅南不同，他后来写道：“德 · 罗斯柴尔德先生……用一些北方股份拯救了我和我的小说 [《克拉丽莎》（*Clarissa Harlowe*）]。”但是，将股票给予需要帮助的作家，是否带着影响合约归属的特定目的，这点缺乏证据。实际上，一个当时的人曾发现，大多数股份“非常随意”地进行了分配。从股东人数的庞大规模来看，似乎确实如此。公共工程部长迪蒙指出，购买北方股票的有 12 461 人，购买斯特拉斯堡线股票的有 31 000 人，里昂线的有 24 000 人。还值得一问的是，如果政府不提供补助的话，是否还会有如此多的人购买股票。即便有了政府补贴款，那些持有北线股票的人看到的也只是短期资本收益。在铁路合约敲定以及铁路开通之间的数个月里，股票的交易价为750法郎以上，而面值只有500法郎。但是，铁路开通仪式当天，一起悲剧和意料之中的事件提醒人们，不管有没有政府补贴，铁路都是一个有风险的生意。根据1846~1848年的事件来看，罗斯柴尔德家族从北线铁路合约中赚取了巨额且不适当利润的说法，必须用存疑的目光去看待。

事故阴影

1846年5月14日，詹姆斯·德·罗斯柴尔德邀请了1 700名宾客，庆祝北线铁路开通。宾客们乘坐一等车厢，中午在里尔用餐，在布鲁塞尔用晚餐，次日返回巴黎。柏辽兹和朱勒·雅南特地为这次仪式创作了一出清唱剧，而且为了确保得到最好的媒体报道，邀请函还发给了维克托·雨果、亚历山大·杜马、普罗斯珀·梅里美和泰奥菲勒·戈蒂埃，戈蒂埃在《快报》的一篇文章中描述了庆典。用戴恩韦尔的话来说，这天"我正式认识了罗斯柴尔德一世的忠诚"，而且詹姆斯·罗斯柴尔德宣告成为"欧洲、亚洲、非洲、美洲、大洋洲和其他地方的国王，当然首先是犹太人之王"。24天后，6月8日下午3时，同一条路线上北行的一列火车出轨，火车在一个沼泽湖的大堤上失去控制，引发悲剧。根据目击者的陈述，第一个火车头牵引着29节车厢向前运行着，但第二个火车头却突然停了下来，扯断了它后面几节车厢与前面相连的链条。13节车厢出轨，其中一节被撞得粉碎，另有3节沉入湖中。尽管后面车厢的乘客进行了英勇的拯救行动，但仍有14~31名乘客不幸罹难。

死亡人数估算的冲突使后来铁路公司与充满敌意的记者之间发生了激烈辩论，那些记者以乔治·戴恩韦尔为首，对他来说，这次事故似乎凸显了铁路公司、政治制度（批准了铁路合约）、犹太人、主要是罗斯柴尔德家族的弱点。当然，此前也发生过铁路事故。海涅就曾抨击过凡尔赛线上的一次火灾：

> 凡尔赛铁路上的火灾是多么可怕的灾难！我这里指的不是星期天在事发现场被烤焦的人群；我指的是依然健在的公司，它的股票跌了这么多个百分点，现在它满怀恐惧地等待着法律审判的结果。这家公司的创立者会被迫掏出一些钱补偿沦为孤儿或致残的受害人吗？那将多么可怕！这些百万富翁更是可怜……

但是，戴恩韦尔的指控更进了一步。他指责说，北线公司无视铁路质量差的警告，事故发生后继续保持正常的运营，但铁路信号还不能正常运作。同时，在事故的消息传出前，它的股东就卖出了自己的股票赚取了利润。这本身已经十分恶劣了；但是他称，实际上这只是“罗斯柴尔德”和犹太人如何对待法国人的一个最新例子。戴恩韦尔将北线铁路的事故当成了一个出发点，用以详述罗斯柴尔德家族剥削法国的“历史”，它从滑铁卢战役开始，到火车出轨事故达到高潮：

> 他们从我们的贫穷和灾难中变得富有……他们就如水蛭紧吸着经络一样和我们混在一起……他们就像是商业吸血鬼，国家的瘟疫……罗斯柴尔德家族只从我们的灾难中获利；当法国获胜时，罗斯柴尔德家族就会输。这个家族是附在我们身上的魔鬼。

戴恩韦尔的指责，引发了一场非同寻常且旷日持久的“小册子战争”。在随后的几个月里，至少有 7 种不同的刊物面世，一些谴责了詹姆斯，一些则替他作了辩护，另一些则声称需要一分为二地看。所谓的《詹姆斯 · 罗斯柴尔德男爵第一次正式回应》声称戴恩韦尔只不过是个敲诈者，他要求詹姆斯支付 5 000 法郎，以换取他不出版小册子，当詹姆斯只给了他 1 000 法郎时，他出版了他的“宝贝”。另一个攻击戴恩韦尔的类似言论出现在《犹太人之王——罗斯柴尔德一世回应骗子之王：最后的撒旦》。快速回应出自随即出版的 3 本反罗斯柴尔德的书：《反对骗子的战争》（戴恩韦尔自己所写）、《罗斯柴尔德，他的仆从和他的族人》和《罗斯柴尔德一世，犹太人之王的十日王朝》（后面两本作者都是匿名）。最后，还有一些试图充当裁判的。《致德 · 罗斯柴尔德男爵的信》驳斥了戴恩韦尔历史性的指责，但得出结论称：“罗斯柴尔德兄弟没有为（世界）人民做过任何事，也没有为仁爱做过任何事……德 · 罗斯柴尔德先生……视钱若渴，这就是一切的根源。”更为敌意针对詹姆斯的是《罗斯柴尔德一世：犹太人之王与撒旦骗子之王之间的伟大进程》，它将詹姆斯描绘成了“犹太人之王，一度执掌着欧洲的王室，法国、德国和英国等国的前任公共工程部长，折扣、高利贷、典当交易、投机帝王，等等”。

所有这些作品中，最诡辩的应该是匿名作者所写的《针对罗斯柴尔德与乔治 · 戴恩韦尔的判决》，它驳斥了这场灾难存在过失的指控，但是声称“无产者”攻击“口袋里装满了支票和股票”的“百万富翁”是正确的。与图斯内尔一样，这个作者将犹太主义与资本主义画上了等号：詹姆斯是“犹太人之王、世界之王，因为今天整个世界都属于犹太人”。罗斯柴尔德这个名字“代表了整个种族——它是权势的标志，它的势力笼罩着全欧洲”。但是，罗斯柴尔德家族在“反复运作”他的资金以及“利用一切可以利用的机会”时，并没有触犯任何法律：他们是“所有中产阶层和商业道德的典范”。正是中产阶层作为一个整体“在犹太人的金钱面前卑躬屈膝”，并赞同“犹太人无止境地搜罗财富的世袭教条”。简而言之，罗斯柴尔德集中代表了“一个给数百万人带来痛苦和绝望的体制”。詹姆斯建造铁路是为了工业和商业利益，而不是为了促进全人类的“和睦和融合”，他也借此促成了“中产阶级的发展”。这种反犹主义和社会主义相结合的论调在之后的岁月里被证明是罗斯柴尔德家族地位的最大威胁。

可以想到，罗斯柴尔德家族自身对于这种大规模且通常是诽谤性的媒体报道感到心惊胆战。在写给普鲁士政府的一封信中，安塞尔姆对于他所称的“对我们生意的角色和道德最邪恶且毫无根据的污蔑”感到悲哀。但是，他们几乎什么也做不了，法国没有媒体审查机制；只有当类似的书在普鲁士出现时，他们才通过游说予以查封，当时他们特意提醒普鲁士政府（应该考虑一下）在过去所提供的“重要服务”。詹姆斯进行了无力的抗争，指责媒体无视卢德主义：“世界已不可能不依靠铁路，人们能够给《国民报》提供的一个最佳答案就是，如果法国选择远离铁路发展，如果他们希望达到恐吓世界禁止使用铁路的目标，那么所有的旅行者都将会利用其他铁路线”：

在一篇文章中，我问报纸是否希望看到法国……驱使文明倒退，他们是否竭力阻止铁路完成，因为他们全部的目的似乎就是如此，因此剩下的款项就不用支付（给我们），之后他们还可以很便宜地买回铁路；与此同时，每个人都能看到铁路在所有地方都在迅猛地发展。但是，我相信反对派不会实现他们的目标。我们最好让他们尽情地叫嚷吧……因此，我不支持对此提起法律诉讼，那样只会意味着此事将成为讨论的焦点，而可恶的奥格斯堡和科隆报纸一直反对我们。如果能利用此事而不是让它见诸报端，那是最好的结果。

考虑到诸如戴恩韦尔等作者所撰写的“有毒散文”，现代读者可能倾向于同情詹姆斯。但是不可否认的是，罗斯柴尔德家族的私人信件显示，他们对于事故至少存在着一定程度的麻木无情。当时，事故让人感到懊悔，但是主要是因为它对铁路公司财政带来的负面冲击。这种态度的形成最早可以在19世纪30年代圣日耳曼铁路上的一系列小事故中看到。当这些事故导致公司股价的大幅下跌时，詹姆斯谴责了媒体：

报纸被所有股票价格的骤然下跌吓坏了，而恰恰是它们需要为此负责。它们没有像英国报纸那样，不讨论任何事故，而且提供图表证明铁路事故的概率是如何低——当赫斯基森在曼彻斯特失去性命时……铁路并没有受到责怪——但在巴黎，情形恰好相反。无论什么时候，只要发生了事故，所有报纸都会问：“现在谁还愿意乘坐火车旅行？为何警察不管这事儿？”我想，如果你能通过佩雷尔安排一篇针对这些报纸的报道，解释一下股价下跌的真正原因，那将再好不过了。我发现圣日耳曼铁路的收入锐减，这可能就是原因所在。

1842 年，另一条铁路上发生的一起事故让詹姆斯推迟了北线铁路合约的进一步谈判：纳特报告说，（我们）决定“在进入这类新事务前，等着看看赔付给伤者和死者家属的钱能造成多大损害，你知道巴黎的陪审团对事故的直接甚至间接受害人都非常地同情”。当“一个工程师会议愚蠢地建议应该接受所有愚蠢的计划来防止事故再次发生”时，詹姆斯立刻“召集几个大臣，跟他们说，他将提交辞呈，除非他们在铁路问题上按照事先的许诺行事”。类似地，鲁昂至勒阿弗尔铁路线上一座高架桥倒塌也引起了詹姆斯的关注，这主要是因为这可能对股价带来冲击。

但是，如果认为罗斯柴尔德家族对于事故一点同情心都没有，那也是错的。“可怜的人。”当“让人憎恶的滑落”这个消息传到巴黎时，安东尼写道。他接着说：“即便万分怜惜——此刻肯定也无济于事——但这仍然让我十分痛心。”据报道，詹姆斯“感到非常震动”，他两天前刚刚乘坐这条铁路上的火车前往维尔德巴特泡温泉。但是他们苦恼的本质在安东尼发给纽考特的下一份公报中显露无遗：

> 万分遗憾——因为当时一切都进行得如此顺利。过去 4 天里，每天损失了 2.7 万法郎，而且还会增加。它没能阻止铁路运行，现在的乘客数量并未减少，只是需要非常地小心。我现在还不能给你们提供事故的原因，你们需要再耐心等待一段时间。同时，这件事让人感到非常不开心，它让我们头疼的事变得人人皆知……他们谈论的都是这次事故，你们知道它在巴黎造成了多么糟糕的印象。股价跌到了 720（法郎），对此我一点都不感到吃惊……我们刚收到佩雷尔发来的报告，他说那里总共（死了）14 个人，事故并非像媒体报道的那么糟糕。一两天内，这件事将被忘记，但是股价仍会继续下跌。

萨洛蒙的反应同样具有启发性。他评价说：“很幸运，没有高层人物在灾难中遭遇不幸，否则这件事引发的恐慌会更强烈。”

公平地讲，罗斯柴尔德家族并不像戴恩韦尔声称的那样，存在不适当的行为。詹姆斯在事故前几天曾抗议说，他“让火车在每个站都要停靠，检查车厢，然后再继续行驶”，他很高兴看到德国的媒体报道了这一事实。针对事故原因的调查随即展开，司机接到指令称：“即便在只有一点点危险的地方，都要尽可能地减缓车速。”但是，毫无疑问，安东尼和他的兄弟们主要关心的还是尽可能地减少北线股价受到的冲击，并尽快恢复铁路的正常运营。安东尼在 7 月写给列昂内尔的信揭示了灾难之后他的首要事项：

> 现在，股票中发生着大量的投机行为。（由于）男爵赚了如此多的钱，因此他们竭尽全力地压低股价。他们散播谣言，杜撰故事，谁知道还有其他什么手

段——这条铁路是相当长的一条线——它很新，当然与所有的新铁路一样，它需要时间来让一切变得有序——你不可能在一分钟之内组成一个军团的“法国蛙”(英国人对法国人的蔑称）——他们的国民特性让他们认为自己总能做得比别人好——我希望他们能够服从——并引进几个英国人。他们今晚将写信给你们，要求12位一等水平的火车司机……他们已经决定在许多地方加宽铁路，添加更多的(枕木）支撑铁轨，让整条线路重振雄风。这次事故是个非常不幸的事件——股价肯定在800法郎（左右）……过去几天收入下跌了很多——我对此并不在意，因为整个事件将能够更好地组织起来，当它再次运行时，收入将很快恢复。

当股价跌到650法郎，收入下跌了40%时，罗斯柴尔德家族很自然地要找一只替罪羊。6月21日，安东尼声称，“事故是有人故意而为，这是一些人为了打压股价制造出来的”，因为二三十个将铁轨固定到枕木上的螺丝似乎被松动了。有人怀疑此举只是一个如意算盘。“我希望我们能够查明真相，”安东尼对伦敦的兄弟说，“但是操纵股票的人是一群流氓，我在想他们几乎实现了目标……如果真是这样，这将是对公司最为有利的事了。”

后来形势的发展表明，无须进一步推进这种阴谋论了。因为几周后，北线铁路的乘客数量开始恢复（首先从三等票乘客开始），然后与日俱增。到8月末，第一趟货运列车开始运营，而且具有标志性意义的是，北线铁路的时间表第一次在旅客指南上刊登出来。3个月后，罗斯柴尔德家族的信心也已经恢复，汉娜建议她的儿子（给她）买进“一点点（100股）北线铁路的股票”——这个建议很合乎情理，因为当时詹姆斯预计铁路的纯收入约为320万法郎。“这是个让人感到很好奇的情形，”迈耶以无所谓的口吻说，“奥地利铁路一天前也发生了致命的事故，但现在股价已经恢复到原来的水平，我认为法国的北线铁路也会如此。”

这很傲慢。而且，鉴于他们对方布事故的反应完全是出于经济上的考虑，很难让人不将两年后在他们头上爆发的革命风暴看做一种可怕的报应。(可能更像报应的事件发生在18年后，列昂内尔的儿子纳特和他的妹妹埃韦利娜遭遇了一次铁路事故，他们乘坐的从巴黎到加莱的快车与一列货运列车相撞，两人幸运地没有遭受重伤。)为了改变引人注目的形象，维也纳和巴黎的罗斯柴尔德成员决定不仅投资，而且参与建设和管理铁路，他们达成了一项协议，这被当时的人视为浮士德式的契约：如艾兴多夫所说的那样，他们为“撒旦”披上了甲胄。但是“撒旦”——以戴恩韦尔的形象——此时对浮士德反戈一击。铁路给予罗斯柴尔德家族的社会优势也让他们变成了新社会运动的首选目标，而这场运动已经开始酝酿。

第四章

革命的冲击（1848 年）

THE HOUSE OF ROTHSCHILD

整个欧洲酝酿着一场危机：
臭名昭著的罗斯柴尔德家族将遭到报应，
人们将报复！
人们不想要他失去的钱……但是人们想要卑鄙犹太人的皮。

寄给纽考特的匿名信

1848 年 3 月

我们必须指望的一件事就是维持我们的好名声，出于这个目的，几个分行之间必须尽一切力量相互支持，因为一损俱损。

安塞尔姆致伦敦的堂兄弟

1848 年 4 月

“相信革命由经济因素引发，这样的错误太粗鄙了。毫无疑问，它们经常有助于平息一场灾难；而引发一场灾难的情形却极为罕见。”本杰明 · 迪斯雷利于 1844 年写道。而随后的 4 年将证明他完全错了。

由于没有经济危机的事先预警，1830 年革命对于罗斯柴尔德家族来说像是一个意外事件。与此形成对比的是，1848 年革命出现在如此漫长的经济衰退之后，他们等待风暴的到来几乎已经筋疲力尽——可能甚至开始想象它有可能不会爆发了。如果他们最终未能作好充足的准备应对 19 世纪欧洲最大的一次政治危机，那么其原因可能在于革命爆发的时机。19 世纪 40 年代的经济最低潮实际上出现在 1847 年；到 1848 年春天，最糟糕的形势已经过去了。历史学家以后可以推断，准确地说，这个时候政治动荡最可能爆发，因为大众的期望值提高了；但是对于当时的银行家来说，还远看不清这点。

1830 年与 1848 年的另一个不同之处是罗斯柴尔德家族自己作为革命目标的处境。1830 年，詹姆斯远离了查理十世政权，使得他相对容易地转投到奥尔良派那一边。18 年后，他和他的兄弟们不仅与法国政权，而且与全欧洲的政权确立了更为紧密的关系。他们不仅为奥地利帝国政府（提供服务），而且也给德国和意大利众多小公国提供便利，他们似乎——尤其对革命运动中的民族主义人士来说——是梅特涅体系的大财主，甚至是其主人。爱德华 · 克雷奇默的漫画《封神并膜拜我们时代的偶像》，将“罗斯柴尔德”描绘成坐在金钱王座上的人，四周跪着各地的统治者（见图 4–1）——这是当时非常流行的画面。同时，罗斯柴尔德家族对于各国的财政支持使得他们很难欢迎彻底重新界定欧洲边界的观点，而这恰恰是政治民族主义基本理念所倡导的——即政治和民族或语言结构应该保持一致。诗人卡尔 · 贝克在 1846 年哀叹道，“罗斯柴尔德家族”拒绝将其金融权势用于“人民”一边——尤其是德国人民——而是用在了他们憎恶的王公们那一边。

而罗斯柴尔德家族也不太容易考虑转到革命的一边，因为此时的形势表明革命带来的可能是一个共和制度，而非简单的王朝更迭。而且，还不仅仅是一个共和制：因为 1848 年革命与此前的革命不同，它对社会问题以及宪章问题给予同样的关注。社会主义（以及极端保守主义）反对经济自由主义的论调首次与之前要求政治自由和民主的呼声交织在了一起，尽管有时两者之间也有矛盾之处。革命者不仅关注权利（言论、集会和新闻自由）以及通过宪章获得立法机构的发言权；他们中的一些人还希望抗争工业时代带来的物质不平等。在许多方面，罗斯柴尔德家族已经成为不平等的化身。北线铁路事故发生后爆发的反罗斯柴尔德浪潮，便是一个再好不过的例子：批评者认为，当三等乘客死亡时，“罗斯柴尔德一世”却在无情地计算着政府补助的利润。1848 年的另一幅漫画将罗斯柴尔德刻画成了国王（和教皇）崇敬的对象，画面上同时还有一个衣衫褴褛、饥肠辘辘的家庭，背景是一群举着自由旗帜的学生在游行（见图 4–2）。当俄国革命者亚历山大 · 赫尔岑于 1847 年寻求界定中产阶级时，他将其称为“一个稳固的阶层，其缺点就是选举资格上的财产限制在下，而罗斯柴尔德男爵在上”。对赫尔岑来说，当自由主义宣扬“穷人享有罗斯柴尔德同样的公民权”或“饱食是……饥饿的同志”时，它其实是在传播一种“怀有恶意的讥讽”。

图 4–1 爱德华 · 克雷奇默，《封神并膜拜我们时代的偶像》（1848 年）

资料来源：赫尔丁，《漫画中的罗斯柴尔德家族》，第 36 页。（杜塞尔多夫艺术博物馆）。

与 19 世纪二三十年代一样，那些痛斥罗斯柴尔德家族是资本家的人，同样不可避免地将他们的犹太教信仰拉扯了进来。比较典型的是，卡尔 · 贝克也禁不住提到，“罗斯柴尔德家族……精于算计的同胞只为自己和亲属填充永远也填不满的钱袋！”因而，当诸如贝克这种小人物这样做时，卡尔 · 马克思这位被证明是最具影响力的

图 4–2 佚名,《国王们的膜拜》(1848 年)
资料来源：赫尔丁，《漫画中的罗斯柴尔德家族》，第 32 页（安东 · 乌尔里希公爵博物馆，布伦瑞克）。

革命者也做着一模一样的事，他在 1844 年 2 月的《针对犹太人问题》一文中，他说：

> 犹太主义的世俗基础是什么？实用需求，利己主义。犹太人的世俗信仰是什么？贩卖。他的世俗上帝是什么？金钱……因此，我们认为犹太主义是当下反社会的一个因素……综上所述，犹太解放运动是将人类从犹太主义中解放出来的运动。

当然，马克思以黑格尔式的抽象语言表述自己的观点时，他并没有提到具体的名字。但从他引用布鲁诺 · 鲍尔的小册子中的内容来看，他头脑中存在着罗斯柴尔德家族的影子：

> “(那个）犹太人，比如，在维也纳是唯一受容许（享有特权的犹太人），他用他的金融力量决定着整个帝国的命运。犹太人即便在最小的德国公国也没有（公民）权利，却决定着欧洲的命运。”（此后文字是马克思的评论）这并非是孤立的事实。犹太人以犹太方式解放了他自己，不仅是因为他获得了金融权势，而且还因为……金钱已经变成了一种世界性力量，而且犹太人的实用精神变成了基督教国家的实用精神。犹太人已经解放了他们自己，因为基督徒已经变成了犹太人。

只有社会“成功摒弃犹太主义的经验主义本质——贩卖及其先决条件”，那么“犹太人……才能变成什么都不是。”实际上，社会主义理念可以无须种族偏见来支撑，马克思也意识到了这点（毕竟，他生来便是一个犹太人，如卡尔 · 贝克一样）；继续发展和提炼与种族偏见相结合理念的是其他的革命者，比如理查德 · 瓦格纳。不管怎样，面对革命者重新分配财富以及对拥有这些财富的资本家/犹太人进行更严格的监管要求，罗斯柴尔德家族显得极为脆弱。这使得 1848 年的革命比 1830 年的革命要危险得多。

尽管 1848 年革命时，海涅在政治立场上与马克思相近，但是他后来取笑了早期社会主义者的动机。在他最后一些笔记中，他写道：

> 罗斯柴尔德家族的敌人，其主力军由穷人组成；他们都在想：“我们没有的，罗斯柴尔德都有”。那些失去了财产的人也加入到他们的行列；他们没有将损失归咎于自己的愚蠢，而是谴责那些竭力保住他们财富的人，声称后者的诡计骗走了他们的财产。只要一个人没有了钱，他就变成了罗斯柴尔德的敌人。

他改写了一个传统的犹太故事，以便为詹姆斯应对社会主义者提供一个可行的答案：“共产主义者……希望分享罗斯柴尔德那3亿法郎的财产。罗斯柴尔德给他们送去了钱，确切的数额是9苏（昔日法国铜币，无价值之物）：‘现在别再烦我了！’”但实际上，摆脱没收财产的威胁远没有这么容易。在他留存下来的第一封信里（写于1843年），激进青年威廉·马尔确实提出了海涅所嘲讽的要求。“时机成熟了，”他在信里跟父亲说，“将罗斯柴尔德的财产分给3 333 333.3（原文如此）个贫穷的纺织工，也足以维持他们一年的生计。”马尔后来组织的反犹太联盟，其根源隐藏在19世纪40年代。

我们看到，也出现了一些捍卫罗斯柴尔德家族的声音。一个见解独到的作家于1846年在巴黎《环球报》上指出，“今天，没人比德·罗斯柴尔德男爵更能体现19世纪平等与工作带来的成就”：

> 他实际上是什么？他生来就是一个男爵吗？不，出身于最低等的阶层，出生时甚至连公民权都没有。他出生的时候，公民自由，甚至哪怕一点点的政治自由，对于犹太人来说都是不可想象的事。作为一个犹太人，连仆人都不如；根本算不上是一个人；他们就像是小孩子在街上追逐、用石头砸的狗。多亏了神圣的平等原则，犹太人变成了人，犹太人变成了公民；一旦他的聪明才智允许发挥，活动获得批准，他就能够在社会等级制中爬升。还有更好或更明确的证据比这些更能彰显平等原则的优越之处吗？但是，民主主义者对这一壮举选择视而不见。有名无实的民主人士，毫无疑问。真正的民主主义者应该会欢迎这种犹太人，从社会阶梯的最底层开始，通过平等的美德攀升到了阶梯最上端。这个犹太人天生是一个百万富翁吗？不，他出身贫寒，而且只要你了解建造被称为“罗斯柴尔德家族”的那座欧洲大厦所耗费的才智、耐心和艰苦工作，你就会心生羡慕，而不是出言侮辱……你们笨拙地搬出费加罗的例子，但是却没有了解费加罗与德·罗斯柴尔德先生相比，其生长的条件有着天壤之别，因为费加罗出生时，他驰骋的疆域已经无比巨大，对他完全敞开了怀抱。而德·罗

斯柴尔德先生出生时，却发现可以施展的地方对他关上了大门，但他在自由的帮助下，爬得比你们还高。辱骂德·罗斯柴尔德先生就是亵渎平等。

但是，这类提及罗斯柴尔德家族起源于犹太街的警醒，在19世纪40年代非常罕见。只有在英国，这方面表现得比较中肯，英国犹太人议会代表权问题将在整个革命时期扮演一个极为重要的角色。欧洲大陆的革命者没有想过罗斯柴尔德家族在犹太街中的艰苦，而是想象他们在叙雷讷和格鲁纳堡等城堡里花天酒地。比如，在约瑟夫·艾兴多夫的讽刺喜剧《自由和她的解放者》当中，阿姆谢尔再次被刻画成平库斯、一个独立奋斗而成功的"世界公民"，他获得了男爵称号以及附带的一个城堡和花园。平库斯难以忍受自然天性，喜欢强行将花园保持严格的一致性（通过蒸汽机完成了这一点）；在那里，自由主义者希望将植物、鸟儿和其他动物恢复自由。当她试图这么做时，平库斯用他的"武装人员"逮捕了她；但是原始森林的精灵救了她，将平库斯井井有条的花园弄得一团糟。

罗斯柴尔德家族远没注意到他们所遭到的怨恨。实际上，或者说他们采取了积极的举措来应对——慷慨且能装饰门面的慈善捐助。1835年的大旱季节里，萨洛蒙捐献了2.5万古尔登修建多瑙河到维也纳郊区的高架渠。3年后，佩斯和奥芬遭遇重大洪涝灾害时，他也急忙向受害者提供了经济上的援助。他捐献了4万古尔登用于在布林成立一家科学研究机构。当汉堡在1842年几乎被一场大火烧成废墟时，他和詹姆斯向帮助受害者的基金会提供了重要捐助。在19世纪30年代之前，罗斯柴尔德兄弟的慈善活动大部分局限于法兰克福、伦敦和巴黎的犹太社区里。此事，萨洛蒙开始注重向哈布斯堡上流社会认同的事业提供捐助。库贝克男爵在他的日记里记录了上流社会的反应。1838年，为科洛弗拉特伯爵所设的晚宴上，萨洛蒙热情洋溢地宣布，他的贵宾的到来：

"让我如此高兴，就好似别人给了我1 000古尔登，或给了一个穷人1 000古尔登一样。"科洛弗拉特伯爵回应道："非常好，给我1 000古尔登，我送给一个需要帮助的穷人，他曾跟我讨过。"罗斯柴尔德一口答应了下来，晚宴过后，科洛弗拉特伯爵收到了1 000古尔登。

萨洛蒙如此频繁地做出这些善举，以至于19世纪50年代充满感情色彩的中篇小说，将他描绘成了维也纳的圣诞老人，向一个木匠的女儿提供了支持，她希望嫁给父亲的徒弟，她的意中人资质甚好但家境贫寒。这类矫情作品的"巅峰之作"是一篇描写一群"乞丐"的文章："乞丐"们出现在萨洛蒙雷恩街豪宅的会客厅里，自称是上帝女婿的人（被打发走了）；希望萨洛蒙做自己孩子教父的人（得到了50古尔登）；

5 岁女儿凭记忆能背诵 72 首诗的妇女（得到的东西没有记录下来）。吸引他们想方设法接近罗斯柴尔德住处的，不仅仅是他的财富，还有他被世人所认可的智慧与慷慨。一篇文章中，慈祥的老罗斯柴尔德甚至给一个希望得到富人慷慨解囊的年轻法兰克福银行家提供了一句训诫。

这或许就是萨洛蒙希望别人认可的形象。但并不是每一个与他接触的人都认同他的这一特质。莫里茨 · 戈尔德施密特的儿子赫尔曼——19 世纪 40 年代还是一个小男孩——记忆中的萨洛蒙是一个冲动、急躁的“暴君”：“一个自我中心倾向严重的人，一个没有教养、缺少智慧的人，他轻视身边的人，利用一切机会粗暴地对待他们，而这仅仅是因为他富有。”他暴饮暴食，习惯性地粗暴对待别人，从他的理发师到俄国大使，喜欢被“马屁精”众星捧月般地陪伴着。他垂涎“非常年轻的女孩子”，他与她们进行的“冒险”活动被警察所遮掩。最重要的是，萨洛蒙的生活极度奢华。他习惯穿着带有金纽扣的蓝色外套，淡黄色或白色袜子，但如果他需要一件新外套或帽子，他一次就会买 12 件。他乘坐奢华的马车周游维也纳，身边带着一个穿着整齐的仆人。1847 年——经济严重下滑时——他斥巨资在雷恩街修建了一座新住宅和办公楼。诚然，戈尔德施密特写下这些字句时，是带着愤怒回忆过去的；但是，他对萨洛蒙的这种敌意可能与当时政治上更为激进的同时代人所持的观点并没有多少差异。

法兰克福的罗斯柴尔德成员也希望通过公共慈善活动方面的举措来缓解公众的敌意。1847 年 5 月，阿姆谢尔给法兰克福的穷人派发了面包配额卡，当时城里出现了严重的食物短缺。但是，尽管他收到了法兰克福议会“一致同意给予的感谢”，但此举似乎并未增加他受欢迎的程度。当阿姆谢尔商讨为德国市场从英国进口粮食时，他的侄子安塞尔姆发现：“在德国我们对玉米问题必须非常小心，已经发生了许多暴乱了，每个地方都在反对玉米交易商，如果人们知道我们对玉米交易产生了兴趣，那么我们肯定会成为众矢之的。”

这个时期，慈善姿态摆得最成功的可能是英国的罗斯柴尔德成员，他们在应对爱尔兰“土豆枯萎病”灾害和饥荒方面贡献颇大。这次灾害是 19 世纪 40 年代诸多灾难当中最为严重的一例，大约夺去了 77.5 万人的生命，并迫使 200 万人背井离乡。罗斯柴尔德家族在爱尔兰并没有太多的生意；尽管早在 1821 年，内森听到一则流言称爱尔兰即将发生一次饥荒，于是他向利物浦勋爵提出警告：“在投机者进入市场之前，购买美国和东印度大米，现在的价格还比较低，储量充足；这主要防止土豆产量不足，而它是那个国家众多穷人在冬季的唯一食物。”当皮尔 25 年后用爱尔兰饥荒作为例证，证明废止《玉米法》（因而使得粮食能够自由地进入英伦三岛，但是同时也导致了他自己政府的倒台）的正当性时，罗斯柴尔德家族心里颇为矛盾。当阿方斯认为皮尔转向自由贸易不过是“别无他法”，他父亲对“皮尔的倒台感到非常遗憾”——尽管更多的可能是因为巴麦尊重掌政权可能带来的外交冲击。

与此形成对比的是，列昂内尔是个彻底的自由贸易主义者；但他知道仅凭自由贸易不可能缓解爱尔兰的饥荒，因为整个欧洲的粮食都出现了短缺现象。而且，官方的赈灾努力一直没有见到，因此他在纽考特率先成立了爱尔兰与苏格兰边远教区赤贫赈灾英国协会，这个协会在其存在期间共筹集了47万英镑的救灾款——他们甚至从热心的爱尔兰人、同时也是贸易保护主义者迪斯雷利那里筹到了一笔捐款。罗斯柴尔德家族自己捐了1 000英镑，仅次于女王捐献的2 000英镑，与德文希尔公爵旗鼓相当。从这方面来讲，当时的人们对于罗斯柴尔德家族的善举印象深刻，心存敬意。此后担任爱尔兰大臣的W·E·福斯特说，他“很高兴”看到“罗斯柴尔德、金奈尔德和其他数十位伦敦的百万富翁每天都碰面，努力地工作。与仅仅捐献善款相比，这对他们来说是一个更大的牺牲”，他这席话无疑发自肺腑。列昂内尔亲自参与“监管提供给爱尔兰的救灾物品的购买和装运，以及在海岸和爱尔兰境内的储藏情况”。尽管这些举动其部分目的可能是为了拉拢1847年选举中的天主教徒（列昂内尔是自由党候选人），但他母亲的信件证明了这个家族对于爱尔兰灾难的热心反应。

罗斯柴尔德巴黎分行所扮演的角色与其他几个分行相比，令人刮目相看。当然，法国的食物危机远没有爱尔兰那么严重：纳特在1847年写道，“他们恐惧地谈论了各省的贫穷恶魔，但是我认为那些没有爱尔兰那么严重——无法与爱尔兰相提并论。”但是，1846年小麦歉收格外严重：产量比之前10年的平均产量下降了15%，它也是1831年之后最为糟糕的年份。詹姆斯早在1846年1月就首次开始购买粮食，他预计整个欧洲将遭遇粮食歉收的状况。一年后，他敦促法国政府从俄国购进粮食，1847年春天他提议“从国外购进500万法郎的玉米和面粉，防止巴黎这方面的消费出现危险，倘若发生任何损失，我们应该可以承担，如果有利润可得，我们应该将其以面包票的形式发放给穷人”。除了博爱之心，詹姆斯实际上也担心食物短缺带来的社会和政治冲击：他在1846年11月跟侄子们说，“我们粮食的形势实际上很不乐观，这让我们感到很害怕。”出于这个原因，他毫无疑问希望自己被看到为缓解粮食困境作了贡献——萨洛蒙也直白地在信里说，要通过向“大众”提供便宜的面包和盐，“让我们的名字为人们所欢迎”。

但是，詹姆斯表示只买卖粮食不会赚钱，他并没有打算在这上面亏本。比如，1847年年初，他预计粮食价格将保持高位；但那年的粮食产量有所提高，从而使得价格预期发生混乱时，他和纳特难以抑制自己的烦恼。“从没有看到过像这次玉米买卖如此愚蠢的事情了，”纳特抱怨说，“刚买下全世界的玉米，但丰收却要来了，我们将损失一大笔钱，将来我们要更谨慎点。”这可能也解释了詹姆斯并没有从巴黎的普通消费者那里赢得多少声誉的原因。如纳特预计的那样：“我觉得我们叔叔的博爱之情将会让他付出一点点代价。如果人们不错误地评判我们的动机，那么一切将会顺畅地进行下去。但是在巴黎，没人能够想象一件事可以公正无私地完成，如果有人说我们这样做只是为了处理掉我们高价购进的粮食，我不会感到惊讶。”1847 年 5 月，圣安托万便爆发了此类暴动，其部分目标就是粮食商人；詹姆斯被普遍认为并不比其他粮食商好到哪里去。实际上，有谣言称，罗斯柴尔德的面包里掺杂了玻璃碎片和砒霜。这可能是海涅构想的罗斯柴尔德噩梦的灵感来源：“他梦到给了穷人 10 万法郎，于是他心力交瘁。”

让粮食危机给罗斯柴尔德家族带来双重担忧的因素是它对于欧洲银行体系的冲击。所有被迫从相对较远的市场，比如俄国与美洲进口粮食的国家，都出现了金银紧张的情况，这直接冲击了他们的货币体系，最极端的例子出现在英国。转向自由贸易的效应就是出口到英国的玉米销量大幅度地增长，从 1843 年的 25.1 万吨增加到 1847 年的 174.9 万吨。皮尔这一政策的成功之处并不在于降低了面包的价格，而是避免了继续保留《玉米法》将带来的价格疯涨情形。但是，这一政策对皮尔另一项重要的立法成就带来了意想不到的副作用——它迫使 1844 年的《银行特许条例》中止实行。出现这样的情形，主要是因为特许条例强化了英格兰银行的黄金储备与英国货币供给的联系。当玉米大量地流入英国，而黄金快速地流出时，英格兰银行的黄金储备急剧减少：从 1844 年（价值）1 580 万英镑减少到 4 年后的 980 万英镑。银行被迫逐步提高它的利率，从 1845 年 3 月底的 2.5%提高到 1847 年 10 月最高峰的 10%，这导致了剧烈的银根紧缩，最终迫使暂停（执行特许条例）。没有任何一个欧洲经济能够允许出现如此大规模的货币流出，但是每个地方都能感受到英国这个时期对于欧洲大陆的金融统治地位的收缩。只有粮食出口商除外，这部分解释了这个时期俄国完全不同的经历。

最先遭受冲击的是法兰克福。早在 1846 年 4 月，安塞尔姆就报告说：“法兰克福的生意数量越来越少，如果天上不掉黄金下来，我真不知道这个地方如何才能复苏。”他的这一论断得到了詹姆斯的认同，他在 7 月造访了法兰克福。很快就不可避免地出现了受害者，不幸的是这场冲击刺到了痛处。1847 年，哈贝尔家族崩溃，威胁到了贝弗斯兄弟银行。由于迈耶·阿姆谢尔的两个女儿（芭贝特和朱莉）嫁给了贝弗斯兄弟，因此有必要向他们伸出援手——共计 150 万古尔登——尽管这样做带着莫大的不情愿。伦敦和巴黎的年青一代对“老疯子贝弗斯”没什么好感。“他们自己选择灭亡，我们却要给他们钱，”纳特抱怨说，“（这样一来）这位老先生就会知道他们能够从我们的钱箱里得到什么……我唯一的遗憾就是我们尊敬的亲戚认为提供帮助是合适的。”实际上，似乎只有詹姆斯坚持拯救“如此亲近的关系”，尽管阿姆谢尔、萨洛蒙和卡尔都发出了抱怨——这也很好地证明了詹姆斯此时在家族事务中的领导地位。但是，哈贝尔家族的沉沦——贝弗斯家族与其亦有联姻——比贝弗斯兄弟银行的幸存吸引了更多的注意力。媒体上再一次出现了“指责我们毁了……德国工业”的报道。“这些攻击如此猛烈，”安塞尔姆写道，“我们被迫签发了一份声明发表在德国主要的报纸上，以回应这些诽谤。”安塞尔姆还报告说，在巴登议会上，一个自由派代表所说的话“无异于煽动公众发动一次针对我们家族的宗教改革运动，将我们的家族描述成一种邪恶的金钱势力……凌驾于……所有国王、所有民众之上”。甚至有传言称，列昂内尔同意让南部德国的工业破产，以换取巴麦尊提供一个下院议席的许诺。

银行业危机产生了多米诺效应：哈贝尔家族的难题使得维也纳一家大银行的处境更加艰难，这便是阿恩施泰因和埃斯克尔银行。麻烦从1847年年初便开始在维也纳市场酝酿，促使梅特涅要求萨洛蒙紧急从巴黎赶回维也纳，“制订一些计划来避开市场中的危机”。到9月底，似乎他成功地“避开了”一个“巨大的灾难”。但是，哈贝尔的失败被证明对埃斯克尔带来了灾难性的潜在威胁，哈贝尔欠他100万古尔登。或许可能是萨洛蒙已经与埃斯克尔有了密切的生意往来，他们合作发行奥地利政府债券已有数年。因此，他觉得自己应该担负道义上的责任。不管如何，他在12月23日通知法兰克福分行，埃斯克尔：

> 几个小时前来到我这里，非常坦诚地告诉我，他目前不需要任何东西，但是只要他需要（资金）时，他会将抵押贷款的规模放至最大。我的投资组合里有152万古尔登的汇票须由埃斯克尔承兑，其中118.5万古尔登来自哈贝尔，剩余的背书都不存在问题。

实际上，萨洛蒙与希瑙已经同意拯救埃斯克尔，就如他在6年前希望拯救盖米勒一样。但是这次萨洛蒙采取行动时，并没有征询其他兄弟的意见（可能还记得当年他们反对拯救盖米勒的情形）。很自然地，他急忙向他们保证，拯救行动不会涉及任何风险，希瑙“自己已经很小心”了。他敦促安塞尔姆保持“冷静”：“愿上帝保佑，我们将能够维系罗斯柴尔德家族。”如果他的兄弟——和儿子——怀疑已经发生了一个致命错误，萨洛蒙自己则一无所知。他所犯的错误，其严重性将在不到一个月的时间里显现出来。

在巴黎，法兰西银行面临着一场“金钱供应危机”（詹姆斯语），这早在1846年10月便已浮现。在之前的例子中（1825年以及1836~1839年），都是法兰西银行向英格兰银行伸出了援手；这次，英格兰银行还清了“债务”——它向法兰西银行出售了价值2 500万法郎的白银。与19世纪30年代一样，罗斯柴尔德家族希望参与这一交易的计划最终落空：尽管詹姆斯12月亲自去了伦敦一趟，但生意最后被奥廷格获得；詹姆斯此后希望提供500万法郎的建议也被法兰西银行行长达尔古拒绝。纽考特与针线街之间自内森死后所积累的仇怨，仍然未能肃清。

列昂内尔充当圣彼得堡与法兰西银行调停人的尝试也未能成功，当时俄国通过出口粮食积聚了大量金银。本杰明·戴维森带着几马车黄金经里加前往俄国首都（圣彼得堡），其目的很明显，是想建立一个新的分支机构。但是这一期望最终落空。经历了俄国冰天雪地里的漫长颠簸，戴维森发现自己作为一个外国犹太人，在此地根本不可能有效地开展生意。当俄国政府向法兰西银行伸出援手，从它的保证准备中购买了5 000万法郎的法国公债时，罗斯柴尔德家族只能作为一个看客。实际上，1846~1848年危机给法兰西银行提供了一个增强自己控制法国货币体系能力的绝佳机会：不仅通用银行关门大吉，而且在拉斐特就任法兰西银行行长期间鼓励发展的区域性银行也纷纷倒闭。纳特简洁地总结了这段时期罗斯柴尔德家族对于法兰西银行的感觉：“它们竭尽所能地反对我们，但是我们没兴趣与其争执。”

伦敦的情况与巴黎差不了多少。看到英格兰银行的利率无情地攀升后，詹姆斯在1847年说道：“你们的银行是局势的主宰和主使。它将自己的意志强加给全世界，于是黄金将被迫回归到英国。”但是，英国国库大臣查尔斯·沃德爵士对于英格兰银行为填上黄金储备窟窿之前掌握危机的能力没有信心。他和首相对于列昂内尔对形势的判断毫无兴趣。沃德向他的知心朋友萨穆埃尔·琼斯·劳埃德透露：“今天早上，我在约翰（拉塞尔）勋爵的家里见到了列昂内尔·罗斯柴尔德和（巴林兄弟公司的乔舒亚）贝茨，我对他们表现出来的无知感到非常惊讶，我以为伦敦的每个商人一定都了解了事实和形势，他们竟然一无所知。他们真没什么可为自己辩解的，只能承认形势的发展太过迅猛。”如果纳特的观点代表了列昂内尔所说的一些话，那么罗斯柴尔德家族的观点可能让沃德觉得他们在政治上十分天真。他写道，英格兰银行的政策是“偏执的——我必须说，我难以理解他们的政策，他们竭尽所能地阻止贸易，而国家将为他们的黄金付出高昂的代价”。沃德知道这点；他想知道的是如何在不重蹈范西塔特覆辙的前提下中止1844年特许条例。当他为自己的银行特许条例寻求建议（和修饰）时，皮尔同意列昂内尔并不在“那些真正理解通货问题的人当中，他先入为主的观念就是支持那些构成银行特许条例的准则以及特许条例本身”。皮尔告诉他，“值得他信任的人并不是伦敦的主宰罗斯柴尔德以及领头人格林，而是那些他私下接触的人，如琼斯·劳埃德、W·科顿、诺曼和英格兰银行行长”。两个党派都不认同列昂内尔的专长，证明了内森死后罗斯柴尔德家族在影响英国货币政策方面遭遇的损失。

货币紧缩政策对欧洲工业带来了直接影响。对罗斯柴尔德家族来说，这一政策对法国铁路公司的冲击最为棘手。不仅铁路投资和建设中止：某种程度上，这些已经受到危机前的政治与商业决策所预演，更大的问题是要停止十分困难。因此，铁路公司的银行家与投资者承担了巨大的压力：工作继续进行时，银行发现自己需要为成本超支提供新的贷款；而银根紧缩挫低铁路股价时，投资者只能沮丧地观望着。实际上，詹姆斯有些乐观过头了，这也是他的英国侄子们所担心的。在危机爆发的前夕，他和儿子向亲戚们保证，铁路不仅能给他们带来经济上的收益，而且还能让人们“在政治上趋于保守，支持政府”。“法国风平浪静，”阿方斯 1846 年 1 月对迈耶 · 卡尔说，“政府获得了大多数人的支持。工业主义和铁路吸收了所有的想法和政治中的偏离。但愿上帝能够保佑我们在未来数年里都能享受充满喜悦的和平。”没过几个月，他们的语调完全变了。詹姆斯在 8 月向安塞尔姆坦白：“我必须承认，当我想到我们为铁路投入如此多的资金，而这些钱不会迅速地回到商界人士手里时，我感到恐惧万分。”到 10 月时，他被迫重新规划向政府支付北线铁路款项的时间表，并托市以推高股价。

詹姆斯应对这次危机的方法就是将罗斯柴尔德家族的精力集中到北线铁路上，从其他拥有小股份的铁路中抽身。他对侄子们说：“如果我不能肯定，铁路耗费我们的钱何时能够拿回来，那么我认为情况非常危险。”因此，当“那个无赖塔拉博”希望得到更多的资金修建阿维尼翁至马赛的铁路时，詹姆斯断然拒绝。其他公司中的股份也全部抛售，而且詹姆斯也不再将自己的钱投入到北线铁路中：当公司需要新的资金支持建筑工程时，他直接向股东发出呼吁。与 1847 年诸多不满现状的人一样，罗斯柴尔德家族也指责政府给他们带来了难题。“政府必须改变他们做事的方式，”安东尼抱怨说，“他们对于铁路公司的举措完全毁了他们的信誉。你根本无法想象每个人都在叫嚷失去了自己的金钱，他们都将过失归咎于政府，它也确实要好好被谴责一番。”这些委屈被放大 1 000 倍，革命就会爆发了。

矛盾之处在于，尽管他们对于欧洲政府的经济政策越来越不满，但罗斯柴尔德家族——好像条件反射似的——仍乐意在第一时间充当他们的借贷人。将 1847 年的经济危机与第二年的政治危机连接在一起的传输机制就是财政。在整个欧洲，不断增长的开支（首先在铁路上，然后是社会救灾，最后是应对革命）以及下降的收入（因为社会收入和消费滑落）不可避免地带来了政府的赤字。比如，1842~1847 年间，奥地利的预算增加了 30%。由于萨洛蒙借钱给奥地利政府的习惯已经根深蒂固，所以当政府在1847年2月再次接触他，要求提供8 000万古尔登的新贷款时，他为得到“绝好的生意”而“感谢上帝”。他与希瑙联合了自身有困难的埃斯克尔，发行了面值为8 000万古尔登的2.5%和5%年利率的债券，他们需要向政府提供8 400万古尔登的现金，5年内付清。如果此后5年和平和繁荣能够维持的话，这确实是笔好生意。

表面上，贷款是建设铁路所需：萨洛蒙试图向现金充足的教皇兜售“数目巨大的”债券时，也正是这样告诉加塞尔的。但是到1847年11月时，奥地利已经开始准备武装干涉伦巴第和维尼夏，这两个地方的暴乱似乎非常激烈。萨洛蒙知道这点是因为梅特涅告知了他，但是萨洛蒙并没有因此警觉起来，反而乐意提供更多的财政资助。他难以置信地同意提供另一笔370万古尔登的贷款，以换取4%年利率的债券，他更进一步宣称不会在已经紧张不堪的市场上出售：他向库贝克保证，债券将“一直保存在他自己的保险箱里”，以换取4.6%的利息。当时，伦敦的短期利率已经达到了5.85%，而且5%年利率的奥地利国债的价格与3年前相比已经下跌了10%，因此萨洛蒙此举是个非同寻常的（或者说是自杀性的）决定。即便在讨论萨洛蒙的提议时，库贝克就警告，干预意大利的行动可能导致“我们财政的完全崩溃”。“我们站到了悬崖边上，”他未雨绸缪地告诉梅特涅，“镇压外国革命带来的越来越多的财政需求已经使得国家内部出现了越来越多的动荡，我们可以从各省中产阶级的态度以及我们邻近国家媒体上的文学革命中看出端倪。”梅特涅不为所动。当萨洛蒙1月份开始临阵退缩时，梅特涅愤怒地对他说：“政治上，一切正常；但汇率却不是这样。我尽了我的职责，但你们却没有。”

就如拯救埃斯克尔一样，萨洛蒙与奥地利政府之间的交易并没有与其他罗斯柴尔德分行协商。“我们收到了从维也纳寄来的信，内容非常古怪。”纳特差不多同一时期在写给纽考特的信中说，“我们的叔叔手里全是奥地利2.5%和5%年利率的国债，他怎么从这个市场中抽身，只有上帝知道——梅特涅王子把我们的叔叔带入局，因此他可能会继续他的金融活动，我在想，法兰克福分行下次编制资产负债表时，将会发现（与往年相比）有一点不同。”这被证明是一种仍有所保留的说法。1848年2月第一次计算萨洛蒙应承担的款项总额时，发现他总共需要支付近435万古尔登（约61万英镑）。这是当年维也纳分行总资金的两倍多。如纳特所说的那样，从概念上讲，法兰克福分行仍然要为维也纳分行承担一定的责任，毕竟后者是它的直接分支；但是法兰克福分行自己在19世纪40年代也积累了大量其他德国政府的债券，而且直到1848年3月还在讨论向普鲁士提供一笔新贷款。当安塞尔姆最终从法兰克福启程前往维也纳挽救大局时，他丝毫没有做子女应有的态度。他与父亲的关系也将是罗斯柴尔德家族在1848年革命中的第一个牺牲品。

法国的开支也逐步上升。到1847年，预算比12年前上升了55%，这不仅仅是因为各种提供给铁路公司的政府补贴。早在1846年秋天，就有消息说将筹措一笔贷款来填补政府的赤字；到第二年夏天，向正在挣扎的货币市场推销国债已经困难重重，这使得发行新的法国债券成了当务之急。毋庸讳言，罗斯柴尔德家族不会乐意将生意留给别人，尽管詹姆斯的侄子们不时担心法国财政的稳定性。巴黎的情形与维也纳一样：政府贷款已经变成了一种必然的事，不管经济状况如何。诚然，詹姆斯经过艰苦的讨价还价之后，得到了貌似慷慨的条件：筹集的贷款面值总额为3.5亿法郎，罗斯柴尔德家族以3%年利率的债券（以75.25点的价格发行）承担了2.5亿法郎的份额，其发行价格比市场价格低了两个百分点。实际上，他的竞争对手们可以公道地抱怨其中隐含着不可告人的内幕。当时，新公债的拍卖似乎被财政大臣垄断了，因此詹姆斯竞标的报价与财政大臣的最低价格恰好相符。纳特在这之前跟他的兄弟们说，迪蒙已经“泄露了秘密”：“（他）说不能透露标底，他只能在议会中宣布，因此他封上了信封，对每个人都保密，但是我们能够与他达成一定的共识。”

不过，纳特认为这次贷款“最危险最让人厌恶”，这点他是对的。詹姆斯没有萨洛蒙那么莽撞，但是他没有采纳不看好市场的侄子们希望他“远离贷款”的一致建议。新发行的债券一部分卖给了投资者，从海因里希 · 海涅到沙皇都在名单当中，但是并非全部卖了出去。根据留存下来的一些记录来看，詹姆斯决定只向市场出售1/3的债券，剩余1.7亿法郎的债券留在手里，当时他预计3%年利率的债券价格将升到77点以上。当然，与此同时，詹姆斯必须在两年内分期向财政部支付2.5亿法郎的款项。这笔生意后来被证明是另一次代价高昂的失算。

在英国，伦敦分行在革命风暴到来的前夕同样出现了判断错误的贷款。1847年3月，所谓的爱尔兰饥荒贷款进行了筹集，总额为800万英镑，名义上用于援助爱尔兰，但有理由相信，这笔钱被财政上出现赤字的政府用到了别的地方。由于英国独一无二的信用等级以及一个能得到广泛支持的好名头，此外罗斯柴尔德家族和巴林家族——他们平分了债券的承销权——也不难找到买家。实际上，詹姆斯自己就抱怨只分到了25万英镑的份额。但是债券价格很快就从发行时的89.5点跌到85点，这让投资界大为惊愕，承销商也陷入了尴尬的境地。

即便在意大利，那里的革命也可以说已经开始了，但罗斯柴尔德家族在1846~1847年仍在漫不经心地考虑筹措政府贷款的可能性。在那不勒斯，卡尔似乎一直对提供给政府的一笔贷款很感兴趣，他最后逃过一劫，还是因为波旁王朝自身作出决定时总是拖拖拉拉。在罗马，同样也在讨论贷款的事宜。收到罗斯柴尔德家族按照19世纪30年代的贷款协议支付的资金后，教皇国的财政再次陷入混乱：1847年的财政赤字是前一年的两倍，罗马5%年利率的债券自1834年以后第一次跌破面值。但是詹姆斯被1846年皮乌斯四世当选一事激起了信心——“他据称是个自由派。”他如此评价道——下令停止出售罗马债券，因为他预计“一些真正积极的改变将会发生”。这可能是指罗马犹太社区的地位，他们争取更好待遇的活动再次得到了萨洛蒙的过问。他们只是在接到新的意大利代理人赫克特的一系列警告之后，才放弃接受托洛尼亚筹措一笔新贷款的建议；当时，赫克特“以最悲观的语调描述了教皇国的局势，认为一场革命即将爆发”。当阿方斯于1848年1月造访圣城时，他目睹了激烈的政治辩论以及军事准备，这让他极为不安。出于同样的原因，伦敦分行让人吃惊的向皮德蒙特提供贷款的建议，遭到了阿方斯拒绝，时机太不合适了——1848年1月！阿方斯委婉地指出：“这个国家可以被看做……已经陷入了全面爆发的革命当中。”这个时期，另一个希望获得贷款但遭到拒绝的国家是比利时——具有讽刺意味的是，它是即将到来的革命风暴影响最小的一个国家。

“最糟糕的一次革命”

如果说1848年革命发源于意大利，可能不太准确：发生在加利西亚和瑞士的内战是大变革的征兆，其他一些迹象还有：弗雷德里克·威廉四世于1847年在柏林召集德国州议会失败，以及南部德国一系列的自由派掀起的浪潮。但是，尽管罗斯柴尔德家族密切、谨慎地关注着这些事件，但他们并不担忧。实际上，奥地利吞并克拉科夫看起来似乎是波兰又一次被分割：与此前一样，罗斯柴尔德家族只表示“可怜的波兰人非常值得同情”。“我想他们中的很多可能会被枪杀。”纳特冷冷地评价说，他的叔叔萨洛蒙唯一关心的就是外国政府不要挑战奥地利的举动。1848年1月，西西里爆发了一场工匠暴动，费尔南多二世批准了一个自由宪章，这才让罗斯柴尔德家族第一次感到了害怕。纳特评价说，这是“让人恶心的消息”（与平常一样，罗斯柴尔德家族第一个得知了这一消息）。

但是，纳特和家族里的其他人仍然主要从外交的角度看待局势，担心那不勒斯的危机会不会坚定奥地利干预的决心（萨洛蒙不安地予以否认）。安塞尔姆在写给列昂内尔与阿方斯的信里，开玩笑地说他写信时手直发抖，暗示他与他父亲一样担忧局势，更不用说他怯懦的性格了。但这只是开玩笑。卡尔最初的反应实际上显得很冷静：早在2月19日，他就再次讨论了向波旁王朝提供贷款的可能性。当安塞尔姆评价慕尼黑自由派攻击路德维希一世的政府时，他没有意识到他的诊断很快就将适用于整个欧洲：“唉，就是这样的：最高层的政治就如大多数底层社会关系一样，人们将自己的意志和指令强加于法律之上，以谋求更高的权位。”他仍然希望“动荡能够很快结束”——也希望低迷的罗斯柴尔德家族发行的债券价格能够止跌回升。

与1830年一样，法国革命的爆发将焦虑转变成了恐慌。当然，罗斯柴尔德家族一直对七月王朝具有足够的信心，但当路易·菲利普的大儿子在1842年去世后，增加了他们对未来的悲观预测：国王自己坦陈“在他死后……1830年革命将再次发生”。“我可以向你们保证，这让我心如刀绞，”安东尼不安地评价说，“我认为只要国王活着，就不会有危险——但是他死后会发生什么，只有上帝知道，我但愿上帝能让这位老先生活得长久，让一切变得顺畅——无论如何，我们必须小心谨慎。”这也解释了罗斯柴尔德家族为何担心针对国王的暗杀获得成功的原因。当詹姆斯在1846年接到一个死亡威胁时，他将信件交给了政府并评价说：“想要枪杀我的人可能也会瞄准国王，反之亦然。”当路易·菲利普第二年4月逃过一次暗杀图谋后，纳特称赞他是“世界上最值得敬仰的人之一”。

但是，1847年国会要求选举改革的压力越来越大，这使得一个可能性浮出水面：即便路易·菲利普还活着，1830年的革命也可能重演。纳特在1848年1月和2月分别从巴黎发出的报告显示，他认为危机即将来临：“人们谈论的东西与1830年革命前夕一模一样。”他在2月20日评论说。两天后，按计划将举行一场决定性的改革集会，以挑衅政府的一项禁令。

> 我想政府更迭将能惩处罪恶，但不可能预言将发生的事情——没人能够说出一个法国暴徒将要做些什么，当议会议长与普通民众打成一片时，很难断定他们将会走得多远，他们什么时候保持平静——我们必须作最好的打算，同时，我亲爱的兄弟们，我真诚地强烈建议你们卖出股票以及各种公共证券。

但是，第二天他又变得比较乐观了：

> 让人作呕的集会继续刺激着公众……这真的与1830年之前的情形很像，但是无论如何，我禁不住想象它将慢慢平息，让我们远离喧嚣——这个国家如此富有，人们总体上非常乐于维持现状，我相信革命运动不可能发生……结局将是政府发生更迭，在议会改革问题上，基佐将很可能出局——如果那样的情形发生的话，我将非常开心，那将会让我们的公债价格上涨，从而将一切事务恢复正常。

“但是，我毫不怀疑，当集会结束后，我们将看到非常大的改善，”他在另一封信里接着说，“所有的朋友都向我们保证，无须担心‘左派’举行的任何革命性示威——在我看来，他们的集会将遭到彻底的失败。”“目前，人们对于维持现状的兴趣要远大于发生暴动。”他在集会前发出的最后一封信里得出结论说，“我认为暴动不在日程表上，至少目前不会发生。”喜怒无常的悲观主义者选择了最糟糕的时刻来看待局势光明的一面。

即便在2月23日的信中，街上出现了路障，国民卫队出现了兵变的迹象，纳特仍然低估了局势的严重性，他只是焦急地希望政府的更迭将足以平息骚乱：

> 政府已经发生变化，基佐刚在议会中宣布，他已经向国王递交了辞呈；现在国王正在与莫莱秘密商讨着——我们必须希望他们将炮制出一个理想的政府，但是如果满足捣乱的少数派以及不安分的国民卫队的要求，那将是非常危险的尝试——比较大的过错就是没有尽快地将基佐解职，人们已经发出了改革的呼声，当下无论在哪里都不可能压住公众舆论——暴动自身并不严重，并不让人担心，只有少数人甚至没人被杀——但是让国王真正担心的事是国民卫队支持改革、反对基佐的现象……从各方面来讲，暴乱已经结束，现在他们已经进行了改革，我看不到他们为了什么而斗争，我想我们将听到一些解释，其他东西只有上帝知道。我知道一件事，就是你们卑鄙的公仆将来不会再持有大量的法国股票……向国民卫队支持的一群暴徒屈服，真的很危险。

这封信可能写于卡普桑街道上的致命对垒前几个小时，那场对垒共有50名示威者被守卫外交部的士兵开枪打死。第二天，面对他所称的“道义起义”，路易·菲利普将王位让渡给孙子，然后逃往英国。多个反对派联合组成了临时政府，其中包括律师亚历山大·勒德吕-罗兰、诗人阿方斯·德·拉马丁、社会主义者路易·布兰克，以及一个叫做阿尔贝的工人。第二天，一个委员会成立了，以处理失业的建筑工人获得“工作权利”的要求。纳特的下一封信很短，直指重点：“我们身处最糟糕的一场革命当中——这封信到达你那里不久，你们就可能看到我们。”当时，他和詹姆斯已经让自己的妻子和孩子前往勒阿弗尔，搭下一班船前往英国。

法国发生的事件，其重要的决定因素就是之前革命的记忆。那些认为1830年革命成果甚微的人决心在更为真实的民主基础上建立一个共和国；那些对18世纪90年代的经历仍心有余悸的人则决心不能让权力流落到新雅各宾派手里。整个局势直到6月下旬才有些眉目。尽管制宪会议的选举表明，巴黎以外对激进共和主义的支持有限，但是，巴黎发生“红色政变”的可能性并不能排除。5月，拉斯帕伊、布朗基和巴尔贝斯等社会主义就进行了尝试，但未获成功。6月，国营工厂的关闭导致幻想破灭的工人与国民卫队发生冲突。直到1849年6月，所谓的“山地党”走上街头，最后一次尝试重新点燃雅各宾派的精神。

欧洲各地爆发的革命几乎与法国一模一样。尽管革命废除的国王相对较少，但许多国王被迫从首都逃离，大多数在街头爆发“暴力冲突”之后，被迫作出宪章方面的让步，这暴露了警察力量的不足（或不可靠）。国王的这种集体沦陷意味着一系列的宪章革新成为可能，从法国的共和制（在罗马和威尼斯也进行了同样的尝试）到君主立宪制（许多德国公国进行了这方面的尝试）。在1830年革命的中心荷兰，荷兰与比利时国王急忙向自由派压力作出了让步，允许进行宪章改革；丹麦的情形也是如此。在德国，革命从巴登开始，那里的大公几乎在法国革命一发生就被迫同意接受一个自由宪章，这一范例随后被黑森-卡塞尔、黑森-达姆施塔特和符腾堡所采纳。在巴伐利亚，路德维希国王被迫退位，他的声誉因他与劳拉·蒙特兹（爱尔兰出生的舞蹈家，路德维希的情妇）的关系而受到了不可挽回的损害。王权体系内的这些变化并没有让更为激进的共和派感到满意，他们4月试图在巴登发动政变。甚至在罗斯柴尔德家族的家乡都感觉到了革命的颤动：与安塞尔姆的预测相反，1848年对法兰克福这类古老共和国也带来了威胁，只要它们的公民权定义过于狭窄，他们的政府结构就已经过时。法兰克福市中心的首次暴力事件出现在3月初。

每个地方似乎都出现了两次（可能是连续的）革命：其中一个目标是宪章改革，另一个目标主要集中在经济方面。尽管它们在许多方面有重叠的地方，但是两者之间还是有着明显的社会差异。受过教育的学者、律师和教授们发表演讲、起草宪章，工匠、学徒和工人们则充当着街垒，遭到枪杀。

可能1848年与1830年最大的不同在于，此时的革命浪潮波及到了奥地利。梅特涅从罗斯柴尔德家族的信使那里获悉了巴黎革命的消息。“嗯，很好，亲爱的，一切都结束了。”据称他如此评论道，尽管他后来向萨洛蒙所作出的评论更为乐观。实际上，确实一切都结束了。3月13日，奥地利下院正在开会的大厦外，示威者与军队发生了冲突。第二天，梅特涅宣布辞职，然后乔装迂回逃出欧洲大陆，身上只带了够用的钱——他的心腹银行家萨洛蒙提供给他的信用证，作为他全家逃往英国的路费。国王费尔南多用他的政敌科洛弗拉特取代了他的位置，并承诺进行宪章改革。与其他地方一样，当新政府采用英国式的两院制，给予下院财产特权时，激进民主派——主要是诸如赫尔曼·戈尔德施密特倔强的表兄伯纳德·鲍尔之类的学生——走上了街头（5月15日），迫使国王逃往因斯布鲁克。当制宪会议被证明十分保守（农民代表对废除农奴身份很满意）以及革命政府试图减少公共建设投入时，骚乱再次发生：工人们7月举行了罢工，学生们则在10月进行了最后一次政变尝试。

哈布斯堡王朝在其政权中心发生崩塌，从而在整个中欧引发了连锁反应。在普鲁士，骚乱已经在莱茵地区开始，但正是维也纳传来的消息改变了柏林的气氛。3月17日，尽管数日的抗议后，弗雷德里克·威廉四世似乎愿意有条件“投降”，即同意改革宪章，但是同时又部署军队以恢复秩序。与巴黎一样，市中心不安的士兵也向示威者开了枪，进而将变革转变成革命。经过24个小时的激战，国王屈服，向柏林人、普鲁士人以及——重要的是——向“日耳曼民族”发布了一系列告文。与巴登、符腾堡和汉诺威一样，自由派人士担任了大臣，尽管所有这些履职的官员很快就意识到，很难将他们对于经济和政治自由的期望与工匠、学生和工人的激进目标进行调和。民族主义一度似乎是实现团结的最佳纽带。因此，从很早的时候开始，德国革命就不仅仅是各个公国内部的宪章改革，它同时还承诺改变日耳曼联盟本身。

哈布斯堡王朝崩溃的冲击也不局限于德国境内。在布拉格，如弗朗齐歇克·帕拉茨基的温和自由派要求在财产特权的基础上建立一个现代议会，取代过时的波希米亚议会。在匈牙利、克罗地亚和特兰西瓦尼亚，类似地独立派都带有不同程度的自由主义思想。意大利的情况也十分类似，只是时机有些不同。我们看到，两个西西里王国的革命很早便已开始：3月16日，费尔南多二世批准了在西西里设立一个独立的议会，不久之后他被迫放弃那里的统治；两个月后，他同意那不勒斯自己组织一个议会。皮德蒙特和教皇国，查尔斯·阿尔贝和皮乌斯四世作出了类似的让步，两人都在3月批准了宪章。在威尼斯和米兰，革命以反抗奥地利统治的形式爆发。与德国（尽管规模较小）一样，一些革命者看到了统一意大利的机会，使它不再只是一个地理名词。

为何1848年革命对于罗斯柴尔德家族来说，是“最糟糕的一次革命”？我们需要注意到，他们的反应并不是由单一的对于自由派或共和制政府的憎恶之情决定的，这点很重要。对于革命的态度，各个家族成员之间互有不同。一个极端的例子是萨洛蒙，他似乎只能从宗教角度理解降临到他身上的灾难。在寄给他兄弟和侄子杂乱无章的信中，当他不再为自己的金融投资过错辩解时，他从自己的角度解释了革命，在他看来，革命是不可避免的政治灾难，它可归咎于路易·菲利普的无能，梅特涅夫人的虚荣以及巴麦尊的不负责任，与之相匹配的世界性历史事件不仅包括1789年革命，还有农民战争、十字军东征和《圣经》中记载的蝗灾。不论是什么，他都将其视为对宗教信仰的神圣考验。

他的侄子纳特缺乏这种自我安慰的方法。尽管他比起伦敦的兄弟，政治上更为保守，性格也更为谨慎，但是他还是受到了革命的重创——近乎生理或精神崩溃的状态。（之前从没有出现过的）一种更为糟糕的“政治霍乱感染了全世界，”他在前往埃姆斯接受温泉理疗前这样说道，“而且我担心没有一个医生能够治好这种病，将来将会

图 4–3　男爵："什么都还没交易吗，部长先生？"（1848 年）

资料来源：赫尔丁，《漫画中的罗斯柴尔德家族》，第 30 页（美茵河畔法兰克福市立及大学图书馆）。

血流成河。"革命期间，几乎每一封他写给兄弟们的信，都警告他们抛售所有的股票。

家族里没有像他这样看待革命的人。无论是阿姆谢尔还是卡尔，似乎也都深刻地反思了这一事件：对他们来说，革命就像是一场自然灾害——难以理解，但在上帝的祝福下，总是能存活下来。革命的想法远远超出了他们的思考范围——卡尔拒绝谈论意大利统一是"一些疯子的愚蠢目标"——他和阿姆谢尔都尽可能地远离政治辩论。类似地，民族主义的外在表现——三色旗，爱国歌曲——对于老一辈的罗斯柴尔德人来说毫无兴趣。当时的一幅漫画描绘了困惑的阿姆谢尔问 1848 年法兰克福议会任命的"帝国贸易大臣"阿诺德 · 杜克维茨（阿姆谢尔乐观地估计一个新的帝国正在形成）："什么都还没交易吗，部长先生？"（见图 4–3），暗示他被漫长而又没有结果的议会辩论所困惑，这点或许是对的。与他形成对比的是，詹姆斯对于革命追求的东西十分清楚。他的观点越来越明确，即所有的政权都不再可靠，财政上更为顺从，他愿意向风暴后升起的任何旗帜敬礼。比如，他拒绝让阿方斯加入国民卫队，更多的是表明了家族的利益永远排在政治之前，而不是一个明确的反对共和制的姿态。詹姆斯没有为路易 · 菲利普流过一滴眼泪。

这种实用主义在某种程度上得到了家族几个长子，即安塞尔姆、列昂内尔、迈耶 · 卡尔和阿方斯的认同，他们已经倾向于对政治发展采取类似的清醒认识。但是，与詹姆斯不同，他们偶尔会表达一些同情自由改革的声音，尽管他们将这些与激进民主人士、社会主义者和共产主义者的想法进行了区分。安塞尔姆对于德国发展的评价显示，他对诸多被迫向"人民的意志"低头的国王、王子和大公们几乎没有表露出一丝同情，而且对法兰克福议会中的"老家伙"极不耐烦。在离开法兰克福前往维也纳之前，他兴致盎然地参加了德国"支持议会"的首场辩论，尽管这是种超然的兴趣：与伦敦的堂弟列昂内尔不同，他和迈耶 · 卡尔从没有想过支持选举。安塞尔姆热烈地欢迎了 1849 年 3 月公布的奥地利宪章，其条款实际上自由色彩比较浓厚。与之对比的是，更为年轻的几个兄弟作出了更有特色的反应。阿道夫在那不勒斯被吓坏了。另外，安东尼认为德国王子们就像是“一群驴”，对法兰克福议会统一德国的目标“十分看好”，他认为这一目标“正确且合理”。而对于19岁的居斯塔夫来说，他渴望回到巴黎亲眼看看革命——但最后对于自己碰到的“悲哀”感到失望无比，工人阶层暴乱的范围以及共和派政治家可怜的才能都让他失望。

罗斯柴尔德家族对于革命矛盾的态度，没有什么比女性成员的信件和日记能更清楚地予以说明了。詹姆斯的妻子贝蒂对于革命无比敌视，她对4岁的孙子詹姆斯·爱德华的一席话极为赞同：“如果我有钱，我将买一支枪，向共和国以及共和党人开枪。”她希望法国的共和宪章“很快就将与它的姐妹会合，后者早已经被埋在时间的尘埃中”，并将制宪会议的代表贬为“我们巴黎大动物园里的野兽”。她同样轻视德国革命。她跟大儿子说，法兰克福议会是“错误教条和混乱的代理人”。当罗伯特·布吕姆在维也纳遭枪击时，她很高兴地表示，“捣乱的声音终于消失了”，并对巴黎没有出现同样的情形感到遗憾。有些怪异的是，尽管父母出生于法兰克福犹太聚居区，但贝蒂竟然表达了一种怀念18世纪政权的思想：“那个世纪的思想如此丰富，每一个人都知道如何争取符合自己级别的荣誉，不会因为屈从于更高的权威而觉得自己低人一等。”而19世纪，在她看来，是一个“邪恶时代”。

但是，她堂兄列昂内尔的妻子夏洛特对待革命的观点完全不同。当然，她担忧家族未来的财务状况；但同时，她从革命中获得了一种道德上的满足感，将其视为自我否认和自我改进的一个机会。从她亲属的信件中以及报纸上获悉的消息让她产生了一种欣喜的感觉，一种历史加速的感觉。她在日记中写道，它“实际上……是铁路时代，过去的6个星期中发生的事件几乎可以与见证了路易十四死亡、大清洗、国民大会和拿破仑当权的那6年相媲美”。最重要的是，她对于法兰克福出现的统一德国的可能性感到着迷：

> 对于德国，她有希望很快就变得繁荣、强大、统一和自由。在普鲁士，人们同样也赢得了对于军队的胜利，国王被迫批准了他的臣民提出的所有改革要求。政府进行了更迭、普鲁士的王子已经逃亡、媒体自由了、法庭的程序公开……所有的教派拥有了同等的权利。德国将再一次成为一个伟大的统一帝国，强大、幸福、高贵且自豪，她将严斥俄国人的攻击、哥萨克人的侵略和法国人的威吓外交。

当然，她的德国统一理想严格地限制为君主制：与安塞尔姆一样，她抗拒共和制。但是在法国的大环境中，夏洛特能说出一些积极的东西，甚至是关于共和派人士的。她的观点是：

> 那些掌握着国家的人，希望为他们的国家奠定一个繁荣与幸福的基础，尽管他们在实现这一目标方面采取了错误的方式……勒德吕－罗兰……对法国抱有诚挚的希望，在这个动荡的时刻，在所有的政府成员当中，显然只有他能够担当领导。

夏洛特的堂弟媳路易莎也看到了“这次伟大的革命”积极的方面。由于“我们的家族只得经历风暴”，她觉得能够忍受“任何损失，不管多么严重”。她坦陈：“我不能说，它对我们财富可能产生的效应让我感到极为不安。这不是什么哲理，只是不关心，或者说不喜欢作出庄重的姿态并以此炫耀……”

简而言之，整个家族没有反对革命的统一战线。这点也可以从各个家族成员对待流亡到英国的国王和大臣们的方式看出端倪。贝蒂很吃惊地听到生活在英国里士满的路易 · 菲利普和他的家人每天开销只有100法郎。但是，他从英国罗斯柴尔德成员那里得到的只是一箱好葡萄酒。革命也让梅特涅失去了权力，变得贫穷，夏洛特评价说：

> 他在约翰尼斯贝格的城堡被没收了，因为他在过去9年里没有缴过税……王子从没有拥有过大量的财富。年轻时，他挥霍无度；但后来被迫替他儿子还债。现在，他要供养一个大家庭并要教育孩子。他的财务直到最近才在萨洛蒙叔叔的帮助下恢复正常。

她对梅特涅的境况没有丝毫的同情，并且认同法兰克福合伙人的观点，即不要给他提供进一步的财务援助。但是，列昂内尔对“叔叔”感觉到有一丝家庭的责任。6月，梅特涅获得了32.3万古尔登的预支款，以他（严重贬值的）铁路股份为抵押。另一笔提供给梅特涅夫人的5 500古尔登的贷款出现在维也纳分行1848年11月的账本上，到第二年，梅特涅家族的债务总计达到了21.65万古尔登。此外，1827年贷款剩余一半的偿还时间——本应在1859年还清——进行了修正，因此直到19世纪70年代，仍然有很大一笔钱未还。

梅特涅在写给萨洛蒙的两封长信中——其中一封是他乔装经过阿纳姆时所写，另一封发自英国——回报给他忠实的银行家以杂乱无章的辩解，这有趣的凸显了他们之间的关系：

> 世界变得多么混乱！你一直问我战争是否来临。你也一直听到我向你保证，只要我手里掌握着缰绳，我就能够确保政治和平，因此战争不会发生。今天的

危险不在政治战争的战场中，而是在社会战争的战场中。在这个战场中，我也尽最大可能地掌握了缰绳。当这种可能性失去时，我从驾驶者的位置上走了下来，因为被推翻有悖我的天性。如果我被问到，如果采用天真的乌托邦式的改革能否避免这一切，我会用一个响亮的“不”作回答——其原因是，今天被称为改革的举措，在某些条件下，可能会带来某些改进，但除此之外没有更多的价值，鉴于目前的社会形势，所谓的改革就像是举着火把在炸药桶上跳舞……亲爱的萨洛蒙，你了解我已有数年，其他许多人并不是这样。

法国的局势刚刚开始。之前，那里从没有出现比现在更大、更深的混乱。

这可能是梅特涅讨好那些可能资助他“中产生活”的人的一种方式。但这种对于相互理解的阐述，是萨洛蒙与梅特涅伙伴关系合适的墓志铭，他们 30 年前在艾克斯便已相识，他们之间的关系也对欧洲产生了显著的影响。只是，满腹狐疑的安塞尔姆评价说，这些话只是一些“对当今世界毫无帮助的理论”。

财产受到威胁

让罗斯柴尔德家族最为担心的，并不是革命对他们的生命带来的威胁。尽管危机爆发时，他们很快就让他们的妻子和年幼的孩子前往安全的地方，但男性罗斯柴尔德成员——他们中的大多数在那段时期至少面临着一定的风险——在子弹和砖头开始飞舞时，仍然能保持镇定。2 月 24 日，詹姆斯被年轻的费多（当时他在国民卫队中服役）看到与另一个身份不明的男子手挽着手出现在和平大街，并朝着遭到洗劫的杜伊勒里宫走去，当时四周都是枪声。

“男爵先生，”费多对他说，“在我看来，选择在今天出来散步似乎不是一个好选择。您最好回到家里去，而不是将自己暴露在枪林弹雨中，现在这个城区子弹到处呼啸。”

“我年轻的朋友，”他回答，“我很感谢你的建议。但是告诉我，你为何在这里？尽你的职责，是吗？我也是，德 · 罗斯柴尔德男爵，也为同样的事情而来。你的职责是持枪警戒，确保良好市民的安全；我的职责是前去拜访财政大臣，看看他们是否需要我的经验和我的建议。”

说完他就离开了。

早在 3 月 4 日，詹姆斯就准备让他的妻子和儿子返回巴黎——尽管同意了贝蒂的请求，但他仍有一些警告：

如果你决定回到伦敦，我所要求的就是你用不同的名字办一个往返的护照。

如果带着阿方斯，他也需要一本印着不同名字的护照，因为我不想报纸上出现一个大标题说，“德 · 罗斯柴尔德夫人回到了伦敦。”那会增加无聊的闲话……回到巴黎，带上阿方斯，尽管我在犹豫我们是不是应该让他置身于政治之外。如果他们看见了他，就可能要他加入国民卫队。如果他愿意保持低调，那就可以回来。

5 月，巴尔贝斯和他的同党政变“流产”，人们谈论协和广场的断头台时，詹姆斯再次准备将儿子们送到国外以求安全，他自己实际上也短暂地造访了伦敦。但是，他自己只是在 6 月初考虑过离开巴黎。他与惊恐不已的侄子纳特形成了鲜明的对比，后者甚至被新任警察局长马克 · 科西迪埃派去保护拉斐特街的警察吓到了：“一群长相凶恶的人，佩戴着红色腰带，你绝对不想在黑夜里赤手空拳地遇到他们——他们能活吞了你。”尽管他在局势最为动荡的几个月留在了巴黎，但是他在 11 月底还是如释重负地撤到了英国。詹姆斯非常蔑视这种胆怯的行为。贝蒂曾自豪地告诉阿方斯，她丈夫是少数几个“勇敢抗击可怕风暴的人之一，那场风暴击垮了大多数人的勇气和意志”。

萨洛蒙也坚守在维也纳，当然他很少出门。尽管 3 月 13 日之后，不时听到“街上的鼓声”，但他直到 6 月才离开维也纳，然后选择与阿姆谢尔待在不那么平静的法兰克福。安塞尔姆一直坚持到 10 月 6 日到 7 日，武装的革命者在战争部大楼外面处决了拉图尔伯爵，然后攻占了军械库；接着又占领了罗斯柴尔德办公楼的楼顶，“他们离我们的房子只隔了一栋楼”。由于维也纳的形势此时变得异常危险，以至于返回抢救银行文件的莫里茨 · 戈尔德施密特被迫化装成一个牛奶工；安塞尔姆则被迫在乡下待了一个月。

阿姆谢尔从未离开法兰克福，尽管警报一直没停过。当 1848 年 3 月的一个晚上，一群人聚集到他的房子外面时，他“早就睡着了，第二天才知道这件事”；最后他在窗户外面悬挂了国旗，希望能得到安静。9 月，法兰克福分行被街垒包围并且被 4 颗子弹击中时，它的生意仍在进行着。当时的一幅木刻画捕捉到了阿姆谢尔的沉着，画面里，阿姆谢尔对两个扛着来福枪的革命者发出了自己的抗议。“我家里发生什么事了？”“德 · 罗斯柴尔德男爵”问道，他指的是钉到他前门的标志。“街垒搭建者”回答说：“现在它开始了，男爵先生，现在所有东西将被瓜分，但私人财产是神圣的。”对此，阿姆谢尔火冒三丈：“什么开始了？你们给我走开！财产是神圣的？瓜分？你说什么？我的财产对我来说一直是神圣的，我不需要你把它写在我的门上。瓜分？当普鲁士人来的时候，你们将全部被瓜分（见图 4–4）。”

纳特以及那不勒斯的卡尔与阿道夫的“不安”是例外，这也影响了家族里的其他成员。尽管他们经常评论中欧地区伴随革命而来的反犹主义，但罗斯柴尔德家族的其他男性似乎从没被它吓到过。实际上，詹姆斯更为担心的是，万一爆发战争，他可能会被当成德国的间谍而遭到逮捕，而他的妻子似乎一直像关注着詹姆斯的生命那样关注着他的尊严。她高傲地对夏洛特说，新任法国内政大臣路易·安托万·加尼耶—帕热斯竟然“总是称呼我们的叔叔为‘罗斯柴尔德’，而不加‘男爵’头衔或‘德’”——这是一个不尊重的标志，从而将他与老一辈的革命者，如拉马丁区分。罗斯柴尔德家族里的其他成员则发现革命的自省特征（而且通常会审视过去）有些可笑。马克思不是唯一怀疑历史在重复自己的人，不过一切更像是闹剧，而非悲剧。巴黎无穷无尽的照明，仪式化的植树活动，最重要的是优雅的新阶层参与的仪式需要一袭白衣的处女，这看起来非常荒谬，对英国的罗斯柴尔德成员来说尤为如此。

图 4–4　佚名，9 月 18 日的街垒场景：“我家里发生什么事了？”（1848 年 9 月 18 日）

资料来源：赫尔丁，《漫画中的罗斯柴尔德家族》，第 28 页（美茵河畔法兰克福市立及大学图书馆）。

实际上，对他们财产的威胁比起个人人身安全受到的威胁，更让罗斯柴尔德家族担忧。家族的一些城市住宅被画上了标记，萨洛蒙在叙雷讷的别墅遭到了洗劫——同遭噩运的还有路易·菲利普的别墅——这只是威胁的一些征兆。北线铁路公司所拥有的一些火车站以及桥梁遭人纵火。复活节进行的制宪会议选举让纳特确信不会再有“流血革命”的危险，但是他仍然预期“我们的钱包”将会“流血”。有谣言声称，拉斐特街将遭到洗劫，而且一直将持续到 4 月；随后一个月，在决定性的“六月暴动”前夕，居斯塔夫描述了贴在巴黎各处围墙上的传单，“传单指明了去哪里抢劫，上面提到我们拥有 6 亿法郎”。在法兰克福——尽管从许多温和的革命者那里得到了保证——但是罗斯柴尔德家族的财产还是被单独挑选出来列为攻击的目标。阿姆谢尔的窗户先后三次被打碎，他采取了预防措施，将“我们大部分动产”转移到布鲁塞尔和阿姆斯特丹，直到他更为确定地相信“私有财产将得到尊重”。在维也纳，戈尔德施密特的房子在 5 月被外面修筑街垒的工人洗劫一空。安塞尔姆和纳特此时将银器和瓷器运往伦敦保存的举动，就不足为奇了。

罗斯柴尔德家族财产面临的第二个威胁是革命政权的正式没收——直接没收或

以沉重的直接税方式变相没收。他们的朋友布雷克劳德3月18日从柏林传来的有关保证——“绝对没有理由担心私有财产”——也难以让他们安心，因为诸如坎普豪森与汉泽曼等温和派可能被更为激进的政客取代的危险非常明显。对此，詹姆斯4月解释说：“他们不会碰你的一根头发，但是他们会一点点地蚕食（你的财产），直到你什么都不剩。”在维也纳，媒体上攻击罗斯柴尔德家族的文章暗示，如果工资和工作环境不改善的话，就要没收他们的工厂。在威尼斯，萨洛蒙的盐厂在马宁的共和政权面前显得非常脆弱。

但是，最为严重的没收提议出现在巴黎，国有化铁路网络的计划——这一激进要求在革命前就已经出现——在3月便开始讨论。当局认为，铁路公司未能履行1842年计划中的义务：低估了铁路建设的成本，并将他们的注意力主要用于股票投机，他们甚至不能按照合约的规定向政府支付到期款项。毫无疑问，1848年春天的铁路公司，其地位岌岌可危。比如，北线公司欠政府7 200万~8 700万法郎的款项，而且很可能不会支付；这些债务很容易成为政府接管的理由。但必须要说明的是，国有化对纳特来说，并不是件坏事，他对铁路从来就没多少兴趣。由于公司的股价跌到了每股212（法郎），铁路工人又不断地藐视上司的权威——甚至坚持要在主要车站前种植“自由之树”——纳特急着想摆脱他们。但是，詹姆斯并没有准备将自己初见雏形的工业帝国主心骨交给政府。与那些铁路线还没有完成的公司不同，北线铁路已经从货运和客运业务中赢利，革命对这方面并没有产生多大的影响。

罗斯柴尔德家族财富面临的最大威胁莫过于他们手中的政府证券，在新共和国成立的前几个星期里，这些证券的价格急剧下跌。表4–1显示，革命对5家罗斯柴尔德银行持有的主要证券带来了毁灭性打击。尽管这些证券价格在1846年经济危机爆发后（甚至更早）就已经普遍下跌，但1848年2~4月这段时期，出现的是灾难性的崩溃。

表4–1　1846~1848年金融危机

债券	最高价格	日期	最低价格	日期	变化的百分比
奥地利5%年利率债券	112.25	1845年12月	58.00	1848年3月	–48
法国3%年利率债券	84.25	1846年2月	32.00	1848年4月	–62
法国5%年利率债券	121.00	1846年7月	50.75	1848年4月	–58
罗马5%年利率债券	105.60	1843年	71.80	1848年	–32
英国3%年利率债券	100.88	1845年1月	78.75	1847年10月	–22

备注：英国与法国公债价格是伦敦的周收盘价，奥地利公债价格是法兰克福的月收盘价，罗马公债价格是巴黎的均价。

数据来源：《投机者》中的“私有银行”，海恩著；《私人金融》，费利西尼著。

我们已知道，詹姆斯持有1847年发行的3%年利率公债，面值总额约为1.7亿法郎。到4月，这些债券的市值跌到成本价的一半。但是，他在11月被迫继续向法国财政支付部分期款（此时要求两年内付清，每个月应付款总额高达1 000万法郎）。除了这些重大的损失外，票据账目也可能出现亏空：如纳特所说的那样："我们有1 600万法郎的票据，但是天知道会有多少能够兑现。"诸如戴希塔尔这样重要的银行都陷入了困境，因此前景自然不容乐观。与此同时，巴黎分行欠北线、斯特拉斯堡线和格朗德孔布线等铁路公司约1 000万法郎。它太多的资产都是不断贬值的股票、股份和票据；而它太多的债务则需要以现金偿还。1848年的一幅漫画显示，一个像是恶魔的罗斯柴尔德让交易所的天平朝着有利于自己的方向倾斜，而在他的上方，一群学生正在示威，他们旗帜上的口号要求废除一切，"除了学生"（见图4–5）。实际上，罗斯柴尔德家族在革命中损失惨重。

图4–5　"亚历山大",《一场风暴：交易所中的起落》(1848年)

资料来源：赫尔丁,《漫画中的罗斯柴尔德家族》,第35页（维也纳市历史博物馆）。

在这些情况下，许多观察者预计詹姆斯会宣布破产，然后可能和家人一起逃离巴黎。奥地利大使奥波尼整个3月和4月都紧紧地盯着他，防止他的银行随时会倒闭。比如，在2月27日，奥波尼发现詹姆斯和其他银行家"陷入了悲惨的境地"，因为他们的公债已经变成了"废纸，一钱不值"。科西迪埃肯定也怀疑詹姆斯正在计划离开巴黎：有传言称，詹姆斯将黄金藏在运肥料的车中偷运出巴黎，而且他已经置于警察的监管之下（既盯着他，同时也保护他的房子免遭洗劫）。整个3月和4月间，一直有流言说，德·罗斯柴尔德兄弟公司将是下一个倒闭的银行。奥波尼觉得詹姆斯"命悬一线"，他的朋友莱昂·福谢形容他"流尽了鲜血"。这些话与事实相差得并不远：4月的某个时刻，詹姆斯的现金储备减少到只有100万法郎多一点。当一个办事员忙中出错填错了数字，使得数额更少时，他承认自己曾恐慌不已，并开玩笑"放弃生意，前往乡下，靠土豆度日"。

如果巴黎分行的情况危急的话，维也纳分行的情况将更糟。萨洛蒙不仅手里积压了一大批奥地利国债；而且，我们也看到，为了拯救埃斯克尔，他又背上了沉重的包袱。萨洛蒙估计不久就要支付的款项大约为300万古尔登。实际情况更为严重，安塞尔姆很快就发现了这一点；因为拯救埃斯克尔的钱是用国家银行为期3个月的融通票据来筹集的，总额为275万古尔登，票据续期问题在革命前并没有达成一致。此外，还有价值200万古尔登的票据，其中大部分是萨洛蒙用来筹集资金建设北方铁路的。这些加到一起，他即将要支付的款项接近800万古尔登。萨洛蒙此时根本无力支付即将到期的款项，因为他大部分的资产是工业股份，而革命的爆发，使得它们难以出手。萨洛蒙困境的范围之大能够从安塞尔姆后来编制的资产负债表中看到。他资产的27%存在于维克奥兹钢铁厂、北方铁路和奥地利劳埃德公司中，当然还有他各种用做贷款抵押品的较小工业企业。这些资产中的任何一个都不能轻易地变现。他“妒忌受祝福的弟弟内森”就能够理解了；他对其他几个兄弟说，他“身处最为痛苦的形势当中”。这也是他的英国侄子们担心的情况，他们当时建议詹姆斯不能将钱耗费在铁路上。

维也纳分行的窘境反过来危及了法兰克福分行的地位：3月份进行的新统计显示，萨洛蒙欠其他罗斯柴尔德分行——主要是法兰克福分行——170万英镑（是他债务的一半）。萨洛蒙后来试图辩称法兰克福多年来一直“压榨”维也纳分行来为自己开脱，但是可以说的一点是，阿姆谢尔也确实应该承担一部分责任，他听任萨洛蒙积累了如此巨额的债务。此外，法兰克福分行自身也有诸多难题，特别是欠符腾堡的贷款、欠黑森-卡塞尔的钱，以及日耳曼联邦存在它那里的巨额资金（所谓的“要塞款”），这些资金此时可能被要求提取。加到一起，安塞尔姆估算短期负债为800万古尔登，同时感到有必要停止支持贝弗斯家族，勾销了已经提供给他们的130万古尔登。罗斯柴尔德家族另一件焦虑的事是普鲁士欠法兰克福分行的一大笔钱（120万古尔登），这笔款项有可能收不回来。具有讽刺意味的是，阿姆谢尔在3月的第一个星期向萨洛蒙寻求协助——当时詹姆斯正绝望地向法兰克福分行寻求帮助，敦促安塞尔姆卖出证券，“不管价格如何！”每个分行都认为其他分行欠自己的钱，但谁都没钱还债。萨洛蒙用自己所有的房子和房产作为欠法兰克福分行债务的抵押品；但是，这些资产没有一个能够兑现，他给它们确定的估值（500万古尔登）完全是概念上的。

5家分行当中有3家濒临破产，整个家族的未来显然也变得迷雾重重。在伦敦，夏洛特遇到了外交官们全新的、不尊敬的语调，比如奥地利大使迪特里希施泰因伯爵。她在自己的日记中写道：

> 他非常粗鲁地恭维了我几句，说：“看看你，很显然，你不会再享受这么高的地位了。现在如果有人说你漂亮，你会满怀感激；但在过去，这种讽刺会让你笑得要死。”我回应说：“为什么我不会再享受这样的地位了呢？是因为我没有钱袋子来保住我的王座或脚凳，还是因为我没有了钱袋子？”“钱袋子还在那

里，但是革命已经让它空了一半。”“大家不用为此担心，阁下，因为我们不会拖延我们的款项支付，不会赖账。”

她怀疑即便迪斯雷利都“相信我们的权势受到了损坏”，尽管这点她也予以驳斥：“它（权势）不仅存在于我们的财富当中，万能的上帝不会收回庇护我们的手。阿门！”她私下里也承认：“罗斯柴尔德家族两个月前的财富超过了英格兰银行的储备，现在已经损失了绝大部分财富。”

在革命中幸存

那么，他们是怎么幸存下来的？明显的答案是革命自身没能存活，主要城市之外，对于自由派以及共和派宪章革新的支持率被证明十分有限；而在城市内部，各种职业群体对于经济事务存在着很深的分歧：第一，自由化的银行家与愤懑的工匠没有什么共同语言，后者急切地希望恢复公会制度。这类分歧很大程度上束缚了法国的共和党人和德国的自由党人。第二，1848 年大国之间爆发战争的危险远没有 1830 年那么严重——从许多方面来讲，大国之间的战争仍旧是罗斯柴尔德家族的一个噩梦，不仅仅是因为他们认为战争将会导致激进的革命。詹姆斯在多个场合提及，如果爆发一场大战，他将离开巴黎；但是，拉马丁的法国（再次）拒绝扮演革命输出者的角色，而巴麦尊的英国也不能决定是否支持革命，即便它的一些方面似乎与英国的利益背道而驰（尤其是德国对石勒苏益格和荷尔斯泰因公国宣示了主权）。普鲁士和皮德蒙特走向了战争，但是目标非常有限，甚至都没多大的决心。第三，革命者将很大一部分精力投注到国内问题上，比如重新划定边界以及修订宪章等；这其中，“人民的春天”的矛盾而非互补的本质开始显露。

与 1830 年一样，波兰人成为俄国反对其革命热情的受害者，尽管三心二意的普鲁士提供了一点支持（一切在 5 月就宣告结束）。哈布斯堡帝国内的小斯拉夫国家对匈牙利成功分离担心不已，创造一个规模更大的德国不会带来任何东西，它们之间没有什么共同的地方，尤其是语言。法兰克福孵化的德国计划得以创建，表面上是因为规模庞大、声音嘈杂的议会不可能同意一个王室傀儡领袖来统帅自由化的联邦；实际上是因为无法协调奥地利和普鲁士如何改革日耳曼联邦的想法。除了皮德蒙特、米兰和伦巴第组成的“上意大利王国”，意大利统一的概念实际上是针对意大利半岛不断发生的暴乱而提出的一个想法。相互竞争的民族主义倾向于消除彼此。最后，哈布斯堡的军队在温底什格雷兹 、耶拉契奇和拉德茨基的带领下重新组织起来，他们迅速地镇压了革命者。布拉格在 1848 年 6 月沦陷。查尔斯 · 阿尔贝的皮德蒙特军队 7 月 25 日在库斯托扎被击败。维也纳也在 11 月被攻占。

但是，所有这些都难以比较确定地预测。从许多方面来说，革命在 1848 年 10 月以后达到了最为激进的状态，它在意大利、南部德国和匈牙利的失败并不是决定性的，直到 1849 年结局才最终确定。在 1848 年 3 月的情况下，詹姆斯和萨洛蒙如果跟随路易 · 菲利普、基佐和梅特涅一起流亡，那么他们可能已经受到宽恕了，因为他们如此认同流亡的国王与大臣们。但相反，他们留了下来；他们的幸存也是 1848 年最为引人注目的一个方面——从一个马克思主义者的角度来看，这是革命注定失败的一个经典标志。

罗斯柴尔德家族的幸存，其必要条件是他们的“和睦”。迈耶 · 阿姆谢尔要求男性后裔保持家族团结的神圣训诫发挥了巨大作用，因为正是伦敦分行（那不勒斯以及法兰克福分行也贡献了一点力量）拯救了泥足深陷的巴黎和维也纳分行，这点被证明是至关重要的。它也使得在西西里如此成功的革命，在那不勒斯遭遇了彻底的失败。罗斯柴尔德家族的账目显示，1848 年尽管境况不佳，但并不是灾难性的一年：1848 年上半年的利润只有 2 709 达卡（欧洲通用金币），但是下半年便反弹到 58 229 达卡；1848 年全年利润比 1847 年仅下滑了 40%。资产负债表显示，那不勒斯分行十分稳健，它的资产构成在 1845~1850 年之间没发生大的变化。这使得卡尔能够在 4 月初寄钱给法兰克福。

它的帮助甚至远不止那些（夏洛特就曾说），“摧毁了陈旧的不公正体制的革命春风并没有吹拂到英国”——这很大程度上要归功于它在 1847 年废止了《玉米法》以及中止了《银行特许条例》。宪章派人士于 4 月 10 日在肯宁顿议会的示威让罗斯柴尔德家族忧虑不已，但这一现象被证明是昙花一现；而且，纳特对于列昂内尔的警告也被证明是过于悲观了，他说：“你们将发现自己和阿尔贝王子将置身于同样的处境，就像我们现在与路易 · 菲利普的境地一样。”在爱尔兰，粮食收成同样比人们担心的情形要好。这意味着，伦敦分行经历了 1847 年这一最为糟糕的年份——损失了 660 702 英镑，占其资金的 30%——它已经能够在 1848 年和 1849 年通过一些成功的举措重新确立了自己的地位，也将自己的利润恢复到 132 058 英镑和 334 524 英镑。就如夏洛特向迪特里希施泰因承认的那样，罗斯柴尔德家族确实没过去那么富有了，但是他们的“钱袋”绝不是空了一半，这点可以从她被迫承担的一点家务活看出端倪。“我们本来有 3 名女佣，后来解雇了两个。”她说道，“只留下一个做比较脏和累的零活。我们要亲自给孩子们穿衣服。在这一过程中，我们的手肯定要失去一些白净和美丽，但是我们希望，它们对我们仍然有用。”她女儿莉奥诺拉的钢琴老师每个小时只能得到

10 先令；但肖邦告诉莉奥诺拉的奶奶，他每次演奏需要“花费”金币，她“回答说我的表演当然非常好，但是她建议我收费少点，因为当下每个人必须变得更为‘适度’。我从中得知，他们手头也不是很宽裕，现在每个地方都缺钱”。

但是，这些开支与巴黎、法兰克福和维也纳分行所需的巨额资金之间仍然有着巨大的差距。列昂内尔 2 月底前往巴黎的匆忙之旅似乎让他相信詹姆斯的情况是可以补救的，但是他对萨洛蒙和阿姆谢尔的状况犹豫不决。尽管他们动情地呼吁列昂内尔看在他父亲内森的分上伸出援手，但是他们仍然要为自己的获救感到羞愧，并需要付出代价。实际上，列昂内尔对于萨洛蒙寻求帮助的第一反应是拒绝；当他真正回应法兰克福分行的呼吁运送白银（第一批于 4 月 14 日到达）时，他首先确保伦敦分行能够从船运中赚到利润。他的叔叔们接触了他，但是他们都是祈求他的怜惜，并且被逼着感受到这一点。列昂内尔的强硬路线得到了安塞尔姆的支持，后者在 4 月 10 日抵达维也纳，着手清理他父亲“污秽不堪的马厩”，他进行这项任务时，明显缺少了作为儿子的孝道。面对向阿恩施泰因和埃斯克尔银行（以及另一家维也纳银行海因里希和韦特海姆）提供更多帮助的要求，安塞尔姆：

> 立即清楚地通知了我父亲，因为是五家分行代表的权力，我禁止再进行任何的财政牺牲……不管此举会给生意以及这个地方形势带来什么样的后果，并且又加了一句，如果有人坚持要给他们提供帮助，我将立刻离开，以示抗议……相信我，亲爱的叔叔，我在这里扮演的是一个至关重要的角色……他们将会诅咒我是我父亲的邪恶天使……他不幸地处在了道德崩溃的国家，被形势完全压制住了，他留在这里对他的健康无益……如果他 3 个月前离开维也纳，那情况会好很多。

父子之间围绕财务困境所发生的争执从许多方面标志着第二代主导地位的终结。从这个意义上来说，这是罗斯柴尔德家族内部的 1848 年革命。

但是，现实是伦敦分行并不是提供最后一根稻草的人。因为纽考特帮助巴黎和维也纳的能力，很大程度上依赖于罗斯柴尔德家族在美国的代理人向纽考特回充资金的能力。1848 年从许多方面来说，是对贝尔蒙特代理的决定性测试：如果这一机制失败了，那么罗斯柴尔德家族将面临严重的风险。从 1847 年夏天开始，他们紧张地注视着贝尔蒙特，因为他将大量的资源投入到烟草投机以及资助 1846 年 5 月开始的美国反对墨西哥的战争。甚至直到 1848 年 2 月，詹姆斯才批准他的决定，向美国政府提供一笔以国债为抵押的巨款，帮助美国《瓜达卢佩 · 伊达尔哥条约》向墨西哥支付 1 500 万美元的赔款，以便从后者手中获取领土。罗斯柴尔德家族在墨西哥也有代理人——列昂内尔·戴维森——他在那里已有数年，一直进口罗斯柴尔德家族在西班牙出产的水银，然后卖给墨西哥的银矿；戴维森也参与了美墨赔款的业务。古巴的沙芬贝格和新奥尔良的哈瑙在欧洲危机爆发前夕，也在烟草和棉花上投入了大量的资金。这些都是大手笔的投入：詹姆斯自己曾很不高兴地评论说："我们现在被这些人捏在手里了。"实际上，贝尔蒙特这个时期的重要性，没有其他东西比巴黎和伦敦疯狂发给他的信件更能够凸显的了，那些信严斥他参与墨西哥赔款业务，并指责他越权。最终，在1848年年底，一个罗斯柴尔德成员阿方斯被派往纽约，似乎要取代错漏百出的贝尔蒙特。

这自然收到了效果。由于担心阿方斯是派来取代自己的，贝尔蒙特急忙向伦敦运去了大量白银。这被证明是稳定欧洲金融形势的一个至关重要的因素，如果没有这些白银，列昂内尔可能就很难支持欧洲大陆的亲戚。但是贝尔蒙特希望罗斯柴尔德家族明白，他此举是施舍了恩惠，而不是遵从命令。阿方斯在纽约受到的是冷冷的接待，在他看来，贝尔蒙特的角色是"独一无二的"："这个位置既是半独立也是半受缚，他既是一个代理人，同时也是一个通信员。"讨论已久的用家族成员取代贝尔蒙特的计划，面对贝尔蒙特的顽固以及年青一代的罗斯柴尔德成员不愿在美国定居的现实，只得再次流产。不久之后，贝尔蒙特将阿方斯打发去了新奥尔良，并恢复了以往的做法，继续参与墨西哥赔款事宜。

罗斯柴尔德家族幸存的第二个因素是欧洲各央行放松了货币政策，这毫无疑问有助于终止证券价格的崩溃。英格兰银行在1847年暂停金本位原则确立了一个范例；但是，劝说欧洲其他央行采取同样的措施并不十分容易。当然，法兰克福没有央行，花了很多时间才说服议会创造了一些紧急信用产品。在巴黎，情况要好一点，当恐惧一消退，共和政府就利用法兰西银行作为发行强制性公债的"摇钱树"。除了暂停兑换外，政府建立了一个全国性的柜台贴现和商店储备指数，从而为各公司提供了流动性的新来源，尽管这些被证明是十分短暂的举措，但是革命的持续效应提升了法兰西银行的权势，它收回了地方银行的发行权。在维也纳，国立银行颁布了一项禁令，禁止出口黄金和白银，在5月又暂停了黄金兑换。当然，巴黎和维也纳的举措都存在一定的危险，即纸币发行可能过量，安塞尔姆不是唯一担心中欧爆发通货膨胀的人（没人能够忘记法国革命时期的纸币噩梦）。这其中，罗斯柴尔德家族能够从美国和英国获得白银再次起到了决定性作用，因为这能够让他们再次填满欧洲大陆各央行的储备。早在4月，法兰西银行就下订单，通过纽考特购买大量白银。类似的交易给了安塞尔姆重要的筹码，使他能够在谈判父亲到期的巨额票据时，向银行施加压力，他最终成功地将票据延期了两年。但即便如此，他还是有必要发出一个大胆的威胁以确保这笔交易："无论是延期票据，还是埃斯克尔以及韦特海姆银行的破产，都无力阻止维也纳和各省许多其他银行的倒闭，同时国立银行自身的资产组合也会受到严重损害。"

这是拯救维也纳分行的一个决定性时刻。但是，对巴黎分行来说，更重要的是厘清政府财政方面的交易。1847 年约定的政府贷款，是罗斯柴尔德家族最为沉重的包袱之一。减少这些负担的唯一途径就是迫使各个政府接受苛刻的条件。因此，安塞尔姆与国立银行谈判的同时，也寻求适度调整他父亲亏欠奥地利财政部债务的归还时间。在法兰克福，迈耶 · 卡尔也试图与卡塞尔以及日耳曼联邦达成交易。甚至在那不勒斯，围绕到期的那不勒斯公债利息，那不勒斯分行与政府也签订了一项协议。但是罗斯柴尔德家族在巴黎的地位最为脆弱，詹姆斯手里持有约 1.7 亿法郎的 3% 利率的公债，此时的价值只有成本价（即他承诺向政府支付的金额）的一半。詹姆斯并没有抛售公债吞下这个苦果（曾经有人说他确实这样做了），他试图将自己从 1847 年的委托中解脱出来；他所采取的方法是谈判中以劣势取胜的一个案例。

过程远不是那么容易。我们看到，2 月 24 日，詹姆斯拜访了财政部，可能是要求新政权支付即将到期的希腊债券利息，这些债券由前一个政权提供了担保（正常情况下，应该由他支付利息）。（政府支付利息）有一个前提条件：第二天，他宣布捐献一笔表面上比较巨额的善款——5 万法郎，用以资助那些在街垒大战中受伤的人；他同时宣称自己将"为如此美好和诚挚的革命提供自己的合作"。2 月 26 日，他又出现在当地的警察局里。当科西迪埃翔实地指责他将钱偷运出巴黎准备逃往海外时，詹姆斯予以坚决驳斥，他采取了一个聪明的策略，介于承认破产和暗示自己有数百万法郎的资金可以支配的两个极端之间：

> 人们认为我是"钱"做的，但是其实我只有一些"纸"。我的财富和现金都转化成证券，它们现在一文不值。我绝对不想宣布破产，如果我必须去死，那么我就会这样做；但是我视逃跑为怯懦的行为。我已经写信给我的家人，让他们给我提供资金，以便让我偿还债务；他又补充道，如果你们愿意，我明天就可以将你们介绍给我的侄子认识。

金钱再次发挥了作用：科西迪埃要求詹姆斯为一家印刷厂开出一张信用证，避免它的 150 名工人失业，詹姆斯第二天带着列昂内尔再次出现时，这一要求得到了满足（他们给了科西迪埃 2 000 法郎，"由他支配"）。这点钱对于詹姆斯来说微不足道，但是 4 月初，他面临的款项要求剧增，当时政府意外地要求他支付 50 万法郎，这是革命之前与路易 · 菲利普签订的一项抵押贷款的差额。与此同时，他被提醒他的铁路公司还欠着政府的钱。

詹姆斯以威胁加奉承的方式回应了这些要求，夏洛特在她的日记里记录了相关情节：

> 罗斯柴尔德银行破产对法国来说，将是一场可怕的灾难。这相当于轻易杀死了一只会下金蛋的鹅，也永远地放弃了它所提供的公共服务或私人服务。政府不能拍卖家族的豪宅：费里埃不可能出售；弗洛朗坦大厦空空如也，在现在的情况下也不可能租出去。但是，如果他们挽救了我们叔叔的生命——我是指他的金融生命——那么他不仅能为国家，而且还能为政府官员提供服务……在英国，他们说，没人感激已经得到的好处。我们当然不希望看到这样的结局，但是我想，我们可以寄望于还在考虑的好处。我们的叔叔刚刚向德·拉马丁先生、科西迪埃先生和克雷米厄先生提供了便利。

与此同时，如果北线铁路欠政府的钱被要求立刻支付，那么“三四千工人将失去政府保证的工作，财政部用于资助失业人员的开支将大大增加”。

并不是所有人都听信詹姆斯的抗议，认为他的“金融生命”处在了危急关头。“社会主义”渗透到金融领域的一个很好的例子就是，当詹姆斯以“我的生意减少”为由削减德·罗斯柴尔德兄弟公司办事员的薪水时，后者提出了抗议。“是的，你什么都没失去！”其中一个人喊道，“你比任何人都要富有，我们不会（接受降低薪水的做法）。”但是，詹姆斯为自己赢得了宝贵的时间。等到政府的委员会支持政府回购各公司的铁路合约时，已经是5月的第三个星期。仅仅过了一个月，巴黎的政治局势就因残酷镇压“六月暴动”（6月22~28日）——自然爆发的工人暴动而改变，率领军队镇压的是欧仁·卡韦尼亚克将军。

马克思对于“六月暴动”以及它的结局的诊断，就是“中产阶级”作为一个整体已经与专制主义和军国主义联系到一起，以镇压无产阶级革命。但是，与1830年革命相比，罗斯柴尔德家族几乎没做任何事情来帮助恢复“秩序”（他们对革命引发的各种外交纷争同样置身事外）。他们只是谨慎地欢迎卡韦尼亚克的到来。实际上，他们竭力避免直接参与他的镇压行动：詹姆斯将阿方斯打发去了法兰克福，以确保他不用参加战斗，而他留在巴黎，就可能被迫参军。因此，军事恢复“秩序”带有“最后一招”的特征。那不勒斯的情形也比较相似，费尔南多解散了议会，并在8月成功地占领了西西里；在维也纳，温底什格雷兹在11月月初的炮击，最终迫使革命者投降。

当然，罗斯柴尔德家族知道如何紧跟时代潮流。卡韦尼亚克治下的共和政权重建提供了绝佳的机会：不仅可以埋葬铁路国有化计划，还可以调整北线铁路偿还债务的时间以及解决 1847 年贷款问题。后来有人声称，罗斯柴尔德巴黎分行在这个节骨眼上能够“重生”应该归功于政府——詹姆斯的孙辈对此嗤之以鼻，他们竭力否认他们的银行曾依赖过政府的干预。“重生”这个词有误导作用，但是——与其他相关的政府太过慷慨的指责一样——它并非没有真实的成分。本质上，詹姆斯采取了巴尔扎克数年前就预计到的一种策略：一个债务人欠债权人太多钱的时候，他们就不敢让他破产。由于担心詹姆斯可能不能继续支付亏欠财政部的钱，法国政府被迫重新协商 1847 年贷款的条款。这一决定是可以理解的：用“金鹅”之死威胁他们时，詹姆斯是在含蓄地威胁整垮法国财政体系。梅里美当时就表示，政府的财政状况“非常危急”；德 · 罗斯柴尔德兄弟公司的倒闭将使得形势进一步恶化。

比较容易的方案就是与“男爵”以伙伴关系合作。因此，当列昂内尔 7 月造访巴黎时，他发现詹姆斯——照旧——与财政部长保持着紧密的关系。他“现在是最受欢迎的人物，因为没有其他银行家或其他人有钱或愿意站出来，他自然非常受人尊敬”。但是，新任财长部长古德绍采用的权宜之计——将 3% 年利率的 1847 年公债转换成 5% 年利率的债券——可能太过慷慨了，因为它神奇地将一笔 2 500 万法郎的亏损转变成了 1 100 万法郎的利润。古德绍是一个犹太人的事实（另一个与詹姆斯有联系的温和派共和党人克雷米厄也是犹太人）为政府支持罗斯柴尔德的激进阴谋论更是增加了不少“证据”。实际上，詹姆斯可能夸大了自己的财务困境，以便将自己在 1847 年贷款中的损失降到最低。他们与古德绍远不是“同谋”，相反，罗斯柴尔德家族认为他“无论从哪个方面来说，都不是一个实际的人”，他“对于交易所的了解不比月球人多”。

罗斯柴尔德家族的状况，实际上至少在“六月暴动”前一个月就已经稳定了下来。5 月的最后一个星期，夏洛特就已经可以确认她对“欧洲和罗斯柴尔德家族的未来感到一片光明”。纳特在 6 月前往法兰克福时，他发现阿姆谢尔对列昂内尔仍然极为不满，但最终法兰克福分行获得了保障，列昂内尔又给他提供了至少 2 600 万古尔登的资金，而且金银储备也达到了 40 万英镑。实际上，英国的罗斯柴尔德成员吃惊地发现阿姆谢尔开始向维也纳分行出售白银，而这些白银是他几周前刚从伦敦拿到的。正常化的另一个迹象就是西班牙水银矿新协议的谈判（巴林公司在那里发出了有威胁的挑战）很快地恢复了。这也恰好与戴维森报告的智利和秘鲁发现新银矿的消息碰在一起，新银矿可能会促进水银市场的繁荣。到 8 月的时候，罗斯柴尔德家族经营与财务状况已经足够好转，詹姆斯、列昂内尔和安塞尔姆——此时家族的三大支柱——已能够在敦刻尔克碰面，清点联合账户的情况。但是，一段时间之后，外面的人才比较明显地意识到罗斯柴尔德家族已经渡过了难关。当激进的《工人警钟报》8

月评选一名幸存领袖时，所用的语气尖刻反讽；但是，呼吁詹姆斯为共和国的事业贡献他不可思议的金融力量时，它的字里行间透露出了一种真诚的敬慕之情：

> 您是一个奇迹。尽管他拥有合法的多数人支持，但路易·菲利普还是倒台了，基佐也消失于无形，君主立宪制和议会制也都成为了历史；但是你，纹丝未动！……阿拉戈和拉马丁在哪里？他们已经玩完了，但你却幸存了下来。银行业的王子们纷纷清盘，他们的办公室将关门大吉。工业和铁路公司的巨头们步履蹒跚。股东、商人、制造商和银行家一个接一个破产；大人物和小人物无一例外地遭受了打击；但你却是这些废墟中屹立不倒的一个。尽管你的银行感觉到了巴黎的第一波冲击，尽管革命的浪潮追着你从那不勒斯到维也纳和柏林，但是你面对影响全欧洲的一场运动时仍然稳如磐石。财富消散，荣耀褪色，领土破碎，但是犹太人，我们时代的帝王，却依然稳固地坐在王座上。但这还不是全部。用《圣经》上话来说，你本来可以逃离这个山峦起伏的国家。你留了下来，宣布自己的权势独立于古王朝之外，你还勇敢地向年轻的共和国伸出援助之手。你毫无恐惧地支持着法国……你远远超越了一个政治家（的能量），你是信誉的标志。难道现在不是银行、中产阶级的强力武器帮助人民实现梦想的时刻吗？即便没有成为一位部长，你仍然是我们时代商界最伟大的人。你的工作可能更加庞杂，你的名誉——你对名誉没有兴趣——可能更加辉煌。获得金钱的王冠之后，你将被尊封为神。你对这点难道没兴趣吗？如果有一天，法兰西共和国将在万神殿给你提供一个位置，你应该坦陈那将是个相宜的场合。

但即便这样的表述，仍被一些人认为言之过早：直到 11 月，仍有传言称詹姆斯将要清盘。但是，罗斯柴尔德家族实际上已经幸存了下来。我们现在知道他们是如何做到这一点的。我也能看到为何那时他们的逃脱那么不可思议。

日渐复苏

1830 年与 1848 年之间的另一个重要差异，就是罗斯柴尔德家族缺乏外交影响力。尽管他们经常为欧洲大战的危险所困扰着，但是在 1848 年大部分时间里，他们都忙于解决自己的财务问题，因而无力分身在大国政治中扮演 1830 年那样的角色。当奥地利政府要求萨洛蒙派遣“一名家族成员以奥地利政府的名义开始谈判”以帮助“结束意大利难题”时，年青一辈的罗斯柴尔德成员均不愿参与其中。迈耶·卡尔道出了其中的缘由：

在我看来，我们不应该参与政治，因为，不论局势结果如何，最终受到惩罚的都是小丑，而我们就是小丑。我也相信伦巴第不会向奥地利支付一分钱。意大利（独立）事业已经吸引了太多的同情，任何解决方案最后都一定会激怒奥地利。而且每个人都会说，天知道罗斯柴尔德家族从中捞了多少。人们习惯于认为我们从来不会做赔本的生意。

当拉德茨基在库斯托扎给了皮德蒙特军队“致命一击”时，安塞尔姆和他的堂兄弟们都很高兴，但是对奥地利的外交意图知之甚少，因为奥地利将放弃更多的意大利领土。尽管詹姆斯后来意识到法国新任外交部长巴斯蒂德对北意大利统一不甚热情，因此巴麦尊在这方面的努力不可能成功，但是他的侄子们有一段时间仍然相信伦巴第和维尼夏将能够用钱买得独立：安东尼在信里写道，那“只是钱的问题”。他们在德国的消息同样不那么灵通。比如，当法兰克福议会3月邀请弗雷德里克·威廉四世出任日耳曼联盟的统治者时，迈耶·卡尔似乎预期他会接受王冠，甚至还认为此举将有助于奥地利与普鲁士“走到一起”。（实际上，他傲慢地拒绝了他所称的“革命、不忠和通敌的尘土与渣滓做成的王冠”。）直到1849年2月底，安塞尔姆才开始收到关于奥地利外交的内部信息，此前这类信息对他父亲畅通无阻已有数年。他也跟随萨洛蒙的步伐，在第二次针对皮德蒙特战争中，他急切地站到了施瓦岑贝格一边——这一倾向在他父亲4月重返维也纳后进一步加强。

当然，只要罗斯柴尔德的金融实力仍然虚弱，他们就难以寄望施加政治影响力。毕竟，罗斯柴尔德家族施展影响力的传统杠杆就是提供贷款。但是整个1848年，英国的罗斯柴尔德成员利用自己对于欧洲大陆分行的主导权，否决了诸多向革命之后的政权，即奥地利、匈牙利、罗马、伦巴第、普鲁士、巴登和其他地方的政权提供贷款的动议。（难以置信的是，萨洛蒙似乎建议借钱给匈牙利人，以帮助他们从英国购买枪支——这甚至就发生在他悲叹哈布斯堡帝国崩塌的时候！）直到9月底，整个家族才开始考虑“将生意恢复正常”，尽管向奥地利提供的建议被证明还不成熟。麻烦就是革命不甘就此平息。“红色共和主义”在巴黎、维也纳和柏林刚被打败，在意大利却又再次爆发；它刚在意大利被打败后，却又在南部德国擦出了火花。

只要政治不确定性仍然存在着，罗斯柴尔德家族就会秉承退缩策略。奥地利政府3月接触安塞尔姆，希望借贷6 000万古尔登，他十分谨慎，认为这“极为荒唐”，是一个“愚蠢的计划”。随后一个月，詹姆斯接到巴黎市的要求，希望筹措2 500万法郎的贷款，他“予以拒绝并连说了3次他不想做任何生意”。这种犹豫反映了如何处理维也纳分行的困难，当时，尽管安塞尔姆进行了巧妙的修补，但它仍然欠法兰克福分行 170 万英镑，同时还欠巴黎分行一些钱。直到夏天，主要合伙人之间经过了一系列会谈（包括春天在法兰克福举行的一次“全体大会”），他们决定保留维也纳分行，同时划掉了大多数欠款。同时，伦敦的合伙人希望限制叔叔们的权限范围，这可以明显地从阿方斯对于“大会真正目标”的评价中看出：

（目标应是）修正我们家族的根基，至于伦敦分行，他们与政治活动以及第一代人热诚的商业精神一直难以融合，要让他们从中解放出来。我们的叔叔（阿姆谢尔）难以承受我们财富减少（的事实），急切地希望在旧的基础上重建辉煌，这其实是将我们带入了危险的境地。

伦敦合伙人开始区分自己的信件，哪些可以给叔叔们看，哪些只能给几兄弟看，这也是 1848 年危机引发的不信任感的一个标志。鉴于直到这个时候，私人信件的流通是合伙人体系的血液，伦敦分行的这种做法是一个革命性的暗示——尽管不能确定伦敦合伙人在这个方向上走了多远，因为他们大部分信件已经丢失或损毁。

另外两个因素也造成了罗斯柴尔德家族政治影响力的消退。其一，他们与巴麦尊的关系一如既往的平淡。夏洛特抨击巴麦尊 1848 年的政策“非常可笑”，因此也可以推定列昂内尔的想法与妻子相近；而且，没有明显的证据表明，罗斯柴尔德家族与巴麦尊在这个时期有过沟通。在纳特看来，“外交事务发生任何变化都是巴麦尊的进步”，这一观点得到了他叔叔詹姆斯的“高度”认同。对于贝蒂来讲，巴麦尊是一个“妖怪，到处放火，他知道如何站在自家门口操纵别国的政治傀儡”。实际上，罗斯柴尔德家族对于英国政策的评价似乎更多地建立在自我估计的基础上，而不是依据一手的政府情报——这可能反映了列昂内尔这个时期对于议会中犹太人代表权问题所持的陈见。其二，他们误判了法国的政治前景。詹姆斯过高地估计了“值得尊敬的”温和共和主义的持久性。他认为卡韦尼亚克和他的同伴尼古拉 · 尚加尼耶将军（既是国民卫队的司令，也是巴黎军政府的总督）仍将是新政权当中的关键人物，他开始迎合他们。与卡韦尼亚克和其他部长碰面讨论法国队外交政策变得越来越频繁。“我们的小朋友”尚加尼耶曾受邀前往费里埃城堡狩猎，而且也是罗斯柴尔德晚宴上的常客。他们的关系变得如此的紧密，以至于奥地利驻巴黎大使都能够报告尚加尼耶“心仪”贝蒂的闲话。最终的结果表明，詹姆斯支持的是一个失败者，尽管他这样做的原因可以理解。取代这些将军的是路易 · 拿破仑 · 波拿巴，前任国王的侄子。

整个 19 世纪，没有一个重要的政治人物比路易 · 拿破仑在罗斯柴尔德家族的眼里更值得怀疑，更不用说轻视他了。这部分是因为他品行不端的过去——1836 年在布洛涅以及 1840 年在斯特拉斯堡的大胆妄为、标新立异的行为，拥有英国情妇——以及他从没有完全摒弃的声名狼藉的生活方式。比如，1849 年 4 月，安东尼报告说，他的叔叔和婶婶“讨厌路易 · 拿破仑。他们说他夜夜笙歌，天知道他还干了其他什么事”。他与霍华德夫人的关系也是人们议论的笑柄：用安东尼的话说，路易 · 拿破仑想要的就是“大量的（金钱），这样他就可以舒服地鬼混，想什么时候喝醉都行”。詹姆斯将其视为“一个愚蠢的混蛋”，他秉承着一贯的实用主义，准备将个人的好恶放到一边，和他打交道，他从 6 月 16 日开始有所动作——路易 · 拿破仑宣誓就任总统仅仅 18 天之后。“我难以拒绝他的邀请。”詹姆斯向他的侄子们辩解道。实际上，他似乎在路易 · 拿破仑当选后不久借给他 2 000 法郎时就保持了戒心。不论如何，这次不是 1830 年事件的重演，詹姆斯和路易 · 菲利普几乎在一夜之间将私人的、财务上的关系转变成了公共的、政治上的关系。当路易 · 拿破仑一接触到公共基金，詹姆斯就切断了他的信用，命令安东尼“不要再给拿破仑钱，他对于我们没有任何信用……我在他的预算通过之前答应给他两万法郎，但是现在他已经拿到了政府的钱，所以我不想再浪费我们的钱了，我不会再给他一分钱”。

他的妻子对路易 · 拿破仑的厌恶之情更甚，部分原因是她仍然对流亡的奥尔良王室念念不忘。迪斯雷利曾向麦考利回忆过贝蒂痛骂“她憎恨的”拿破仑的情形，麦考利试图说服贝蒂，让她认为路易 · 拿破仑可能是奥古斯图斯，他的叔叔则是尤利乌斯 · 恺撒。贝蒂不为所动：法国“折腾在一个无名之辈和一个被极具破坏性且无用的少数派绑架的领导人之间”。如果卡韦尼亚克获胜，那将是“一场灾难”，因为他没有“掌权者应具备的正直和能力”。但是，如果路易 · 拿破仑赢了，那将是“一个耻辱”，因为他“是精彩的过往历史之上升起的一面荒诞旗帜，他在政治上什么都不是，除了作为反面典型之外，没有其他任何价值，他彬彬有礼的外表下面隐藏着粗暴荒诞的内心”。法国与他的“恋情”，她预言说：“可能就像一部轻松的爱情小说开头的章节；这种情况下，恋人们通常以相互憎恶对方或大吵一架分手为结局。”他的胜利是“各种不同以及反对意见联合起来反对这个国家上层社会的一个痛苦标志”。从一开始，她就断言“一个拙劣的帝国模仿品”将会出现。直到 1849 年 4 月，她仍然拒绝参加总统的招待会。

但是，罗斯柴尔德家族更为关心的是，路易 · 拿破仑可能会像他的叔叔那样追求扩张主义的外交政策，而这可能会将整个欧洲拖入一场大战当中。路易 · 拿破仑 1848 年中期当选议长，仕途开始闪光时，罗斯柴尔德家族就开始担心他的外交政策。认定他是“混乱和骚动”的盟友，他们判定他的走红是战争即将到来的预兆。詹姆斯曾说，路易 · 拿破仑将：

> 投入大量的金钱以确保他们选他当总统，在我看来——我从不相信战争——现在的形势看起来更为黑暗，因为人们现在被迫……制造战争。在交易所，每个人都无比忧郁，因为他们说工人阶级可能会支持他，因为他是一个社会主义者，因而能够从绝大多数普通民众中获得支持……我想清算资产了。

尽管他们在随后的几个月里修正了这一评估，但是他们对他在总统选举中越来越大的获胜可能，心里很不是滋味，他们认为卡韦尼亚克“毫无疑问更好”。两方阵营均接触了詹姆斯，寻求支持，但是他告诉他们：“由于不是法国人，因此他保留自己对这种严肃事务的影响力，不会支持任何一方，他等待着国家作出它自己的抉择，不会反对大多数民众选出来的总统，不管他是谁。”私下里，他预计路易·拿破仑将击败卡韦尼亚克。但是他发现新总统“愚钝，没有任何非凡的领导力”，尽管他献媚地要求詹姆斯应该“经常去拜访他，和他共进早餐”。路易·拿破仑于12月获得胜利后，詹姆斯和贝蒂就焦虑地预计“六月暴动”可能重演，甚至担心法国和普鲁士之间会爆发战争。

这样的担忧，在另一个假设出现后——最早出现于1849年1月——变得更为沉重，即路易·拿破仑“直到将自己变成国王才能停止折腾，而军队和农民将足以保证他获得成功”。詹姆斯毫不怀疑这将是一个“巨大的错误”。1849年前几个月，他焦急地观察着法国外交政策是否出现“向外”的迹象，因为这样的政策将强化路易·拿破仑的复辟势头。而意大利持续动荡的局势似乎也需要法国采取某种干涉行动。在詹姆斯看来：“我们最感兴趣的问题是：我们是否能维持和平。”巴黎每一丁点的骚动似乎都提升了新政府豪赌战争的可能性。“战争将会爆发，”詹姆斯在6月9日预言说，“我们只能听天由命。我们不仅遭受亚洲霍乱的折磨，还遭受着政治和金融霍乱的吞噬……我不相信公债价格将会上涨。”

获悉路易·拿破仑计划联手教皇——他在11月被迫逃离罗马——干涉意大利的事务，而不是站在罗马共和国的一边，他们如释重负，虽然安东尼一开始不明白“他们怎么能在一个共和国还存在的情况下，进入意大利，然后将教皇扶上王位呢”？实际上，这方面旷日持久的争论意味着这将以最后一次外国干涉而告终，这种反对共和主义的干涉最终使得革命宣告终结。第一波打击出现3月，即奥地利对皮德蒙特取得的第二次也是决定性的胜利，在这之后，是5月的托斯卡纳共和国被占领。4月，法兰克福的罗斯柴尔德成员再次整理财产，准备逃亡，因为当时最后一波骚乱浪潮席卷了德国南部，但最终遭到普鲁士、萨克森和汉诺威联手镇压。与之前一样，罗斯柴尔德家族只能站在边线外摇旗呐喊，除此之外，什么都做不了。安塞尔姆急切地希望俄国干预匈牙利，因为他意识到温底什格雷兹独自一人不可能战胜革命者。

只有当各个地方的革命火苗都遭到镇压后，罗斯柴尔德家族才开始认真考虑恢复传统的贷款业务。7 月 4 日，安塞尔姆开始更为积极地讨论奥地利贷款问题，同时敦促巴黎分行通过维也纳分行为匈牙利的俄国军队提供财政资助。他同时开始参与到稳定奥地利汇率的行动中，当时，战争以及白银中止兑换严重削弱了奥地利汇率。到 9 月中旬，一笔数额不大的奥地利贷款以 7 100 万古尔登国债的形式筹集；尽管大多数国债都被维也纳市场吸纳，但仍有 2 200 万古尔登被阿姆谢尔获得，并在法兰克福售出。

自然地，这些交易包含了明确提供给王室反动力量的服务，这点在法国和英国的罗斯柴尔德成员当中引发了一定程度的焦虑，这两个地方的成员相当同情匈牙利的革命者。贝蒂根本无法忽视海涅同情匈牙利人的一首诗所表达的悲伤情感，这首诗名为“1849 年 10 月的德国”，海涅当时将这首诗抄送了一份给贝蒂。但是安塞尔姆没时间理会英国亲戚对匈牙利问题的“不安”，建议“你们英国成员应该关注爱尔兰和它的土豆收成，让他们关注身边的事”。卡尔向教皇提供贷款的建议也可以被看做“为虎作伥”，帮助镇压革命。对于 1848 年失望的革命者来说——不仅仅是马克思——其含义不言而喻：“因此我们发现，每个暴君身后都有一个犹太人，就像每一个教皇背后都有一个耶稣会士。事实上，如果不是一支耶稣会士队伍压制思想以及一小撮犹太人往钱袋里捞钱，那么压迫者的渴望将变成绝望，战争也不可能爆发。”

但是，如果将罗斯柴尔德家族刻画成反动力量的金融家，那有些误导，尽管他们之前经常被描绘成此类形象。首先，就如列昂内尔 8 月从维尔德巴特报告说，革命让之前的自由派变得更为保守：“德国的自由党与英国的自由派很不一样。所有富人或生意人都支持社会原来的样子。”詹姆斯最关心的是恢复正常的商业活动——他提醒英国的侄子们说，他是“生意的朋友”，希望“轮子一直在转”。由于国际局势已经比较稳定，他对于借贷政权的政治复杂性并不太在意。比如，教皇将在法国支持下复位的消息得到证实之前，詹姆斯非常乐意与罗马共和国做生意。实际上，当共和国的代表 1849 年 3 月与他接触，希望存入一小笔钱时，问他“是否愿意做他们的生意”，他接受了，“因为我现在就是一名共和国的公民”——非常讽刺，因为他在别的场合经常称其为“该死的共和国”。当教皇的地位在 6 月底恢复时，詹姆斯通知卡尔说，他没有兴趣再与梵蒂冈做生意了。阿道夫对于教皇也没有什么尊重之情——“他迂腐的虔诚都是一堆废话。”他的法国兄弟坚称，每笔贷款都需要附加条件，即确保罗马犹太人的公民权益。因为，如列昂内尔所说的那样：

教皇一度如此的自由化，他过于草率的改革给意大利带来了如此多的灾难，现在虽然不完全是反动的，但也是效仿黑暗中世纪教皇的例子，偏执至最高程度，我甚至不得不说这有些没人性。如果教皇能够与其他任何一家银行做生意，他肯定会离我们而去。

詹姆斯和列昂内尔也不愿意让维也纳分行重拾其传统的角色，即毫不犹豫地充当哈布斯堡政权的支持者。12 月，两人均强烈反对萨洛蒙支撑奥地利汇率的做法，因为他们的对手当时做空投机获利颇丰。

这种政治中立特性在皮德蒙特事件上显露无遗，后者是 1848 年主要的麻烦制造者之一。如安塞尔姆指出的那样，皮德蒙特提供给奥地利的赔款将引发“一桩美丽而又安全的生意”，主要是给皮德蒙特提供贷款的业务以及面向奥地利的支付业务。纳特一开始对此表示存疑——如夏洛特察觉的那样，家族里“更敏感”的成员还没有忘记前一年“可怕的时期”——但是，即便他也能看出这一交易的吸引力。至于詹姆斯，由于他对皮德蒙特的兴趣异常浓厚，以至于安塞尔姆担心他会给都灵政府一种“过于热心”的印象。这低估了詹姆斯作为谈判者的技巧。他在皮德蒙特与奥地利达成和平协议之前就已经打探了有关情况，然后暗示自己正与意大利银行家洽谈交易，后者希望自己发行债券，以排斥巴黎和维也纳的竞争者。9 月，他亲自前往维也纳和米兰，提供了 1 500 万法郎的预支款，作为皮德蒙特的赔款支付给了奥地利政府。最终，他成功地在都灵拿到了 7 600 万法郎皮德蒙特贷款的一半多，只给意大利银行家和公众留了 800 万法郎。

这不仅是因为他希望看到奥地利得到其赔款。就像他向一个名叫卡米洛 · 迪卡武尔的年轻金融家保证的那样，他“非常渴望与这个国家做生意；他不停地对我说，他认为皮德蒙特的基础比奥地利还要好”。在迪卡武尔眼里，詹姆斯“欺骗”皮德蒙特财政大臣尼格拉的方式让他感到震惊。由于认为皮德蒙特不应依赖“这个狡猾的老混蛋罗斯柴尔德”，他后来成为了罗斯柴尔德家族在意大利拓展空间的一个巨大障碍。但是，此时，詹姆斯似乎已经占据了一个重要的立足点，如他自己所说的那样，这点将能够带来与整个意大利的金融“联姻”。类似地，法兰克福分行差不多在同一时期接触了德国的公国，如符腾堡和汉诺威（约翰 · 施蒂韦领导的自由党政府一直掌权到 1850 年 11 月），尽管这些接触均遭到了拒绝。

詹姆斯在都灵的成功也终结了一年的生意停滞。即便列昂内尔和他的弟弟们，此时也准备考虑新的生意，尽管他们仍然对未发生革命的西班牙和美国更感兴趣。水银、棉花、黄金、烟草——甚至尼加拉瓜运河与非洲的落花生——都比提供给政治动荡国家的贷款要安全。

在巴黎，罗斯柴尔德的态度当中也出现了一丝放松的迹象。金融判断的主要晴雨表——公债价格——显示1849年对于总统制政权的信心正在增长（尽管不那么真实）：1848年12月之后的一年里，5%年利率的公债价格从74点上升到93点，纳特对此欣喜若狂。这部分地反映了路易·拿破仑克制的外交政策（带来的效应）。当远征罗马的消息开始散播时，纳特评论说："总体来说，当军队开始行动时，债券持有人将惊恐不已；但这次因为它是为了重建秩序，我也相信它将产生好的效应。"恢复的金融信心也反映了人们逐渐意识到路易·拿破仑远不是"激进左派"的盟友。尽管纳特仍然认为总统是"一个又小又丑的家伙"，但他一天晚上在总统府目睹了社会复苏的迹象后，还是被打动："女士们佩戴着漂亮的珠宝，而叫马车时，头衔都是不能省略的"。"如果我们保持平静，"他满怀希望地接着说，"那么共和制和君主制之间将不存在差异了。"这有些过于乐观：严格地从金融方面来讲，公债价格从未恢复到革命前的水平，这反映了公众对政权的稳定性仍然存疑——这点从安东尼那里可以看出端倪，他不停地警告说，路易·拿破仑将效仿路易·菲利普或共和党人，将屈从于波拿巴的政变。但是，罗斯柴尔德家族已经有足够信心提出一个难以回避的主题：向法国提供新的贷款。

而且，19世纪40年代的铁路狂热也出现了复苏的迹象（莱昂·福谢被任命为公共工程部长最为鼓舞人心）。1849年2月，佩雷尔兄弟公布了他们当时最具野心的计划：一条连接巴黎、里昂和阿维尼翁的铁路，它将融合阿维尼翁至马赛的铁路（巴黎—里昂—马赛铁路线的雏形）。这一计划的目标是复苏北线铁路所依赖的铁路系统，政府为巴黎至里昂线的初期建设投资1.47亿法郎，保证公司获得5%的回报，与此同时，公司投入2.4亿法郎运作铁路99年。实际上，佩雷尔兄弟此时似乎寻求摆脱罗斯柴尔德家族。为了为新公司筹集资金，他们一开始接触了德莱塞尔，并通过他找到了巴林兄弟——这是佩雷尔兄弟与罗斯柴尔德家族出现裂痕的第一个标志。詹姆斯对发生的一切了如指掌，他在5月进行了首次回击，迫使伊萨克·佩雷尔退出北线铁路董事会。没人会想"佩雷尔兄弟与罗斯柴尔德一样了"，他告诉安东尼，"你不知道这些小人多么的卑鄙。他们总是想利用我们的名声"。但是"这些人不需要你时，他们会在你屁股上踢一脚"。

为象征性地彰显自己铁路之王的地位，詹姆斯利用7月北线铁路一条支线开通的仪式，与路易·拿破仑和尚加尼耶一同出现在众人面前。11月，他寻求强行加入巴黎—里昂—阿维尼翁铁路合约的谈判中，他利用晚宴将路易·拿破仑拉入局，并坚持不懈地与新任财政部部长阿希尔·富尔德讨价还价。但是，在佩雷尔兄弟的眼里，这或许是一个不受人欢迎的提醒，警告他们注意自己与"罗斯柴尔德一世"之间的关系。他们的计划遭到了激烈的反对，一种批评者警告，此举将导致“佩雷尔–罗斯柴尔德巨型财团控制马赛到敦刻尔克、从巴黎到南特的所有乡村，控制地中海沿岸、英吉利海峡沿岸以及大西洋沿岸的所有地区，使其成为法国地峡的主人”。形成对比的是，塔拉博和巴托洛尼提出了比较适中的提议——连接巴黎和里昂垄断特征似乎没那么强烈。佩雷尔兄弟提出的巴黎至雷恩的铁路线计划同样遭到了反对，他们计划将这条铁路与右岸铁路终点站连接在一起。当然，他努力追求这样一种“铁路霸权”主义，其中心思想是测试罗斯柴尔德家族的复兴程度。詹姆斯在写给安东尼的一封信里解释说：“最重要的是，人们意识到没我们什么都做不了，因此当我们需要什么东西时，最好的选择就是满足罗斯柴尔德的所有要求，这样很好。”

没有其他东西比这种复原的自信更能说明一切回到原点的现实了——可能除了詹姆斯在1849年与亚历山大·赫尔岑建立的非常矛盾的友谊。赫尔岑是俄国社会主义的奠基人之一，“土地与自由”的说法便是他首先提出来的。赫尔岑1847年1月离开俄国前往巴黎，短暂地去了一趟意大利之后，在1848年5月，也就是革命最为激烈的时候回到了巴黎。他因为自由主义倾向而遭到了国内驱逐，但是当他到了巴黎时，他的观点已经接近于社会主义革命者，如迈克尔·巴枯宁和皮埃尔–约瑟夫·蒲鲁东（另一句著名格言“财富是窃贼”的作者）。实际上，赫尔岑曾资助过蒲鲁东昙花一现的报纸《人民之声》，他提供的资助总额达到了2.4万法郎，当时蒲鲁东还在监狱里面。一个不太可能的人成为最受欢迎的罗斯柴尔德代理人，这让人很难想象。他拓宽了詹姆斯政治视野的事实，可能证实了海涅此前的论断，即他本质上是一个革命者，而不是一个反革命者。

尽管是私生子，但赫尔岑从他的贵族父亲那里继承了一大笔财富，因此我们并不奇怪，他在意大利的时候，罗斯柴尔德家族为他提供了小额银行服务；当他开始出售俄国资产时，他们又帮他投资了1万卢布。赫尔岑后来回忆他如何与罗斯柴尔德相识：

> 他建议应该为我换两手莫斯科储蓄银行的债券。当然，生意那时候还没有复苏，汇率非常差；他的条件并不好，但是我立刻接受了它们，而且很高兴看到罗斯柴尔德的嘴唇露出了一点怜悯的微笑——他将我看做大量在巴黎欠债的俄国王子中的一员，因而称我为伯爵先生……根据罗斯柴尔德的建议，我购买了一些美国股份、法国的一些股份以及在阿姆斯特丹大街的一个小房子，这个房子租给了阿弗尔宾馆。

但是，当俄国政府寻求阻止赫尔岑抵押他母亲在科莫斯特拉的房产筹集更多的现金时，他们要求罗斯柴尔德家族减少提供正统的财务协助。根据赫尔岑自己的叙述，詹姆斯同意接受以抵押房产估价为金额的汇票，但俄国政府拒绝授权抵押，“（詹姆斯）火了，在房间里边走边说：‘我不会允许自己被玩弄，我必须采取针对银行的行动，我将要求得到财政大臣的详细答复！’”尽管从俄国大使基谢廖夫伯爵那里接到了有关他的新客户的警告，但詹姆斯此时以赫尔岑的名义进行了反击，起草了一封措辞尖锐的信，交给了在圣彼得堡的加塞尔；信中，詹姆斯威胁起诉俄国政府，并向媒体曝光有关情况。

他为何要这样做？他不会不了解赫尔岑的政治（观点），因为基谢廖夫已经给他提供了“非常不利于赫尔岑”的观点。如赫尔岑自己所说的那样，他此时“推测我不是一个俄国王子”。答案似乎是詹姆斯开了一个玩笑。赫尔岑对于詹姆斯“现在开始称呼我为男爵”的事实感到困惑不已，更让他困惑的是，詹姆斯拒绝将赫尔岑的信送给加塞尔，直到赫尔岑将交易佣金从0.5%提高到5%，信件才得以成行。这种“险恶而狡猾的无情”意在考验赫尔岑，因为后者拒绝对另外的0.5%作出让步：

> 半小时后，我正沿着拉斐特街的金融冬宫楼梯拾级而上，（沙皇）尼古拉的竞争对手迎面走了下来。
>
> （金融国王）陛下和蔼庄重地微笑着，威严地伸出他的手（说），“信件已经签名并送了出去。你会看到他们将改变主意。我将告诫他们不要捉弄我。”
>
> “只要不是要0.5%（的佣金就好）。”我觉得想跪下来，并满怀感激和忠诚地向他发誓，但是我还是控制住自己：“如果您对它感到非常确定，请允许我开一个账户，如果能拿到全部数额的一半就好了。”
>
> “非常乐意。”国王陛下回答说，然后消失在拉斐特大街上。
>
> 我（向他）表示了臣服……

6个星期以后，钱到账了。“从那个时候开始，”赫尔岑回忆说，“我与罗斯柴尔德形成了最良好的关系。我对他来说就像是马伦戈或奥斯特利茨，他数次在我出现在他身边的时候，淡淡地微笑着描述行动的细节，他同时大度地放过那些被打败的对手。”赫尔岑被波拿巴政权赶出巴黎时，詹姆斯继续照看着他在美国的投资以及其他形式的债券（他的名字出现在1851年的资产负债表里，欠巴黎分行5万法郎）。此外，当他希望前往巴黎的时候，詹姆斯会给他弄到许可证。詹姆斯还把他推荐给伦敦分行，后者接管了他在英国流亡时期的账户。

赫尔岑从叛乱分子转变成投资者，从罗斯柴尔德的批评者转变成他们的客户，在许多方面象征着欧洲思潮的转变——因为詹姆斯自愿与一个著名的革命者玩这场游戏。他知道提供给赫尔岑的钱用到资助《工人之声》上面了吗？即便知道，他也不会为此担忧。到1849年年底，革命已经结束，更为迅猛、也更持久的经济发展步伐使得1848年的情形很难重演。在赫尔岑眼里，他视罗斯柴尔德家族为这种飘离革命政治趋势的具体代表：

> 一个罗斯柴尔德成员……早上必须出现在办公室里，将他上亿的资金资本化；巴西发生了瘟疫，意大利爆发了革命，美国四分五裂——所有事件都壮观地发展着：如果有人跟他谈论不承担职责，谈论不同的财富分配（方法），那他自然听不进去。

当然，这些转变是因为一个新的时代即将来临：这个时代里，冲突发生在资本主义内部而非外部；发生在国家之间，而非阶层之间。

第五章

重新崛起（1849~1858 年）

THE HOUSE OF ROTHSCHILD

我 5 点睡着，但 6 点就醒来了。我做了一个梦，梦见一个巨大的吸血鬼正在贪婪地吮吸我的鲜血……很显然，当投票的结果公布出来的时候，震耳欲聋的疯狂欢呼声回荡在整个上议院的上空……我们没有道理遭受到如此大的憎恨。

夏洛特·德·罗斯柴尔德

1849 年 5 月

尽管他们设法控制住了金融领域的风暴，但 1848 年还是成为罗斯柴尔德家族命运的转折点——不过原因与经济和政治都没有关系。在大革命刚刚结束后的那些年里，罗斯柴尔德家族和公司的结构出现了很多问题。在翻阅他们的往来信函时，人们会很容易忽视掉老迈耶当时仍然健在的 4 个儿子其实都已经进入垂暮之年的事实。在 1850 年的时候，阿姆谢尔已经 77 岁，萨洛蒙已经 76 岁，卡尔已经 62 岁，而且身体状况都不好。只有詹姆斯还处于精力充沛的 56 岁年龄段。

从另一个方面说，长寿是这个家族的特点：尽管他们的父亲在 68 岁时去世，但他们出生于 1753 年的母亲，亲身经历了一个统一的德意志在她的家乡召开代表大会并给一位普鲁士国王加冕，使他成为一位统治整个德国的新国王的历史时刻。事实上，古特尔 · 罗斯柴尔德在 19 世纪 40 年代时成为很多幽默的代名词，比如《时代》的一篇报道中描述的：

> 德高望重的罗斯柴尔德夫人来自法兰克福，现在很快就要成为一位百岁老人，在她上周身体略感不适接受过治疗后，她非常友善地向她的医生指出给她开的药没有什么效果。“夫人，我还能怎么做呢？”医生说，“很遗憾我不能让您返老还童。”“你错了，医生，”这位诙谐的女士反驳道，“我并没有要求您让我返老还童，我所希望的是长命百岁。”

关于这个故事的漫画很多，其中一幅名为《老奶奶的 99 岁生日》，画面上是詹姆斯对来祝寿的众人说：“先生们，等她的身体恢复了，我将给国家捐赠 10 万古尔登，一点小钱，聊表心意。”画的背景处是古特尔（见图 5–1）。同样的笑话还有另外一个版本：一名医生保证她“活到 100 岁”。“你在说什么呢？” 她很坚决地打断他的话，“如果上帝让我活过了 81 岁，他就不会在 100 岁的时候叫我去！”

图 5–1　佚名，《老奶奶的 99 岁生日》，（大约 1848 年）
资料来源：富西斯，《犹太人讽刺画》，第 146 页。

她拒绝搬离位于过去犹太老街的那所“绿色盾牌”老宅的固执，也引发了与她同时代人的很多遐想，它总是让人不自觉地将罗斯柴尔德家族非凡的经济成就与某些犹太戒律联系在一起。路德维希 · 伯尔内早在 1827 年就为此替她谱写了颂歌：“看，这就是她的居所，一所如此狭小的旧屋…… 她无欲无求，尽管广大的帝国由她的儿孙们掌管，留给她的也只是祖先留在犹太老街的这所小屋。”当查尔斯 · 格雷威尔于 16 年后到访法兰克福时，他惊奇地看到“罗斯柴尔德家族的老太太”出现在“昏暗、破旧的楼里……（这座楼）一点都不比”这条“犹太街道”上“其他的房子好”：

> 在这条狭窄、昏暗的街上，在这所破旧的老房子前面，站着一位身披绿色丝巾的精干的老太太，一名身着蓝色制服的男仆守在门边。现在，门是打开的，只见这位老太太正从昏暗、狭窄的楼梯上走下来，搀扶她的是她的孙女查尔斯 · 罗斯柴尔德男爵夫人，男爵夫人的马车正等在街头。两名男仆和一些女仆负责帮助老太太坐进马车，很多住在同一条街道的人聚集在对面看着她坐进去的这一幕。我以前从未见过如此让人迷惑和震惊的反差：这些女士，无论是老

的还是少的，她们身上的服装以及车上的配饰，甚至包括仆人的制服，是如此的光彩夺目，与之形成鲜明对比的是这位老人坚持不愿搬离的这条街道是如此破败。[①]

1849年的5月7日，古特尔在她还健在的儿子们的守护之下，最终还是去世了，享年96岁。

这只是这个家族的辞世大潮中的一件。在此一年之前，阿姆谢尔的妻子埃娃辞世。在1850年，内森的寡妻汉娜走了，与此同时，她的孙子——纳特的二儿子——迈耶·阿尔伯特也走了，这件事让巴黎的罗斯柴尔德家族深受打击。卡尔的妻子阿德尔海德卒于1853年，一年后，萨洛蒙的妻子卡罗琳也相继去世。这些事件对第二代那些年迈的家族成员所造成的影响是很容易预见的。迈耶·卡尔注意到他母亲的去世怎样“深深地影响了”阿姆谢尔。“这件事对他来说是一件重大的损失……我无法告诉你，我们后来熬过了多少悲惨的时光……阿姆谢尔叔叔把自己关在屋子里，不过在真的令人非常恐惧的第一波悲恸过后，感觉上好了很多。”事实上，当全家人集中到法兰克福为古特尔举行葬礼的时候，阿姆谢尔也仅只是略微镇定了一点点。他和他的兄弟萨洛蒙在他们的风烛残年中忍受了很多孤独凄凉，他们花在账房的时间越来越少，而花在花园里的时间越来越多。

在刚刚恢复日耳曼联邦议会新普鲁士代表身份，名叫奥托·冯·俾斯麦[②]的奸雄式、超级保守的容客[③]眼里，阿姆谢尔是一位可怜的老人。在到达法兰克福不久后，俾斯麦在给他妻子的信中说道，“在货币领域”罗斯柴尔德在法兰克福的社会中理所当然地是“最杰出”的人。但“如果把钱和薪金从他们身上拿开，你就会看到”他和其他的法兰克福人一样，其实是“多么平凡无奇。”当阿姆谢尔提前10天（主要是为了确定他能接受邀请）邀请俾斯麦参加晚宴时，他这个新面孔令人讨厌的性格特征表现得一览无余——他回答说他应该会到场，“如果届时他还活着”。这个回复“使他大为震惊，以至于他对所有人都重复这句话‘天哪，他怎么会提到死活这样的问题呢？这个人是这样年轻、这样强壮’。”以俾斯麦有限的收入和微薄的薪水来说，他肯

---

① 按照格雷威尔的说法，古特尔经常有这样的出行，而且“长期坚持不懈地去看歌剧或者其他演出”。很显然，他并不像伯尔内和其他人所认为的那样清心寡欲。

② 奥托·冯·俾斯麦（Otto von Bismarck），1815~1898年，德国政治家，德意志帝国第一任首相。——译者注

③ 意为地主之子，原为普鲁士的贵族地主阶级，19世纪后开始资本主义化，成为半封建型的贵族地主。这里泛指年轻的德国贵族。——译者注

定会对阿姆谢尔宴会上呈现在他面前的银质餐具、金质刀叉和汤匙、新鲜的蜜桃和葡萄以及琼浆美酒的盛况印象深刻并心生厌恶。当这位老人在餐后骄傲地对俾斯麦炫耀他最心爱的花园的时候，俾斯麦再也掩饰不住他内心的蔑视：

> 我喜欢他，是因为他是一位真正不择手段的老犹太人，而且他并不试图掩饰自己的出身；他严格遵守他们的教规，吃饭时除了教规中认为清洁的食物外不碰任何其他东西。“约翰，带点面薄（包）给小鹿。”当他带我去观赏他养有鹿的花园的时候，他这样对他的佣人说。“兰（男）爵先生，这棵树花了我两欠（千）古尔登，老实说，是两欠（千）古尔登闲（现）金。您要的话，一欠（千）块拿去；干脆，您要喜欢的话，我就党（当）礼物送给您，他会给您松（送）到家里。尚（上）帝知道我是多么得尊敬您，兰（男）爵，您真的是一表任（人）才，一位优秀的人。”他个子不高，很瘦小，头发已经花白。他是他们那一辈人里的老大，但在他的宫殿里他却是一个可怜的人，一个绝后的鳏夫。很多事情他都被他的仆人蒙在鼓里，而且还被他的那些法国化或者英国化的侄子侄女们所鄙视，这些人在等着继承他的财富的同时，对他却没有任何的爱戴和感激。①

正像俾斯麦的精明预言一样，最后的问题来了——财富由谁来继承——这些财富占据了老罗斯柴尔德家族财富的绝大部分，他们因此花费了很长时间对他们的遗嘱进行了左修右补。在多年以前的1814年，阿姆谢尔曾经开玩笑说，一个富裕的德国犹太人和一个富裕的波兰犹太人之间的差别是后者会“在他刚开始失败的时候死去，而富裕的德国犹太人只会在拥有了巨额财富后才死去”。40年后，阿姆谢尔成为他自己说法的典型例子，他在家族企业所拥有的股份价值近200万英镑。但是谁将继承这些财富？在长期以来祈求生个儿子的愿望没能实现之后，阿姆谢尔开始认真考虑他12个侄子中每个人的优劣，特别是那几个定居在法兰克福的侄子（首当其冲的是卡尔的儿子迈耶·卡尔和威廉·卡尔。最后，他将自己在家族生意中的股份按下面这种形式进行分配：詹姆斯得到了1/4，安塞尔姆得到了1/4，内森的四个儿子均分得

---

① 随后，阿姆谢尔提出将他在黑森州的房子租给俾斯麦，但俾斯麦拒绝了，因为他感觉这是企图讨好他的一个试探。按照其他的主要敌视者挪威国王的说法，“每当外国王子或者部长，也或者是其他的大人物来到法兰克福的时候”，阿姆谢尔都要做诸如此类的事情。在他的晚宴上总是“通过炫耀金银餐具和奢侈品来显示其无比的华贵和奢华，他总是通过告诉来宾他去哪儿买来的鱼和肉，以及他为这次聚会所耗费的巨资来给大家取乐……每时每刻都尽显暴发户的本色以及高利贷者和票据交易贴现商人的狭隘心理”。

1/4，卡尔的三个儿子均分得最后的 1/4。

萨洛蒙有一个继承人，而且在巴黎还有一个女儿。但或许是因为和安塞尔姆在维也纳时，对于革命危机可能出现的高潮的认识话不投机，而且说过重话，萨洛蒙力图不把安塞尔姆列为唯一的继承人。他设计了一种非常复杂的方案，把自己名下的绝大部分财富直接转给了自己的孙辈。起初，他似乎考虑把几乎全部的财产（175 万英镑）留给他女儿贝蒂的孩子（男孩每人 42.5 万英镑，而夏洛特只有 5 万英镑，但在她与纳特结婚的时候已经给过她 5 万英镑），只把他的三所房子留给了安塞尔姆和他的儿子，而留给他们已经出嫁的姐妹汉娜 · 玛蒂尔德的只有 8 000 英镑。他告诉安塞尔姆说，至于他的巴黎饭店将留给“你和你的儿子们……我重复一遍，是给你和你的儿子们。我已经认真考虑过，增加了一个条款（来确保它可以一直作为他们的财产）百年不变——女婿或者是女儿都没有任何权利来主张这份财产”。这从某种意义上来讲是一种在身后发挥最大影响力的策略，与他父亲迈耶 · 罗斯柴尔德在 1812 年时的所作所为颇为类似；事实上，把女性从家族产业中排除是他从父亲身上继承下来的观念。但与他父亲不同的是，萨洛蒙决定他的孙子中最终只有一人可以从安塞尔姆处继承他在家族生意中的股份——这是在几乎一直平均对待所有男性继承人的家族中是一个新出现的情况。在萨洛蒙于 1853 年最后确定的遗嘱附件中，他废除了将继承人的选择权留给安塞尔姆的条款，指定了（但最终没有实现）他的长孙内桑尼尔。但最终，萨洛蒙的所有计划全部泡汤，最后的实际情况是继承他财产的是安塞尔姆，同时也由安塞尔姆来决定谁做其继承人。另外，俾斯麦也说对了，年青一代的罗斯柴尔德们都嘲笑他们的老叔叔。拜访总是“一脸苦相而且总是郁郁寡欢”的卡尔叔叔，是一件特别令人痛苦的事情。如果 1855 年注定要有一件悲痛事件发生的话，那么，不会有什么事能比萨洛蒙、卡尔和阿姆谢尔在仅仅 9 个月之内就相继撒手人寰更令人欷歔了。

这次死神的突袭发生在罗斯柴尔德家族的金融业务出现剧烈震荡的时期。正如我们已经讲到的，不得不被销账的、在维也纳机构发生的巨额亏损很难以让人释怀，特别是伦敦的合伙人，他们对叔辈们那种鲁莽的业务方式可能出现的最坏可能性的担心，看起来已经被证实了。遗憾的是，公司的结构意味着由萨洛蒙造成的损失必须由大家来共同承担；而且他的个人股份在公司总股本中所占的比例也不会相应减少。这种情况很好地解释了为什么在紧接着革命结束后的那段时间，由迈耶 · A · 罗斯柴尔德在差不多 40 年前呕心沥血建立起来的把儿子和孙子融合在一起的这种血缘联系，会面临如此巨大的分离压力。具体来说，伦敦方面寻求能把他们自己从对 4 个大陆银行的承诺义务中“解放”出来，因为这 4 个银行由于欧洲大陆发生革命而遭遇了惨重的损失。正如纳特在 1848 年 7 月时所说，他和他的兄弟们希望能够“作某种安排，以便每家银行都可以有相对独立的位置”。当“商业和金融大会”的想法首次在 1848 年 8 月提出来的时候，对这个会议前景的忧虑笼罩着夏洛特：“阿姆谢尔叔叔正遭受着丧妻之痛，这使他看上去很虚弱，也很痛苦；萨洛蒙叔叔正遭受着失财之痛；詹姆斯叔叔正为法国局势的不确定而头痛；我的父亲（卡尔）也很焦虑，尽管我的丈夫状态非常不错，但是也一旦得理，绝不让人。”

当詹姆斯在 1849 年出发前往法兰克福去探望他的兄弟和侄子们的时候，贝蒂满心希望大会能“改变我们各家银行之间的基础，跟随伦敦银行，让大家都能从目前这种不能适应政治发展状况的限制中脱离出来”。在同一年中稍晚的时候，巴黎和伦敦之间的紧张关系升级成为争吵，因为詹姆斯听说迈耶 · 卡尔已经“命令”戴维森兄弟“不要再给巴黎发送任何黄金”——这可是英国方面最高层领导的指令——这让詹姆斯觉得再也无法忍受。而在巴黎银行自身内部，纳特和詹姆斯的摩擦也是由来已久。前者由于比他的叔叔表现得更谨慎，因而生意一直都比较顺手，但正如我们前面看到的，革命几乎摧毁了他作为商人的神经。“我建议你们在正常的商业交往中一定要加倍小心。”他在危机最严重的时候所写的一封典型的信件中这样劝告他的兄弟们。

> 对于我来说，我现在对生意是如此厌恶，不想再接手任何类型、任何性质的业务……整个世界局势的现状是革命每时每刻都在蔓延，我认为，如果一个人跃入齐颈的开水中只是为了寻求赚一点小钱的机会，那简直就是完完全全地疯了。我们的好叔叔们是如此可笑地着迷于为生意而生意，而且他们这样做的目的，只是不想让别人做任何他们发现别人想做，而又不能放任让别人去做的事情。从我的角度说，我十分确信巴林银行再怎么努力进军西班牙水银市场对我们也没有任何威胁，如果他们选择这样做，就让他们去做，我们自己应该知足常乐，并以平常心对待。

贝蒂也看到了这种情况。她曾经评论道：“我们的好叔叔（阿姆谢尔）无法接受我们的财富缩水的现实，他急切地希望将它恢复到以前的水平，为此，他会毫不犹豫地将我们重新抛回危险业务的折磨中。” 但是，詹姆斯对纳特的这种怯懦越来越不耐烦。夏洛特猜想詹姆斯应该肯定会欢迎他的侄子从生意中撤出，因为这使得他年龄稍长的两个儿子阿方斯和居斯塔夫（他们的第一次露面出现在 1846 年的函件中）可以有更多的机会参与到业务中。正如贝蒂所指出的，这种长期以来的“兄弟团结的老传统”似乎“已经接近分崩离析的边缘”。

这些还不是家庭失和的唯一原因。甚至早在 1848 年革命爆发之前，法兰克福银行就对伦敦方面的态度有很多怨言。安塞尔姆抱怨道:“做最卑微的仆人是一件非常不舒服的事情,在执行您的指令时甚至都无法通过西班牙的信使了解事情的进展情况。准确地说,是我们根本无法表达自己的意见,很久以来,我们就一直在这个由不同的公司所组成的群体中被归类为二等公民。”正如这段话所暗示的,安塞尔姆认为,作为下一辈人中的长子,他应该成为阿姆谢尔在法兰克福的继承人。然而,维也纳分部所受到的打击改变了所有这一切,因为这个变故促使他继承了他父亲在奥地利的位置。也是基于同样的想法,卡尔希望他的长子迈耶·卡尔到意大利继承他的事业。然而,没有子嗣的阿姆谢尔更坚决地认为迈耶·卡尔应该在法兰克福接替他,让他能力稍逊的弟弟阿道夫去那不勒斯。就像詹姆斯所看到的,这样的争论不仅发生在这几个年迈的兄弟之间,也同时发生在他们的儿子和侄子之间,原因很明显,他们都觊觎着法兰克福银行,因为它仍然主宰着维也纳和那不勒斯分部的业务:“安塞尔姆在和迈耶·卡尔较劲。迈耶·卡尔在和阿道夫较劲。”尽管夏洛特很明显与她的哥哥一个鼻孔出气,但她在日记里还是详细描绘了这种竞争所产生的那种不和谐气氛:

> 迈耶·卡尔很成熟,他是这个世界上最杰出的人士,一个国际公民。他正值盛年,处于无可置疑的权力巅峰。他通过他迷人的举止、活泼的天性以及睿智的谈吐为他自己赢得了比安塞尔姆要多得多的支持率。事实上,他在法兰克福是一位广受欢迎而且深受喜爱的人物,他受欢迎的程度使我的姐夫无论是过去、现在还是将来都望尘莫及。我深信他所掌握的知识的广度和深度绝不亚于安塞尔姆,我无法评价他是否是一名经验丰富的生意人,他对重要事件的判断能力是否正确,他是否是一名出色的作家或者是演讲家…… 安塞尔姆总是在我哥哥面前表现优越感,这种情况是非常没有道理的,因为要想找我哥哥这么一位有才华的人,您可能得搜遍整个帝国。或许,他的天资达不到追求人文思想的科学机构所要求的全面的研究能力和长期的学习能力。然而,作为一个银行家和世界杰出人士,作为一位欧洲社会中举止优雅的受过良好教育的成员(因为他在所有国家及阶层中都能游刃有余),在我看来他没有任何对手。安塞尔姆用这种轻侮的态度对待我哥哥是很不公平的,而且有些卑鄙。

最后,我们应该牢记的很重要的一点是,在1848年的大动荡后,伦敦和巴黎对维也纳银行的愤怒和不满。曾经有很多次,詹姆斯的言辞中都表露出连他都很想切断与维也纳的联系。“我对维也纳没有兴趣。”他在1849年给纽考特写的信中这样说,“当其他人都在那儿对政府进行投机的时候,我们在维也纳的人却一点儿都不聪明,而且很遗憾，他们都是一群差劲儿的生意人。他们只会一根筋地认为他们做生意的目的是为了国家的利益。”

罗斯柴尔德家族的合伙制度在1852年终于进行了更新，对1844年确立的体系进行了一些调整，并在随后的20多年中取得了不亚于之前体系的辉煌成绩。原因是什么？罗斯柴尔德家族公司作为跨国合伙制企业能存活至今的最好解释，在于詹姆斯在化解代沟，并把家族中分歧日益增大的各个分支机构再次重新绑在一起的整个过程中所起的至关重要的作用。正如夏洛特1849年在法兰克福看她的叔叔时说的一样，詹姆斯从1848年的危机中重新崛起，而且他对生活和生意的欲望丝毫没有减弱：

> 我以前很少能见到如此精明能干的人，如此具有国际意识又如此谨慎，无论是思维还是身体都是如此积极主动，不知疲倦。当我想到他成长于法兰克福的犹太街，在他的孩提和青年时代从来没有享受过高雅文化的熏陶时，我就更加惊奇，对他的仰慕根本无法用言语表达。无论是任何事情，他都能从中找到乐趣并且自得其乐。他每天写两三封信，口述至少六封，阅读所有的法文、德文和英文的报纸，冲澡，睡1个小时的回笼觉，玩三四个小时的扑克牌。

这就是詹姆斯离开巴黎后每天的日程安排。年轻的股票经纪人费多在拉斐特大街上遇到的詹姆斯，仍然具有海涅在诗篇中所描绘的他在青春全盛时期所洋溢的自然魅力，如果要说有什么变化的话，只能说年龄只是增加了詹姆斯的威严。

尽管詹姆斯年轻时精力充沛，但他当时深深地浸润在他父亲那个时代所形成的家族特质里。在1848年以前，他一直忧心忡忡地关注着5家公司相互间发生争执的各种迹象。他在1847年4月警告列昂内尔，有关账目的纷争将会引发“这样的事态，最终结果是每个人都只考虑自己的利益，这样会产生大量的不愉快”。“深藏在我心中的只有家族的声誉、幸福和团结。”在回复父亲迈耶老生常谈般的警告时，他这样写道：“作为商业交往的一个成果，我们保持着团结。如果大家每天都分享且能接收到同样的账目，那么所有的一切都将按照上帝的愿望继续保持着团结。”正是秉承着这样的理念，詹姆斯在1850年的夏天回来了，随同他一起回来的，还有满腔的热情和急迫的心情——下面所抄录的是一封充分说明这种重要意义的函件：

> 打破一样东西要比将它再次聚合起来更容易。我们已经有足够多的子嗣将我们的生意延续百年，因此，我们不应该相互为敌……我们不应该自欺欺人：当（单独的）公司不再存在——那时我们已经没有了团结，也没有了业务合作，

然而所有这些在世人眼里是我们真正的力量之所在——那一天，就是我们的生存面临危机，而且每个人都得自寻出路之时。善良的老阿姆谢尔会说："在家族的生意里我有200英镑，但是现在我打算取出来。"我们有什么办法来阻止他？一旦没有少数服从多数的决策方式，他可以娶戈尔德施密特，而且说："我可以按照我的意愿把我的钱投到任何行业。"那时，我们的余生将会在永远无法摆脱的自责中度过。亲爱的列昂内尔，我相信我们是能在法兰克福发挥影响力的仅有的两个人，我们必须将我们的目标确定为在所有合伙人之间恢复和平……如果我们不留神，可能出现的情况是高达300万英镑的资本可能会落入外人之手，而不是传给我们的孩子。我想问你，难道我们发疯了吗？你可能会说我老了，而且我的目的是想提高我的资本的权益。但首先感谢上帝，我们所有人的资本储备都要远胜于我们上一次签署合伙制合同时的情况；其次，就像我刚到这里的那天跟你说的，你将会在我的身上看到一个全心全意的叔叔，他会以他所有的能力来达成必要的妥协。因此，我认为我们必须理清楚这些争论的思路，并做我们力所能及的事情——让两方都作出一些牺牲来保持团结，感谢上帝的恩惠，团结保护我们度过了最近发生的所有这些灾难，我们每个人都必须努力去看看自己能做些什么，来为实现这个目标做出自己的贡献。

这些就是詹姆斯在1850~1851年间经常重复的理念。"我向你保证，"他告诉列昂内尔的妻子夏洛特（他把她当成了自己的同盟者），"家族就是一切：它是在上帝的仁慈帮助下，我们所拥有的幸福的唯一源泉，它维系着我们（相互间）的依恋，它是我们团结的纽带。"

由于詹姆斯为维系团结所付出的努力，1852年的合伙制合同因此也是顺理成章的——不是弱化各公司间的联系，而是通过妥协保留这种联系。妥协的主要内容是英国合伙人放弃他们完全独立的主张，作为交换，他们得到了较高的资本回报率。早在1850年，詹姆斯就提出了这种妥协的框架：用纳特的话说，建议"对于我们的资本回报率应该提高"，前提是英格兰银行总能比其他银行获得更多的赢利。这是我们上面抄录的他给列昂内尔的那封信中的主要要点，同时也是大家最终在1852年所同意的新的体系的基础。英国合伙人得到了各种各样的好处：他们的退股部分不仅可以得到26.025万英镑补偿，他们股份（此时占总股份的20%）的利息也增加到3.5%，而詹姆斯的是3%，卡尔的是2.625%，阿姆谢尔和萨洛蒙则是2.5%。另外，业务管理联合行动的规定也有所松动：从今往后，合伙人不再需要因为多数人要求就必须得进行商务旅行，在对地产投资时也不需要再使用集体基金进行融资。为了回应这些让步，英国合伙人接受新的合作体系。协议第12条中说，“为保证一种公开的、兄弟般的合作，并发展大家共同互惠的商业利益”，应该向其他所有合伙人通报任何超过1 000万古尔登（约合83万英镑）的交易，并在互惠的基础上提供最高10%的参与机会给其他合伙人。老协议中的那些没有被新协议条款修订过的所有条款仍然保持效力，比如共同账目的操作程序。这些措施毫无疑问代表了一种分权的做法。但考虑到另一种选择（在随后的一年中进行了严肃认真的讨论）是对家族集体企业的全面清算，因此对詹姆斯来说，这个成果的取得代表了一场新的胜利。

1852年协议中没有解决的是决定法兰克福的继承人（除了排除了阿道夫的备选资格外）：从此之后，安塞尔姆、迈耶·卡尔、威廉·卡尔都在竞争法兰克福银行的这个职位。（同时，也给阿方斯和居斯塔夫提供了竞争巴黎公司位置的机会。）当詹姆斯的几个兄弟在1855年辞世后，新的公司结构才最终尘埃落定（参见表5–1）。尽管萨洛蒙在遗嘱中作了明确的规定，但是他在集体资本中的所有股份还是转给了安塞尔姆（这是詹姆斯在代表他的妻子提出异议的时候显得不是很坚决所产生的结果，而对于詹姆斯为什么这样做的原因不详）。卡尔的股份在减掉给女儿夏洛特的1/7后，在他的儿子间平分。最后的决定是，阿姆谢尔的股份按下面这种方案进行了分配：詹姆斯和安塞尔姆每人得到1/4，内森的几个儿子和卡尔的几个儿子也各得1/4。所有这些变故的最后结果就是，安塞尔姆、詹姆斯与英国出生的合伙人之间的实力基本均衡，而卡尔几个儿子的影响力被大大削弱。在决定将阿道夫派去负责那不勒斯公司的业务，而将法兰克福留给迈耶·卡尔和他那对宗教十分虔诚的兄弟威廉后，他们的影响力被进一步削弱了。

这就是在现实中所达成的妥协。在1852年之后，詹姆斯准备提出一项与他的侄子们的想法相差更大的史无前例的改革，但新的董事会不再听候詹姆斯的指令——这可以很容易地从他给伦敦的信在1848年后篇幅大幅缩水的情况中推断出来。他在给纳特的信件中出现“又及”内容的情况越来越多，而且在他对业务的建议中，最后常以这样的话语结尾——就好像是在提醒自己和他们之间不再有主次之分：“亲爱的侄子，你想怎么做就怎么做吧。”这毫无疑问极大地满足了列昂内尔的虚荣心。1852年的妥协意味着1848年以前那种业已存在于5个公司之间的合作体系得以恢复，只是做了适度的分权。巴黎和伦敦公司的资产负债表表明相互间的依存度确实比19世纪20年代的时候要小一些，但总体来说还是非常大。例如，巴黎公司在1851年12月资产中的17.4%，是其他的罗斯柴尔德公司欠它的钱，而其中主要又是伦敦所欠。

表 5–1　合并后罗斯柴尔德资本中的个人占股情况，1852 年和 1855 年

1852 年	英镑	英镑	百分比(%)	1855 年	英镑	英镑	百分比(%)
列昂内尔	464 770.75	1 859 083.00	20.05	列昂内尔	685 536.86	2 742 147.44	25.8
安东尼	464 770.75			安东尼	685 536.86		
纳特	464 770.75			纳特	685 536.86		
迈耶	464 770.75			迈耶	685 536.86		
阿姆谢尔		1 859 083.00	20.05				
萨洛蒙		1 859 083.00	20.05	安塞尔姆		2 742 147.44	25.8
詹姆斯		1 847 083.00	19.92	詹姆斯		2 727 987.43	25.67
卡尔		1 847 083.00	19.92	迈耶 · 卡尔	805 540.66	2 416 621.99	22.74
				阿道夫	805 540.66		
				威廉 · 卡尔	805 540.66		
合计		9 271 415.00	100			10 628 904.28	100

说明：1855 年的数据根据那不勒斯和伦敦的数据（没有法兰克福、维也纳和巴黎公司的文字资料）进行估算。1852~1855 年间，那不勒斯公司的资本增长了 13.5%，伦敦公司增长了 22.8%；我在表中采用了这两个数据的均值 18%

资料来源：由阿姆谢尔、萨洛蒙、卡尔、詹姆斯、列昂内尔、安东尼、纳特、迈耶于 1852 年 10 月 31 日共同签署的文件；1855 年 12 月重新分配阿姆谢尔和卡尔股份未标明日期的文件。

另外，伦敦的合伙人认为他们的公司比其他公司赢利水平高，最终被证明是过分自信了。尽管那不勒斯和法兰克福公司出现了萧条的迹象（主要的原因都超出了阿道夫和迈耶 · 卡尔所能控制的范围），但詹姆斯承担起了 1852 年后的大多数业务，他的大陆铁路业务扩展是如此成功，以至于到他生命的暮年，巴黎银行的资本已经远远超出了其他合伙公司。安塞尔姆在重建千疮百孔的维也纳公司的过程中所表现出来的商业天才，也让大家大感意外。在让伦敦合伙人来分享这些胜利果实方面，没有任何人表现出任何的不情愿。因此，新的体系开创了一个伦敦和巴黎银行间平等状态的新时代，而在法兰克福和那不勒斯银行的影响力走下坡路的时候，维也纳又重新崛起了。

与过去的情况一样，罗斯柴尔德家族并不只是靠合伙协议和遗嘱来维护家族企业的团结。同族婚配继续发挥着关键的作用。在 1848~1877 年的这段时间内，我们可以看到罗斯柴尔德家族内部不少于 9 桩婚事。显而易见的目的，就是为了加强不同支系之间的联系。在 1849 年，卡尔的三儿子威廉 · 卡尔娶了他的堂兄安塞尔姆的二女儿汉娜 · 玛蒂尔德；一年后，他的兄弟阿道夫娶了她的妹妹朱莉；在 1857 年，詹姆斯的长子阿方斯在加奈斯贝里娶了他的堂兄列昂内尔的女儿莉奥诺拉。在这里把

这些例子一一列举出来是一件非常乏味的事情。[①]在1873年之前仅有一个例外，但就是这些没有在罗斯柴尔德家族内部通婚的，也没有脱离犹太人“表亲关系”的传统太远。[②]1850年，迈耶娶了朱利安娜·科恩——击败了竞争对手约塞夫·蒙蒂菲奥里——而他的侄子居斯塔夫在1859年娶了塞西尔·安斯波。要是威廉·卡尔没有娶到姓罗斯柴尔德的妻子，他可能会娶施纳佩尔——他的祖母古特尔家族的成员。

在将近两代人的时间里，为这些联姻牵线搭桥一直是家族女性成员的主要工作。夏洛特对这一点没有任何的怀疑。当她听到她的兄弟威廉·卡尔与汉娜·玛蒂尔德订婚的消息时，表现得非常热情：“我敬爱的双亲当然会非常高兴，因为他终于没有选择一个外人。对我们犹太人来说，特别是对我们罗斯柴尔德家族来说，最好不要与其他的家族有什么瓜葛，因为这种事情总是会带来不愉快、而且还要耗费很多金钱。”在这种情况下，什么郎才女貌、天作之合全都变成了一派胡言。夏洛特的表姐贝蒂用另外一种完全不同的眼光看待这种婚姻，她告诉她的儿子说，“可怜的玛蒂尔德只能带着无法释怀的遗憾嫁给威廉”，现在她正“用真正天使般的顺从来说服自己奉献出她年轻心灵里的那些烂漫憧憬。我们不得不说，做威廉的终身伴侣对生长在她这种家庭又受过良好教育的女孩子来说，根本不具有任何吸引力”。现在仍然悬而未决的问题是，贝蒂的儿子阿方斯和居斯塔夫应该娶谁。当时的情况似乎是汉娜·玛蒂尔德对后者比较倾心，而她的姐姐朱莉则希望嫁给阿方斯。但在就这件事情对她的儿子做了一番调侃之后，贝蒂这样写道：

> 爸爸是如此直率而实在……他提起这件事情的时候，根本没作任何考虑。他把他所有的悔恨一股脑地告诉了这个可怜的母亲……他使她从幻想中醒悟过来，认识到对成功的渴望最终可能会适得其反，他要求她按自己的想法，但同时也要考虑到女儿的幸福，作决定的时候一定要慎重，三思而后行。

这对夏洛特来说是个好消息，她也正谋划着在贝蒂的两儿子和她的女儿莉奥诺拉和埃维莉娜之间的一举两得的类似的婚姻安排。在她的日记中，她客观地对她的这

---

① 在1826年詹姆斯的儿子萨洛蒙娶了迈耶·卡尔的女儿阿德蕾。1865年，安塞尔姆的儿子费迪南德娶了列昂内尔的女儿艾福林娜。1867年，列昂内尔的儿子内桑尼尔娶了迈耶·卡尔的女儿爱玛。1871年，纳特的儿子詹姆斯艾德华娶了迈耶·卡尔的女儿劳拉·德赫瑟。1876年，安塞尔姆的小儿子萨洛蒙·阿尔伯特娶了阿方斯的女儿贝迪娜。最后，在1877年，詹姆斯的小儿子艾德蒙娶了威廉·卡尔的女儿阿德蕾德。

② 例外是安塞尔姆的女儿萨拉·路易丝，她在1858年嫁给了托斯卡纳贵族拜伦·莱蒙多·富兰奇迪。

两名想象中的女婿各自的优点进行了分析：

> 居斯塔夫是一名优秀的青年。他有一颗最善良也最热诚的心，并且全身心地奉献给他的父母、兄弟、姐妹和亲人。他具有强烈的责任感，他的任劳任怨可以作为他那一代人的榜样。但无论他是否是天才，我其实都无法作出完全公正的评价。他享有良好教育所带来的巨大利益和优势，但他却声称自己很笨，很容易紧张，而且在有陌生人的场合甚至都不能把十个单词说连贯。他们说他在数学方面具备很高的技能，但我对这门学科一无所知，因此也无法作出判断。
>
> 他的哥哥阿方斯则将我们叔叔詹姆斯超凡的精力和活力与贝蒂的语言天赋完美结合在一起。他是一个很好的读者、听者和观察者，他能记住他所接触过的所有事情。他可以用一种很简单的方式谈论任何热点话题，不故弄玄虚，并总是以一种直接、深刻而且轻松的氛围，以最舒服的方式处理各种问题。不过，要是需要什么建议的话，对他可别有什么指望，因为他从来没有提出过任何建议，或者是他根本就没有什么建议可以提。但听他谈话总是一件乐事，因为他说话不带任何感情色彩，而且总是以一种迷人的、生动的语调来讲。
>
> 迪斯雷利太太说居斯塔夫英俊，我不知道我是否同意她的说法。他是雅各宾一系中唯一能以其炯炯有神的、柔和的、湛蓝色的大眼睛来夸这个口的人。在他幼年的时候，他的眼睛长得并不特别漂亮，与罗斯柴尔德家族中其他人的眼睛没有什么不同，而现在他的眼睛已经看不到儿时的任何痕迹，除了一种人们或许可能会叫做忧郁的气质外。他的眉毛长得很精致，眉形很好，淡淡的很清爽；他有一头深棕色的缎子般的头发；他的鼻子不是鹰钩鼻；他的嘴巴很大，然而并不能以能言善辩来赞誉它，最多只能说它温和敦厚，而且它既不暴露对感情的理解，也不显示感情的深度。居斯塔夫人显得精瘦，他风度翩翩，举手投足间透着高贵的气息。我希望能在神龛上看到他的画像[①]。

她的愿望只实现了一半：9 年后，她看到立在神龛上的是阿方斯的画像，摆在了她女儿莉奥诺拉画像的旁边。在那个时候，她早已经改变了她对新郎的看法。现在的阿方斯似乎是“一个 10~15 年来操纵着世界运转的男子汉，他已经完全厌倦了那种花天酒地般的生活，他不会尊重，也不会爱他的妻子，而是要求妻子全身心地去服侍他，像奴仆一样地去服侍他”。然而，她的结论是，这样可能“更好——一个已经没有了激情的男人，感觉上已经没有任何好奇，也没有任何深沉，应该更会是一位安全

① 暗指结婚。——译者注。

的丈夫，而妻子更有可能在履行她做妻子责任的过程中感受到幸福。她醒悟到这一点的时候会很痛苦，但这种痛苦不会持久”。无论如何，她的女儿“攀上了世界上的某个重要的位置，应该不会想要从自己梦寐以求的罗斯柴尔德王朝走出来，而去当一个卑微的普通人的妻子”。①这番感慨毫无疑问基于夏洛特自己的经历，它向我们揭示了这样婚姻安排的根本特质。

以“父母之命”作为决定性因素这样一种原则，当然还是不应该太过分。夏洛特没有能为她的另一个女儿留住阿方斯的兄弟一事表明，父母在孩子们的配偶选择方面的影响力已经大不如前。安塞尔姆的女儿朱莉也拒绝了她的堂兄威廉 · 卡尔的求婚，以及那些亲缘关系更远一点的亲戚，比如内桑尼尔 · 蒙蒂菲奥里的求婚。另一方面，她最终“选择”的阿道夫又完全是由他的父亲以及未来岳父所主导，他们花费了数月来起草这份婚姻契约；尽管这其中的谈判主要涉及单列给新娘的资产数目，以便给她某种方式的财务独立，但这不应该被错误地看成是某种形式的女权至上倾向。②罗斯柴尔德家族对自己女儿的这种折磨也不是没有节制，当老阿姆谢尔在妻子去世后不久即宣布他想与自己的孙侄女、人见人爱的朱莉（当时还不到 20 岁）再婚时，这种情况就显而易见了。家族里的其他人在医生们的支持下团结一致，反对他的这个图谋。不过我们现在无法弄清楚的是，他们的这种反对态度到底有多少是由于担心他的健康，又有多少是考虑到这件事中这位年轻女士的幸福，比如詹姆斯所担心的就是，如果对阿姆谢尔所提要求的拒绝太生硬，他有可能会从公司里退出他的资金，并娶一个外人。

守旧与改良

正如夏洛特所强调的，近亲婚配仍然是罗斯柴尔德家族犹太生活方式的一个组成部分：家族的政策仍然是儿子和女儿不得和信仰不同的人通婚（尽管他们的社会地位已经远远高于他们的教友，但还是不能与家族以外的人通婚）。罗斯柴尔德家族在此期间对其教会所作奉献的程度不应该被低估：无论从哪方面说，它都远胜于 19 世纪 20 年代和 19 世纪 30 年代时的情况，这也是 1848 年后那段时间内家族和睦的另一个重要原因。詹姆斯仍然是最不遵守清规戒律的人。“我衷心希望你们都能度过一个

---

① 她的这种担心从这对小夫妻草草了事的蜜月中得到了证明，这个事情还引起了媒体的负面评论。

② 因此，纳特和他的妻子希望在安塞尔姆的女儿汉娜 · 玛蒂尔德与威廉 · 卡尔结婚的时候，为汉娜 · 玛尔德购买 1 万英镑的公债。

没有一丝遗憾的安息日。”他在1847年给他的侄子和儿子的信中这样写道，“我希望你们过得愉快，而且打猎能够满载而归。你们吃得好、喝得好、睡得好吗？这可是深爱着你们的叔叔和我的殷切希望。”这样一封信的存在本身就证明，他根本不认为在安息日坐到他的办公桌前有什么不妥。他和卡尔在出席犹太聚会时总是会有一些惹人侧目的古怪举止（而他们的妻子则都能中规中矩）。

然而，詹姆斯一直不遗余力地坚守着家族的犹太传统，与他在汉娜·迈耶叛教那些日子里的表现别无二致。尽管他几乎忘掉了1850年的逾越节那天，他非常不情愿地取消了到伦敦的商务旅行，以便研读《哈加达》[①]。1860年，他收到法兰克福拉比利奥波德·斯坦的新作时很是高兴（尽管他捐助的规模没有记录下来）。他的妻子贝蒂与丈夫一样以一种世俗的心态待人接物，但她同时有一个很强烈的意识，认为遵守教规就算不是一种道义责任，也是一种社会行为规范准则。当她听说她的儿子阿方斯参加了纽约的犹太聚会后，她宣称自己“（高兴得）好像跳到了月亮上面”，并继续写道：

> 这是一件大好事，我的好儿子，不仅是出于宗教的情感，也是一种民族情感。以我们所处的社会地位，你的举动对那些可能淡忘掉这些传统的人来说是一个提醒，对那些一直坚守这个传统的人来说是一个鼓励。通过这种方式，你让那些试图责备我们的人能够与我们重归于好，你一定要高度尊重那些具有不同信仰的人。

这说明阿方斯按自己的意愿去参加犹太人聚会明显大大出乎她的意料。

威廉·卡尔在此期间仍然是年青一代中难得一见的正统犹太教徒。他继承了他的叔叔阿姆谢尔反对法兰克福犹太人社区的改良运动，他支持为正统的犹太教徒建立以色列宗教社区，并把基金中的大部分捐出来，在舒泽大街新建了一座犹太教堂。但他反对由新的社区拉比萨姆森·拉斐尔·赫西所提倡的公然的分裂，他要求他的跟随者全部撤出法兰克福的主流社区。作为正统的犹太教徒，威廉·卡尔秉承着罗斯柴尔德家族的原则，认为实践过程中的多样化不应该威胁到犹太教社区的团结。

他的英国堂兄弟们也把自己当成是“以色列好人”，一直遵守神圣日子的要求，避免在安息日工作。詹姆斯有一次在访问巴黎时揶揄安东尼，说他总是在看祈祷书，这个代表着虔诚的印象来自于他的侄子在1849年的赎罪日一丝不苟地斋戒，尽管大家都担心当时正在席卷巴黎的霍乱传染会使斋戒从医学的角度考虑，成为一种非常不

① 载有故事《出埃及记》和逾越节家宴仪式的书，在逾越节家宴时阅读。——译者注。

明智的举动。如果逾越节期间纳特在巴黎，安东尼和列昂内尔就会给他提供逾越节薄饼。就算是在英国度假期间，列昂内尔和他的家庭也都过赎罪日，斋戒并做赎罪日祷告。但这4个出生在伦敦的兄弟并不像威廉·卡尔那样守旧。1851年，迪斯雷利很无心地给夏洛特和列昂内尔送来了一大块波兰公爵送给他的鹿肉：

> 我不知道怎么处置它，这违反了我们的规矩，我认为我找到了一个解决的好办法，将它送给罗斯柴尔德夫人（因为我们在那吃饭的时候实在太多了，但是一直没有见到过这道菜），我根本没有想到过这是不洁的肉，不过我担心它是。不过，由于我提到了赠送人也热爱上帝，我想他们会吃掉它。①

他似乎做对了，尽管这并不是爱戴贵族的反映。实际的情况是列昂内尔的家庭与詹姆斯家的一样，并不严格遵守饮食戒律。事实上，迈耶对鹿肉是如此着迷，他于1866年在福克斯通的政治演讲中竭力为牡鹿狩猎活动进行了辩护！②

对于更大范围的宗教问题，这几个英国兄弟比较倾向于支持改革运动，这与整个英国的大气候有关。当（1853年）倾向改革的西伦敦教会的代表与总拉比发生了矛盾，从而有人试图将他们从教区代表理事会中驱逐出去的时候，列昂内尔公开声明反对这种他称之为“教皇独裁”的做法。“他拥有所有方面的神职权利，但他不应该像天主教牧师一样被他们牵着鼻子走。他们可能是，而且毫无疑问应该是一些知识渊博的人，但他们没有权利来质问他过节是过了一天还是过了两天”——这是守旧派和改革派在实际活动中的一个重要区别。这样的说法就可以解释为什么法兰克福的改革派教区在上一年与主流的守旧派进行斗争的时候会向列昂内尔寻求帮助。

朝向改革的这种趋势在与他们的妻子有关的事情上就更加明显了。出现这种情况的原因可能是传统犹太教的宗教活动一直是以男性为主导的：我们有一些证据表明罗斯柴尔德家的女人几乎没有什么希伯来语知识。以安东尼的妻子路易莎为例，她参与了改革运动的进程，使犹太教的礼拜形式更加现代，而且更加精确，而之前的礼拜堂仪式与教堂仪式比起来显得比较落伍。“如果一个人无法到教堂去聆听一场优秀的布道是多么遗憾的事情。”她在1847年大声疾呼，由于不懂希伯来语使她非常沮丧、但这并不意味着她有任何背叛的企图。她决心要让她的孩子“得到更好的指

---

① 鹿肉可能是允许食用的，但如果是在打猎时射杀的则不行，而送来的这块肉则基本上可以肯定是猎杀的。

② 1859年马考雷在列昂内尔家用过餐后写道：“无论是什么形式的猪肉，一律没有；蒿雀肉馅……配约汉尼斯堡上等葡萄酒，真是一种怎么形容都不过分的美味”。

导，而且可以加入兄弟们公共礼拜的队伍中”。因此，她的女儿康斯坦丝和安妮的成长过程混合了犹太教义与圣公会的形式。安息日在家里进行简短的家庭礼拜后，路易莎给她的女儿们上《圣经》课，当天余下的时间里阅读犹太教和非犹太教的宗教文学，他们涉及的课程包括《以色列历史与文学》。赎罪日的戒律被很严格地遵守着，康斯坦丝在她 1861 年的日记中作了记录。她的母亲路易莎在 1857 年发表的安息日演讲，比如有关诚实、家庭和睦、和慈善等内容，很多都包括在当代的圣公会布道书里：

> 主啊，您让我感到如此幸福，您在您的成千上万的生灵中如此宠爱于我，赐予了我如此多的祝福，我真的不知道应该怎样做才足以表达我对您的感激之情。我只能祈求您使我乐善好施，对那些遭受痛苦的人、那些需要帮助的人充满怜悯之心，使我远离自私自利，使我不会只考虑自己的好恶。主啊，请您让我永远不要忘记，给饥饿的人以食物、衣不蔽体的人以衣物、痛苦的人以慰藉，只要我还有能力和办法去这样做，否则我将不配享受您对我如此慷慨大方的仁慈，不值得您对我如此的厚爱和呵护。荣耀归于我的上帝，阿门。

由于在这样的一种宗教氛围中成长，因此路易莎的女儿们像她们的母亲一样喜欢去威斯特敏斯特大教堂做礼拜也就不足为奇了。更加不同寻常的是，夏洛特成长于法兰克福那种非常守旧的氛围中，居然也有类似的倾向。在她给儿子利奥的信里显示，她经常参加非犹太人的宗教仪式和活动。作为地主，她认为她没有理由不参与自己地区圣公会教堂的事务里。她在 1866 年聆听了牛津主教在艾克顿教堂（靠近加奈斯贝）里典礼上的布道，她坦承她被他的弥撒给迷住了，但伦敦主教在伊令的一座教堂里所做的同样的事情就没有给她留下太深的印象。在这方面，她并没有显得太独特：迈耶的妻子朱利安娜在捐赠蒙特莫尔地产时对牧师的任免进行了直接的干预，促使一名牧师离职。[①]夏洛特被英国天主教的时尚世界所吸引，鉴证了（时间跨度正好一年的时间）一场天主教义卖活动，由曼宁大主教主持拿撒勒教堂典礼，在肯辛顿的加尔默罗修道会礼拜堂以及在慈善修女会教堂举行两仪式。在每次活动中，她都要回请这些天主教朋友，比如洛西恩夫人和林德赫斯特夫人。

夏洛特总是把她在这些场合中的所见所闻与犹太人聚会礼拜的情况作比较，比较后得出的结论并不总是有利于她自己的信仰，因而她会出现比较强烈的批评倾向。

---

① “我希望，”夏洛特说道，“差异可以得以解决，因为在宗教活动活跃的时候，基督教牧师与犹太人捐助者间的争吵总是让人感到不快。”

在出席犹太免费学校的颁奖仪式时，她觉得：

> 我被那些参加典礼的各色人等之间的反差所深深地刺痛，这些人有犹太学生、主教、资助人、朋友和来宾，他们也参加过（天主教）慈善会的类似活动……艾德雷博士（可能是总拉比的儿子赫尔曼，贝斯瓦特犹太教堂的首席牧师）简单讲了几句话后就匆匆离去，就好像房间里面有什么瘟疫在流行似的，而格林先生（中央犹太教堂的A·L·格林拉比，他同时还是替她颁奖的人）从侧门逃也似的离开，没对任何人说半句话。没有一个来宾，一个很大的空间里摆满了空椅子。我一个人就霸占了如此大的地方，让我感觉无地自容，我宁愿退到唱诗班附近的一个角落里。天主教的跪拜及表现的礼仪、绚丽的仪式，他们的各种做法、各种优秀的做法是那么高贵和庄重，而我们，则根本没有人来费这番心思。

按照这个说法，一切都变得十分明了了，因为它清楚地表明了基督教组织曾经向罗斯柴尔德家族成员申请过经济资助。这些申请中有些是成功的，比如1871年，一位天主教牧师就说服夏洛特为他在布罗涅特福德的学校捐出了50英镑。

这同时也表明罗斯柴尔德家族主要还是通过慈善工作来保持他们对宗教事务的影响力，男性为主的慈善形式一直以非常明显的方式长期存在着。在维也纳，安塞尔姆在每个工作日的上午9点30分从浏览那些申请资助函开始每天的工作，他自己决定给每个申请人的资助金额；甚至在他每天到香布路恩动物园散步的时候，都有一名银行的职员跟随，给那些他遇到的乞丐分发硬币。在法兰克福，雅各布·罗森海姆是威廉·卡尔的“乞丐事务秘书”，但威廉·卡尔仍然自己对资助事宜作决定。他的儿子这样写道：

> 每天晚上，通常是20点或是21点，我父亲都会到位于法尔伽斯的办公大楼去面见男爵，有时候是去格鲁内博格，亲自将一份由我母亲认真起草的，平均20~30人的申请资助人名单交给男爵。这些申请来自整个犹太人圈子，由每个国家最受尊重的拉比，以及来自东西方的福利组织推荐。根据每个人的具体情况，由男爵亲自决定他认为合适的金额。偶尔，他还会很惬意地阅读收到的每一封感谢信。在提交给男爵之前，对每份申请的所有信息都必须通过分布在世界各地的某一位男爵信得过的拉比进行调查，每条信息都要进行登记，并逐字逐句地抄录到一本书里。

对每份申请都如此谨小慎微确实给人留下了深刻的印象。然而，当申请资助的量大到用这种传统方式根本无法管理的时候，特别是当从东欧移民过来的穷困犹太人的数量大量增加的时候，问题就出现了。对像列昂内尔这种处理几百万业务的人，期望他亲自去处理那些像他在1850年给“为贫困的外国人建立救济所基金”捐赠几百英镑，或者两年后他的叔叔阿姆谢尔让他捐给法兰克福犹太人女子学校的类似金额这样的事情，就显得有点荒唐了。因此，大量的这类工作开始被委托出去。在伦敦，阿希尔——一位来自苏格兰的博士，1866年后当选为大犹太教会的秘书长——按照当时某媒体的说法，成为了列昂内尔的义务“私人慈善代表”，虚拟的“纽考特‘慈善部’经理”。同样的情况也出现在巴黎，费多回忆起了“一间特别的办公室，有几名雇员在那里专门记录资助申请，对申请进行研究，收集这些申请资助人的真实情况”。慈善变成了很难从更单调乏味的银行事务中分离出来的一堆繁杂事务。1859年之后，这项工作的某些部分转交给了新成立的“贫困犹太人救济理事会”，或者说至少是由“贫困犹太人救济理事会”进行协调。比如说在1868年，有一位名叫易曼纽尔·斯贝林的人——他是4个孩子的父亲，“一位高度令人尊敬而且很值得推荐”的人，“非常渴望开一家小店，并为此目的自己筹措了很小的一笔钱”；索菲·本德海姆是戴维森家族一位远亲的女儿，她需要钱为她的女儿准备嫁妆。然而，这些事情从来也没有取代过罗斯柴尔德家族和公司中的慈善活动。

罗斯柴尔德家族中的女人所处的位置使她们更加积极地参与到这类活动中，事实上，在某种程度上，慈善变成了她们的工作，她们对待这项工作与她们的丈夫在银行工作一样的勤勉。犹太人免费学校从内森的时代起就是罗斯柴尔德家族行善的一个重点；在19世纪50年代和60年代间，他们所投入的不仅是金钱，还包括夏洛特和路易莎（她的丈夫安东尼在1847年成为了该校管理委员会的总裁）对其事务性工作的参与。当路易莎在1848年首次到校参观的时候，她认为它是“一个优秀的机构”，为“大约900名从最底层家庭选拔出来的贫困儿童”提供“免费的教育”，但它的教育水准很低。她的小姑子夏洛特却对这些“在贝尔街的小学生”很失望，她向她的儿子描述他们“无法形容的邋遢和肮脏——而且粗俗”。“永久地致力于改善这些高加索[①]人是一件很让人沮丧的事。”她在1865年时宣称，“一直没有能够在他们身上看到任何真正的进步。”她每周一次的贝尔街之行“根本谈不上愉快”，因为“在我们社会

① 夏洛特经常用“高加索”这个词来形容犹太人是她的信件里很不寻常的一个特点。这个词在这种用法是由18世纪的解剖学家约翰·弗雷德里希·布鲁门巴赫生造出来用以描述五个人种类型其中的一种，这五个种类是他通过测量头骨形状区分出来的。另外的四种是蒙古人、埃塞俄比亚人、美洲人和马来西亚人，很显然他是想为包括所有欧洲人和中东人在内的人种进行分类。

里的这些卑微阶层非常肮脏，天气不好时就裹在破毯子里”。另外，她发现“要是不对他们的进步和总体的提高非常感兴趣的话，根本就不可能走进这些贫穷、肮脏的小孩子中间”。到了19世纪70年代，通过她的努力——其中包括安排了一次马修·阿诺德[①]的视察——以及她的小叔子安东尼的努力，使局面有所好转，学生人数增加了3倍，年度预算增加了20倍，教师数量增加了25倍。

罗斯柴尔德家族的女人参与过的其他教育机构还包括建立于1855年的犹太学院，宗教知识传播协会的安息日学校，以及由迈耶的妻子朱利安娜于1867年在南伦敦创立的博拉犹太人学校。与以前一样，还有救助病人的善举。在成为犹太妇女慈善贷款会和妇女慈善协会成员的同时，路易莎还建立了一个犹太人康复之家，供应由夏洛特资助的位于阿替雷利街的特别厨房烹调出来的食物。此外，夏洛特建立了一个老年人临终关怀之家，重组了伦敦慈善产房，出任妇女慈善贷款会以及东区母亲之家缝纫协会的总裁。另外还有由罗斯柴尔德家族创立的位于怀特齐普尔的犹太婴儿白天看护所，以及位于诺丁西尔地区沃尔枚路的犹太聋哑人之家。最后，夏洛特还积极参与了新改选后的救济理事会的各种活动。例如，在1861年的时候，她帮助格林拉比向理事会提供了10台缝纫机，这些机器用于出租或者出售给那些希望通过做针线活挣钱的贫困的移民妇女。之后，她每年捐助100~200英镑给由格林创建的“女孩车间”。

在1884年对夏洛特的追思弥撒上，赫尔曼·阿德雷回忆说，夏洛特出版《祷告与默念》和《致孩童》（最初是为女孩免费学校而作）的最主要的主题是“那些正遭受苦难、处于困境中的人，应该靠近我们和我们的怜悯之心……富人应该接济穷人，‘给他们的不仅是金钱，还要包括时间，因为这意味着生命’”。她确实做到了这一点。他告诉与会者，夏洛特的临终遗言是“心怀穷人”——这里所指的穷人中，排在首位的是犹太穷人。然而，阿德雷没有谈到夏洛特整个人生在慈善“给予”和具体的宗教特征的捐助之间存在着的一个重要的区别。在1864年，她曾经与格林拉比有过一次推心置腹的谈话：

> 当时他为他的教区向我申请一套新的法律丛书。他说，以前确实有一些信仰虔诚的慷慨大方之人，而那些迷信之人，尽管并不很富有，也并不慷慨，可还是会出于敬畏和恐惧的心理给寺庙捐献；但是，现在的情况是迷信被文明消灭了，信仰虔诚的犹太人也不再慷慨了，而慷慨的以色列人又让他们的善举流

---

① 马修·阿诺德，英国诗人、文艺评论家，曾任英国督学。——译者注

入了世俗的渠道。我敢说他是对的——毫无疑问，我宁愿把20英镑给一个学校，也不愿给一个虚幻的理念……

换句话说，对犹太人社区物质需要的真切关注一定程度上在于将犹太教作为一个有组织宗教的关键性的立场。同时值得关注的还有在犹太人精英内部开始出现了对东欧移民比例上升的忧虑。1856年，夏洛特组织了一场“支持犹太人移民贷款协会资助基金业余音乐会”，由她的孩子埃维莉娜和艾尔福雷德表演，而路易莎是协会理事会的成员。这个组织的宗旨可以很容易推测出来。正如我们将在后面看到的，越多贫穷犹太人从东欧和中欧移居到英国，就会有越多的犹太人精英分子希望看到到处都涌现移民潮。

或许，罗斯柴尔德家族中这个时期对于慈善的态度改变得最明显的，要算是詹姆斯了。这或许是对19世纪40年代发生的事件所作出的反映，它表明了两件事：一件是整个法国社会的反犹太人情绪，另一件是他自己在巴黎穷人中间的口碑不太好。在1848年以前，詹姆斯尽量不让迈耶·A·罗斯柴尔德的5个儿子参与到犹太人的社会生活中。尽管他在1840年与梯也尔的战争中竭尽全力捍卫了大马士革犹太人的利益，但对巴黎的犹太人来说，他相应的贡献就显得太少了。革命发生后，事情发生了变化。在1850年，詹姆斯通知巴黎宗教法院，他决定在匹克布斯大街76号新建一所医院，代替那座建于1841年的、已经难以为继的“巴黎以色列贫民救治中心大楼”。两年后的1852年12月20日，医院——一座由让·亚历山大·蒂埃里设计的宏伟的新建筑——在被《环球以色列人报》描述为“犹太人前所未有的一次宏大的庆典”中正式起用了，出席庆典的有公共事务部部长、宗教局局长和塞纳河地区的行政长官。在同一时期，詹姆斯还为由蒂埃里为拿撒勒圣母大街的宗教法院新修建的罗曼诺·拜占庭礼拜堂捐出了巨资。同时还为在罗斯耶大街和兰布拉第大街建立的两座孤儿院作了巨额捐赠（后者以萨洛蒙和卡罗琳命名）。

这些捐赠恰巧与罗斯柴尔德家族更多地参与法国犹太人组织活动中的情况同步。1850年，阿方斯成为了中区教会的委员；两年后，居斯塔夫被选入巴黎教区委员会并在1856年成为了教区的总裁。1858年后，教区将它的资金存放在罗斯柴尔德兄弟银行。这更像是詹姆斯在拿破仑三世政权下有意识地将自己定位在“政治局外人”的策略给了他担当起犹太人社区领导者角色的信心，而这个角色，他的兄弟和侄子在其他地方早已经驾轻就熟了。然而，他对没有考虑宗教戒律，花钱建立起几乎是永久性的救济站这样的事情，表现得还是很谨慎。

或许，再没有其他任何的办法比用他们家族捐巨资在耶路撒冷新建医院这件事情更能说明罗斯柴尔德家族为他们贫穷的犹太兄弟所作的努力了，这家医院在 19 世纪 50 年代由阿尔伯特 · 科恩主持建成。至少不下 11 位姓罗斯柴尔德的人出现在当时对医院及其相关设施的捐助者名单上：夏洛特在那里建立了“一家产业培训学院”，并且每年都派人去视察；安塞尔姆在那里设立了一家小型银行；贝蒂为孕妇提供衣物，而阿方斯和居斯塔夫为 40 个年轻人提供了手工技术培训。这个家族还支付了总共 122 850 皮阿斯特[①]的“自愿捐款”。几乎家族所有支系的成员都出现在了行善名单上这个事实向我们说明，尽管他们的慈善活动一般以全国性——而且主要是在城市的形式出现，但是罗斯柴尔德家族一直觉得他们对更广泛的“世界性的”犹太人群体负有责任。[②]

争取政治权利

如果不提列昂内尔为确保犹太人在国会下院中的席位所起的决定性作用的话，罗斯柴尔德家族的历史是不可能完整的。同时很重要的一点是，不能把这个具体的问题与英国宪政进程中的“辉格党人”历史截然割离开来。犹太人被选举为下院国会议员的宪法障碍——就职誓词里包含有这样的句子“按照一个基督徒的诚挚信念”——只是罗斯柴尔德家族在 19 世纪 40 年代和 19 世纪 50 年代所面对的几个重大挑战之一。[③]对于他们具有类似重要意义的另一个障碍，是牛津大学的入学和剑桥大学的毕业。

另外，还有一些社会机构，尽管之前并没有正式排挤犹太人，但从来就没有允许过犹太人介入。能够进入到这些机构，其重要性与正式推翻这些法律歧视具有同等重要的意义。按照英国 19 世纪时的法律，下院席位本身的价值有限；地区性的政治势力基本上具有同等重要的位置，在有些方面甚至是能够进入国会陈述的先决条件。另外，以城市选民为基础的地方势力与植根于乡村选民的地方势力之间也存在着明显的社会差异。因为很多关键性的政治决策并不是在于威斯特敏斯特，而在于“乡村”——那些贵族的乡村别墅所形成的复杂圈子，这些贵族在一年中的大多数时间都会在这些地方度过。就算是在城里，国会也不是主要的政治论坛：那些没有成为一个或多个分布在匹克迪利大街和帕玛街的伦敦俱乐部会员的国会议员，政治生涯不会长久。当然，获得进入下院的资格并不会为犹太人自动打开进入上院的大门。

① 皮阿斯特（piastres），埃及等国的货币名称。——译者注

② 这些努力并没有获得世界性的认可。

③ 1707 年通过的一个法案要求投票人也发同样的誓言，但这不是严格强制执行的。

为什么罗斯柴尔德家族想要推进他们进入这些英国政府机构的步伐？那种认为他们希望借以增加他们的政治影响力，以便使他们对政府的杠杆作用最大化的功能性解释根本说不通。可以肯定的是，很多非犹太人城市平民家族在这一时期出现在了下院（比较知名的有巴林）。到19世纪40年代，罗斯柴尔德家族成为城市里最优秀的私人银行；尽管在内森死后，他们与英格兰银行的关系出现了剑拔弩张的局面，但人们没有理由怀疑，当出现英国政府需要借钱的这种难得一遇的情况时，它会很自然地想到纽考特。另外，就在他们得到了进入下院的机会以后，罗斯柴尔德家族几乎没有使用过它所带来的便利——最多也只是把下院作为辩解的场所。我们认为更合理的解释应该是，由于受到了母亲的影响，列昂内尔希望赢得的是一种犹太人被剥夺了的根本性的权利。他在欧洲大陆上的亲属一直没有停止为他确保进入国会所做的努力加油打气：对詹姆斯来说，他的侄子是在代表所有的犹太人打一场具有象征意义的战争，一场继续了迈耶·A·罗斯柴尔德40年前在法兰克福所进行的战争。也就是说，列昂内尔在追求自由的现实意义，尽管当时大多数政治家（包括约翰·罗素爵士）更倾向于给他贴上辉格党人的标签。促使他和他的兄弟们远离托利党人的原因不只是“犹太人问题”，还包括出现在19世纪40年代的更重要的原因——自由贸易，在托利党1846年反抗皮尔的斗争中逐渐发现了自由党的这个企图。

在1848年还存在着一个很大的矛盾：罗斯柴尔德家族正被欧洲大陆的自由主义者骂成是反动派的支持者的时候，他们正在英国领导着一场典型的争取法律平等的自由战争。总的来说，犹太人的解放是法兰克福议会的一项成果，尽管随后在1852年，又在法兰克福被废除。就连贝蒂这种坚定的反对革命的奥尔良派人士都不得不承认：“我们犹太人不应该……抱怨这个伟大的运动以及对利益的重新分配。每一个地方的解放都打碎了中世纪的枷锁，把人权和平等的权利还给了那些盲从、浮躁的流氓无产者。我们应该对此为自己举杯庆贺……”

然而，对此我们也还应该进行具体的分析。首先，在革命运动中我们已经看到了一些反犹太人的元素；事实上，针对犹太人的暴力现象是罗斯柴尔德家族对1848~1849年革命最反感的地方。在某些方面看，实际的情况是罗斯柴尔德家族的地位被限制在了英国犹太人社区里。与其他犹太人精英家族——比较有名的是戴维·萨洛蒙——之间的竞争毫无疑问是一个很强的动力。事实上，对于大多数生活在英国（在欧洲大陆的情况可能更严重）的贫穷犹太人来说，能在国会露脸就与能够到剑桥上学一样稀罕。在这些为犹太人权利所作的集体抗争的所有说法中，罗斯柴尔德家族从某种程度上看一直坚持着他们作为一个家族的利益——具体来说，就是他们希望成为犹太人“皇族”。

根据随后所发生的事件，特别要提到的是在1839年《犹太人综合日报》发起对罗斯柴尔德家族的无情抨击，指责他们破坏了犹太人解放的进程：

> 我们很伤心地看到德国出现的排斥犹太人的态度，这种情况在自由战争期间几乎已经完全消失了，但是现在却随着罗斯柴尔德家族企业的发展而不断恶化；而且后者的巨额财富以及他们的合伙企业已经对犹太人的奋斗目标产生了负面的影响，以至于前者的增长导致了后者更为严重的恶化……我们必须将犹太人的奋斗目标与罗斯柴尔德的家族企业及其合作伙伴彻彻底底地划清界限。

当时的确出现了这个家族，对更广泛意义上的欧洲犹太人利益关注不够的情况。例如，最先为犹太人在英国的政治权利赢得胜利的不是罗斯柴尔德家族，而是他们的竞争对手——伦敦与威斯特敏斯特银行的戴维·萨洛蒙，他在1835年当选为伦敦金融城行政长官，为英国的犹太人在争取政治权利的斗争中取得了早期的胜利。在选举的过程中，他和他的辉格党支持者共同努力，最终使他们提出的废除要求当选行政长官签署有“以一个真正基督徒信念”等字句的声明条款的提案获得了通过。不是罗斯柴尔德而是费朗西斯·亨利·戈尔德施密特，成为了第一个被律师行业接受的犹太人。同样，不是罗斯柴尔德而是他们的一位名叫摩西·蒙蒂菲奥里的女婿，被授予了骑士称号并被封为男爵，因此，正如詹姆斯所说，“提升了犹太人在英国地位”的不是罗斯柴尔德，而是伊萨克·莱恩·戈尔德施密特领导的犹太人争取公民权利及基本人权协会。

然而，在1840年的大马士革事件后，罗斯柴尔德家族在有关犹太人解放的问题上改变了自己的立场，首先在整个19世纪40年代应用罗斯柴尔德家族的影响力，改善欧洲大陆那些对犹太人不是很宽容的国家的犹太人地位的先河。1842年，詹姆斯去拜见基佐时“对波兰犹太人的情况表示关切”，而安塞尔姆正在协调各种媒体反对当时普鲁士提出的新的反犹太人规定。1844年，由尼古拉一世提出的进一步减少犹太人聚居区的“令人作呕”的措施，以及将俄国的犹太人学校和社区直接置于政府控制的计划，促使列昂内尔在沙皇到访伦敦前频繁拜访阿伯丁爵士和皮尔。当蒙蒂菲奥里准备到俄国去抗议政府对犹太人的不公平对待时，列昂内尔再次去拜见皮尔，请求为他去见内斯尔罗德伯爵写封介绍信。按照同样的脉络，我们看到了罗斯柴尔德家族怎样利用1848~1849年的罗马政治危机，迫使教皇对梵蒂冈城里的犹太人作出了让步。

就是在英国这样一个以宗教刻板闻名的国家里，罗斯柴尔德家族进行了为争取犹太人权利而进行的最为著名的斗争，并且最终取得了胜利。这期间，英国犹太人的地位在很多方面来看都是不平常的，按中欧的标准看，这说明那里的犹太人社区规模非常小。生活在不列颠群岛的犹太人总人数在1828年的时候是27 000人；32年后（经过几十年空前的全国性的人口高速增长后），犹太人的总数也只是40 000人——大约占总人口的0.2%，其中半数生活在伦敦。在欧洲大陆，当时对待天主教的态度（特别是爱尔兰的天主教）已有所改变，而对犹太人的敌视已经听不到了。但是在法律上，尽管大多已经形同虚设，但仍然存在各种权利方面的限制，包括禁止犹太人拥有地产和捐赠学校。最重要的是，正如我们已经看到的，在很多的公共机构里——其中最关键的是国会——都要求按基督教徒的方式起誓。废除这个誓言成为了罗斯柴尔德在此期间政治活动的最主要目标。

在妻子汉娜的影响下，内森在1829~1830年《天主教解放法案》成功通过后，提出了犹太人的政治权利问题。罗斯柴尔德对托利党的彻底失望可以上溯到这个时期，因为很明显的是辉格党人更有可能支持犹太人获得相应的权利。这种政治调整在内森死后也一直在继续，其直接表现形式为罗伯特·格兰特在下院面对托利党人的强烈反对，提出了一系列的解放法案。迄今为止，一直没有引起众多研究者重视的记录显示，纳特在1841年为那些当选为地区性政府议员的犹太人争取采用萨洛蒙当选伦敦金融城行政长官时使用的经过修改的誓词的运动中，起到了中流砥柱的作用，只可惜运动没有取得成功。托利党人在参议院对这个议案的反对——罗斯柴尔德家族对此非常在意——对改善与这一方的关系没有任何作用。在保守党赢得1841年选举后的第一时间，罗斯柴尔德家族的老朋友赫里斯就警告新上任的内政大臣亨利·古尔本，他可能得面对金融城里“犹太人和经纪人”的反对：

> 你应该时刻牢记，所谓的贵族对你的态度不会像过去那么友善。琼斯·劳埃德、萨姆·格尼和罗斯柴尔德家族这些人在金融城选举中的倾向，表明他们对保守党没有好感。但他们不会太感情用事，去为自己的利益设置障碍，尽管他们永远不会原谅否决了为犹太人当选下院议员扫清障碍的提案。那些资本市场的巨鳄比其他领域的任何人对财政手段的支持或是阻碍都更有力量，就算那些人的资本比他们的还大，也无济于事。

一封来自于一名当时的积极分子的信证实了迈耶确实参与到了金融城里的选举，他组织人为自由党投票。①

① 很重要的一点，是迈耶在1841年的时候被选为了布鲁克斯俱乐部的理事。一直到了1852年，他的弟弟安东尼也成为了一名理事。兄弟俩同时还是另外一家公开的政治改革俱乐部成员。同样的，在1852年的时候，阿方斯成为了一家高级赛马俱乐部的会员，同时还是团结之家的成员。

当皮尔要求威灵顿为支持他的政府擂鼓助威的时候，这位公爵也表现出了同样的悲观。他警告皮尔："罗斯柴尔德家族并不是没有自己的政治目标，特别是老夫人（汉娜）和列昂内尔先生。他们一直都渴望着得到对犹太人政治权利诉求的支持。"尽管他"现在比在伦敦的时候更像是一个托利党人"，纳特强调说他对皮尔的支持是在严格的条件基础上的："我相信他对我们可怜的犹太人是有同情倾向的，如果他能还给我们相应的权利，他就会得到我的支持。"对于纳特来说，使罗斯柴尔德家族疏远了保守主义的原因，仅仅只是出于犹太人利益的考虑。就像他在1842年的时候，用半真半假的口吻写道：

> 你们应该知道，尽管我在英格兰是一名坚定的辉格党人，在这里又是狂热的保守主义者，但我认为如果那不是从身体的某个部位移除一小部分，而且也不是比利（安东尼）一直认为的最具重要性的那一部分，如果它使我们不能行使那些根本不了解我们艰难处境的那些人拥有的相同政治权利和基本人权的话，我想你们应该也得采用后面的那种思维方式。

尽管外表看起来总体上更像是自由党人，但安东尼很乐意看到皮尔与他的党派在下院遭遇到麻烦，他认为——看起来似乎是正确的——这可能会使他"向自由理念的方向上转变一点，如果罗伯特爵士能为可怜的犹太人做点什么的话，我就信任他"。至于列昂内尔，他在1843年10月的城市补选中毫不犹疑地支持自由党候选人詹姆斯·帕蒂森，为了投票，他竟然号召犹太人选民们打破安息日的规矩。这些选票对选举的最终结果是决定性的，因为帕蒂森仅以非常微弱的优势击败了他的托利党人对手——也就是罗斯柴尔德家族的老对手托马斯·巴林。

然而，列昂内尔对学戴维·萨洛蒙的样子直接参与到政治活动中，一直表现得迟疑不决。对他的这种迟疑最显而易见的解释是纯粹行为上的问题：政治可能占用掉一个像N·M·罗斯柴尔德公司这样如此规模宏大的高级银行合伙人的宝贵时间。或许列昂内尔同意詹姆斯的观点——这个观点早在1816年的时就提出来了——"一旦一个商人参与了太多的公共事务，他很难再继续他的银行业务"。另一方面，来自家庭成员的压力——包括詹姆斯——要求他做些工作来提高家族成员在英国的地位，也是相当大的。詹姆斯对政治活动的概念还停留在19世纪20年代那些已经过时的经验里，当时，他和他的哥哥们通过迎合与他们有业务往来的各个地区的封建领主而精神抖擞地去领受各种各样的头衔和勋章。

他试图在1838年鼓励他在英国的侄子去作同样的努力，他告诫列昂内尔说：

我已经与比利时国王进行了长谈，他向我们承诺同意给英格兰女皇写封信，他还安排他的妻子写信给他们，要求你应该应邀参加所有的舞会……国王给四兄弟下了一道谕旨……如果你，我亲爱的侄子，喜欢这些绶带，那么我保证下次你就是受勋的人，只要条件允许，尽管在英国并不佩戴这些东西。

不太过时的是安塞尔姆“在一两年之内能够来庆贺你们中的一个人坐上了国会的席位，并聆听你们的精彩演讲”的期望。当伊萨克·莱恩·戈尔德施密特在1841年成为第一位犹太人准男爵时，安东尼从巴黎写来的信上说：“我已经喜欢上了列昂内尔·德·罗斯柴尔德爵士，他是可靠的。”类似的，当萨洛蒙在1843年被授予维也纳“荣誉市民”时，安东尼明确地希望这件事能“在古老的英格兰产生反响”。

压力在1845年时急剧加大，因为戴维·萨洛蒙又得到了很重要的一分。在赢得了泊特苏肯市参议院的城市选举后，萨洛蒙面临着“以一个真正基督徒的信念”的誓词问题。在他拒绝起这个誓后，阿尔德门法庭宣布他的当选无效。萨洛蒙向皮尔抱怨，与安东尼所预测的一样，皮尔对犹太人给予了更多的同情，他通知大法官林德赫斯特起草一个法案，废除了所有遗留下来的影响犹太人权利的地方性歧视性规定。该法案于1845年7月31日生效。[①]列昂内尔事实上在确保这份议案的通过方面也很尽力，他作为由仲裁委员会派出的5人小组的成员，为这件事去游说皮尔。但萨洛蒙获得的荣誉却引发了列昂内尔那些充满竞争精神的亲戚们的不满。“我本来应该很高兴看到您成为伦敦的勋爵，而且是代表金融城的国会议员。”列昂内尔的兄弟纳特写道，“你应该去游说东印度公司，我亲爱的列昂内尔。”一年后，纳特还是在不断地重复着同样的内容：“我们的法国老顽固……全都在说你不久就会进入下院，而且你现在正在作着准备。”当萨洛蒙在获胜后不久访问巴黎时，汉娜很冷淡。她在给夏洛特信中说：“我们应该允许他去享受（这种出于良好动机的）成功所带来的满足感，我们自己应该全心全意地参加，满怀着美好的意愿，这是我们真心希望和相信会对我们所属的群体带来益处的意愿，从这个角度看，我不怀疑个人的荣誉和影响将会受到适当的重视。”[②]摩西·蒙蒂菲奥里在1846年获得的准男爵爵位使安东尼满心希望“当辉格党人来到的时候……他们会想到应该给你一些什么荣誉”。皮尔的政府一倒台，纳特立刻就敦促他的兄弟“旗帜鲜明地站出来，或者明确地声明你代表金融城”，建议他“约一些聪明的朋友过来，在晚上聚会一个小时左右，一起读一些东西，对政治经济

① 同年，禁止犹太人拥有不动产的老法律也取消了。

② 萨洛蒙再次当选为市议员，时间是1847年12月。在1855年的时候，他继任伦敦市长勋爵。

学方面的问题能更多些把握”。

敦促列昂内尔在政治上更积极一些的，不只是他自己的家族。1841年，爱尔兰领导人丹尼尔·奥康奈尔的一个政治协会邀请他“作为贵民族最有影响力的一位代表”，出席一个公共集会（在安客客栈），他提议讨论“犹太人的政治地位”。两年后，基于他自己希望参与伦敦市大选的假设，有人主动提出为他助选。

列昂内尔仍然很勉强。当其他人——其中包括他的弟弟迈耶，他在2月份时当上了白金汉郡的高级行政长官[①]——争先恐后地涌入萨洛蒙打开的这个缺口的时候，列昂内尔却一事无成。甚至在新任的首相约翰·罗素勋爵授予他准男爵荣誉的时候，他还很固执地拒绝接受，这让他的亲戚非常意外。[②]列昂内尔为他这样做所给出的理由充分证明了他具有意气用事的性格特点：他不情愿接受已经授予过另外两个犹太人的荣誉，如果不能获得贵族的身份，任何称号都不会让他满意。阿尔伯特王子在报告中说他这样问：“没有更高点的荣誉授予我吗？”这种率直比较符合他父亲的口味，但是他的母亲汉娜生气了：

> 我认为拒绝对你来说没有什么好处，正如你那位从小一起玩到大的朋友（据推测应该是罗素）所说的，她还能授予你什么更好的？目前还不可能不宣誓就直接给你封爵，而宣这个誓恐怕你也不会愿意。从王室得到的个人荣耀应该珍惜，它可能带来其他利益，如果拒绝它则可能让人恼怒——而且你接受它并不意味着你放弃了你本来的地位。这可能会光耀你的门庭。之前对其他两位绅士的封赏，我想跟你这次没有什么关系——而且可以肯定的是这并不会使授予你的荣耀失去任何光芒——这是我个人的看法，请原谅我的直率。

他兄弟们中的任何一个都会接受这个封赏，面对现在的局面他们全都大惑不解。纳特用轻松的笔触写道：“如果我是你的话，我会接受英国的准男爵爵位，这比当德国的男爵好多了——老比利认为安东尼爵士听起来非常悦耳，就算你自己不想要，你也应该为了他而接受它——我们所有人都得到了非常漂亮的名字，门特摩尔的迈耶爵士这个称号甚至闪耀在一场罗曼史里。”詹姆斯也加入进来了：

---

① 他马上在怀特·哈特酒店摆了一个星期的盛宴，由法国厨师按照以他的乡下邻居的饭量计算的需求临时制作菜品。当地的报纸抄录了菜谱，以崇敬的口吻称赞“所上菜品的味道已经到了极致”。

② 他是罗素提交给女王的三人名单中的一位：按照女王的日记，另外的人是弗格森上校，还有一人，“他的名字我记不起来了”——说明维多利亚对这个事情并不是很在心。实际上，这个人是弗雷德里克·居里。列昂内尔可能觉得不值得为皇室的这种小恩小惠浪费太多的精神。

> 我祝福你，我亲爱的列昂内尔，你是如此幸运，尊贵的女王竟然这样眷顾你，真是谢天谢地。你一定得小心，你的阿尔伯特王子说不定会嫉妒你。因此，我要敦促你接受它，因为我们从来都不应该拒绝这样的荣耀，而且任何人也不应该坐失这样的机会。以前我应该在这方面有所作为，然而现在已经没有可能了。

但列昂内尔依然不为所动。最后，打破这个僵局的唯一办法是由安东尼来接受了这个封号。[①]甚至他的最终让步——他终于同意以自由党候选人的身份参加1847年的大选——也都是在"犹犹豫豫"中做出的。

列昂内尔参加国会竞选的决定——他在1847年6月29日被自由党伦敦注册委员会接受为候选人——在罗斯柴尔德家族的历史上是一个分水岭。他这个决定所导致的结果是，罗斯柴尔德这个名字从此与争取犹太人政治权利的运动紧紧地联系在一起；在接下来的10年中，他把大部分时间投入到了一系列艰苦卓绝的选战和国会论战中。为什么这个公众人物中最勉强的一位在完全可以轻易地将这个战场留给萨洛蒙——或者也可以让给迈耶（他不遵从他长兄的意愿正在为海斯做同样的事）时，会这样投入？显而易见的答案是来自家庭的压力最终使他无法抗拒。第二种可能性是说服他参选的不是他的亲属，而是约翰·罗素爵士，他自己是在任的金融城下院议员，他希望确保自己来自犹太人的选票。第三种可能性是列昂内尔并不希望能胜出，只是以一个"著名的新闻事件"的形式收场，做出一个象征性的姿态。至少有一名与他同时代的人认为他会失败，而且他只是被辉格党人设计，拖进来为"他们承担他们所有的开销"。值得注意的是其他的犹太人候选人无一例外地落选了：这是一场势均力敌的角逐，要是托利党人不分裂，那么辉格党和改革派就只会在下院取得简单多数。

维多利亚时期，伦敦市复杂的政治选情使人们对胜利丧失了信心。向东远至哈姆雷特塔的选区是比较大的一个（1847年投出了接近50 000张选票），有4个下院议员席位。这一次，总共有9位候选人——自由党人4名，皮尔派保守党人1名，保守党人3名，自由候选人1名，竞争非常激烈，在一个月的时间内就举行了大约12场公众聚会。列昂内尔的参选纲领给人的第一印象并没有什么特别：除了显而易见的"信仰自由"的宗教纲领外，他宣布他支持自由贸易。很明显，他并没有遵从纳特的建议"走得比约翰爵士稍远一点"并"尽量地朝自由的方向走"。仔细研究就会发现，他所采取的立场甚至有可能伤害到他自己：他提倡降低烟草和茶叶的进口税，推

① 不同寻常的是，罗斯柴尔德家族规定，如果安东尼没有男性子嗣，则这个封号将传给列昂内尔的长子。

行财产税，这种立场广受没有投票权的穷人欢迎，但很难想象能在有钱人的选举中胜出。尽管得到了一位名叫劳齐的富有远见的天主教牧师的明确支持——而且看起来列昂内尔接受了他的支持——但列昂内尔宣布他本人反对增加给梅努斯天主教学院的捐款（尽管他回避了政府对教会学校资助这个更为广泛的原则问题）。犹太人的选票也并不像想象中的那么重要：当时还没有太多的犹太人获得投票的资格，而且去登记投票的人也不多。列昂内尔得到了至少一个犹太人保守团体的支持而且得到了他母亲的保证，“犹太人……将会组织起来，身着盛装去为你投票，”皮尔派保守党马斯特曼尽管宣称反对犹太人的解放，但他也在设法保证选举的顺利进行。

从另一方面看，列昂内尔具有两种优势。在伦敦，报纸所起的作用要比在这个国家其他地方大很多，而他与新闻界人士的联系很快就建立起来了。可以肯定，当时犹太人出版事业尚在襁褓之中。1841 年，他与其他人一起投资了雅各布 · 富兰克林的《雅各布之声》，之后不久改版为《犹太新闻》。但列昂内尔对《时报》29 岁的编辑约翰 · 萨杜 · 德兰来说是一位非常有影响的赞助人，而约翰 · 萨杜 · 德兰则成功地为他起草了他的竞选演讲。站在德兰的角度，他相信是他保证了列昂内尔的胜利：他发现结果公布后，夏洛特“处于一种欣喜若狂的兴奋及满心感激的状态之中”，而他被纳特和安东尼铺天盖地的感谢所淹没。《经济学人》也给予了很大的支持。另一方面，对犹太人的解放持反对态度的人，只是通过站在他们立场上的记者进行辩论。历史学家J · A · 弗劳德回忆当他们站在匹克迪利 148 号前时，托马斯 · 卡莱尔的感慨：

> 我并不是说我希望约翰王再回来，但是如果你要问我用哪种方式对待这些人更接近全能的上帝的意愿的话——是为他们建立像这样的宫殿，还是带给他们钳子——我选择钳子……“阁下，现在政府需要你与你的金融机构所聚敛的数百万英镑中的一部分，你不给？很好”——说话的人用他的手腕紧一下旋钮——“现在给了吗？”——再紧一下，一直到拿光这几百万元。

有些不可思议的是，卡莱尔声称，如果他写一本支持废除限制人身权利的小册子的话，列昂内尔就会给他一笔很慷慨的润笔费。卡莱尔大概是这样回复他的：“这不大可能……我也发现我无法想象为什么他和他的朋友们应该正在等待着希洛，到来的时候，还要寻求在外邦人的立法机构中的席位。”他在给下院议员蒙克顿 · 米尔尼斯的信中表达了相同的观点：“犹太人很坏，而一个假犹太人、一个骗子犹太人又怎么样？而且，不管他所有的思想、行动和努力的方向如何，一个真正的犹太人又怎么可能企图成为一名参议员，尤其是作为破落的巴勒斯坦之外的其他国家的公民？”[①]卡莱尔的态度明显地站到了萨凯雷的对立面，萨凯雷在与罗斯柴尔德家族交往之后，经历了对这个问题的一个转变过程。[②]

对卡莱尔说法的一种回应，通过列昂内尔所拥有的第二种也许也是最重要的优势财力表现出来。根据辉格党战争部部长格雷爵士的说法，他“毫不掩饰他作出的使用金钱来帮助选举的决定”。纳特在随后从巴黎给他写来的信中，说明他的哥哥确实“付出了……很大的金额”。最后，这些付出改变了选举的天平。列昂内尔在投票中获得了 6 792 票，位列第三；其他几位分别是罗素 7 137 票，帕蒂森 7 030 票，马斯特曼 6 772 票。他以 3 票之差击败了另一位自由党候选人拉朋特。他的天主教代理人劳齐相信，是他在那一天拯救了列昂内尔，而他支持列昂内尔的动机则是赤裸裸的唯利是图。[③]

---

① 值得注意的是，此时卡莱尔正处于与亚历山大 · 巴林的妻子哈蕾 · 阿西布坦夫人的三角恋中。不过，卡莱尔没有把对列昂内尔的抵制公开化，并没有像《先驱晨报》那样称列昂内尔为“外国人”，也没有像一位托利党候选人那样说列昂内尔的最适合的地方是“作为犹太的王子之一，在犹太的王国”。

② 具体来说，他表现出了对安东尼的妻子路易莎的好感，他为在 1848 年时对她的攻击表示道歉。他在 1850 年 2 月参加了罗斯柴尔德家族的宴会（发现这家的女人“都很不错”），1856~1857 年间，与路易莎偶尔有友好的书信来往。她出现在《潘登尼斯》上的表象是“一位犹太女士……腿上坐着一个孩子，她面对孩子的脸上闪耀着甜美的天使般的光芒，似乎是一种圣洁的光辉环绕着两人。我承认，我应该会跪倒在她的面前”。

③ 劳齐的信很值得一读，它散发着那段时期特有的政治气息：“坦率地说”——我完全同意大家都在讲的，也就是，您，尊敬的男爵，得到了天主教徒的报答，他们对您正义理想的认同决定了您的胜利……对您来讲，这是什么样的远见卓识啊，两个月前，您派人找到我，不顾自己的尊严，谦恭地请求我在即将到来的选举中给予您帮助！我做到了——尽管您没有像我希望的那样为我的都会组织提供帮助，我还是诚心诚意而且热诚地帮助您——让您看到了我作为天主教牧师的素质……从一开始，我的伟大计划就是决定让天主教选民以团体的形式为您投票——您根本无法想象，为了达到这个目的我经受了什么样的痛苦和磨难，我总是通过不同的机构对他们做工作，几乎不能使用这个影响，这主要是为了防止他们被什么偏见控制。正当我们开始陷入绝望的时候——因为我们面临着巨大的阻力，无法克服或者是绕过——我们成功了……而在做所有这一切的时候，我时时刻刻面临着因为债务被逮捕或者是眼睁睁看着教会组织的财产执行的危险：同样，我在此函中所写下的每一个字是完全的而且神圣的事实……现在我对您说的所有这一切只是想强调：您没有欠我什么，我不想从您那儿要求什么，天主教各教会不想从您那儿要求什么，我自己会承担所有的开销……而且以名誉发誓，无论是现在还是以后任何时候，我什么要求都不会向您提，但是从现在算起，一年以前我向您提出的关照，当时我们俩谁都没想到会有一场选举——我为您尽了我的努力……我的心里没有半分钟的怀疑，您会对我尽您的责任。”列昂内尔似乎没有完全满足劳齐的愿望——尽管仍安排他与被放逐的梅特涅进行过接触。

对于家族中的其他人来说，这是他们长期以来所期待的政治胜利。纳特写道，“这是家族中一个最大的胜利，同时也是对身处德国以及全世界可怜的犹太人最大的喜讯。”他的妻子称“拥有像你这样最杰出的战士，是犹太民族新纪元的曙光”。“缺口已经打开，” 贝蒂欢呼道，“诽谤、偏见与狭隘的障碍显然正在消除。”甚至梅特涅（他似乎没有想到自由党人的一场胜利会在一年之后使他被放逐）都发来了贺信。然而，所有这些令人愉快的祝贺都忽视了一个事实，如果列昂内尔想要坐到下院议员的位置上，他还必须宣誓“以一个真正基督徒的信念”——当然，除非政府能通过那项11年前已经证明不可能被通过的议案，也就是废除这个誓词的法案。罗素早就已经提出过一个类似的提案。事实上，列昂内尔的胜利只有当这种提案在国会的两院投票中都获得多数支持时，才有可能最终得以实现。

盟友的支持

列昂内尔的选举所引发的问题随着对这个可预见的结果是感兴趣还是敬而远之，把英国的政治精英们分成两派。出乎人们预料的情况是，罗素废除国会剥夺人权的提案所受到的支持不仅来自议院里他的盟友，还得到了来自两派分裂了的托利党人的支持。当他在1847年正式提出这份法案的时候，主流皮尔派保守党成员格莱德斯通和保守党领导人乔治·本丁克爵士和迪斯雷利都表示了支持。当然，迪斯雷利是对此最感兴趣的人，尽管他的动机和行动非常复杂——复杂的程度远超出了我们的想象。

到那时为止，迪斯雷利与罗斯柴尔德家族相识已经接近10年了。他与这个家族有记录的最早交往是在1838年，此时，他们已经非常熟悉，足以保证当他在1842年访问巴黎时可以享受到罗斯柴尔德家族的友好接待。1844~1845年间，他和他的妻子玛丽·安娜常与罗斯柴尔德家族一起吃饭：1844年5月、1845年6月两次，那年夏季的晚些时候在布莱顿还有一次。1846年的时候，列昂内尔帮助迪斯雷利在法国铁路上进行投机，稍晚，又帮助迪斯雷利处理他的债务纠纷（当时的金额超过了5 000英镑）。这份友谊超出了迪斯雷利对他们金钱的欣赏，而他们也很欣赏迪斯雷利的智慧。这是迪斯雷利作为小说家最为高产的时期：1844年有《科宁斯比》和《年青一代》，1845年有《女巫》和《两个国家》，1847年有《唐克雷德》与《新十字军》。罗斯柴尔德家族对这些著作所提供的帮助得到了广泛的认同，但这种认同的程度还远远不够。

大概是由于他曾经受过洗，而退教的原因很大程度是因为他的父亲依萨克与其犹太教会闹翻，同时他总是把自己想象成乡绅的原因，迪斯雷利一生都对犹太教充满了兴趣。他的政敌试图用他的血统来攻击他，但迪斯雷利勇敢地把别人看做弱点的东西变成了自己的力量。特别是在19世纪40年代的小说中，他把自己的犹太人“种族”与自己的基督教信仰相调和，有力地说明他享受着这两个世界中最好的东西。毫无疑问，与罗斯柴尔德家族的交往对他的犹太主义特征有很大的影响。列昂内尔和夏洛特是很有吸引力的一对，列昂内尔富有而又有影响力，夏洛特聪明而又美丽，但他们身上最吸引迪斯雷利的——实际上还包括他的妻子——是他们浑身上下的犹太气息。另外，对没有子嗣的迪斯雷利夫妇更具吸引力的是他们的5个子女。迪斯雷利写道（1845年6月邀请他们到格罗夫纳门观看海德公园里的游行），他们是“美妙的精灵”。

3个月后，这个家庭接待了歇斯底里的玛丽·安娜的一次奇异造访，她让自己倒在了夏洛特的怀里。在发作过后，她和迪斯雷利都进入了精疲力竭的状态（“我一直忙于校清样，出版商是那么讨厌……可怜的迪斯一直坐在那儿写了一整夜”），因此他们准备动身前往巴黎，玛丽·安娜做出的举动让夏洛特吓了一跳，玛丽·安娜宣布她希望把夏洛特6岁大的女儿埃维莉娜指定为她遗嘱里的唯一受益人：

> 迪斯雷利太太深深地叹了口气，说道：“我这是来告别的，我也许再也见不到你们了——生命是这么无常……迪斯和我可能会在火车或者轮船上丧命，这个世界上没有任何爱我的人，除了我尊敬的丈夫，这个星球上再也没有我关心的人，但是我喜欢你们这个家庭……”
>
> “……我使出浑身解数安抚我的客人。”夏洛特写道，“她在对我细数完她的细软和财产后，从她的口袋里取出一张纸，‘这是我的遗嘱，您一定得看看，把这个事告诉尊敬的男爵，而且您要替我保管好它’。”

当夏洛特轻声告诉玛丽·安娜，她“无法承受如此重大的责任”时，玛丽·安娜翻开那张纸，大声地读道：“万一我心爱的丈夫先我升天，我将我个人的所有财产全部留给并赠予埃维莉娜·德·罗斯柴尔德。我爱犹太人，”她继续道，“我已经把自己与您的孩子们联系在了一起，她是我的最爱，她应该也必须戴上蝴蝶（玛丽·安娜一件珠宝的名称）。”

这份遗嘱在迪斯雷利和他妻子之间发生了“一个事件，一个非常令人不快的事件”之后，在第二天早上被退了回来。然而，这对夫妻对家庭生活的兴趣却丝毫没有任何减退的迹象。当利奥在1845年出生的时候，迪斯雷利（在写自巴黎的一封信里）表达了他的期望：“他将证明自己无愧于自己纯正和神圣的民族，也不逊于他那些漂亮的兄弟姐妹。”“我的天啊，”玛丽·安娜在见到这个孩子时惊呼道，“这个漂亮的孩子可能会是我们正在等待的未来的弥赛亚——天晓得！而你将会是最幸福的女人。”

在迪斯雷利与夏洛特的关系中，总是存在着一种失落的仰慕情愫，同时又夹杂着对他妻子玛丽·安娜难以掩藏的嫉妒。对于这种仰慕，迪斯雷利没有否认。“在我一生的奋斗过程中，”他在1867年3月对她坦白，“来自于那些我们所爱的人的关怀是一种慰藉，我对您的爱无人可敌。”我们有理由认为这个说法并非仅仅是迪斯雷利式的修辞手法。有一次，当夏洛特造访迪斯雷利家时，很显然有某件事情牵涉到了玛丽·安娜，迪斯雷利赶忙道歉：

> 我认为……我对给您造成的麻烦深感内疚，总体说来，昨天您要是没碰上是最好的，因为错过了睡觉的时间以及其他原因，她处于一种高度兴奋状态，因此我现在再也不在晚上见她。
>
> 她……希望将她对您的爱带给您，我也将把我的爱带给您，而且在很久以前我就已经把我的爱给您了。

所有这一切中最奇怪的是玛丽·安娜对夏洛特有确凿证据的深厚的友情——或许是对她可能感觉到的那些嫉妒的补偿。当迪斯雷利夫人在1860年病倒的时候，“她有气无力地让我写信给您”，迪斯雷利信手在一张便条上写给夏洛特。作为回应，罗斯柴尔德家族从匹克迪利的餐厅送病号饭。（玛丽·安娜病逝后，轮到夏洛特来嫉妒了，因为迪斯雷利“跪倒在布莱德福德夫人脚下的时间越来越多”。她作出的回应是给他送去了6大筐英国草莓、200把巨型的巴黎圣水刷，以及人们所能见到的最大、最好的斯特拉斯堡肥肝。这只是一个聪明的提醒，让他不要忘记她的资源总是要远胜那些“有钱的老妇人”。）

或许他们之间的关系中最独特的方面在于信仰模糊。按照夏洛特的回忆，迪斯雷利对待自己犹太人的根总是很矛盾。“我永远也不会忘记，”她在1866年写道，“当我斗胆宣称，蒙蒂菲奥里家族、莫卡塔家族和林多家族的亲缘关系，路易莎·德·罗斯柴尔德夫人非常荣幸地成为他的表亲时，他居然被惊吓得茫然失措；但是连老天都搞不明白的是，不知道迪斯雷利想的是什么，尽管伦敦到处都是他的亲戚，但他对他们的存在根本毫不在意。”但当他们讨论宗教问题时，两人发现了太多的共同点。在1863年，他送给了她一本欧内斯特·勒南[①]最新出版的，在当时引起了很大争议的《耶稣生平》。她觉得勒南在剔除基督神话色彩方面的尝试“很精彩”，

---

① 欧内斯特·勒南，1823~1892年，法国文献学家、哲学家和历史学家，写有系列著作基督教起源史。——译者注

但她对他的犹太背景的描绘持保留态度：

> 读起来就像是由一位热情洋溢的诗人写出来的美丽诗篇，诗人受到鼓舞去揭示真理，用满腔的柔情、无限的敬仰以及炽热的情怀来揭示它。对于那些有知识的犹太人来说，我相信他们不会对书中主要人物——这个创造了统治世界长达 1 800 年的基督教的伟大宗教缔造者——的处理觉得有任何新意；但很多我们的教友对于被勒南描写成这种刻板、令人厌恶的形象深感痛心。当偏见最终开始消散的时候，看到一个长期遭受迫害的民族正在忍受着那些冷静的读者和诚实的思想者将我们嘲笑为不可救药的肮脏、冷漠、狡诈，甚至是顽固、铁石心肠又小肚鸡肠的时候，更是让我们无法释怀。一个伟大的作家表现得如此公平和公正，特别是在表达他的见解方面——他的判断是如此准确、他的感情似乎是如此纯粹和高贵，不应该通过介绍如此极端的阴暗面来拔高他的伟大形象——就好像是他觉得需要通过诽谤犹太人来弥补宗教世界中从全人类利益的全部主体中最伟大、最至高无上的部分所拿掉的那部分特权。

10 年以后，迪斯雷利非常感谢她送给了他一本她写的《致辞》。“我读了您写的书，感同身受而且充满了敬佩。”他写道，“弥漫在全书中的那种柔情，以及那些虔诚和令人振作的情感，肯定能触动所有信徒的心灵。昨天晚上（在安息日的圣洁气氛中）我有幸朗读了一篇，它表现出来的虔诚及深远意境深深地打动了我的听众……”

迪斯雷利所有的小说都应该按照这种方式来理解。在《科宁斯比》中，希东尼亚的性格特点按照布莱克爵士的说法，是列昂内尔和迪斯雷利本人的交融。说得更准确点，他具备了列昂内尔的背景、专业技能、宗教、性情，甚至也许是外貌（“面色苍白，眉毛浓密，深邃的眼眸里写满了睿智”），但他的政治理念和哲学观点则是迪斯雷利的。因此，他告诉我们，他的父亲在半岛战争中发了财，然后 “决定移民到英格兰，经过几年的努力，形成了很多商业网络。他在巴黎和会后到达这里，随身带来的是他的巨额资本。他把所有的资产押在了滑铁卢贷款上，这个举动使他变成了欧洲最大的资本家”。战争结束后，他和他的兄弟们将他们的钱借给了欧洲国家——“法国想要一些，奥地利更多一些，普鲁士要一小点，俄国要几百万”——他“成为了世界金融市场的主宰和领袖”。年轻时候的希东尼亚具备了一个银行家的所有技能：他是一位非常有造诣的数学家，而且“完全掌握了主要的欧洲语言”，这些技能通过到德国、巴黎和那不勒斯的旅行而得以磨炼。他冷静得让人觉得不可思议，对这种品质的描写花了很大的篇幅（例如“他对感性的东西总是缩手缩脚，而且常常用一些尖刻的话语来搪塞”）。我们甚至读到了“他对室外体育运动的热爱……是他的精力的安全阀”。还有一段细节的描写，而这些细节只可能出现在巴黎的某一家罗斯柴尔德酒店。很有意思的是，希东尼亚也是小说主人公的情敌：主人公错误地怀疑他深爱的艾迪丝是希东尼亚追求的目标，尽管最后披露出来的结局是冷血的希东尼亚自己本身是另外的人所暗恋的目标。

在这样的情况下，在《科宁斯比》中最令人玩味的段落是那些有关希东尼亚信仰的内容。关于这个问题，前面所说的是他信奉“使徒们在跟随他们的主人之前所传扬的信仰”，而在后面所说的是他“对伟大立法者所制定的法典表现出了的忠贞，与号声一直响彻西奈半岛的时候别无二致”。他“为自己的血统感到骄傲，对自己族人的未来充满信心”。在一个重要的方面，希东尼亚与迪斯雷利的相像程度远甚于列昂内尔，因为他说他出生于西班牙的马拉诺——西班牙系的犹太人，他们表面上改信基督教，而暗地依然信奉原来的宗教——而且迪斯雷利喜欢幻想自己的家族是西班牙系的犹太人。但余下的绝大部分很显然来自罗斯柴尔德的启发。因此，年轻时候的希东尼亚被“关在了大学和学校的大门之外，这些大学和学校对于学习以及先人的事业来说缺乏古代哲学的最初知识”。另外，“他的信仰使他不可能追求成为一个公民的理想”。然而，“在地球上没有任何一种想法可以诱使他伤害自己种族的纯洁，因为他一直为此而备感自豪”而去与外族通婚。只有当希东尼亚阐述对自己种族的看法时，迪斯雷利才接替了列昂内尔：

希伯来人是一个没有被混杂的种族……组织没有被混杂的种族是大自然的贵族……在广泛的旅行中，希东尼亚拜访而且检视了整个世界上的希伯来人社区。他发现，总体上看，较下等的阶层情况比较差，而上层人士沉浸在对肮脏事物的追求中；但他发现知识的发展没有受到破坏，这给了他希望。他被说服相信组织能经受住迫害的考验。当他反省他们所经受的那些磨难的时候，发现种族居然能够幸存下来，这真让人觉得不可思议……不管过了多少个世纪，遭受了多少个世纪的谪贬，犹太人的思想对欧洲事务仍然产生了巨大的影响。我不用提他们的法律，这些法律你们还在遵守；不说他们的文学，这些文学滋润着你们的思想；我只说说活生生的希伯来人的才智。

然而，就算在这里，罗斯柴尔德的影响也是清晰可见的。当迪斯雷利想办法说明他关于犹太人影响力程度的观点时，他非同一般地直接取材于罗斯柴尔德家族最近的历史，他通过希东尼亚的口说：

我刚才告诉你说我明天准备去金融城里，因为我一直遵守这样的规矩，当国家事务还在考虑的过程当中时，我会积极介入。否则的话，我从不干预。我在报纸上看到了很多战争与和平，但是我从来不会惊慌失措，除非有人通知我，统治者想要更多的财富……

返回到几年以前，俄国向我们提出过要求。现在圣彼得堡和我们家族之间已经没有友谊可言。他们有荷兰的关系，这些关系基本上可以为他们提供这些服务。我们对波兰希伯来人这个人口众多，但遭受的苦难和屈辱也是所有部族中最多的民族的支持举动，对于沙皇来说不是什么令人愉快的事情。但是，与罗曼诺夫家族的关系出现了好的转机。我因此决定亲自去一趟圣彼得堡。抵达后，我与俄国财政部部长康可林伯爵举行了一次会谈；我见到的是一位立陶宛犹太人的儿子。我们所讨论的贷款与西班牙的事务有关，我决定从俄国到西班牙去着手解决。我与西班牙部长塞诺尔 · 门迪萨瓦尔一到就马上有了一名听众，我见到的是一位像我一样属于新教教徒的阿拉贡犹太人的儿子。在马德里做完这一切之后，我直奔巴黎，拜会法国国会的议长，我见到的是一位法国犹太人的儿子（据推测是苏尔特）。

……因此，您看，我亲爱的科宁斯比，真正主宰这个世界的那些人士与那些不了解实际幕后真相的人所想象的完全不是一伙人。

撇开迪斯雷利认为所有这些显赫人物都是像他们一样的犹太人的臆想不谈，一个确凿无误的事实是这段描写的灵感来自于罗斯柴尔德家族的事迹。

他还明确提及犹太人在政治上被“当成平等主义者和自由主义者而列入了同样的阶层，随时准备支持甚至有可能危及生命和财产的政策，而不是驯服地在一个试图降低他的人格的制度下苟延残喘。托利党人在关键的时刻失去了一场重要的选举，出来投票反对他们的正是犹太人……然而犹太人科宁斯比从本质上来说是托利党人。托利主义事实上只是抄袭了那些把欧洲塑造成现在这个样子的强大的势力”。很容易理解为什么汉娜喜欢这本书。正像她在写给夏洛特的信中说的：“经过对希东尼亚身上所具有的民族高尚品质的认真研究，经过使用很多支持他们解放的论述，他很聪明地描写了众多我们似曾相识的事件，人物的刻画也很到位……我已经给他写了张便条，表达我们对他的精神产品的赞赏。”

如果《科宁斯比》暗藏着对列昂内尔的歌颂，那么《唐克雷德》就是在歌颂他的妻子。对伦敦景物的描写再一次充满着对罗斯柴尔德的隐喻。我们参观了一次“西昆大院”，还去了希东尼亚豪华装修的房子。另外，还有一个明确的影射是希东尼亚为获得一条被称为“伟大北方”的法国铁路所作的努力。再一次，希东尼亚成了迪斯雷利理论的代言人——这个理论现在被用来重新定义基督教本质上是犹太教的一个分支，或者说是犹太教的发展：

> 我相信（希东尼亚宣称）上帝在何烈山对摩西说过，而且你们相信他以耶稣的身躯在卡瓦利山上被钉在了十字架上。至少在世俗的观念上看，两者都是以色列的子孙，他们用希伯来话对希伯来人讲。先知只有希伯来人，使徒也只有希伯来人。亚洲现在已经消失的众多教堂由一位土生土长的希伯来人建立；罗马人据说要与世长存，而且现在改为信奉摩西和基督的教义的教堂……也是由一位土生土长的希伯来人建立起来的。

然而，是埃娃这个人物按照这些线索发表了最勇敢的宣言。作为一位叙利亚犹太人的公主，表面上看她的身上很难找到夏洛特的影子；然而，对她的外貌的描述显示她给迪斯雷利提供了某些模型。同样的，尽管夏洛特的观点似乎不大可能带有埃娃的影子，但我们也无法排除这一点。比如，她具有罗斯柴尔德式的对异族通婚和变更信仰的深深的厌恶。“希伯来人从来没有与他的征服者融合，”她大声地说道，“不，我永远也不会成为基督徒！”相似的，迪斯雷利所喜爱的主题——犹太教和基督教的共同本原——也在她的书信中有所表达。“你是那些崇拜犹太女人的法兰克人中的一员吗？”埃娃第一次（在圣地的一片绿洲中）碰到唐克雷德时问道，“或者是那些辱骂她的人中的一员？”她提醒他，耶稣“是一位伟大的人，但他是一名犹太人，而你崇拜他。”因此“基督教界一半的人崇拜一位犹太女人，另一半的人崇拜一位犹太人”。埃娃用另一个罗斯柴尔德式的句子询问唐克雷德：

“欧洲最伟大的城市是哪一座？”

“毫无疑问，我的祖国的首都伦敦。”

“那里最有名望的人是多么富有，告诉我，他是基督徒吗？”

“我相信他是一位跟您有着共同种族和信仰的人。”

“那么，巴黎呢？谁是巴黎最富有的人？”

“我想是伦敦最富有的人的兄弟。”

“我对维也纳非常熟悉，”这位女士说，脸上带着微笑，“恺撒给我们的同胞封了帝国的爵位，因为公正地说，如果没有他们的支持，帝国用不了一个星期就会分崩离析。”

迪斯雷利没有考虑夏洛特的地方是他设计好的（对于他同时代的人来说显得很过分）辩论，说在“基督受难时提供牺牲和祭礼”方面，犹太人“完成了上帝仁慈的意愿”，而且“拯救了全人类”。她也没有接受他的说法（通过女巫的口）：“基督教是完善后的犹太教，或者什么也不是……要是没有基督教，犹太教也就不完整。”

在迪斯雷利的小说中提出的这些争论，表明了迪斯雷利对罗素的限制权利法案的态度。他在第一次辩论前两周，告诉列昂内尔、安东尼以及他们的妻子，他准备好了要支持这个法案，但是对托利派的条款，“我们必须主张我们的权利，不是为了什么特权，而是为了良心的解放”。这使得围坐桌前的自由派人士不知所措：路易莎描写迪斯雷利用“他那奇特的唐克雷德似的条理”侃侃而谈，而且“怀疑他是否有勇气以同样的方式对议会这样说”。他确实说了。夏洛特起初对此相当热心。“没有谁可以，”她在1848年3月告诉德莱恩，“在用伟大的机智……权利、智慧或创造性来表达自己的方面超过我们的朋友迪斯雷利。”

批判“风暴”

迪斯雷利面临的问题是小说的销售情况相当糟糕，几乎是个灾难，而现实的政治情况也好不到哪里。就在差不多一年以前，他和保守党领导人本庭克分道扬镳，并取代皮尔成为了托利党的领导人；然而在支持罗素法案的过程中，他们又面临前后排议席分裂的危险[①]。开始时他们似乎谁也没有预料到他们陷入的麻烦程度会有多大。本庭克特别漫不经心，他在1847年9月告诉克罗克尔：

> 我相信我在投票时一直都站在犹太人一边。我说我相信，是因为我自己从来都不会费心去关心一个问题的两个方面这种没有价值的事，而且很少关心我是怎样投的。我并没有把这个问题看得与罗马天主教的问题有多大不同，这些问题我从来没有当成是国家应该关心的大事……我把犹太人事务看成是个人的事务，就像是巨额的个人财产或者是离婚法案……像影响罗马天主教的问题，对于保守党来说，这个问题仍然是一个开放性的问题。我可能会投弃权票，保持我自己一贯的支持犹太人的立场，但又不得罪党内的大多数人，我猜想这些人将会站在对立面。迪斯雷利当然将会热诚地支持犹太人，首先是由于以前先入为主的支持他们的印象，其次是因为他与罗斯柴尔德家族是伟大的盟友……罗斯柴尔德家族的所有人在个人特点方面都很高调，而且伦敦市已经选举列昂内尔·罗斯柴尔德作为它的代表之一，在公众声音方面是这样一种情况，因此我认为党作为一个党派继续与犹太人作对，对自己没有任何好处。

① 英国议会中的惯例：前排议席为反对党领导人的专座，而后排议席为普通议员席。——译者注。

至于说迪斯雷利，他在11月16日信心满满地向本庭克和约翰·曼奈斯保证：“风险不是很大，而且在明年之前也不会交锋。”

两人都抱有很大的希望。事实上，只有另外两名保守党人在提案投票时加入了他们的行列（米尔尼斯·加斯克尔和——很可能是一名转变了信仰的人——托马斯·巴林）。以那些顽固的守旧分子为首，比如罗伯特·英格里斯爵士，投反对票的不少于138人，使该党又陷入了新的混乱之中。“当迪斯雷利宣称那些用十字架钉死耶稣的人和在耶稣被钉死前跪在他面前的人之间没有差异的时候，我是否应该为他欢呼？”奥加斯塔·斯戴福特要求进行澄清。本庭克辞职，把他现在称之为“没有罗马天主教、没有犹太人党”的领导职位留给了史丹利爵士。这就很好地理解了为什么迪斯雷利随后在下院辩论时调整了自己的态度的原因：最重要的事情是，当时受到如此广泛关注的一位人物从此以后好像“良心被狗吃了”，并没有悄悄地放弃他对恢复犹太人人权的全部支持。对于他的行为最常见的那些批评——特别是来自于夏洛特和路易莎的那些批评——是不公平的，因为迪斯雷利继续投票并偶尔还会站在他在1847年的立场上发表讲话。一个无法宽恕的情况当然是他那段时间对列昂内尔的经济依赖避免了出现180度转变的情况，这是夏洛特一直都心存疑虑的。1848年5月还出现了另外一次她与玛丽·安娜之间的尴尬情况，因为玛丽·安娜谴责列昂内尔不回复迪斯雷利的信函。这些情况暴露了“她的丈夫还深陷在债务之中，正被放债人拼命追讨，哀求我的丈夫给予帮助和支持”。在两位女人再一次交锋之后，列昂内尔决定另外再借给迪斯雷利1 000英镑。

皮尔派保守党阵营也出现了分裂。当罗素在1847年12月提出他的提案时，另一位表示支持的是皮尔派的一位刻板的高教会派被保护人格莱德斯通，他以前曾经是恢复犹太人人身权利的反对者。尽管他发现这个决定“很痛苦”（并且在他的日记中提到了这个事件可能迫使他离开国会的想法），格莱德斯通的逻辑还是相当严谨：下院已经接受了天主教、贵格教会、摩拉维亚人、独立派、一神教，地方政府已经接受了犹太人，因此，继续对犹太教国会议员进行限制就显得自相矛盾了。皮尔后来在1848年2月的辩论中也表示支持，在“表决”时，其他的9位支持者也加入了进来。但是，他们的同僚古尔本——以前做过皮尔的秘书——发言表示反对，因为他把选举一名没有资格的候选人看做对国会进行一次革命性的挑战，得到了另外40名皮尔派议员的附议。在二读的时候，皮尔派再次分化，29人赞成，43人反对。然而，托利党人和皮尔派的反对票没有达到阻止罗素提案的目的：在一读前就以67票的多数获得了预审通过，二读又以73票的多数得以确保，三读得到61票。

但真正的挑战是在上院。在进行了比较缓和的劝说后，一部分辉格党人表示支持。然而，与考茨这样的银行不一样，相对来说，罗斯柴尔德家族拥有的贵族债务人很少——爱利丝贝瑞夫人是一个少见的例外，因此，他们在这个领域里能够采用的手段受到了限制。像德万希尔公爵和蓝斯丹尼侯爵这样的辉格党显贵可以算上，而伦敦德瑞侯爵在1848年年初的时候也被争取了过来，但奥尔福德伯爵已经在于贝德福德公爵家里见到汉娜时，告诉过她自己反对这个提案（尽管他向她保证列昂内尔最后会“赢得”胜利)。阿希利勋爵——未来的萨夫兹伯里伯爵——在当时主要负责那些最重要的社会立法工作——是另一位反对者。在那些主教中，完全可以预见到会有强大的阻力。当罗素的提案在1848年5月进行辩论的时候，遭到了牛津主教威尔贝福斯的强烈反对，而且他获得了坎特贝雷和阿玛格大主教以及16位主教的支持。只有约克大主教和四位辉格党人主教投了赞成票。列昂内尔、安东尼、迈耶、汉娜和她的妹妹蒙蒂菲奥里在走廊上眼睁睁地看着提案被35票的多数否决。

夏洛特的日记生动地记录了辩论所产生的影响以及给家族带来的后果。她和路易莎在凌晨3时30分，还在翘首等待他们的丈夫从威斯特敏斯特归来：

> 男人们走进屋子，列昂内尔面带微笑——他一直都能如此坚强和自控——安东尼和迈耶的脸涨得通红……他们说那些发言全是造谣中伤，建议我一个字都不要去读它。我5点钟上的床，6点又再次醒来；我梦到一个巨大的吸血鬼正贪婪地吮吸着我的血……很显然，当投票的结果宣布时，震耳欲聋的狂热欢呼声在回荡……充斥着整个议会。可以肯定地说，我们不应该遭到如此强烈的憎恨。星期五整整一天，我都因为过度激动而哽咽和哭泣。

这些世俗的达观贵人反对恢复人权的一些论据的真实想法，可以从皇后的叔叔康柏兰德公爵——现在的汉诺威国王——有关这件事的信函中找到。从某种程度上看，他同意教会方面的观点，“接纳那些否认我们的救世主存在的人”是“可怕的想法”。但他的有些担忧从本质上来说是出于社会方面的考虑，他预言“这个国家的全部财富将会逐渐地流入犹太人、工厂主和生产印花布的那些人的手中”，并引用阿姆谢尔在法兰克福对他的一次款待来说明犹太人的骄傲自大。他非常清楚自己几年前在汉娜家里吃饭时曾经说过些什么。这个两面派的势利小人的看法和那个时期与这个事件有关的拙劣漫画表达的一样。《犹太人解放的受益者之一》讲述的是一个老棉布经销商带一只乳猪回家给他的妻子，并且兴高采烈地说：“我的小亲亲，看看我给你麦（买）了桑（什）么！真得刚（感）谢罗斯柴尔德囊（男）爵和皮二（尔)。”(参看图5–2)

因此，列昂内尔似乎下定决心，采用老一辈罗斯柴尔德人在19世纪20年代和

30年代屡试不爽的一种手段（出于一种并不十分光彩的目的）。1846年12月23日，纳特给他的哥哥写了一封信，所谈的内容明白无误：

图5–2　佚名，《犹太人解放的受益者之一》
资料来源：富西斯，《犹太人讽刺画》，第55页。

> 知道你觉得有必要采用某种方式来保证参议院的某些选票，我觉得很遗憾，这样做并不是十分得体，我得说，要不是因为我们刚在这里目睹了一场腐败丑闻，有人正试图摆脱与此类事情为伍而羞愧难当的尴尬，我当然会很赞同你那么做。然而，我们还是回到正题上，在这种情况下，我们杰出的叔叔和您谦卑的仆人都同意这种说法，我们没有必要太过于谨慎，如果有必要确保这种方式能成功，我们就不应该顾虑牺牲——我们无法锁定金额，你肯定比我们更清楚需要多少，我希望按你说的所需金额的一半就足够了，我们的好叔叔已经授权给我，在任何情况下，他都将自己承担一切，来满足家族的所有需要，无论你做什么都是为了得到最好的结果，因此，你可以把这笔开支记到公司的名下——当然，在上院通过这个法案之前你不要付清，也不必跟他们讨价还价，也不必关心是谁收了——关键是按照你的想法，你对处置那些对提案通过可能存在问题的个人花费了很大的精力，对此你也很难再了解更多——我不会出钱支持那些与我们没有很密切关系的提案，也不会为其他任何目的破费——我们所需要做的，是在目的达到后把钱付给相应的运作人——我认为你对处理这件事不是很有经验，因此，我想不出来你会用什么样的方式向你的朋友提出你捐赠的想法——以什么样的借口？你认为他们会怎么回报？如果只是一些微不足道的小事，就太不值了，如果从另一方面讲，他们要付钱又没有提具体的要求，我当然会要他们的钱，就当是他们已经像我们一样得到了利益。

简单来说，就是列昂内尔建议在上院出钱买选票。令人觉得有点匪夷所思的是，有人披露他居然试图采用类似的方式寻求阿尔伯特王子的支持（他在上院的影响举足轻重）。当然，阿尔伯特可能已经有了恻隐之心。列昂内尔从1847年步入政坛一开始就与他有联系，到1848年，纳特能够记录下他的“高兴……埃尔伯特王子是如此关照你，而且他将支持我们的提案”。

但他同时又告诫列昂内尔“要时不时地去拜访一下他，想办法逗他开心”。“你现在应该去做一下议会党团的工作，”他在2月14日写道，“让你的朋友阿尔伯特王子应用他的影响力，那么或许（提案）就能通过。”实际上，这段话暗藏着的是整个关于犹太人解放的故事里最有意思，但迄今为止一直被忽略掉的那一段。

至此，罗斯柴尔德家族与阿尔伯特王子早期的联系——用他们的能力作为他与欧洲精英人士联系的纽带——已经发展成为更加正式的金融交往。举例来说，1842年，詹姆斯替阿尔伯特的顾问斯托克玛男爵在北方股份上投资了10万法郎。3年后，当阿尔伯特计划与他的兄弟讨论金融问题时，斯托克玛转达了列昂内尔“希望罗斯柴尔德的银行能有幸为殿下此行可能在德国境内用得着的所有金融需求提供服务”的请求。1847年，罗斯柴尔德给阿尔伯特一文不名的巴伐利亚亲戚路德维西·冯·欧廷根·华莱斯登王子提供了3 000英镑的贷款，由阿尔伯特作为担保；当欧廷根王子在一年后破产，只留下一堆卖不掉的艺术品收藏作为抵押品时，阿尔伯特就成为债务人。这就解释了纳特与他的叔叔为什么在巴黎爆发革命后非常强烈地反对——从金融的角度——支付任何的款项，而是希望他的兄弟“付清”，以便确保阿尔伯特的支持。5月，阿尔伯特把安东尼招进宫里去“为他的兄弟科布兰兹（应该是科伯）公爵要求贷款，（给他自己）贷款金额13 000或者是12 000（英镑）”。（后来增加到15 000英镑。）纳特明白无误地表明了自己的反对态度：

> 你问我关于给阿尔伯特王子贷款15 000英镑的意见，我认为找不到丝毫理由同意这个要求，你会发现你与他之间的情形与我们与路易·菲利普的情形完全一样——要是我没猜错的话，我亲爱的兄弟，他已经欠你5 000英镑了，这笔钱是我们这边付给巴伐利亚大臣（欧廷根王子）的，考虑到目前的局势，我真的不认为你可以放出这么大数目的款项，我的意见是你应该这样告诉他——我们没有丝毫理由去为他破费，而且我已经看到，无论你是否给他这笔钱，犹太提案的命运都不会有任何不同——我只能重复我反对付这笔款，而且在目前的形式下，你并没有得到对于这笔借款的任何授权。

现在不清楚列昂内尔是否违背了他兄弟的意见。我们知道阿尔伯特在纳特写了这封信10天之后，以20 000英镑买下了巴尔莫罗城堡及其10 000英亩的土地，不过我们在皇家档案中没有发现罗斯柴尔德卷入这次交易的任何迹象。另一方面，列昂内尔确实在1849年1月到温莎拜会了阿尔伯特和斯托克玛。可以让人产生联想的是在1850年7月，列昂内尔捐出了50 000英镑用于补贴阿尔伯特的最爱，一个资金长期处于匮乏状态的“万国工业博览会”项目。3年后，很明显受到来自于“宫廷”的压力——也就是阿尔伯特和斯托克玛——导致阿伯丁爵士放弃了对解放犹太人的反对立场，形成了皮尔派和辉格党人的联合。相关的证据非常丰富，但似乎并没有理由去推断列昂内尔确实做了些什么事情去“让阿尔伯特使用了他的影响力”。

然而，无论列昂内尔在这个方面作了多少努力，结果证明还是远远不够的：想象一下，上院议员的反对可以通过给“宫中人物”意思一下后就得以化解，是一点都不现实的想法。正如罗素十分无奈地说：“你有一个如此令人讨厌的习惯，把任何事情都赋予一个货币价值，你好像认为可以买到。现在全国上下反对你的提案的是以高教会派和低教会派中的大多数人对一个人的方式。现在，如果你能做到，你就让他们中的一个机构来为你出战，因为他们的反对是最有原则性的。”罗素认为，说服而不是行贿才是唯一可以推进整个事件的办法。尽管罗素在1849年夏天又提出了另一个提案，并在下院获得通过，但同样（跟他事前预计的一模一样）在上院以95票对25票被否决。

这激励列昂内尔最终“接受奇尔特恩英皇直属领地总管的职务”——强行在金融城里进行一次递补选举——这是他发表在《时报》上声明中宣布的“致伦敦市的选举人”行动：“现在是一场在上院议员与你们之间的战争。他们试图维护最后残留的宗教歧视，而你们希望推翻它……我相信你们已经准备好了发动一场摆在你们面前的维护《宪法》的斗争。” 实际上，他的那些更为激进朋友——比较著名的有下院议员J · 阿贝尔 · 史密斯和约翰 · 路巴克——在一年前罗素的提案第一次被否决后就要求他进行一次强制补选，因此，这次运动本身并不令人意外。是列昂内尔讲话中的那些火暴语言，挑起了夏洛特描述的那些批判“风暴”。

要想弄明白为什么会这样，很重要的一点是，要在心里牢记当时在更广大的欧洲范围内的历史背景，所有这些事件都是在那样的环境状况下产生的。1848年1月1日，阿方斯给列昂内尔写了一封信，表达了对在新年的时候见证“超越迷信和偏见原则的宗教平等的胜利”的期待。毋庸讳言，最后他所见证的远远超过了这个期待。然而，虽然1848年的革命确实在某些欧洲国家给予了犹太人政治平等（尽管只是暂时性的），但是这场革命对于解放运动在英国的净效应基本上是负的。正如来自巴黎、法兰克福和维也纳的信中所表达的，突如其来的革命对大规模反犹太人暴力行动产生了隔离作用，而且也发出了可能爆发这种问题的警告，例如在德国的农村地区和匈牙利的部分地区。然而，与此同时，很多自认为是革命领袖的更激进的自由主义者自己本身就是犹太人——就像迈耶 · 卡尔所认为的“犹太人自己挑起了反犹浪潮”。犹太人的解放思潮与欧洲大陆的革命胶合在一起，因此也就具有双倍的破坏性。列昂内尔的讲话向很多支持他的辉格党人和托利党人表明，罗斯柴尔德家族也在加入到他们的激进主义阵营——甚至宪章运动——而当时这些激进分子正在谴责罗斯柴尔德家族为镇压匈牙利革命提供金融支持。

不论列昂内尔在他的支持者中唤醒了什么样的意识，他的策略只是选举的开局。他战胜了他的托利党对手约翰·玛耐斯，最后得票是 6 017 票对 2 814 票。由于把自己放到了激进分子阵营中，列昂内尔现在别无选择，只能听从他们的下一步战术安排：现身下院去主张自己的席位。这基本上是在学天主教的欧·科奈尔和贵格教友会的皮斯，然而也代表着列昂内尔走出了最咄咄逼人的一步，皮尔很直率地提醒过列昂内尔不要接受。列昂内尔略显踌躇，花了整整一年时间试图说服罗素提出另一个提案。但是，1850 年 7 月在伦敦举行的一次狂躁喧闹的金融城自由党人聚会上，他公开攻击政府“没有拿出什么改革和发展的措施”，也没有提出“进一步推进社会和宗教自由进程”的办法。第二天的 12 点 20 分，根据会上一致通过的决议，他出现在喧闹的下院会议桌旁，而且在回答工作人员关于他是希望选择新教还是天主教的誓词时，他回答道：“我要凭着《旧约》宣誓。” 由于托利党人中的顽固分子罗伯特·英吉利斯爵士站起来反对，会议主席命令列昂内尔退出，随后发生了一场争论，这场争论一开始关注的焦点是程序。过了一个周末后，大家决定直接去问列昂内尔为什么他希望凭着《旧约》宣誓，对于这个问题，列昂内尔的回答是：“因为那是一种对我的道德最有约束力的起誓方式。”他再一次被要求退出，然后，在激烈的辩论之后，最终（113 票对 59 票）列昂内尔被允许按照他的要求宣誓。第二天（7 月 30 日），列昂内尔再次出现在议会，有人适时交给了他一本《旧约》。誓词中的效忠和至高无上的内容已经进行了处理。但当工作人员读到“以一个真正基督徒的信仰”的字句时：

> 男爵停了下来，过了一两秒后说：“我省略这些词句，因为这些对我的道德没有约束力。”然后他把帽子戴到头上，亲吻了《旧约》，加上了“请帮助我吧，上帝”。这个举动获得了议院内自由党人的喝彩。他取出了钢笔，在反对声中——我们猜想——准备在国会的测试卷上签上自己的名字；但弗雷德里克·特西格爵士迅速站起来，激动的情绪开始在所有的党派中蔓延，其中夹杂着会议主席呼吁他放弃。(有人大喊“反对，反对”；有人大喊“坐下”；还有人喊“主持人”，“秩序”。) 男爵（列昂内尔）最终放弃了。

尽管与当时的气氛不相称，但这也许是一个聪明的决定。僵持下去，结果只会导致失败。当 8 月 5 日辩论重新恢复的时候，会议通过了一个行政决定，如果列昂内尔不完整地宣誓誓词，就不能取得他的席位，而政府如果要通过一个能达到要求的经过修改的誓词提案，为时需一年左右。当戴维·萨洛蒙赢得格林尼治补选的胜利后，曾经试图加快这个进程，但并没取得更多的进展，只是留下了一个更有失身份的形象。萨洛蒙没有完整地起完那三段誓言就坐到了他的席位上，被会议主席命令退出，但他予以拒绝；当要求他退出的动议通过后，他还是拒绝，并且通过发言和投票来反对这个动议；当主席要求议会警卫驱逐他后，他最终还是离开了下院。最后的结果是一样的：经过新一轮的投票确认，无论是他还是列昂内尔，在起完誓言之前都不能获得自己的席位。萨洛蒙唯一的成果是1852年6月的一次举动废除了一个古老的刑罚，从理论上说，由于议会成功通过了针对他的议案，而他作出了不合法的反应，他应该接受这个刑罚。选区对他的这些做法进行了判决，他在1852年的大选中被彻底打败；相反，列昂内尔再次赢得了胜利。守株待兔的游戏重新开始，因为没过多久事情就变得明朗起来，跟以前一样，犹太人解放运动在下院仍是争执不下，而在上院则明显不受欢迎。事实上，列昂内尔就像是没有席位的议员，国会有与犹太人有关的事项时（比如，1851~1852年政府资助犹太人学校和1857年免除民事离婚法院对按犹太法典离婚的司法管辖权），他在室外对议员进行游说。但从法理上看，这还是一个僵局。然而，又一个提案在上院遭到了否决；在1855年，罗斯柴尔德家族的老对手托马斯·邓库姆甚至非常有创意地试图促成另一次金融城补选，理由是由于为政府的克里米亚战争提供金融服务，列昂内尔已经"获得了提供公共服务的合同"。

进入国会

1857年大选（列昂内尔再次当选为代表金融城的议员，这次的得票甚至领先于罗素，因为后者与自由党的核心小组吵翻了）之后，国会里的战火重燃。由于身后有多数人支持，帕默斯顿觉得由于"伦敦金融城选举了列昂内尔·德·罗斯柴尔德，在本届国会一开始的时候就给国会一个再次考虑接受犹太人的机会，而且这样一个提案由政府来提，获得通过的机会是最大的"。于是，一份提案不失时机地在5月15日推出，在三读的时候获得了绝对的大多数支持，得票123票。为了取悦支持者，为数不少的托利党高层发出了改变立场的信号，例如著名的约翰·帕金敦爵士、菲茨罗伊·凯利爵士，以及最重要的人物德比伯爵的儿子，领袖史丹利勋爵。在上院，新当选的伦敦主教表示了支持，总共有139位上院议员投了赞成票。再一次——让列昂内尔大失所望——他们只是少数。当政府从用单边决议否决上院的立场上退缩，而不是提出新的《誓词有效性法案修正案》的时候，列昂内尔决定再一次放弃自己的席位，并就此事宜进行了一次补选。选举中，他没有遭遇到任何对手，顺利地重新当选，并展开了一次强烈反击，针对“那些去了，但是很少出现在人民中，根本不了解人民愿望的人（这些人事实上除了自己的喜好之外，对其他的事情漠不关心）”。

并不是这次针对贵族问题对人民重新发出的呼吁最终打破了僵局，而是——说起来很荒谬——少数派保守党政府的出现。因为此时，迪斯雷利作为财政大臣和下院的政党领袖，至少有能力对罗斯柴尔德家族还债了，他可以说服德比，而那些上院的议员也不得不做出妥协。他通过在下院给反对党完全的权利达到了这个目的。1858年4月27日，罗素的《誓词修正提案》在委员会上遭到了上院议员的痛斥，关键的第5条被否定。两周后，由罗素提出的“不同意”上院议员的动议以113票的多数获得通过。更令人吃惊的是，议会还通过了（以55票）由怪僻的邓库姆提出的动议，列昂内尔被任命为下院为解释它不同意的“理由”而设立的专门委员会的成员。然后，罗素正式提出议案，所有的理由通过与上院共同举行的大会进行解释。取得上院的认同是决定性的转折点。5月31日，路肯伯爵提出了决议案的内容：下院可以以决议的方式修改自己的入职誓言，条件是必须先得到国会法案的同意。这使得上院可以清楚说明为什么自己不同意下院和德比——尽管“满脸不高兴而且很勉强”，但还是在7月1日宣布支持这个提案。23日，妥协方案最终以两个法案的形式成为法律，一个是将效忠、至尊和归顺三段誓言合并成一段，并适用于所有需要起誓的机构；另一个是允许犹太人省略“以一个基督徒的真正信仰”等词句，但是要取得他们将要进入的团体的同意。7月26日星期一，列昂内尔再次出现在下院。这是最后一次，他再次很不情愿地退出，因为议会在辩论让他能够用缩减后的誓言起誓的两个决议案时他必须回避——原则上说，这是像塞缪尔·华伦和史宾塞·瓦尔坡尔这样的顽固分子表达他们反对“亵渎上帝者的入侵”的最后机会。关键的决议以32票胜出，列昂内尔最后通过使用新的誓词以及《旧约》宣誓后成为了议员。令人匪夷所思的是，尽管这种手段他以前使用过，但他成为议员后即刻参与表决的第一份法规却是《防范腐败法案延期提案》。

列昂内尔进入国会，正像詹姆斯所写下的：“对整个家族是一次真正意义上的胜利。”在第二年所举行的大选中，他的兄弟迈耶·卡尔与他一起进入了下院（另外还有戴维·萨洛蒙）；在1865年，他的儿子纳特也被选入。正如夏洛特满心欢喜地指出的，在刚结束的投票中（好像是在1864年7月），帕默斯顿的政府被“犹太人拯救”，列昂内尔的选举同时也在整个广大的犹太社区引发了共鸣：代理人理事会公布的决议表达了他们“最诚挚的心愿……尊敬和感激”，而且从今以后，每年列昂内尔进入下院的日期就是犹太人免费学校的颁奖日——而列昂内尔直截了当地强调他对宗教的义务，捐赠给伦敦城市学校“其最有价值的（开放式）奖学金以纪念他取得的席位”。

但这场胜利的政治意义一直没有得到恰当的认识。列昂内尔以自由党人的身份获胜，而长期的运动已经让他与自由党的一个很小但很有影响力的小组结成了政治和社会的紧密联系。根据他的日记上的记录，1856~1864 年间，格莱德斯通跟他或者他的兄弟迈耶一起吃过 4 顿饭，与罗斯柴尔德家族的其他成员的通信或者是会面起码有 4 次。其他出现在夏洛特 19 世纪 60 年代信函中的皮卡迪利大街 148 号的自由党人经常性访客中，包括代表武乌维汉普顿的国会议员查尔斯 · 维利耶，他是 1859~1866 年间济贫法律理事会的总裁；罗伯特 · 罗，格莱德斯通第一届政府的财政大臣。列昂内尔在签署了自己的名字并与会议主席握过手后第一个与迪斯雷利握手的这一举动并非没有意义，迪斯雷利在战争最后阶段的贡献应该是决定性的。迪斯雷利与罗斯柴尔德家族的关系从 19 世纪 50 年代初以来一直稳定发展，列昂内尔事实上在 1858 年决定性的那几个星期里一直与迪斯雷利保持着紧密联系。1 月份，他们在加奈斯贝里吃饭（同行的有外斯曼红衣主教和被流放的奥尔良派成员的接待人）。5 月份，在政府有惊无险地通过了其印度政策后，迪斯雷利这样说道："男爵对这件事是怎么说的？他知道大多数的情况！"两个月后的 7 月 15 日，列昂内尔去迪斯雷利办公室拜见他，"自从我们的提案到了下院后，就一直没有见过他"。列昂内尔发现：

> 他精神状态非常好，说是所有的事情都顺利得不能再顺利了……我告诉他我希望我们的提案能在下周一通过，希望他们尽可能马上取得女王的同意。我无法让他按他说的去……①主要取决于其他人，如果他们不等到……所有提案都走完程序，或者他们能安排一个委员会，使我能够在议院通过之前就得到我的席位。我敢说我能够做到……迪齐今天又说，我们有很大的机会通过，我们已经……②他们在我们的提案二读时不再反对我们，而是支持我们，他已经尽了他的全力——他是这样说的。

列昂内尔对这个说法的反应是，询问迪斯雷利"他是否可以跟约翰尼（罗素）和柯吃饭"，但是：

> 他很明智地拒绝了，说他以部长的身份出席会破坏聚会的气氛。我很高兴我问过他，他怎么也不能说我们轻待了他。我告诉他，我们非常渴望能及时让皇室批准我们的提案，以便我能够在今年内获得我的席位，但是你知道他是怎样的一个骗子。他总是顾左右而言他，没有承诺任何具体的事情……迪齐太太

①② 原件看不清楚。

在迈耶家吃饭，又重复了一遍老掉牙的故事，说迪齐为我们做了多少事，而且因为我们不相信他说的这些，他有一次发了很大的火。

列昂内尔叙说这些遭遇时所持怀疑态度的弦外之音，不应该被看成是指迪斯雷利在 1858 年的时候没有尽全力。恰恰相反，必须考虑德比开出的苛刻条件。在列昂内尔进入国会后，他们两个人表现出的亲密关系证明罗斯柴尔德家族不再有任何理由怀疑迪斯雷利的真诚。尽管他不得不在如此恐怖的政治限制下工作，但他并没有放弃他的“种族”。

剑桥的教育

把这一时期发生的允许犹太人进入国会的正面交锋与允许他们进入剑桥学习的事实上的欺瞒进行比较，是一件很有意义的事情。这个问题也使罗斯柴尔德家族起到了先锋作用。事实上，他们在剑桥化解那些宗教限制的计谋所取得的成功，可以解释他们遇到上院的强硬态度时为什么会如此小心翼翼。对他们在这两个案例中所采取的计谋进行比较，确实很有启发性。

应该强调，罗斯柴尔德家族根本不需要去剑桥，更用不着去牛津，这种需要远小于他们对下院席位的需要。在 19 世纪的大多数时间里，罗斯柴尔德家族孩子的教育问题一直是一件比古代英国公立学校和大学可以提供的内容更繁复庞杂的事情。因此，罗斯柴尔德家族依靠私人教师和将孩子送到海外去完成他们绝大部分的学业，以优先确保他们能够保持家族的多语言传统。至于说银行业务的学习，所能采取的就是到一家银行学习。如果说剑桥还能提供点什么的话，就是从占据优先位置的家族生意中让他们稍微分点心。在 19 世纪 20 年代和 30 年代，罗斯柴尔德家族更加关注的是女儿的教育——不像公立学校和大学，一直到 20 世纪末主要关注的都是男孩的教育。安东尼的女儿康斯坦丝和列昂内尔的儿子纳特花费几乎同样的精力把德语灌输进自己的脑子。特别是夏洛特，她在女儿和侄女们的正规学习上是一个非常积极的倡导者。然而迈耶进入剑桥这件事开了一个先例，让夏洛特决定她所有的儿子都应该效仿。问题是犹太人的地位在剑桥仍然是一个灰色地带：从规定上看，在 1856 年之前都不可能被授予学位，他们因此也不能成为学校的正式成员——除非他们愿意履行由各个学院对本科生安排的参加礼拜活动的义务。

奇怪的是——不像归顺誓言——虽然这从本质上看是基督徒的责任，但对于这些责任，罗斯柴尔德家族已经准备从原则上去执行，而他们的出席是最低限度的、被动的。正如我们已经看到的，迈耶在19世纪30年代基于以上观点参加了三一圣堂的礼拜；而且当阿瑟·科恩属于迈耶母亲那边的表亲，在1849年秋季——正好在列昂内尔在补选中取得了对曼纳斯的胜利——进入到剑桥念数学时，他认为类似这样的安排是可行的。通过J·阿伯尔·史密斯——一位最活跃的列昂内尔的政治支持者，他们试图去说服基督教科学派的主事詹姆斯·卡特梅尔为阿瑟·科恩对礼拜堂的规则做些调整，理由是（像卡特梅尔说的）："如果我接受科恩先生，除了我之外，没有人需要知道他的宗教信条是什么。"迈耶也告诉卡特梅尔："科恩先生准备好了在学校礼拜堂参加礼拜活动。"然而，主事却没有被说服。他认为，掩藏科恩的信仰，"会破坏社会的善良诚信"，而"科恩先生祈祷时仅外在的形式符合要求，而他对根本的精神实质却充满怀疑和拒绝，这让我的感情无法接受，并且与我的是非观相左"。

对于迈耶来说，这将会"直截了当地将一个信仰族群排除在享受剑桥大学教育的大门之外"。因此，他和摩西·蒙蒂菲奥里直接找到了阿尔伯特王子——时任大学校长，要求他将科恩的事交给玛格达莱尼主事处理，他同时也是温莎的主任。来自皇室的压力终于在罗斯柴尔德的压力在19世纪30年代未能奏效的地方取得了突破，当时，迈耶曾经由于参加礼拜的问题被强迫离开学校。科恩正好入学，与主任达成的条件是，正如科恩所报告的"通知我星期三和星期五礼拜只持续10分钟，（并且）通知我在这几天去，不要在其他日子去，同时还要跟我讲不要求我参加周日圣礼"。

当罗斯柴尔德家的男孩子逐渐长大以后，类似的安排在三一学院不得不再次进行谈判，首先从1859年由纳特开始。此时，1854年和1856年通过的法案意味着犹太人能够获得学位（除了在神学领域）。但是宗教义务的问题仍然存在于学院的层面上。尽管纳特的导师约瑟夫·莱特福特"承诺过尽其所能在礼拜方面做些工作"，但威廉·休厄尔仍然是"改革道路上的绊脚石"。1862年，纳特向他的父母汇报："三一学院的神父们……因威胁说要把那些拒绝在礼拜堂里参加圣礼的所有人留校惩戒，而遭到了广大同学的憎恶，这条新规所引发的后果是，有很多同学缺席了今天的礼拜，因而面临因为违反一条重要的院规而引起的麻烦。"纳特清楚地感觉到19世纪50年代的改革所取得的实效相当有限。"要使这里的改革产生一点影响。"他抱怨道：

> 但只要大学看上去还像是英格兰教堂的神学院，或者是它自己建立起来的教堂的一部分，我们就得再等待些时日，我们根本不可能有更多的作为……理所当然应当废除的，是7年之后或者是完全退教后才能取得学位的规定……对于一个心智健全的人来说，被剥夺了教籍是一件非常可怕的事情，因为他不会

宣称自己成为英格兰国教的信徒。我一直想不通为什么像这样一个全国性的机构，一个在法律和政治进步——同时也包括宗教进步方面起着基石作用的机构，为什么要由牧师们来统治，就好像是耶稣会的神学院或者犹太学校……

他们在剑桥不得不作出的让步不仅仅只是参加礼拜。第二年的考试通称为“小考”，要求要对威廉姆·帕勒的《基督教神迹》一书有非常详细的了解。一封夏洛特给利奥的满腔怒火的信表明了这给他们造成了多大的困难，但也表明她觉得他应该可以克服它：

你考试时出现的这些莫名其妙的错误让我非常地恼怒——当然，你没有，也不能够故意去对那些神职主考官无礼，也没有人提醒过，你可能会觉得你能够应付对于神学感觉的彻底的缺失，而且完全缺乏对于信念的尊重，尽管这个信念不是你自己的，而且事实上你对此一无所知，但也应该给予尊重，就像是万能的主所受到的千千万万人的顶礼膜拜一样。但是，这个错误仍然必须受到批评，而且事实上也是非常不可饶恕的。无论从任何角度说，除了给别人一个坏印象，它什么作用也起不了。一个经常在参议院出现的年轻人，而且无法拒绝基督教的神迹方面的考试，就应该让自己熟悉这个科目。要是我不知道你被神学老师所包围，我应该会给你一些建议，但我真的认为你应该已经具有请教你的导师的良好的、自然的习惯，就算不去完整了解基督教信仰的历史，也应该了解一个梗概、一个纲要。你将会被看成是最无知、最轻率，也最浅薄的一个人。对此我很伤心，我很遗憾地说，你怎么解释都没有用。

在这时，利奥受到了“神学的神性以及……各种教义”的困扰：当某晚与一群好争辩的老师吃饭时，他感觉“如此疑惑，以至于不敢张嘴”。（一位同行的朋友担心“他们好像忘掉了我的存在，对犹太人进行了攻击”。）甚至在辩论室这种年轻人更多一些的环境里，罗斯柴尔德们也都觉得非常不自在。纳特回忆起某天晚上在学生会他是怎样“怒火中烧”，当时，一个发言的学生“引用下院通过犹太提案过程中太强大的势力作为实例。我希望那一天因为所有这些差异而能早点结束，而且如果我当时立即发言的话，我会激发宗教狂热，而想要平息它远没有激起它那么容易”。

将罗斯柴尔德在进入剑桥上所取得的成功与列昂内尔希望在下院所达到的目的相比较，前者的胜利看来是缓和的。（事实上，一直到 1871 年，宗教考试才最后在旧式的大学里被废除。）列昂内尔的兄弟和儿子参加学校礼拜活动和学习，与他拒绝包含有基督教信念的誓词之间存在着明显，而且不容易解释清楚的反差。我们推测，如果要求学生参加圣礼，情况可能就完全不同了。

博览会与水晶宫

军事胜利的纪念碑一般不会在战争胜利前建设。然而，罗斯柴尔德家族在列昂内尔最终能够取得他在威斯特敏斯特的席位之前几年，就开始为他们的政治优势地位建造纪念碑了。这至少是解释在1850~1860年间特别频繁的建筑活动的一种理由，这段时期罗斯柴尔德家族为他们自己建造了至少4座乡村豪宅，又翻修了一座，它们分别位于：门特摩尔、艾斯顿·克林顿、费里耶尔、普雷尼和博勒尼。

当然，内森及其兄弟从他们繁荣的初期就开始购买乡村住宅，这我们在前面已经看到了。到了1848年革命的时候，他们在费里耶尔、普雷尼、博勒尼、加奈斯贝里、西勒多夫和格鲁尼博格的房子和地产已经在家族的名下很多年了。当他们在1848年之后购买位于白金汉郡的新土地——最著名的是位于艾斯顿·克林顿的农场的时候，伦敦的合伙人在经济上仍然是非常理性的，因为他们的父亲和叔叔在为他们把关：除非农业用地在购买价格中占到3.5%，否则他们不会有兴趣。“如果你认为艾斯顿·克林顿值26 000英镑，”列昂内尔在1849年写给迈耶的信中这样说，“我不反对你对它的报价，但我想我们应当保证所有的费用中能有部分是清清楚楚的，这并不是空中楼阁，你必须把它当成一个完整的投资。”当他在1849年到达西勒多夫的时候，他评价它是“非常棒的财产，尽管（萨洛蒙叔叔）买贵了一点点，但只要经营得好，它会给他带来不错的收益”。

在罗斯柴尔德家族购买土地的时候——刚开始从19世纪40年代中期严重的农业危机中复苏——他们抄到了市场的底。1848年，白金汉公爵最终宣布破产，一年之后，迈耶收到了地产经纪人从爱尔兰发来的报告，通知他们那里所存在的大好机会。“种土豆的完全失败，自由贸易毁了所有的人。”当时流行着这样的说法，“爱尔兰完全毁了，现在是购买地产的天赐良机，至少是非常接近最好的时候了。当取得国会颁发的产权后，可以肯定能获得在购买和转售中间巨大的升水。”实际上，迈耶和他的兄弟对这种倒买倒卖的方式并不感兴趣：他们对地产的兴趣，正像他们母亲所说的，是针对1849年12月时国债的收益已经降到了3.1%的情况。当时是购买土地“最恰当的时间”，“当基金处于目前这种很高的位置的时候，尽管对于所投资的资产的利息也会降低，但土地总是一种等价资产”。这样的投资不应该被看成是企业家精神衰落的表现。法国罗斯柴尔德家族购买酿酒资产的举动也是同样的情况：纳特在

1853 年购买布瑞恩–木桐酒庄（Chateau Brane-Mouton，他给它改名为木桐–罗斯柴尔德）以及詹姆斯对争夺拉斐酒庄（Chateau Lafite）的控制权所进行的持久战，都是由于得到了一份对高质量的红葡萄酒需求的精明的评估报告。当詹姆斯最终在 1868 年确保了拉斐酒庄控制权（支出了 177 600 英镑）的时候，他已经是一位年迈的老人了，而几乎是在完成这次收购的同时，他又开始对一座新的酒庄竞标。

然而，花 26 000 英镑在农庄上和花费相似金额在豪华的新房子上有着天壤之别。在 19 世纪，极少数英国地主怎样为自己建盖“富丽堂皇的新房子”这样的事情并不会引起大家的兴趣：100 多年前有多大支付能力与现在根本就没有什么关系。另外，对于罗斯柴尔德家族来说，钱根本就不是问题。当伦敦的合伙人在 1852 年从公司的共有资金中抽走了 260 250 英镑的时候——开始是为了资助他们的建筑项目——这笔钱还不到其资产总额的 3%。而门特摩尔新房子的报价才 15 427 英镑。对于建筑师乔治 · 迈耶在 1853~1873 年间为罗斯柴尔德家族所做的巨大工作，他总共也只获得了 350 000 英镑。

事实上他们可以买得起，然而他们并没有解释为什么决定将钱花在这些没有回报的大房子上。比较平庸的解释——而且这种解释好像也足够了——是罗斯柴尔德家族喜欢在乡村的生活，而铁路的出现意味着他们可以在不影响其城里工作的前提下实现这个理想。伦敦和西北线使列昂内尔和他的兄弟们很容易地在门特摩尔和厄优斯顿之间来回通行：列昂内尔可以在乡间“骑马狂奔”，又可以按时出现在傍晚的下院辩论会上。1849 年 5 月开通的斯特拉斯堡至里尼的铁路线，也为詹姆斯和他在费里耶尔的儿子们提供了同样的便利。然而，还有一个补充性的且也许是必要的解释。新的房子代表着一种他们对贵族身份的主张。早在 1846 年，列昂内尔就明确表示，他认为一个准男爵的身份配不上他，而且在他很清楚地知道贵族的身份不会再青睐他之后，他才踏上了他自己发动的进入下院的运动。但这不是“封建制度”的征兆——那些腐朽的资产阶级向过时的上层阶级的价值观投降；因为我们不应该忘记，门特摩尔修建的时间正好是列昂内尔公开挑战上院立法地位的时候。罗斯柴尔德争取英国的贵族地位是坚定不移的，而对这种决心的表达，没有任何事情能比这个家族为自己建造这些豪宅更具说服力。他们的房子不只是模仿了 18 世纪的乡间别墅，它们展示的是罗斯柴尔德家族的实力。他们为有影响力的客人准备五星级的宾馆、私人艺术馆，作为公司业务接待的中心。

他们对建筑的具体选择也颇费心机。约瑟夫 · 帕克斯顿与这个家族的交情始于 19 世纪 30 年代，并于 40 年代为路易莎的岗特堡别墅提供了咨询服务；而他为博览会设计的水晶宫似乎才让这个家族相信了他的能力，放心让他做些比修修补补更为重要的工作。工程于 1851 年 8 月，也就是展览会的那一年，在门特摩尔动工，作品充满了伊丽莎白时代的灵感——帕克斯顿在心里把武拉顿和哈德威克的别墅作为了样板——对于当时的标准来说这是创新型的建筑，带有巨型玻璃顶的大厅、流动的热水和中央供热。对于迈耶本人、他的妻子、他的女儿来说，很难把它理解成家庭的住房。光底层就有很夸张的 26 间房子，这从本质上来说就是一家宾馆，这里可以接待无数的宾客，并提供食宿。据信，这些来宾会时刻想到他们的东道主所具有的国际影响力：事实上，那些欧洲国家的领导人（比如由意大利雕刻家拉斐尔 · 蒙提所给出的例子），逐渐变成了罗斯柴尔德的商标一样的东西。门特摩尔同时也是一座艺术馆，打算把现代的罗斯柴尔德家族的实力与历史上很多非常脆弱的前代艺术品联系起来——因此，本来是为威尼斯总督建造的三只巨型的灯笼、各种哥白林挂毯以及大批 16 世纪意大利和 18 世纪法国的家具等被收藏了进来。

通过建造门特摩尔，迈耶为家族的其他人设定了标准。艾斯顿 · 克林顿在 1854~1855 年间由帕克斯顿的女婿乔治 · 亨利 · 斯托克为列昂内尔改建，这个工程相比较而言就只是修修补补的工作了。由于试图扩大已有的房子，斯托克没有办法让路易莎的“梦”实现，因为她希望的是“随着时光的流逝，我会慢慢地融入到这个小地方，我初次到这个地方时，认为这里是地球上最丑陋的地方”。相反，詹姆斯下定了决心要在费里耶尔超过门特摩尔。由于对法国建筑的专业水平不放心，更不用提当地的石匠水平，他找来了帕克斯顿和迈尔斯。接下这个工程让他们后悔不已，而詹姆斯却没有为在从法国建筑师安东尼 · 朱利安 · 赫纳德处找到了第二种意见而拒绝帕克斯顿的第一个方案感到有什么不妥；同时，英国工人和法国工人在工地上对工资差异所造成的摩擦引发了罢工，并最终爆发暴力冲突。最后的结果——工程一直到 1860 年才竣工——是一个法国、意大利和英国风格折中的混合物。整个建筑搞得如此复杂，龚古尔曾经如此厌恶地评价它：“种树木和建水景就花了数百万，围一个城堡花了 1 800 万，一次白痴般的可笑的无度挥霍，一份各种风味混合的布丁，一份愚蠢野心的果实，硬把各种有名的建筑风格都放到了一个建筑里。”俾斯麦认为它看上去像“底朝上的衣柜”。诗人和外交家维尔福瑞德 · 斯卡文 · 布兰特称它是“一个以最怪诞的路易 · 菲利普的喜好装饰的怪异的帕玛俱乐部”；而一贯持反犹态度的爱德华 · 杜鲁蒙把它看做“一个难以形容的古玩商店”。

然而，这还是一个代表着技术发展水平的事件：詹姆斯很有创意地把厨房移到了离房子有 100 码远的地方，以便不让客人闻到厨房工作的时候传过来的味道，并在餐厅下面修建了一条小型的地下铁路将其与地下层连接起来。而且像门特摩尔一样，它部分是彰显家族的实力（用查尔斯 · 亨利 · 科第尔的女像柱来象征罗斯柴尔德控制了地球的四面)，部分是宾馆（住房超过了80间)，还有一部分是艺术馆（大厅作为詹姆斯藏品越来越多而显得凌乱的“个人博物馆”)。所有的一切都大得让人难以想象（就像伊芙林娜说的那样，“这个地方太宏伟，没有办法不设立岗哨”)，然而在内部却具有一种异域的戏剧性的氛围，这部分由舞台设计师尤金·拉米负责，他在吸烟室里画上了模糊的比较通俗的威尼斯壁画。普雷尼城堡由斯托克在1858年时为阿道夫建造，比较起来属于比较适度的。这座可以眺望日内瓦湖的路易十六风格的建筑起初准备建成阿道夫藏品的展览馆，他的藏品包括油画和艺术品——奇异的岩石晶体、宝石和木雕。这个位于布罗涅的建房工程由阿曼德·奥加斯特·约瑟夫·贝特林在1855年动工，工作的情况类似，尽管贝特林的灵感来自于路易十六的凡尔赛宫。

19世纪50年代和60年代，还可以看到罗斯柴尔德别墅的花园出现了非常壮观的转型情况。在费里耶尔，在帕克斯顿的指导下，出现了新的池塘，上面架有装饰性的小桥，还有精致的温室和温室花园。尽管夏洛特的女儿伊芙林娜更喜欢加奈斯贝里和门特摩尔的土地，但夏洛特在这个时期对费里耶尔的描写表现出了极大的热情，她主要关注：

> 灌木、树木、花草、暖房及温室，还有……温室内那些令人目不暇给的奇花异草。费里耶尔在我的眼中就是仙境，这里什么也不缺，满眼都是如画的风景……詹姆斯叔叔从世界各地收集了野鸭、天鹅、雉鸡……全部都汇集在一起——这里有橘子园、室内花园、水晶宫、农场、珍稀动物园——有野生的也有驯化的……费里耶尔是无可比拟的……它就像是阿拉丁的宫殿，有仙境般的公园、奇异的禽鸟馆、壮观的鱼群和满是甘美水果和鲜艳花朵的水晶宫。

在布罗涅，景观花园设计师波伊修建了一座精致的水景园，有瀑布和假山，而詹姆斯在他的奇异动物收藏中加入了“带卷毛的鹅”、白鸭子、埃及驴和会说话的鹦鹉。在普雷尼，阿道夫也有一座动物园，里面养着巴塔哥尼亚野兔、袋鼠和羚羊。甚至是那些更老的房子也重新设计了花园。尽管安塞尔姆很少去，他还把西勒多夫的园子换成了摄政王公园的西勒仙版。他也增建了一个湖泊来吸引野鸭，还建造了大量的英国式小屋——罗斯柴尔德家族在乡村的家长式管理的早期例子，就像是各种动物和鸟类收藏表明了罗斯柴尔德家族对动物学开始表现出热情一样。

这个家族在欧洲大城市里的住宅也没有被遗忘。列昂内尔从国会议员菲茨罗伊·凯利手里买下了皮卡迪利大街148号隔壁的房子，请尼尔森与英尼斯公司重新在两座房子的地基上建造了一座新的更大的房子。在施工进行期间，他们搬到了奈兹布里奇的金斯敦别墅暂住。要想对最后完成后的建筑留下点印象（这幢房子在公园道为缓解交通压力进行扩路时被拆掉），你只需要走进任何一家显赫的伦敦俱乐部：地下室是留给男仆的居室和酒窖，底层是宏伟的大厅，大理石铺就的楼梯把你引向一楼的接待室，二楼是私密的包房，阁楼是女仆的房间。厨房移到了花园里的平台下面。位于巴黎的几家饭店也是类似的规模，并且都是同样的基本结构。

当然，用合适的家具和饰物来填充这些房子的工作一直都没有能完成。夏洛特一次非典型的在巴黎的购物之行提供了一份购物清单，包括一组大理石物品，价值2 000英镑；四个小的雕像；一个水晶吊灯；四座罗马皇帝的半身像；“两只精致的法国红花瓶，雕刻得美妙绝伦，内容表现的是海神尼普顿被几位特赖登海神和海仙女所围绕”，花费了5 000几尼；一张桌子，150英镑。一年后，伦敦的艺术品商人给夏洛特看了一批东西，其中有一幅鲁本斯的画；“一幅伊尼哥 · 琼斯所作的漂亮的壁炉画；一幅同样精美的乔舒亚 · 雷诺兹爵士的肖像画，画的是一位美丽的妇人……最后，当然也不是最不重要的，是罗素先生很早前就答应过的日本或者中国的藏品”。像（龚古尔）这种假内行，喜欢嘲笑罗斯柴尔德家族老是依赖艺术品商人的做法，他们最恶毒的故事之一是描写安塞尔姆给了眼镜商人36 000法郎，要求他发明“一架长柄眼镜，能给他那种用有品位的人的眼光来看作品的能力”；另一个是想象詹姆斯为了确保一幅韦罗内塞的画作能得到一个好价格，特意为商人的女儿举办了一次盛装舞会。真实的情况是，罗斯柴尔德家族现在已经身处艺术品收藏界的精英阶层，甚至可以说已经成了领军人物。纳特在1869年时从巴黎的一次拍卖会上向他的兄弟报告，“要想买画作的人，现在必须要很有钱才行。”或者像他的堂兄居斯塔夫说的：“瞬间花钱。”但是，如果不是罗斯柴尔德家族，谁会这么有钱？

除此以外，19世纪60年代早期在纽考特对银行大楼的重建似乎是一个后来想起来的事情。然而可以肯定的是，夏洛特认为新的建筑“相当绝妙，是为那些大生意所准备的”。它一直矗立在那里，见证着之后，政治（还不说艺术和建筑）在多大程度上把罗斯柴尔德家族年青一代的注意力从这个目标的追求上吸引走。

第六章

动荡的年代（1849~1858年）

THE HOUSE OF ROTHSCHILD

我很高兴给那些我们大家都很讨厌的犹太人点颜色。

凯沃尔

19 世纪 50 年代对于罗斯柴尔德家族来说是一个困难的时期，至少按照传统的观点来看是这样的。首先，路易 · 拿破仑 · 波拿巴——詹姆斯对他一直心存疑虑——推翻了《共和宪法》，并且以他叔叔直系继承人的身份宣称自己是皇帝。其次，詹姆斯的金融对手阿希尔 · 福尔德——海涅称为“高兹河铁路总拉比”的本诺特的弟弟当上了财政部长。根据经常被引用的德 · 威拉–卡斯特尔伯爵的说法，福尔德告诉拿破仑说：“陛下，您绝对有必要把自己从罗斯柴尔德的控制下解放出来，他们根本没有考虑您的利益。”第三，新形式的“通用型”银行，比如像工业信贷银行——由詹姆斯以前的助手佩雷尔兄弟创立——严重威胁着罗斯柴尔德家族的统治地位，这种威胁不只是出现在法国，而且出现在了整个欧洲大陆。最后，19 世纪 50 年代国际局势出现了剧烈的动荡：从 1815 年开始就困扰着罗斯柴尔德家族的强大势力之间的大战噩梦成为了现实，首先是克里米亚战争（英国和法国抗击俄国和土耳其），然后是意大利战争（法国抗击奥地利和意大利）。

然而，这个说法其实在两方面存在着误导，主要原因是历史学家过分依赖于那些明显带有偏见的信息来源，比如于布内伯爵——出任奥地利大使的阿波尼的继承人——的日记，他们过分强调了詹姆斯在拿破仑政权下所经历的困难。另外，他们也过分关注于法国方面，而詹姆斯所经历的这些困难其实不应该被孤立起来看，因为就在同一时候，其他的罗斯柴尔德银行都非常繁荣。

两个皇帝

于布内把贝蒂与康嘉尼尔将军的关系描绘成一段罗曼史完全是一种恶意的中伤。事实上，最近重新发现的贝蒂在阿方斯去美国的那段时间写给阿方斯的信表明，她对康嘉尼尔的第一印象并不好。这位将军给她的印象是一位“中等身材、消瘦、丑陋的男人，除了胡子以外看不到任何英武的东西，给人的第一印象是他很苍老，而且已经风烛残年”。当他在1849年与他们一起吃饭的时候，他“尽可能地表现得善解人意，而且非常渴望去取悦人”，但“在这方面，他只是取得了部分的成功。我没有在他身上发现我以前听别人赞扬他时所经常提到的坦诚与忠诚；相反，他给人的印象更像是一位双面人”。汉娜告诉迪斯雷利说，康嘉尼尔是一位十分拘谨的人，当他被邀请到罗斯柴尔德家与一位著名的歌剧演员一起吃饭的时候，他拒绝了，而且“为邀请了一位公众歌手吃饭而对贝蒂进行了一番说教”。在这段时间，贝蒂也没有能回避出现路易·拿破仑的一些安排。她在4月份告诉她的儿子，元首“干得不错，每天他都能为他的法令和法律权威的原则找出一定的依据”。同样重拾信心的还有她自己，她“最终打破了坚冰，出现在元首的沙龙聚会里。再不出来对这种政治困局施加点影响，自己都自身难保了”。

另一方面，毫无疑问康嘉尼尔提到了能让一个在整个家族里反对革命的态度最坚决的女人重获信心的正确的事。她满心赞许地写道：“他是一个货真价实的反动分子……有一天，他谈到了关于我们旗子上的第三种德行的标志，他对我说，‘我对兄弟情义是如此仇恨，要是我有一个兄弟的话，我会叫他表弟。’”不久，她又向阿方斯保证，“我的朋友康嘉尼尔会制止那个疯子的”，还说家族“会得到难能可贵的康嘉尼尔的保护”。“在我们尊敬的康嘉尼尔身上，”她在6月份时宣称，“我们看到了一位值得信赖的朋友，他能非常娴熟地处理各种突发事件，而不让我们当时就知道他所面临的困难。我没有办法告诉你这个人有多么崇高，他有多么高贵的心灵以及忠诚的灵魂，他是多么坦荡，这位过去的英雄，浑身充斥着能给他带来意志力的侠义，他想做的事情从不落空。”如果她是在公众场合说的这些话，那么于布内在发现政治问题的同时又探听到大量的这种逸事就不会让人感到奇怪。她的婶婶汉娜很小心地评论康嘉尼尔“对家族非常尽心，很认可贝蒂的才能和能力，欣赏家族在革命期间的勇气和行事方式，并对他们的繁荣昌盛表示了强烈的兴趣”。对于这一点，詹姆斯满怀羡慕和困惑——尽管康嘉尼尔愿意给他提供敏感的政治情报（比如关于法国对唐·帕西菲科事件的政策），但他从来没有用这些消息来进行投机——评论道：“迄今为止，康嘉尼尔从来没有迷失（在投机里），他也从来没有对我说他想要投机。事实上，我很肯定，如果我想要对他或者他的助手建议这类事情，他可能就不再会见我或者接受我的邀请。他是我见过的最不平常的人物！”相反，波拿巴就对于投机却乐此不疲——但不是与詹姆斯联手。

整个的1850年间，詹姆斯都在努力去调整他与拿破仑三世两人之间的关系，但是越来越显而易见的是，拿破仑三世掌握着主动，而这可能会给詹姆斯带来麻烦。“元首大概认为我有什么方面对不住他。”詹姆斯在1850年1月的时候说道，“因此，似乎我在他那方面也没有什么太大的优势，特别是在福尔德不帮助我的情况下。感谢上帝，我并不需要他。”按照这个说法，他信不过福尔德的传闻是真的（这和他与一个异教徒结婚并没有多大关系）。还有就是，他们之间的竞争本质不应该被曲解——他们经常来往，而且人们发现了很不应该的一面：一个兄弟做银行家，而另一个兄弟做财政部部长，用詹姆斯的话说，这不是什么公平的战术。詹姆斯明显感受到了自己在生意和政治上的不利地位。“很遗憾，”他满腹牢骚地说，“我很不乐意看到我们的生意被抢走，我们跟从前比好像已完全不同。”但是如果认为发生在1850年的那件使他未能保住年金业务的事情就代表着他的金融影响力在降低的话，那就大错特错了。事实上，詹姆斯当时已经准备好了一份标书，但没有去参加竞标，原因是纳特4岁大的儿子迈耶·阿尔伯特去世了，而葬礼恰好就在财政部部长定下开标的日子。尽管在参加葬礼，他也无法掩饰自己的窃喜，因为他的缺席造成了福尔德招标活动的“惨淡收场”：“现在他看到了，没有人能把罗斯柴尔德抛在一边，福尔德不可能为所欲为。”

真实的情况是，詹姆斯当时真正最为关切的是外交而不是金融。他担心元首变幻无常的对外政策会在法国与其他大国之间导致摩擦，甚至是导致战争，对手有可能是英国（针对唐·帕西菲科事件）或者是普鲁士（针对日耳曼问题）。希拉克关于詹姆斯在一次与拿破仑和康嘉尼尔在1850年末的会议中试图缓和法国政策的故事证实了这个说法。“好吧，现在让我们来看看，这次伊（与）德国的争吵是关于深木（什么）问题？”詹姆斯以辩解的口吻说，“让我们来做一些按（安）排，看在赏（上）帝的分上，让我们来做一些按（安）排。”按照这个故事的说法，拿破仑三世的反应只是把自己的后背转向了他。詹姆斯确实于1850~1851年间在很多场合多次见到过拿破仑三世，但詹姆斯在影响他的政策方面的尝试从来没有成功过。相反，詹姆斯抱怨元首“最喜欢玩的游戏就是戏弄小兵”，他是“一头驴……最终会使整个世界都变成他的敌人”。具体来说，法国插手1850年下半年间发生在奥地利和普鲁士之间的争端的可能性让他有了不祥的预感。尽管他一直担心死于“红魔之手”，如果路易·拿破仑由于对外政策的重大失败“像路易·菲利普一样被追得走投无路”，詹姆斯认为他不会觉得太意外。

所有这一切都解释了为什么随着波拿巴分子政变的可能性越来越大，詹姆斯也变得越来越焦虑起来的原因。早在1850年10月，他就开始向伦敦分行转移黄金，他对侄子的解释是“当一个像他（拿破仑三世）那样的人有可能会因为我是康嘉尼尔的朋友就没收我的钱财的时候，我情愿把我的黄金放到这儿去挣3%的存款利息，也不愿意放到国债上或是将它束之高阁。我并不是害怕，但我宁愿小心行事。从政治上看，这是一个千疮百孔的国家”。同时，詹姆斯由于一直保持着跟康嘉尼尔的来往（甚至在康嘉尼尔被他的军队解职，离开国民卫队司令部后，两人也来往不断）而大大增加了他的政治曝光度。1851年10月，詹姆斯告诉他的侄子说，“我们的将军”胸怀“远大的理想”。“我怀疑在这些理想实现之前，”他又很不安地说，“巴黎可能浸泡在血泊中。我已经卖出了我所有的公债。”因此，我们没有理由不怀疑詹姆斯担心在12月1~2日的叛乱发生的夜晚，他会与康嘉尼尔以及其他共和党领导人一起被捕。很有象征意义的是，在“卢比孔行动”（暴动的代号）前一周，他从楼梯上跌倒，弄伤了脚踝，因此，当波拿巴分子展开攻击的时候，他十分顺理成章地放弃了抵抗。但是有点让人不解的是，他在暴动发生的当时发给伦敦的信上，对于政治问题居然只字未提，对此，詹姆斯的解释是，他有理由担心这些信件会被检查。对于历史学家来说，非常幸运的是，贝蒂在遇到阿波尼（Apponyi）的时候并没有表现得很矜持，因此让我们知道了她的很多激烈反应：

> 她相信元首只是成功地解救了那些激进分子，而且他会被迫采取摇摆政策，最终他只会以成为他们的一种煽动手段收场。“为了能继续沿着元首选择的道路走下去，他不得不以煽动（意思是极左）来威胁我们，因此他不能完全把它摧毁；而我担心他不仅根本就不能力挽狂澜，相反，他可能会为了达到他个人统治的目的而推波助澜。”

然而，詹姆斯从来就不是一个会把他的政治喜好与他的生意混为一谈的人。除了他个人对康嘉尼尔的喜欢之外，他并没有要对共和党人效忠的想法，并且以“极大的妥协”接受了新的局面。费里耶尔把局势稳定的消息带到了一个临时发起的在拉斐特大街举行的银行家聚会上。

> 与会人士谁都没有明确谴责路易·拿破仑对1852年以前《宪法》的肆意妄为的决定，这种事情大家认为具有一定的必然性；大家所担心的只是这将成为一场危险的赌博。报道中说逮捕了几名将军，大家害怕这可能会导致军队内部的分裂，如果出现这种情况，则意味着法国末日的到来，在这种情况下，最终

> 谁是胜利者已经无关紧要了。费里耶尔先生遭到了各种问题的轮番轰炸。他描述了他所见到的一切：军官们恰如其分的幽默，士兵们良好的精神状态，军事力量的大规模扩张，那些看公告的人的麻木不仁，巴黎的宁静，尽管晨曦这里已经发生了惊人的变化。这些大财阀听到这些确切的消息后，紧锁的眉头都松开了。

另外，局势很快就明朗起来，拿破仑三世通过粉碎共和党左派，并发出支持扩张性的信贷政策的信号，制造了乐观的金融氛围。国债价格的波动就是一个很好的故事。在暴动的前夜，（票面利率）3%的国债报价是 56，而（票面利率）5%的国债报价是 90.5。之后，价格分别上涨到了 64 和 102.5；到了 1852 年年底——当时拿破仑三世在暴动一周年时宣布自己为皇帝，票面利率 3%的国债达到了 83，从共和制到帝制的资本收益率接近 50%（见图 6–1）。铁路投资总额的数据情况也都大同小异：在 1848~1851 年期间出现过停滞之后，投资总额到 1856 年增长了 5 倍。詹姆斯逐渐意识到经济和政治事件并不是同步的：甚至战争恐慌和暴动发生前那段时间的国内紧张局势都没有造成他所预期的动荡局面。“听那些政治家的说法，”他在 1850 年时评论说，“你会以为全完蛋了；而听那些金融家们说的，他们告诉你的是完全相反的情况。”到了 12 月 2 日，政治家和经济学家又开始重新携手，政府通过证券交易所的运行有意识地重新返回到健康发展的道路上。

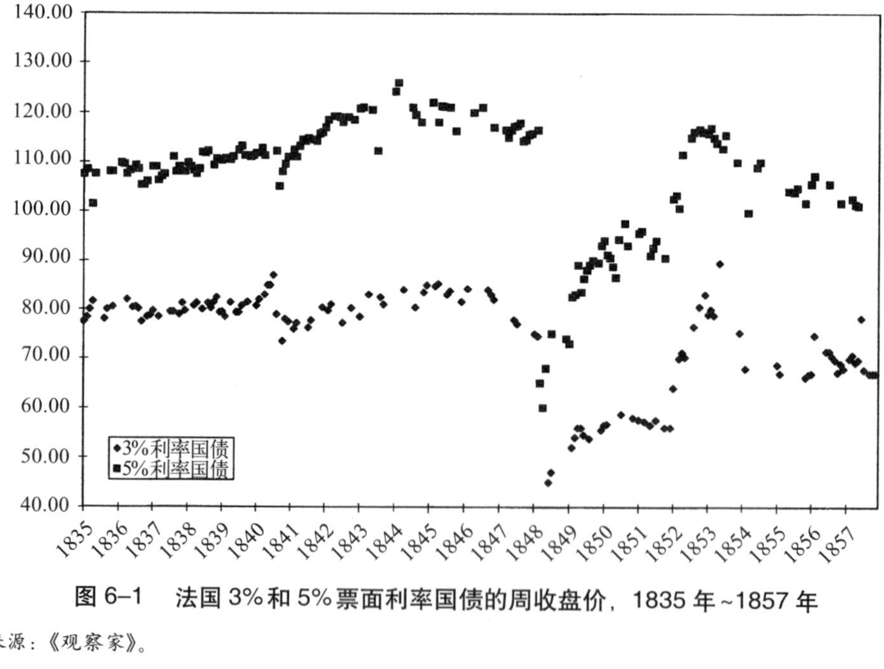

图 6–1　法国 3%和 5%票面利率国债的周收盘价，1835 年~1857 年

资料来源：《观察家》。

因此，拿破仑三世政权对詹姆斯来说根本不是一个理想的结果，他可能更希望康嘉尼尔为奥尔良派的复辟铺平道路。但是一旦拿破仑很明确地表示不打算对他进行人身处罚后，他也可以很勉强地接受这个现实。他已经在1850年10月很有预见性地总结了自己的处境："最后我们将迎来一位皇帝，然后就是战争结束，要不是我如此害怕战争，那么我可能就是一名保皇党人。"暴动之后，他很快意识到，如果他被认为与被推翻的共和党人走得太近的话，他的竞争对手就会抢先他一步。贝蒂在拿破仑退位并被放逐到费里耶尔时表达了她认为拿破仑"道德沦丧"的看法，与此同时，她的丈夫不得不对时局做出分析。"我认为拿破仑正在积蓄力量，"他在暴动三周后给伦敦的报告中说，"尽管事实上那些大人物和善良的人不大会接受他的邀请。你们认为我们应该完全置身事外吗？"这只是一个修辞方面的问题，并不期待对方的回答。连罗斯柴尔德家族的女人们都做不到坚定不移地保持她们的社交抵制。事实上，她们的态度在12月底之前就开始软化了。"在罗斯柴尔德的家里，"阿波尼在见过了纳特的妻子夏洛特以及贝蒂后，充满恶意地看到："这种神态自若的态度来自于他们所拥有的巨额财富，这些财富来自于他们资产组合中的那些债券和股票在当时的市场上出现的飞涨。"

这次至少是詹姆斯定居巴黎以来的第五次政权更替，因此很显然很难再让他严肃地看待这类事件了。"我亲爱的侄子们，你们怎么可能喜欢一部为两个没用的东西制定的法国《宪法》？他们正在这里的大街小巷为了那个目的而叫卖呢。"一个极权的政府"不太好，但在这里你可以做你喜欢的事，而且所有的一切都过去了"。早在1852年的10月，詹姆斯就很轻松地报告说他"与皇帝的关系非常好，与其他人也是如此"，这是在拿破仑三世正式宣布自己做皇帝之前两个月的时候，也是在他著名的波尔多讲话前几天。他在这次讲话中宣称："帝制意味着和平。"这似乎排除了那种轻率地废除比利时的中立政策，或者是挑战普鲁士对莱茵地区的统治的可能性，而这些在早两年是大家最为关切的事件；同时也解释了为什么其他列强把拿破仑三世这个皇帝只是看成一个象征性的符号。

当然，事情本身远没有那么简单：1853年1月，詹姆斯仍然很难拜见到这位新皇帝。但是他有两条路子进入这个新朝廷。第一条路子是他仍然是奥地利的总领事，而且煞有介事地穿上了他的紫色制服，以提醒那些忘了他外交官身份的人的注意。1852年8月，他可以给拿破仑传递来自奥地利新皇帝弗兰兹·约瑟夫陛下的礼节性问候。尽管于布内处心积虑地破坏詹姆斯在巴黎代表维也纳的权力，但是只要罗斯柴尔德家族仍然是奥地利的银行家，他就没有机会驱逐詹姆斯。詹姆斯找到的迎合拿破仑的第二条路子，是支持半西班牙半苏格兰血统的女冒险家尤金妮·德·蒙蒂霍的计划，许多势利的巴黎人认为她只不过是拿破仑三世众多情人中的一位。拿破仑三世在1850年经人介绍认识了她，到1852年年底就无可救药地陷入了对她的疯狂追求之中。当他打算与胡亨罗赫的阿得雷德公主（Princess Adelaide of Hohenlohe，维多利亚女王的一位侄女）的外交通婚计划落空后，他冲动地决定娶尤金妮，这使得他的大臣们惊慌失措。

到1月12日，这个决定仍然属于秘密，当时尤金妮正挽着詹姆斯的胳膊出现在忒勒蕊的舞会上。于布内注意到詹姆斯很久以来“都被这位年轻的安达卢西亚人所迷惑，但现在比以前任何时候都更严重，因为他相信会有一场婚礼”。他的一个儿子——据推测应该是阿方斯——陪伴着她的母亲。当一行人进入到玛赫廓大厅，准备为女士们找个坐处时，外交部部长德律安·德吕的太太傲慢地对尤金妮说，她们想坐的这些位子是为部长们的夫人预留的。拿破仑三世无意中听到了这句话，便走到了这两位女士面前，请她们坐到了皇帝的位子旁。两个小时后，皇帝和尤金妮消失在皇宫的内室里，稍后出来的时候，两人手挽着手。3天之后，皇帝向她求婚，到22号的时候公开订婚，然后在一周后举行了婚礼。“我更欣赏那种不仅能使我爱她，而且更能使我尊重她的女人。”拿破仑三世宣称。“一个男人可以爱一个自己不尊重的女人，”安塞尔姆的妻子夏洛特在这不久之后评论道：“一个男人只会与他敬重和尊敬的女人结婚。”这句恭维话——考虑到罗斯柴尔德家族独特的区分浪漫爱情和婚姻的传统，这应该是一个很言不由衷的说法——很适时地传到这对皇室夫妇的耳朵里。

可以很肯定地说，这件事的重要意义怎么说都不会过分；从另一方面说，对于我们现代的读者来说，大家很容易忘掉当时的人是多么严肃地看待19世纪繁复的宫廷生活的礼仪——特别是，我们可以说，在这样一个让人无法想象的暴发户的宫廷里（他的宫廷来自于一场政变，而且还得时刻小心面对公众对其合法性的质疑。）

工业信贷银行

当然，真正决定詹姆斯在拿破仑第二王朝中命运的地方不是忒勒蕊或是贡比涅（拿破仑三世打猎的地方），而是证券交易所和铁路公司的董事会。在这些地方，第二王朝见证了19世纪最大的企业战争的壮观场景：罗斯柴尔德家族与工业信贷银行之间一决雌雄的战斗。

由于工业信贷银行成立的时间（1852年11月20日）与第二王朝正式宣布皇帝即位的时间（12月2日）的巧合，新银行常常被赋予了显然是错误的重要性。例如，很多作者把它描绘成对罗斯柴尔德家族主导法国公共财政的第一个政治挑战——拿破仑三世针对福尔德对他说的，让他从罗斯柴尔德束缚下“解放自己”的谏言所做出的反应。第二个错误概念是工业信贷银行代表了革命性的新型银行，完全与以罗斯柴尔德家族为代表的“老式的”私人银行相对立。

事实上，这种以公众募股作为资本金基础建立银行的想法从根本上说并没有什么新意。从1826年开始，股份合作类型的银行就已经合法地出现在了英国，比如像国民地区银行和伦敦威斯特敏斯特银行——两家都成立于1833年——早已经在佩雷尔兄弟投身银行业之前很久就证明了这种方式的可行性。在工业信贷银行成立的时候，在英格兰和威尔士分布着大约有近百家股份合作性质的银行，数量上大概是伦敦私人银行的两倍。说英国的股份合作银行不向工业企业发放贷款也不确切（尽管它们更倾向于不做长期投资，通常把到期的票据和贴现票据按远期到期日的方式展期）。其实，工业信贷银行的那种做法也不是真正的长期工业投资，尽管我很尊重经济历史学家，比如亚历山大·吉森克隆和兰多·卡麦隆的判断，认为它不仅在法国，而且在整个欧洲大陆促进了工业化。在佩雷尔家族所处的法国，他们也面对着比他们出现得早得多的对手，最早的（如果人们可以忽略约翰·罗的国民银行）是拉斐特的国民工商银行。而且也并不像兰德斯所认为的，是罗斯柴尔德家族和其他已经存在的巴黎银行，特别是那些老式的银行在应对着工业信贷银行的挑战：他们也看到了这种股份合作的形式对长期投资所具有的合理性。尽管他们的资本金与佩雷尔家族的不同，完全属于他们自己，但在法国和奥地利的罗斯柴尔德家族银行在资本金使用方面，与工业信贷银行使用其债券持有人和储户的钱的方式其实一模一样——而且从远期看罗斯柴尔德家族银行显然更为成功。这里指出一个简单但通常被忽略的问题：工业信贷银行的规模没有罗斯柴尔德家族银行的大。它的初始资本金是2 000万（后来到6 000万）法郎，而罗斯柴尔德家族成员的资本金在1852年的时候超过了8 800万法郎，如果合并罗斯柴尔德银行，全部资本金则不少于23 000万法郎。而在工业信贷银行的初始资本金里，佩雷尔家族自己只占有大约29%。

现实中，他们真正所做的并没有让当时的人以及后来的历史学家相信他们做到了那么多，罗斯柴尔德家族银行与工业信贷银行的差异也并没有他们所声称的那么巨大。（只有那些对巴黎不很熟悉的人才会像俾斯麦那样把罗斯柴尔德、福尔德和佩雷尔混在一起。）佩雷尔家族一直在用圣－西门式的花言巧语来解释工业投资的共同收益，而他们自己则做起了公债和铁路股票的投机，并且把所得利润悉数收入自己的私囊中。相反，罗斯柴尔德家族却并不讳言他们的投机和收益，他们把对自己所属的更为广泛的群族的贡献当成是慈善，并把这些做法与他们的生意完全分离开来。当1850年卡斯特兰第一次碰到安东尼的时候，他被后者的抱怨所震惊，安东尼说：“在伦敦，你做什么都可以赚钱，做棉花或者是公债，你想怎么做都行，但是在这里（巴黎），除了公债你根本没有投机的机会。” 圣-西门主义者不会用这种方式讲话：对于他们来说，是调动全法国的储蓄去追逐由蒸汽所驱动的乌托邦。这种风格上的差异，被股票经纪人费多鲜活地写进了他的文章里。与佩雷尔兄弟不同，他认为詹姆斯只能算是“一个可靠、聪明而狡诈的‘资本商人’”：

使他庞大的财富收益最大化这项唯一的工作构成了他一整天的工作内容。月末的每一次清算都是一场战斗，他必须为保卫他的银行、他的名字所代表的荣耀，并且为证明他的实力而战。他不放过来自世界各个角落的任何消息，哪怕是最不起眼的消息——无论是政治的、金融的、商业的还是工业的，他都要竭尽所能从中获利，这更多的是靠他的本能。他绝不放过任何盈利的机会，不管这个机会多么微小。

正如我们所见，像费多这样的小人物，与詹姆斯这样的人做生意是一件多么费力不讨好的事。但人们只需要到工业信贷银行的办公室，就能看到与罗斯柴尔德银行间可能会出现的最大的反差。

在佩雷尔兄弟这里，不用担心有什么过分的话语，也不用害怕会发生什么突然的情绪失控。这些迂腐的谦谦君子，过度的仇恨使他们浑身都散发出腐烂的味道，他们总是那么聚精会神，像铁棍一样僵硬紧张，非常固执于自己的想法，并且对自己充满了自恋。他们总是身陷大批朋友的包围之中，这些人都竖起了耳朵，以便能跟踪到他们客户谈论的关于他们正在操纵的股票的话题，了解他们是要买入还是卖出。工业信贷银行的雇员肃立在楼梯上，等着询问你是否要下单。每个人都充满着暴富的幻想，不惜任何代价；每个人都试图能与他的庄家的方向保持一致。

詹姆斯显然对这个反差感到很欣慰。有一次，他颇带讥讽幽默地——这种幽默成了他在第二王朝时期的招牌——指令费多代表他去进行一次投机，具体的做法是购买1 000股工业信贷银行的股票。这种事他干了不少于5次，让他的经纪人吃惊的是，在清算的时候他真的会全额付清这些款项。当费多表示出他的不解时，詹姆斯假装很吃惊：

你的意思是桑（什）么，我年轻的朋友？我根本没有嘲笑你的意思。听好了：我对佩雷尔先生的菜（才）能拥幽（有）最大的新（信）心。他们是这个地球上最伟大的金融家。我是家族里的一分子，我很高兴能把我微薄的财富透（投）一部分在他们的事业上。我遗憾的只有一件事，这就是我不能够把我所有的资本都委托给如此聪命（明）的人。

与他们身处同时代的人——例如比较有名的金融家尤里斯·伊萨克·米勒——有时候会把这种风格上的差异归因为这两个家族不同的文化背景。他认为，“北方的犹太人”由于来自于日耳曼人粗犷和拘谨的氛围，他们在对财富的自私自利的追求中显得“冷淡”而“有条理”，对国家的利益显得很麻木；而“来自米迪的犹太人”不仅“更有贵族气息”的“拉丁”气质，而且得益于法国更为宽容的犹太人政策，因而以一种更加利他的、以公众利益为重的方式来考虑生意。另外有些人则把这种差异更多地归因于政治因素：罗斯柴尔德代表“金融贵族”和“金融封建主义”，而其对手代表“金融民主和一种‘1789’经济现象”。

在现实工作中，这两家银行的竞争主要集中在乏味的铁路特许权领域。最起码可以确定的一点是，在共和时期，那些铁路狂热分子曾经被泼过冷水。铁路的投资和建设由于政治家们在关于特许权应该授予谁的遥遥无期的辩论中而中断，利率过高、股市交易萎缩而且劳工运动导致了劳力不足。当时只有一条主干线还在建设（从凡尔赛到雷恩的工程）。拿破仑三世的政变最立竿见影的后果之一就是结束了所有这一切。大权在握的当天，他就批准了从里昂到地中海沿线的特许权，两天之后，巴黎到里昂的也确定了下来，而且都授予了一个财团，而财团的成员包括了巴黎和伦敦的罗斯柴尔德家族银行。北方公司的特许权也在重新谈判之中，所有条件都变得异乎寻常地有利于该公司。王朝的建立对于铁路大亨们来说是一件千载难逢的幸事：在1852~1857年间批准的特许权总数不少于25件，之后到1870年间又另外批准了30件。

在所有这一切的背后，拿破仑同母异父的私生子弟弟默尼公爵扮演了一个很有影响力的角色，在他的眼里，这个新政权最主要的作用是为自己聚敛财富提供机会，因此他强烈支持将很多小的铁路公司合并成几条大的线路。詹姆斯早在1852年初的时候就搭上了默尼这条线，并且很喜欢他所听到的一切。很有意思的是，法国分行这个时期的资产负债表表明，詹姆斯持有很多铁路公司的股票，价值超过2 000万法郎（占巴黎分行总资产的大约15%）。这些股票的市值这个时候更是高歌猛进，因为投资人对新政权的鼓励政策做出了反应：阿波尼估计詹姆斯在1852年4月的仅仅一个星期里就赚进了150万法郎，而且还“不用付出一分钱”。考虑到巴黎分行在19世纪50年代实现的资本金的巨大增长，这个数字似乎也不是没有可能。值得注意的是，在所有最大的六条法国铁路线中，罗斯柴尔德家庭控制的北线是使用率最高的，也是盈利最好的：尽管从里程上看，它只占了整个法国铁路网的9%，但却占了全部货运量的14%以及全部客运的12%。票价和运价与成本的比率是2.7 ：1，这是在19世纪50年代时候的情况，而在19世纪60年代，运量比19世纪50年代增加了一倍还多。

然而，詹姆斯和佩雷尔家族之间的矛盾越来越激化。第一次争执出现在1849年，当时后者正为他们拟议中的巴黎到里昂再到阿维尼翁的项目进行融资，而之前他们并没有知会过罗斯柴尔德家族。在1852年，项目推进得很快，尽管此时离可以确定真正的矛盾激化何时出现还为时尚早。朝激化迈出的很重要的一步出现在詹姆斯决定参与到巴黎到里昂线的辛迪加中的时候，他拿走了这个项目股份的大约12%（其他的股东包括巴赛隆尼、霍廷格尔和巴林，而且，尽管没有以受让人的名义出现，塔拉伯特也似乎在其间起到了带头的作用）。这明确无误地表明了罗斯柴尔德家族对佩雷尔家族竞争的回击。在一系列说明性质的信函中，詹姆斯向他的侄子们解释了他这样做的理由：

> 关于里昂铁路，如果不去认真考虑，而又有两家其他的公司参与修建，就会对北线铁路造成非常大的冲击，因此我对霍廷格尔说，我们要持有与其他银行一样多的股份，而且如果巴林要安排在伦敦进行认购的话，他应该跟你一起行动。总结起来说，我不想看到在新政府下面竟然会出现没有我们名字在上面的大项目。如果这种情况出现，就有人会说："我们不再需要罗斯柴尔德。"只要我们能得到我们希望的份额，我们最好保留住这部分兄弟情谊……相关的这些人物跟部长们都混得很熟。

信函中还无意间将佩雷尔两兄弟中的一个称为是"一个混蛋"，这说明他们与詹姆斯之间的关系正在迅速恶化。

但双方之间的伙伴关系并未就此结束。事实上，伊萨克 · 佩雷尔还接受委托，作为詹姆斯的代表出席了新巴黎—里昂公司的董事会。另外，他的兄弟伊迈尔也以北线董事会主席的身份起着领导作用，并参与了北线特许权的重新谈判——其他的主干铁路线合同在1852年1月敲定。公司通过发行不记名债券筹资4 000万法郎，并使用这些钱购买了勃罗尼—阿缅铁路，修建了新的支线（比如到毛勃格的支线）；作为回报，其特许权延长到了99年，但是国家获得了可以选择在1876年购买这个公司的选择权。一直到当年的晚些时候，分歧才显现出来，这时候詹姆斯再次对塔拉伯特给予了支持。

塔拉伯特现在的目标是将新的巴黎—里昂公司与他的通向南方的铁路——阿维尼翁—马赛、马赛—土伦及其他在伽德和赫霍的规模较小的铁路线合并成一个大的环地中海公司，所经过的路线与佩雷尔家族起初所想的非常类似。詹姆斯决定在这个宏伟的计划中认购2 000股，而资金紧张的现实使佩雷尔家族被晾在了外面。（默尼是另一位股东的事实，使我们对那种简单化地认为佩雷尔家族有新的政权做靠山来对抗罗斯柴尔德家族的说法不得不产生怀疑。）当詹姆斯拒绝为佩雷尔家族的米迪公司提供类似的金融支持时，佩雷尔家族受到了致命一击：尽管詹姆斯认购了330万法郎的事实使认为他不重视这件事的说法站不住脚，但阿方斯从董事会辞职却是投出了不信任的一票。因此，佩雷尔家族创办了工业信贷银行，作为对看起来似乎被逐出了以默尼为代表的政府作为后盾的新的塔拉伯特–罗斯柴尔德轴心所做出的回应。

佩雷尔家族有现成的铁路融资的模式为他们提供另外的融资源泉：在工业信贷银行诞生之前，已经出现了两家成功的半公众银行。第一家是福尔德的地产信贷银行，成立于1852年3月，是由政府支持的抵押银行，通过向存款人出售抵押债券——一种在19世纪特别流行的投资方式——为土地所有人提供长期贷款。到1853年底，其资本金增长到6 000万法郎，放贷总额2 700万法郎。需要指出的是，詹姆斯对地产信贷银行与对工业信贷银行一样地充满了敌意，他在1853年时认为，地产信贷银行贷出款项的利息过高，而它所承担的义务与它所设定要在农村地区实现的目标存在太多的疑点。它根本没有达到支持农业经营者的目的，而是被用来资助城市资产的开发，投机的性质很大：

> 从一开始，我们就已经清楚地看到了这些问题，也就是基于这个理由，我们拒绝参与到这个事情中，尽管他们一再地向我们提出邀请……地产信贷银行……使自己卷入了危险的业务中，而且直到现在，它还是靠这些业务牟利……这并不是一个建立在稳固基础上的企业。

另一家新的银行是股份联合银行，一家由时任《铁路日报》编辑的米勒在1850年用500万法郎创办起来的信托投资机构。尽管米勒一直到1853年才把这家银行转型成更加野心勃勃的铁路通用银行，他后来声称它给本略特 · 福尔德建立一个更大的企业提供了想法：

> 我对我自己说，如果米勒先生靠自己的能力就能创建这样一个机构，一个由更有影响力的人员组成的组织就可能成为一个很有实力的金融组织，可以同时引领重大的金融活动和工业企业。我（从巴登）回来后，就开始寻找合适的人选加入到这个计划中，我发现没有再比MM. E.和佩雷尔更合适的人选…… 而这正是工业信贷银行诞生的途径。

另一个版本的说法是内务部部长佩西尼因为固执地反对阿希尔·福尔德，而或多或少地推动了成立工业信贷银行的想法——尽管这可能是福尔德兄弟在工业信贷银行失败后推卸责任的托词。事实上，福尔德兄弟和佩雷尔家族是平等的合作方，他们掌握了大部分的股份。

工业信贷银行的新意在哪里？不管佩雷尔家族原本的想法是什么，法兰西银行没有遂它的愿，批准它称自己为银行。本质上，它只是一个信托投资机构，由佩雷尔领导的一个团队投资了2 000万（后来是6 000万）法郎成立，基本的功能是吸引小规模投资人的存款进入铁路领域。在19世纪40年代的时候，很多投资人都被烫到了手，当时无数的铁路公司发行了大量的高浮动利率的股票。工业信贷银行把这些事情简单化了：他们为投资人提供标准化的不同期限的债券，并用他们的钱去投资董事们认为合适的各种股权和股票。简单来说，这是一个居于债券市场和股票市场中间的中介机构，一家发行债券来代替不可转让的存款凭证的储蓄银行。当年11月20日公布的最终银行章程是谨慎的政府部长与佩雷尔家族相互妥协的结果：流动资金账户以及从销售短期债券中募集的资金不超过银行实收资本金的两倍，也就是两倍于财政部要求的标准；从长期债券中募集的资金不超过6亿法郎，十倍于其资本金。

人们经常可以看到工业信贷银行直接挑战罗斯柴尔德家庭银行实力的情况。确实，在它们之间很快就发生了激烈的商业竞争。詹姆斯也非常恼火于他昔日的下属那些社会虚荣的表现——特别是当他们在紧邻费里耶尔的阿盟维利耶购买了8 200英亩的地产，还购买了紧邻木桐酒庄的帕尔默葡萄园，甚至在纳特位于法勃－圣－欧内赫大街的房子隔壁购买了住房的时候。他没有把自己对这个新银行的保留看法深藏在心底。在11月15日一封给拿破仑三世的私人信件里他这样写道：这个银行会马上发展得特别大，而且特别容易受到危机的伤害。这种说法比佩西尼后来所说的那些更加符合实际情况。

詹姆斯提出的第一个反对理由，是传统的保守派对股份合作制公司通常的反对理由。这种观点认为，董事可能会是“无名小卒”而且“不负责任”，还会通过使用别人的钱来滥用自己的权力。但詹姆斯之后提出了更为可怕的预言，他认为新银行可能会建立起一种“对商业和工业的可怕的控制”的基础。“通过他们投资的巨大数额”，他警告道，这个公司的董事可能“为市场制定规则，而且这个规则将不受控制且压制竞争……将国民财富的绝大部分集中在他们自己的手上……这可能是一个灾难……当这个银行完全活跃起来以后，可能比政府本身更强大”。与此同时，它的所有可怕的力量可能置于沙粒堆成的基础之上，这就是出现灾难的可能性为什么会变得如此接近实际的原因。因为银行提供给投资人的债券是固定利率，而它自己在股票上的投资是“多样的、有疑问的、不确定的”。当出现危机的时候，这个银行会将经济带入到“深渊的边沿”。考虑到这个新银行所得到的许可，它可能会出现准备金不足的情况。詹姆斯预言如果它陷入困境，政府将不得不在“常规的破产”，还是暂停黄金和白银赎回中进行选择。这些显然是有些夸张的担心，似乎是精心设计出来吓路易 · 拿破仑的；但这些并非是凭空捏造，下面我们将会看到实践过程中出现的问题。

不过，詹姆斯反对工业信贷银行这个事实不应该被看成它意味着他们之间的对抗一定不可避免。可能的情况是佩雷尔家族在向詹姆斯提供他们的新企业的股份方面确实很真诚，而他的拒绝并不能证明他们对他带有敌对情绪。也不应该太过分地曲解这个事实：银行的章程公布在《世界导报》上的时候正是詹姆斯离开巴黎期间。罗斯柴尔德家族在意大利和德国的很多最亲近的下属——陀罗尼亚、奥本海姆和海涅——都出现在股东名单里这个事实，也弱化了反罗斯柴尔德的说法：这些人如果惹怒了詹姆斯，他们的损失会非常惨重。

真实的情况是，工业信贷银行公开声称自己是代表大众利益的金融“中心”，它更多的挑战是针对法兰西银行。佩雷尔在1854年宣称，这个新机构的创建，是“为了满足引入新的流通机构、新的信托货币——这种货币带有其自身所拥有的常规利益——的需求”，这种说法暗示，他认为这些债券起着准货币的功能。最重要的是，正如更精明的同时代的评论家所能看出来的，它所做的是对法兰西银行在1848年革命之后所奉行的从紧货币政策的一种反应：在1852年之前，法兰西银行拒绝以铁路股票做担保放贷，而用国债担保的贷款采用的是相对较高的6%的利息。由于国债收益在1852年11月时降到了3.6%，工业信贷银行的出现就更加顺理成章了。这也是詹姆斯持反对态度的理由：在1852年，罗斯柴尔德兄弟持有的法兰西银行的股票价值为1 131 078法郎，由于工业信贷银行的出现使这部分股票出现了贬值。我们在这里看到了罗斯柴尔德家族与法兰西银行联手的开始，而当阿方斯在1855年成为法兰西银行的董事时，这种关系臻于完善。

工业信贷银行一炮打响。它每股价值500法郎的股票以1 100法郎开盘，4天后达到了每股1 600法郎。在其1856年3月的顶峰时，它的交易价格达到了1 982法郎。这些是对原始股股东来说巨大的资本收益，很难相信詹姆斯能够做到不对此眼红。红利看上去也不错，从1853年的13%涨到了两年后的40%（意味着4%和10%的投资收益）。这样的结果似乎在宣布詹姆斯的灾难预言不可信。另外，这并不是造假账的成果。因为那些年正好是法国铁路建设最辉煌的时代：在1851~1856年间，总投资增加了5倍；19世纪50年代铺设的铁路是19世纪40年代的两倍还多。另外，票价和运费费率与营运成本的比率也处于空前的高峰期。工业信贷银行存在的理由是为了使佩雷尔家族能够分享这个市场的繁荣，从这个意义上看，它的目的达到了。

然而，它的成功也不应该被过分夸大。确实，通过使用工业信贷银行所募集的资金，佩雷尔家族能够通过控股的方式建立起庞大的铁路公司网络——波尔多—塞特、巴黎—里昂经波奔奈斯线以及西线（合并了巴黎—卢恩、卢恩—哈夫、迪普—费康，以及凡尔赛—雷恩的铁路线）。但罗斯柴尔德家族继续控制着北线，而且是巴黎—里昂铁路最大的单一股东，这条铁路后来在1857年与大中部线连在一起，形成了巴黎—里昂—地中海铁路网；在米迪和阿德内斯—埃特—欧伊斯也拥有部分不太起眼的股份。在他们中间，佩雷尔家族在法国的各种铁路公司的董事会中拥有8个席位，罗斯柴尔德家族则有14个。此外，还有很多其他新的参与者，最著名的当属默尼——他在1853年成立大中线公司，这说明并不是所有这些人都可以被看成是佩雷尔的同盟军。但是争夺线路的战争远没有通常所宣称的那样明显：查尔斯 · 拉斐特在西线是佩雷尔家族的合作伙伴，同时也是北线的大股东。加里亚公爵是工业信贷银行的创始人之一，同时也是北线董事会的成员。佩雷尔家族可能是最终连接成东线的各条铁路中最重要的人物，但却是伦敦的罗斯柴尔德公司在1854年时为东线公司在伦敦销售了价值250万英镑的债券。

有一件事情是肯定的：米勒后来声称， 詹姆斯面对来自“新银行”的竞争，到1855年时已经放弃了抵抗，然而，这种说法是站不住脚的。事实上，工业信贷银行自己冒险把战线拉得太长。詹姆斯曾经说过，它的资本金“微不足道”，当然这种说法有点夸张。但是我们有理由说，与佩雷尔家族兄弟的野心比起来，工业信贷银行存在着资本金严重不足的问题。早在1853年，工业信贷银行就曾经试图发行价值1.2亿法郎的债券，以提高可以供其使用的资金额度，但是政府行使了它的否决权。当佩雷尔家族于1855年再次尝试着提出来的时候，他们又遭到了政府的拒绝。最后的结果是，工业信贷银行发现自己只能越来越多地依靠那些主要来自于相关业务——例如铁路公司的6 000万~1亿法郎——的更为传统的存款。这些限制可以为我们解释在创办人当初公开声称的目标与其投资战略的现实之间存在着明显差距的原因。事实上，它的资产组合有着相对较高的营业收入，其总资产从1854年仅有的5 000万法郎，一年之后就剧升到2.66亿法郎。

如果佩雷尔家族把他们的业务活动限定在法国境内，那么发生在他们与罗斯柴尔德家族之间的那场著名“战争”或许就只能算是一场冲突。但他们没有这样做。使得工业信贷银行似乎真正对詹姆斯构成威胁的，是它向法国以外进行的扩张，并且进而变成一种泛欧洲大陆现象的潜在力量。1853年4月2日，克罗尼的银行家亚伯拉罕 · 奥本海姆和来自夏弗霍森切 · 邦克弗雷恩的居斯塔夫 · 梅韦森获得了赫斯-达姆斯达特大公的授权，成立了一家贴现和发钞的银行。他们把新银行叫做达姆斯达特贸易与工业银行，计划资本金设定为2 500万古尔登（约合5 400万法郎），而且设定了它的佩雷尔式的章程，这很显然是瞄准了成为德国的工业信贷银行的目标。这是在罗斯柴尔德家族的老家对罗斯柴尔德家族发起的切实的挑战：达姆斯达特位于法兰克福以南不超过20英里的地方，奥本海姆和梅韦森选择在那里成立自己的新银行的唯一理由，是法兰克福和克罗尼两地的当局都拒绝发给他们执照。在9个董事中，4个来自法兰克福，包括罗斯柴尔德家族的老对手莫瑞兹·贝特曼。

更令人担忧的是佩雷尔家族和福尔德兄弟直接插手了新的银行。正如我们所见，亚伯拉罕·奥本海姆是工业信贷银行的一名原始股东（他持有500股），他还派出了他的兄弟西蒙到巴黎去招揽法国的业务。他所提供的协议是很慷慨的：在最初的40 000股中，创始董事保留4 000股；4 000股由贝特曼在法兰克福发行，10 000股按面值卖给工业信贷银行股东，余下的股份由奥本海姆、梅韦森、福尔德和工业信贷银行共同持有。但事实证明，能确保新公司成功的路只有唯一的一条。如果股票在5月公开上市时，法国人不购买这些股票的话，股票价格就非常有可能跌破面值（这是那些通常把这种情况归罪于罗斯柴尔德的诡计的人无法自圆其说的一个弱点）。这些购买所产生的结果是给了工业信贷银行一个获得控股地位的机会。就在不久之前，他们还曾经讨论过在其他国家设立类似的卫星银行的计划。早在1853年的7月，詹姆斯觉得自己有义务警告皮埃蒙特区的银行家波尔米达，告诉他应该反对在土伦成立工业信贷银行，警告他这类银行“令人讨厌的各种可能性”会超出“正面的好处”。佩雷尔家族首次尝试设立一家西班牙工业信贷银行的时间也发生在1853年，当时关于比利时工业信贷银行的想法很快也被提了出来。到1854年，甚至奥地利似乎都未能幸免佩雷尔的渗透。这些行动提高了警报的等级，预示着工业信贷银行可能会具备跨国的性质，挑战罗斯柴尔德家族在欧洲金融界迄今无人能敌的独特地位。

然而，结果再次告诉我们事情并不能如此简单化。在19世纪50年代意识到股份合作制银行可能性的人不只是佩雷尔家族。在伦敦出现了很多模仿者（比如地产信贷和英格兰工业、国际土地公司和国际金融协会），尽管其前景并不都很明朗。在1855年和1856年，德国各邦就成立了13家类似的银行，包括戴维·汉瑟曼的贴现公司、柏林贸易公司、银行联盟和德意志北方银行（后面两家都位于汉堡）等。我们也不能忽视那些同样重要的新进入者，他们采用更为传统的私人和商业银行结构，这些特点在很多方面对罗斯柴尔德家族的领先优势造成了更为持久的威胁。在伦敦，巴林兄弟公司和N·M·罗斯柴尔德公司（特别是在承兑市场上）正在面临着现有银行高速成长的挑战，比如像斯罗德与富临高盛以及新冒头的那些公司，比较著名的有C·J·汉布罗父子公司、欧沃伦·格尼公司和克朗威特与科恩公司。在法兰克福，M · A · 罗斯柴尔德公司遇到的新的竞争来自厄兰格尔父子公司，该银行由脱教的犹太人罗布 · 摩西 · 厄兰格尔创办，竞争同时还来自雅各布 · S · H · 史丹、拉扎德 · 斯佩尔 · 艾利森、莫里兹 · B · 戈尔德施密特和格布鲁德 · 苏兹巴赫。在巴黎，新生的力量是拉扎德兄弟公司，创办于1854年。

除了19世纪50年代早期提供的那些促进繁荣的条件，促使新的银行如雨后春笋般出现的另外一个原因，是由于电报的出现所引发的通信领域的革命。尽管电报最早可以追溯到18世纪，而其成功应用则是在19世纪30年代，而一直到1848年之后，电报才开始对国际金融真正地产生影响。到1850年，电报线路已经在美国、英国、普鲁士、法国和比利时投入了商用，而真正的分水岭的出现是在1851年多佛-加莱海底电缆铺通之后。甚至在电缆铺设之前，朱利 · 路透就写信告诉纽考特："如果贵公司能赏光使用我们的服务为您传送柏林和威尼斯的汇率，我们保证不再为伦敦其他家银行提供这项服务，而且对于任何没有在确定的时间内送达的电报，我们保证退回您的钱。"然而，任何类似的垄断安排在欧洲大陆已经消失了多年，在伦敦自然也不可能太持久。

这在某种程度上解释了詹姆斯对他应该期待去拥抱的一项创新为什么会表现出令人意外的敌视的原因。在整个19世纪50年代，他不断抱怨"电报在破坏我们的生意"。事实是，电报让罗斯柴尔德家族过去一直在努力完善的自己的独创方式，比如在远距离的两家分行之间从事金融业务的方法变得相当简单。这个时候，他们很多的竞争对手都在通过"电报"的帮助试图模仿他们的做法：到19世纪60年代，法兰克福的很多家族，比如斯佩尔、史丹和厄兰格尔全部都在伦敦和巴黎开设了分行，而且，像斯佩尔家族甚至还开到了纽约。"现在出现的情况是，"詹姆斯在1851年4月抱怨道，"昨天有一大批德国流氓通过电报在伦敦售出了（法国）铁路股票…… 由于电报现在已经很方便，人们的工作效率更高了。每天12点的时候，他们发出一个急电，甚至是无足轻重的小生意也这样，在当天交易所关门之前，他们就赚到了（自己的利润）。"过去，罗斯柴尔德家族能够通过他们无与伦比的通信系统以及信鸽的帮助对他们的对手进行偷袭，但是现在"任何人都可以得到消息"。詹姆斯能看到的就是除了"跟着大家做"之外别无他法，这使他大受打击，因为"已经建立起来的电报是他的奇耻大辱"。这意味着甚至在假期人已经上船了的时候，也无法停止工作："在洗澡的时候你都还有很多的事情去考虑，这不是件好事情。"类似的抱怨一直到了19世纪70年代，在詹姆斯儿子的时代都还能够听到：尽管罗斯柴尔德家族不得不采用这项新的技术，但他们一直都不喜欢这种对金融消息几乎是广而告之的方式，而仍然继续使用他们自己熟悉的方式相互间采用信件联系，一直持续到第一次世界大战的时候。

黄金热

然而，对于这种不太适应情况的影响也不应该被过分强调。现实的情况是，尽管在欧洲面临着越来越严重的竞争，罗斯柴尔德家族仍然保持着自己以真正的全球业务为特征的联盟组织。事实上，他们在19世纪50年代抢在电报影响到达各个大陆之前就取得了他们最大的成绩。在1866年之前，欧洲和北美之间还没有电报服务相连，欧洲与拉丁美洲的联系则出现在1869年之后，与澳洲的联系出现在1873年之后。在这些地区，罗斯柴尔德家族传统的那种经常保持通信，但不是每天都保持接触的半自动管理体系仍然具有无可比拟的优势。罗斯柴尔德欧洲的机构当然继续着他们的工作：威斯威莱和鲍尔在马德里；塞缪尔·兰伯特继承了他岳父里奇腾伯格的位置驻在布鲁塞尔；新录用的霍拉兹·兰道先是供职于君士坦丁堡，然后又转到了意大利。但他们此时所承担的情报收集工作的作用与以前相比已经大不如前，当然那些机密的政治信息仍然非常珍贵，只有在与某个机构保持足够多的交情的前提下才可能获得。在这期间，越是冷僻的代理人，其战略重要性也就越大。

1848年的危机暴露了跨越大西洋进行交易所面临的困难程度，特别是当一个单独的代理人处于在纽约拥有独立决断权的情况下。出于以一个完全的罗斯柴尔德合伙人替换贝尔蒙特的想法，詹姆斯在那一年的10月把阿方斯派到了那儿。贝蒂在给儿子的信中透露了这个考虑当时有多么严肃。她建议阿方斯应该很有耐心：

> 只有等到具备了处理美国事务的足够经验，才可以用大人物的语气讲话。首先要很尊敬对方，但是如果礼貌不起作用，你就用符合你地位和权力的精力和人格，把这个人摆回到他自己应有的位置上。如果这样做了，这位先生还是想指手画脚，让你这样那样，那么，你完全可以戴上你的手套，告诉这位先生门在哪儿……

问题终于在1849年公开爆发了。“与贝尔蒙特的这种局面再也无法继续维持。”她在3月24日写道：

> 他对别人留给他的信任一点都不感恩，甚至是在别人为了顾全他的利益和他的面子而不去撕破脸皮的时候……现在要考虑的问题是：这对我们家族以后在纽约设立以我们名字命名的银行是不是有很大帮助……美国的未来对于那些选择参与到这个大潮中的人来说，看上去是如此的恢宏，一想到这样的愿景，我就禁不住自豪，我承认，你我的儿子，将会是那家给我们这个名字增光添彩

的银行的奠基人……你的事业会飞黄腾达……你离最伟大银行的巅峰仅一步之遥。

她在5月时告诉阿方斯，她的计划是“看到你在美国的所有方面都能立起来……从代理人的贪婪和愚蠢中释放出这个伟大的未来……所以，我重复说：留在新世界——如果今后我们的境遇雪上加霜，如果旧世界注定要衰落，虽然上帝不可能会允许这样的情况出现——它就会成为我们的新家园”。

这个想法在1849年她儿子回到欧洲后（一般认为只是临时的）一直都还在讨论之中。“阿方斯……已经决意要回去。”列昂内尔在外德柏德见过他的侄子后这样记录道，“我们说到了有关美国业务的总体原则，但也就是到此为止。詹姆斯叔叔和阿方斯两人都认为在美国我们能赚到大钱，因此希望继续那边的业务，而他无论如何都应该回到那边去。” 阿方斯自己说当他回到美国后，要“将那边的事务放到一个更便利的立足点上”，而卡斯特兰毫不迟疑地认为，他不久将再次离开巴黎“到纽约去找处房子。”而在纽约，也是“到处都在传说阿方斯男爵正动身往美国来”。

然而，这件事情却根本没有发生，这很有可能是罗斯柴尔德家族犯下的单个最大的战略性错误。很难说清楚为什么会这样。一种由贝蒂的信所透露出的很大的可能性是阿方斯不能说服自己放弃舒适的巴黎生活，而去过纽约那种还略显粗陋的生活方式。做母亲的不得不说服她的儿子，她试图把这个想法说得对他更有吸引力，她建议说，在两年的开始期之后，已经安排好计划的新银行的日常运营可以委托给“一个临时的代理负责打理，一直到家族中有人，或者之后你的兄弟可能会想要过去待几个月……一旦银行建立起来，你就可以很快回到我们这里来，我亲爱的儿子，而与此同时，我们可以考察那位准备远赴他乡去替换你的人”。伦敦的合伙人不是很热情，尽管他们也一直怀疑贝尔蒙特“在用我们的钱进行投机”。按照贝蒂的说法，列昂内尔和他的兄弟都“看淡这个计划的前景”。他“担心巴黎会被摆脱掉，因此更倾向在那里使用一个代理。但这个代理只能是戴维森，他很会为他们的利益着想”。

或许，最有说服力的解释是贝尔蒙特最终成功说服了詹姆斯，让后者相信他不可以被替换。一直到这个时候，他都是在美国被公认的一个人物，其社会地位和政治影响几乎与他的财富增长得同样快。在1849年，他终于能够与美国海军司令马修·加尔布雷斯·佩里的女儿卡罗琳·佩里订婚，而新娘正像贝尔蒙特所强调的是“我们最有名望的家族”的成员。4年后，出现了意想不到的角色转变——贝尔蒙特驾临欧洲——以美国驻海牙大使的身份。这些世界性的成功标志（对于一位年轻的、接受法国教育的罗斯柴尔德家族成员，需要很多时间才能够与其比肩）可能最终说服詹姆斯放了贝尔蒙特一马。甚至贝蒂都认识到贝尔蒙特已经“为他自己创建了强大而独立的位置，他了解这个国家里里外外的资源，他手里握着破解商业世界中所有尔虞我诈的秘密的钥匙”。“我倾向于这种看法，”她的丈夫在1858年下了这样的结论：

> 我们应该将美国业务的管理完全放到贝尔蒙特的手里，我们可以完全信任他，他对那里的业务也是完全清楚的。而且如果我们这样做了，我们也就不会再一直忍受那些无休止的抱怨和疑问，比如我们是否应该接受这家或者那家银行的票据。

仅7年前，他还在强烈地抱怨贝尔蒙特不让他“看账簿”了解美国代理处的情况。

当然，贝尔蒙特只负责东海岸的业务，也就是主要由建立起来的东北部那些州，比如纽约、宾夕法尼亚和俄亥俄州，以及主要的铁路像伊利诺伊中部铁路，所发行的债券业务。19世纪50年代期间吸引力越来越大的地方是西海岸，本杰明·戴维森怀揣着4万英镑的银行存票，紧随着加利福尼亚已经发现了黄金的新闻被派遣从墨西哥进入。再一次，罗斯柴尔德家族又错误地在一个如此偏僻的市场上将自己的利益托付给了一个单独的个人。“那里的文明程度还很低，所有事务的处理都伴随着个人风险”，因此，罗斯柴尔德家族决定从法兰克福银行派一位叫梅的职员到旧金山去加入戴维森的工作。詹姆斯对梅很满意：“这是一个不错的小伙子……很聪明，而且是法兰克福的犹太人。我总是对这类人拥有极大的信心。”但他不久开始醒悟过来。仅仅一年以后，梅和戴维森就为一所新房子是支付2.6万还是5万的情况爆发了一场争吵。戴维森的兄弟马上跳出来辩解，指出加利福尼亚分行在短短两年时间里就获得盈利37 762英镑；考虑到旧金山较高的生活成本，它的运营成本是合理的；而且，在购买这所新房子之前，他一直住在“保险库上面的棚屋里，活像是一头生活在猪圈里的猪——他很害怕离开这里，连吃饭都处于惊恐之中，害怕有人喊起火了就得马上跑出去，而一旦起火，他就只能葬身火海”。

在众多类似的与代理人之间的争吵中，这次似乎已经烟消云散，戴维森和梅两人仍然留在了那里。10年之后，他们仍然待在那里，但到这个时候，梅要求能够被批准回家——在一封信里，他透露了罗斯柴尔德家族与他们美国代理的关系：

> 每天我都变得更苍老。现在我36岁了，是时候让我下定决心，决定是继续过这种孤独的生活，在远离家乡的这个地方了此余生，还是回家去定居了。这个国家不是让一个人，特别是欧洲人可以待很多年的地方。尽管对文明和社交做了最起码的安排，当你还年轻的时候，所有这一切都还不错，但越来越大的年纪会带来其他的想法。你不需要推测……我已经在这个国家积累了很多财富，

这使得我决定从这个圈子里退出……我承认您如此慷慨地提供给我这样的位置——您的恩情我永远无法忘怀，我整个一生都对您心怀感激——这对我来说是一个很大的优势，但……您的利益从来没有受到过丝毫的伤害，而且……您的生意总是被摆在最优先的位置，我们给予了无与伦比的关注。

19 世纪 50 年代末，罗斯柴尔德决定派另一位戴维森——内森奈尔·戴维森去墨西哥替换本杰明，因为这个地方政治局势不稳，因此还有很多重要的业务机会：不仅可以贷款给长期以来处于破产边缘的州政府，还可以投资水银矿、煤矿和铸铁厂。在墨西哥保持自己存在的重要性在 1860~1861 年间变得越来越明显，这时的墨西哥成为了法兰西帝国的野心所关注的目标。萨芬伯格在此期间留在古巴，这个行动马上显示出了其政治价值，当时美国政府试图从西班牙手里买下它——这个计划有贝尔蒙特的参与，但由于在美国国内遭到反对而未能实现。

最后，还应该提到罗斯柴尔德在美洲的另一个一直觊觎的地区：巴西。这里曾经是 19 世纪 20 年代时内森很注意的一个地方，但 20 多年来，伦敦与里约之间的业务一直都是不死不活，部分原因是继任的政府没有继续借助于伦敦的资本市场。但是当 1851 年与阿根廷和乌拉圭之间的战争爆发后，所有这一切都改变了，战争的开销迫使巴西在第二年通过 N·M·罗斯柴尔德公司发行了 104 万英镑的债券。国家铁路网的快速增长也出现了新的金融需求。1851 年借款后马上又有了为巴西亚和旧金山铁路公司所发行的 180 万英镑，另外还有一笔 150 万英镑给政府的贷款也是用于铁路建设（两笔都发生在 1858 年），一笔 200 万英镑给圣保罗铁路公司（1859 年），以及一笔不超过 140 万英镑的政府贷款。1860 年的货币危机以及巴西债券价格的下滑使得进行一段时间的调整成为了必要，因此巴西政府在 1863 年新发了一笔 380 万的债券，主要是为了转换发行于 19 世纪 20 年代和 19 世纪 40 年代的早期债券。然而，1865 年爆发的与巴拉圭的战争使巴西的金融面临前所未有的压力，在与巴西部长莫瑞拉进行了多次冗长的谈判后，列昂内尔同意提供一笔不超过 700 万英镑的新贷款。在战争于 1869~1870 年接近尾声的时候，又开始谈到了另一笔贷款。这还只是一系列很特别的在巴西政府与罗斯柴尔德伦敦银行之间如婚姻般的金融关系的开始；在 1852~1914 年间，这种关系所产生出来的债券发行不少于 1.42 亿英镑。

巴西和美国数十年来一直是罗斯柴尔德家族活动的主要区域，相对来说，亚洲或多或少尚处于“有待认识地区”。但在这个地区，19 世纪 50 年代同样也是一个扩张的时代。在 1839~1842 年的“鸦片战争”（之所以这样称呼，是因为挑起这场战争的借口是中国禁止从英国控制下的印度进口鸦片）之后，中国香港被英国吞并，而且还有另外5个"通商口岸"对欧洲商人开放。这加速了中国的茶叶和丝绸与西方的白银和印度鸦片的交易，并为英国商业开创了新的有吸引力的机会（同时，开始侵蚀中国商人的势力，比如像吴平清，曾经有历史学家称此人为东方的罗斯柴尔德）。到1853年，伦敦银行已经开始与位于上海的商业公司，比如科兰普敦、汉布瑞公司等，开始了常规的通信联系，并从墨西哥和欧洲定期向那里发运白银。白银很显然是最受关注的业务，当然银行同时也对印度的鸦片感兴趣，他们发运了一些到西边的君士坦丁堡。到19世纪50年代末，已经与一家名叫雄内基尔本公司的加尔各答公司建立了定期联系。周边的危机，比如印度1857年发生的兵变，在纽考特也引起了反响，而这种情况在之前亚洲出现剧变时并没有发生。罗斯柴尔德银行首次卷入到了大英帝国的商务活动中，而这个领域以前一直是留给其他人的。因此，一个有鼻子有眼的夸张说法是"整个寰宇都在向罗斯柴尔德家族纳贡，其办公室设在了中国，设在了印度，甚至设在了最不开化的国家"。这是罗斯柴尔德家族与一直以欧洲为中心的佩雷尔家族最大的不同。

大量的白银流向东方这种19世纪中叶世界经济所具备的特点，帮助我们解释了为什么19世纪40年代在加利福尼亚和澳大利亚发现黄金会引起如此大的反响。这些发现所产生的影响力无论怎么评价都不过分。在1846年，世界黄金产量大约是140万盎司，其中超过半数来自俄国。到1855年，总产量提高到了640盎司，增加部分大约有一半来自北美，另一半来自澳大利亚。我们已经看到罗斯柴尔德家族是怎样通过派遣本杰明·戴维森从墨西哥北上，使他们参与到加利福尼亚的黄金狂潮中的。他们对澳大利亚这个领域也同样充满了兴趣。在新南威尔士和维多利亚于1851年发现黄金后不久，罗斯柴尔德家族就被急迫地要求"将贵银行的分号委派到这里，在最开始的时候提供足够的硬币供应将会形成在两半球最为广泛和最为赚钱的业务的基础"。这个建议并没有被很好地采纳：在上海和加尔各答的情况中，一开始想到的是完全可以依靠一家独立的公司（比如墨尔本的代理行）来经营，尽管这一次公司由雅各布·蒙蒂菲奥里和他的儿子莱斯利共同管理。然而，这种家族关系却无法提供能力方面的保障。似乎是为了要证实迈耶·A·罗斯柴尔德对那些亲家的蔑视所具有的一言九鼎的神圣性，蒙蒂菲奥里公司在1855年破产，破产时欠下了罗斯柴尔德伦敦银行的巨额债务，而一位彻头彻尾的罗斯柴尔德代理人杰弗里·库兰不得不赶到那儿去当救火队员。

库兰家族自滑铁卢时代就在为N·M·罗斯柴尔德公司工作，因此，库兰对老板想要什么非常了解：甚至在他结束蒙蒂菲奥里的混乱状态之前，他已经在急切地要求发运水银和其他在殖民地需求很旺的商品（最好的是酒类，不管是啤酒、威士忌还是波尔多葡萄酒)。“如果您能发这些货给我，”他这样写道，无意中模仿了内森作为一个年轻的纺织品贸易商时信件中的那种语气，“您可以完全放心，我会尽我最大的努力去做这个生意，并以让您满意的方式去干。”到 9 月份，他又提出要求“每一批货给予 5 000~10 000 英镑的赊账”，而且，为了使他能够亲自去淘金场看看，提供“一个优秀金融家的帮助，因为在整个殖民地没有人这么做过，连那些政府的领导们都是这样对他们的生意不管不顾，只有一次我受财政部的委派，去解释一些鸡毛蒜皮的货币事务”。

如果库兰身处的是罗斯柴尔德家族新近的黄金和白银帝国的外围，那么，它的中心就是这个家族在这段时间内购买的多处精炼厂和铸币厂。早在 1827 年，詹姆斯就在巴黎拥有了自己的精炼厂，在 1838 年搬迁到位于瓦勒米码头的新厂房，并根据米歇尔 · 本略特 · 坡塞特的指示，成立了一个合伙制企业。与此同时，詹姆斯又在 1843 年与巴黎铸币厂的老板迪埃里克斯合伙，这一关系一直维持到了 1860 年。新金矿的发现导致精炼和铸造业务大幅增长。用詹姆斯的话说，这是“货币市场的一场革命”。因此，当列昂内尔在 1849 年决定伦敦公司直接参与到黄金精炼业务时，他完全是唯他叔叔马首是瞻。

在内森的时代，伦敦有四家私人精炼厂——布朗与温格罗武、约翰逊与斯托克、帕西瓦尔 · 诺顿 · 约翰逊和考克斯与梅勒，还有一家就是皇家铸币厂自己的精炼车间。在这些企业中，布朗与温格罗武把持了英格兰银行精炼业务的绝大部分份额。然而，随着加利福尼亚和澳大利亚金矿的发现，极大地增加了进入银行中的黄金规模：在 1852 年，黄金的购买量达到了顶峰时期的 1 530 万英镑，其中超过 2/3 的部分以锭的形式——这远远超出了布朗与温格罗武的处理能力。为了弥补这个差额，列昂内尔提议租用皇家铸币厂的精炼车间，该车间自 1829 年开始就在厂长马体森的领导下采用了硫酸分离系统。从 1849 年 9 月，他告诉他的政治盟友 J · 阿伯尔 · 史密斯和约翰 · 罗素勋爵，“不厌其烦地”说“对铸造的体系进行改革”是必要的。专门成立来监督这些活动的皇家委员会适时地采纳了这项建议。“我希望”列昂内尔告诉他的兄弟说，“大臣们能有足够的勇气来进行变革，我们应该能够得到这个结果——这应该是一项极好的生意。”正如纳特所说：“随着这么多种规格（黄金）从加利福尼亚和墨西哥纷至沓来，这种变革的必要性比以往任何时候都显得更急迫。”

马体森很有预见性地试图抵制这场“私有化”，但没有什么效果；对于罗斯柴尔德家族来说，他们很幸运，帕西瓦尔 · 诺顿 · 约翰逊没有听从他的新合伙人乔治 · 马特的意见，没按他的要求参与投标。因此，在 1852 年 1 月，安东尼获得了精炼车间的租约，到了 12 月，列昂内尔可以名正言顺地正式要求银行总裁托马斯 · 韩克（另一位政治盟友）允许“由我负责精炼和浇铸的金锭和银锭可以直接交给英格兰银行”。在头一年的生产中，精炼厂加工了超过 30 万盎司的澳大利亚黄金和 45 万盎司的加利福尼亚黄金。1862 年，格莱德斯通这位最坚定的金银本位主义者在“考察”英格兰银行后，直接去参观了工厂。这件事情的重要性在于它发出了一个信号。正如弗兰德罗所描绘的，他们在渠道的两端控制了精炼和铸币的产能，使得罗斯柴尔德家族操纵了一个独一无二的套利“系统”，由伦敦公司用法国公司的户头购买美国或者澳大利亚的黄金，通过伦敦的贵金属经纪人再转到巴黎。巴黎公司在此期间为纽考特买进白银，再通过伦敦或者南安普顿转运到东方。这样做不仅带来了丰厚的利润，到了 19 世纪 50 年代末期，它逐渐变成一个双金属国际货币体系中的一个有机组成部分。

公共财政与克里米亚战争

数十年来，罗斯柴尔德家族一直认为欧洲大战对他们的金融地位是最大威胁——其程度甚至超过了一场革命。在 1854 年 3 月，战争来了。令人不可思议的是，克里米亚战争居然是源于天主教与东正教教士之间关于一个耶路撒冷圣地所发生的争执。其真实的背景情况是，这是俄国对没落中的奥斯曼土耳其帝国——特别是多瑙河地区的公国像摩尔多瓦和瓦拉几亚——以及黑海地区可以拥有多大权力这样一个老问题的再现。这一次，与 1840 年时候的情况相反，法国和英国站在了一起，前者是为了瓦解神圣同盟，而后者除了想给沙皇点教训外没有其他原因，那些标榜自由的人觉得，由于沙皇在 1849 年镇压了匈牙利革命，他应该受到惩罚。5 年前还作为中欧裁判者耀武扬威的沙皇，此时却发现他被神圣同盟的其他成员所孤立了：奥地利正与西方势力搞得火热，根本不会参战，普鲁士则继续奉行其休养生息的政策。皮埃蒙特区由于信奉这样的理念，认为任何战争都会削弱奥地利对意大利的统治，而加入到了当时的普遍奉行的反俄阵营。

如果考虑到俄国提出这个合并要求是多么迅速，那么这场战争就显得异乎寻常的漫长。第一场真正的军事行动发生在 1853 年夏天，当时沙皇命令部队进入多瑙河的那些公国，而英国和法国的海军靠近达达尼尔海峡。到 10 月份俄国与土耳其发生正面冲突时，俄国已经有效地放弃了他们曾经提出的作为奥斯曼土耳其帝国中基督徒唯一保护人的要求；因此，法国和英国不得不越过这些公国和黑海地区进行作战。但是到 1854 年 6 月，沙皇答应奥地利人他可以从这些公国撤出，战争就只剩下在黑海地区进行。因此，为了对 1841 年的《海峡条约》“按欧洲势力均衡的原则”进行修改，法国和英国的军队在克里米亚登陆，行动的直接目标是占领塞瓦斯托波尔。早在 1854 年 11 月，俄国政府就同意了这一点（还是担心奥地利参战），但因为法国和英国仍然无法决定这一条款的真实含义，战争就一直没完没了地拖着。在尼古拉一世于1855年3月去世后，曾经希望找到一个谈判基础的尝试再次不了了之。相反，俄国鲁莽地决定拒绝任何对他们在黑海的海军军事力量进行限制的举动，这刺激了西方列强彻底结束战争的信心。塞瓦斯托波尔在9月8日被攻陷；法国提出了一些新的战争目标；最后在巴黎的国民大会上（1856年2~4月），危机终于画上了句号。黑海获得了中立；俄国失去了比萨拉比亚（现代的摩尔多瓦）的大片地区，法国和英国同意保证保护土耳其以后的独立。现实中，这些条款的效力可以保持到俄国从战败中再次崛起——最后大约是持续了20年，这是沙皇行政体制缺陷的一次伤痕累累而且损失惨重的大暴露。胜利一方最值得夸耀的成就是通过合并多瑙河地区的公国创立了罗马尼亚，这个目标实现于1859年——但有些目标是当初宣战的时候并没有想到的。

克里米亚战争真正的原因及其意义与罗斯柴尔德家族并没有很大关系。为什么是这样呢？对于罗马和希腊的教士之间关于基督教遗址的争吵，耶路撒冷犹太医院的建设者并不感兴趣。他们在多瑙河公国也没有铁路利益。对于黑海的国际地位，罗斯柴尔德伦敦公司早已经做了明智的决定，不参与仅基于经济原因的敖德萨粮食出口业务。在列强间发生的一场战争——其实是任何的战争——注定会对国际金融市场产生破坏性影响，这才是问题的关键。实际的后果，如表6–1所示。

表6–1　克里米亚战争的金融影响

	最高价	日期	最低价	日期	变动率（%）
英国3%票面利率公债	101.38	1852.12	85.75	1854.4	–15
法国4.5%票面利率长期公债	105.25	1853.2	89.75	1854.3	–15
奥地利5%票面利率金属债券	84.62	1852.12	64.25	1854.12	–24
普鲁士3.5%票面利率债券	94.5	1852.12	84.25	1854.12	–11

说明：英国和法国的数据为伦敦市场的周收盘价，奥地利和普鲁士数据为法兰克福市场年终价。
资料来源：《投机家》；海恩，《私人银行与工业化》，第358~372页。

在那些外交观察员的眼里，罗斯柴尔德家族看上去很忧虑，这种情况是可以理解的。他们在圣彼得堡的通信员向他们保证1853年6月战争就会平息，而且他们相信了。当英国外交大臣克拉伦登在9月27日——在英国政府给海军上将邓达斯下达通过海峡的命令泄露后不久——看到列昂内尔时，他对他说在金融城里“他永远也记不住这样的一个日子”。1854年1月，当西方的海军最终进入黑海，于布内发现詹姆斯“非常沮丧”，阿姆谢尔也是同样的神情。当俾斯麦听到国于1854年2月从巴黎召回大使的消息，他“在想我可以用这个消息去吓谁是最有效果的。我的目光落在了

（阿姆谢尔）罗斯柴尔德身上。当我把这份消息给他看的时候，他的脸变得像粉笔一样白。他的第一个反应是，‘要是我今天早上知道就好了’；第二个反应是，‘您明天能跟我做一笔小生意吗？’我友好地拒绝了这个提议，谢过他后，就把他一个人留在了那种激动的情绪里”。约翰 · 布赖特是伦敦“声音最大”的反战人士，他听到列昂内尔在3月31日很消沉地评论：“一个负债高达8亿英镑的国家应该在卷入到另一场战争前更加认真地考虑。”

然而，克里米亚战争根本没有削弱罗斯柴尔德家族的地位，反而是产生了与担心完全相反的影响，它再次很令人侧目地确认了罗斯柴尔德家族在公共财政领域所具有的无人能及的地位。事实上，它表明这么多年来，罗斯柴尔德家族过分夸大了战争对金融危险的影响。真实的情况是战争——特别是发生在1854~1871年间那种以短期战争为特点的战争——反而创造了金融机会，而且这些机会特别适合罗斯柴尔德这种独特的跨国组织结构去利用。对于那些没有直接参与战事的大国，克里米亚战争也使他们的军费开支大幅增加，超过了来自于税收的财政收入水平（参见表6–2），因此，将所有相关的国家——包括一贯节俭的英国——逼到了债券市场上。尽管他们的对手，包括工业信贷银行都竭尽了全力，但没有谁可以挑战罗斯柴尔德家族在这个传统的市场上无与伦比的地位。

老对手——巴林家族——很不幸地成为了失败方的银行，当然使得情况非常简单明了。在1850年，俄国政府给巴林授权一个550万英镑的新贷款，这份合同后来看起来就好像是设了一个陷阱。由于过度超买，以升水2%开盘，给乔舒亚 · 贝茨和托马斯 · 巴林带来了10.5万英镑的佣金。但是两年后，由于外交关系恶化，巴林发现自己处于一个完全没有保障的位置，帕默斯顿在下议院抨击他是沙皇的“代理人”，而且大家都相信（尽管是错误的）他参与了1854年俄国的战争贷款。

表6–2 公共支出的增长，1852~1855年（百万元国家货币）

	奥地利（古尔登）	英国（英镑）	法国（法郎）	俄国（卢布）
1852	310	55	1 513	280
1853	321	56	1 548	313
1854	407	83	1 988	384
1855	441	93	2 309	526
增加百分比（%）	42	69	53	88

资料来源：米切尔，《欧洲历史统计数据》，第734页。

这种情况帮助我们解释了罗斯柴尔德家族对英国的战时财政拥有几乎垄断地位

的原因。当战争爆发的时候，作为财政部部长的格莱德斯通以高昂的斗志，信誓旦旦地反对“通过贷款为战争筹措所需款项的体制”，理由是它“对民众实施了全面的系统性欺骗”。英国仍然陷于拿破仑战争期间所产生的巨额债务的重压之下：正如列昂内尔曾经说过的，战争前夜的国家债务大约在7.82亿英镑左右，尽管与国民生产总值相比，债务负担在稳步下降（从1820年的250%降到1845年的大约115%），但是当时的政治家们大多没有注意到这一点。格莱德斯通因此建议通过增加所得税——从每镑抽7~10.5便士，最后到14便士——以及一些消费税来为战争筹款。然而，这还是不能满足需要，到他离开这个职位（由乔治·路易斯替代）的时候，政府为1854年背上了620万英镑的赤字（通过销售短期国债来弥补），此外，还面临着次年将近四倍于此的头寸短缺。路易斯又增加了另外550万英镑的新税额，但1855年的赤字仍然高达2 270万英镑。政府已经别无选择，只得转回到金融城（由于巴林身上的污点，这里的金融城就变成了专指纽考特）。

在1855年，罗斯柴尔德伦敦公司获得了总价值1 600万英镑贷款的全部。在次年的2月份——这个时候战争已经结束了——它又提交了另一份500万英镑贷款的报盘；到5月份，它签下了500万英镑额度的最终贷款合同。在1855年的两次贷款中，列昂内尔开始时报出的价格略少于财政部部长设定的最低控制线，但他毫不犹豫地接受了政府的条件。很难讲这次讨价还价的意义有多么意味深长：所达成的条款只比当时债券的市场收益略高一点点，因此，不会出现银行赚取不正当利润的质疑。列昂内尔能够在赚取利润的同时也做足爱国的姿态，增加他自己进入国会的筹码。从另一方面说，1856年的贷款都出现了超额认购（2月份超出了6个百分点，而5月份超出了8个百分点）。帕默斯顿把这看成是金融城对政府充满信心的表现，它同时还是说明财政部部长在分配胜利果实的时候过分慷慨的很好的证据。

在法国，罗斯柴尔德对公共财政影响力的恢复确实加快了战争爆发的步伐。1852年3月14日，拿破仑三世宣布了一个巨额的债券转换行动，意图是通过将全国债务主要部分的利息从5%调到4.5%来降低债务成本。投资人有20天的时间来选择是接受4.5%的新利息，还是赎回5%利息债券的现金。这次安排由政府在宏观经济层面进行调整，作为降低利率促进商业活动繁荣政策的一个组成部分。然而，由于出现了5%债券价格的突然暴跌（仅仅10天的时间，从103跌到了99），而且担心会意外地出现大量的债券持有人可能会要求赎回他们的债券而不是转换，新任财政部部长让·宾诺不得不向银行家们求援。在随后的支持行动中，霍廷格尔和德·罗斯柴尔德兄弟承担了大头，而佩雷尔家族则不见了踪影。这些银行大量买入5%票面利率债券，将价格推高到票面之上，而法兰西银行通过延长债券的贴现规定来支持他们的购买。这次操纵达到了预期的目的，绝大部分债券持有人都接受了新的债券。

两年后，当法国和英国向俄国发出了最后通牒，要求它从多瑙河地区公国撤出军队的时候，詹姆斯很自然地期待着能被法国财政部再次召唤。1854年3月4日，他告诉阿尔伯特王子的兄弟欧内斯特二世："对于与俄国的这场战争，要多少钱都可以；他可以马上就拿到'他想要的那几百万'。"然而，此时工业信贷银行参与到了备选名单里，当政府在3天之后宣布将借入25 000万法郎的时候，这两人的厮杀似乎已经无法避免。米勒随即主张劝说宾诺和拿破仑三世通过让公众直接认购的方式来发售债券，或许他做到了。然而，当他宣称这次发售加上后面1855年的5亿法郎的战争贷款"让法国政府从一种与诞生于普选的王朝性质完全相左的独裁中解放了出来"的时候，这话就夸张了。因为到1855年4月，还需要另外的75 000万法郎，新任的财政部部长皮尔·马尼不得不向拿破仑三世报告，国内市场已经达到了饱和点。结果1855年贷款的主要份额在伦敦发行，而且拿破仑三世选择转到法国政府在那里传统上一直在使用的银行里。尽管工业信贷银行占了此次发行的大头，但是罗斯柴尔德家族再一次领衔：在巴黎公司处理了6 000万法郎的同时，伦敦公司收到了总额为20 850万法郎的认购。

在协助法兰西银行处理战后的货币危机——部分原因是政府在战争期间从银行借出的短期借款——的组织构成中，罗斯柴尔德家族的作用显示出了詹姆斯所起到的支配地位。在写于1856年4月的一封信中，詹姆斯在谈到政权所面临的困难时，实在难掩心中的兴奋："皇帝非常恼怒，因为他看到王子的诞生以及和平的到来并没有对公共信贷产生好的影响，而且，也许应该说他是由于太想要钱了才被迫讲和的。"事实上，货币市场的气氛是如此紧张，如果此时詹姆斯因公务要去趟布鲁塞尔，人们就会说他要把他所有的资本带到那儿去。詹姆斯再一次狡黠地利用这个政权对他的依赖来嘲弄他们，而且这并不是最后一次。

罗斯柴尔德家族贷给款项的另一个交战国是土耳其。这个领域也存在着竞争，这一点很好理解，因为罗斯柴尔德家族一直未与土耳其政权（除了希腊的赔款）建立起正式的金融关系。做第一笔1854年的土耳其战争贷款的是戈尔德施密特和Bischoffsheim，这是一次失败的贷款。由于被传说中的土耳其铜矿所吸引，而且有点像当初内森考虑西班牙时的情况一样，詹姆斯决定接下来。对于霍拉兹·兰道在克里米亚战争一触即发之际被派到君士坦丁堡作为罗斯柴尔德的代理这件事来说，他们选择了一位能干的谈判高手。当土耳其在1855年发现他们需要更多的资金时，罗斯柴尔德家族已经准备停当，而且已经恭候着了。

1855年2月，在战争的短暂休战期间，兰道很有技巧地开始编织他与苏丹的大臣福阿德·帕夏以及西方外交家之间的关系，提出新的贷款建议，这一次由法国和英国做担保，而与此同时，预先向政府提供一些小额的无担保贷款——这是经典的罗斯柴尔德战术。到 8 月份，罗斯柴尔德伦敦公司通知兰道，那 500 万给土耳其的贷款已经由英国和法国的保函进行了担保，因此，允许提供更多的慷慨大方的条件给对方，这些条件好过了人们的想象。不久，战争宣告结束，阿方斯立即受命动身前往君士坦丁堡，探讨在那里设立一家新银行的可能性，然而又受到了来自于一家名不见经传的英格兰小银行（这一次是拉雅兹）的竞争。不过，1857 年经济危机的爆发——同时又意识到土耳其金融所潜伏的危机比当初所预计的要大很多——导致了次年其从君士坦丁堡的撤退。尽管兰道同意继续提供一些小额的无担保贷款，但这种“土耳其的国家银行可能会变成罗斯柴尔德银行的分行”的观点（这是《时报》1857 年时的说法）纯粹是无稽之谈。

奥地利在克里米亚战争之中未发一枪。然而，由于与俄国因多瑙河公国所造成的紧张气氛，奥地利仍然必须做大量的备战工作，而且由于其金融和货币体系在 1848~1849 年十分脆弱，造成的影响与全面参战对法国经济的影响相当（就算是不大于的话）。如表 6–1 和 6–2 所示，奥地利债券事实上受战争影响所造成的破坏程度比法国要高；而奥地利出现的支出上涨只是一点点，尽管它执行的是不干涉的政策。这只是一场金融衰退悲剧的第一幕，它在很多方面为 1857 年后几十年间降落到奥地利的各种灾难埋下了隐患。过去和现在的军费开支占据了奥地利预算的大部分，以至于防务费用和偿债花去了预算总额的 60%~80%。尽管对改善经济状况做了很多尝试，但现实的军事危机使所有这一切都无疾而终。税收水平抬高，国家资产变卖，但奥地利政府还是得靠借贷来维持它的开销。当它从国家银行借出短期贷款，货币——1848 年与白银脱钩——又出现贬值：在 1853 年和 1854 年中，古尔登汇率从低于面值 9% 贬值到了低于面值 36%。当政府从一个已经很脆弱的债券市场借入长期贷款时，其结果是挤出了私人投资。在 1848~1856 年间，奥地利政府总共欠下的公共债务从 11 亿古尔登上涨到 25 亿古尔登，年平均增长约 8 000 亿，但是存在异常的波峰，比如 19 世纪 50 年代中期的情况。长期的财政大出血和货币政策因此搅和在一起，严重阻碍了经济的发展，导致了税基的萎缩，使这种螺旋形下降的循环一直持续着。

有什么办法来弥补吗？ 1851 年 11 月，奥地利财政部部长克劳斯给詹姆斯写了一封信，在信里说了很多伤感的话，请求得到詹姆斯的忠告，要求他为现实的状况提点建议。而在一封公开的信里，阿波尼敦促詹姆斯“不仅仅是点拨一二，而是高擎火炬引领我们前进，尽你一切所能，让我们摆脱这些货币废纸所带来的所有困扰”。詹姆斯和他的合伙人们尽了自己的努力。尽管罗斯柴尔德家族有足够的理由在 1848 年后就关闭维也纳公司，但他们不仅没有这样做，安塞尔姆反而开始重建其父亲过去所建立起来的一切，而根本没有理会那种失败的可能性。这是一项出力不讨好的工作，由于安塞尔姆的妻子坚决不愿意到一个她不喜欢的城市居住，使得这个问题更加难办。安塞尔姆显得十分孤独，他在这个计划最开始的时候，跟随着他父亲的脚步：前去探望已经返乡的梅特涅，根据皇帝的喜好进行公共捐赠，甚至以一种遮遮掩掩的态度支持奥地利的对外政策。但是安塞尔姆总是无法从他父亲失败的噩梦这一记忆中走出来，对他拯救奥地利金融的所有努力，人们不难想象，全都充满着注定要失败的悲壮。当安塞尔姆在 1853 年 12 月拜访梅特涅的时候，他脸色凝重：

> 安塞尔姆说奥地利的金融状况正不可避免地陷入危机之中，除非我们走运，正好使用了避开它的正确方式……他宣称他们曾经期待赫尔·鲍姆伽特纳，继克劳斯之后出任奥地利财政部部长能有一些高明的决策，但鲍姆伽特纳对现实情况没有正确的认识，并不胜任他的工作……这次谈话被努恩希欧的来访所打断。安塞尔姆起身告辞，当我送他到门口的时候，他对我说："你记着我的话，我们处在危机的前夜；如果没做什么努力来改变它的话，新年到来之前我们就将面临危机！"

然而，也有一些成功的事例使罗斯柴尔德在维也纳的影响力得以维持，虽然这些影响以一种更为模糊的形式出现。在 1852 年，伦敦和法兰克福银行联合为奥地利政府发行了价值 350 万英镑利率 5%的债券。1854 年 4 月，面临着货币遭抛售的危险，奥地利政府再次找到了安塞尔姆，安塞尔姆尽力说服了其他地区的银行参与到提供另外的 3 400 万古尔登信贷的行动中，尽管其中几乎半数来自于福尔德。

简而言之，直接或间接因为克里米亚战争引起的债券发行大部分由罗斯柴尔德家族处理。表 6–3（只给出了伦敦银行的数据）提供了一个总体的情况。

表 6–3　1850~1859 年间由 N·M·罗斯柴尔德公司发行的主要债券

年份	国家	发行面值（英镑）	利息（%）	单价（古尔登）
1852	奥地利	3 500 000	5	90
1855	英国	16 000 000	3	100
	法国	30 000 000	4.5 或 3	89.46 或 63.23
	土耳其	5 000 800	4	102.62
1856	英国	8 890 000	3	90
	法国	5 400 000	3	93
1859	奥地利	6 000 000	5	80

资料来源：艾耶尔，《金融世纪》，第 42~49 页。

在所有这些大国中，普鲁士在克里米亚危机中所起的作用是最小的，因此我们看到英国代表团在巴黎大会期间要求将它排除在和平谈判之外。然而，普鲁士在此期间的开销事实上也出现了非常剧烈的上升：它在1857年的总支出比10年之前增加了大约45%。尽管与奥地利相比，普鲁士拥有更加强盛的收入源泉，但它还是需要借贷。在这里，罗斯柴尔德家族也能够建立起他们的金融影响力。早在1851年的时候，詹姆斯亲自到柏林与普鲁士财政部部长保德史威瀛就新发行4%票面利率的债券举行过会谈。

罗斯柴尔德家族与柏林的关系在19世纪50年代早期因为由俾斯麦引发了关于日耳曼联邦的长期存款（“货币堡垒”）与法兰克福银行的一场愚蠢的口舌之争，而遭到了某种程度的破坏。作为普鲁士在联邦里的代表，俾斯麦把尽可能搞乱他的奥地利同事图恩伯爵的生活当成了自己的任务。图恩建议联邦应该向阿姆谢尔借款26万古尔登，以保障货币堡垒的安全，作为日渐没落的海军的军费，这给了阿姆谢尔一个千载难逢的机会。所涉及的款项金额微乎其微，而真正的问题是重新建立的联邦可以按照过去由奥地利主导的方式来运行。但还没等到作为会议主持人的图恩取得（在1851年1月）支取首期预付款的允许，俾斯麦就马上宣布普鲁士认为这是违法使用联邦资金（尽管事实上拟议中的资金并没有真的从货币堡垒中提取）。让阿姆谢尔感到害怕的是他发现自己身不由己地深陷于来自奥地利和普鲁士代表舌战的焦点之中。

图恩威胁要把联邦的业务转给另一家银行，俾斯麦说他要将普鲁士代表团的账户转到贝斯曼。尽管阿姆谢尔为取悦俾斯麦已经做了很大的努力，尽管通过俾斯麦的副手威泽尔发出了明确的不支付这笔钱的指示，阿姆谢尔还是感到自己几乎没有回旋的余地，只能接受图恩指示，因为是正式的指令。双方在这场争执中所爆发出来的浓浓的火药味可以从图恩1月12日给希瓦曾伯格的信中看出来，在这封信里，他谴责普鲁士采取了向犹太人乞怜这种令人不齿的卑劣手段来对抗议会。

> 我觉得他们的行动已经使局势非常危急，任何谅解和讲和都不再可能。议会自然不能接受这样的局面，如果罗斯柴尔德仍然不同意支付这笔钱，我不可能让这件事再摆上24小时，就算战争成为无法避免的结果也在所不惜。

“我承认，”图恩在写给俾斯麦的信中这样说：“只要我活着一天，想到它我就会脸红。当威泽尔给我看你们（发给罗斯柴尔德）的抗议信时，我为我们共同的祖国所遭受的耻辱而像孩子一样号啕大哭。”俾斯麦的回应同样精彩：

> 如果真的如你所说，议会由于与犹太人的争吵而被拖进了泥沼，那么这根

本不是我们的错；有错的是利用议会的业务通过指令与犹太人联系，而且是一种违宪的方式，将犹太人手里的钱从他们本来已经确定好的用途上改变过来。

对于阿姆谢尔，俾斯麦在他给普鲁士首相冯·曼图菲尔伯爵的报告中是这样描述的：非常“希望取悦奥地利政府，无所不用其极……收到奥地利代表团的每笔汇款，他都会马上通知普鲁士驻议会代表团”：

在某个场合，图恩伯爵确实告诉过我，在我接到对那个决定的正式通知前，罗斯柴尔德的银行已经得到付款的指令。罗斯柴尔德银行对我们这个抗议的所作所为，使我不再理睬住在这里的罗斯柴尔德先生的任何邀请，总体上希望他了解他的做法使普鲁士政府相当失望……我不得不这样认为，现在迫切需要中断普鲁士驻议会代表团与罗斯柴尔德银行迄今建立起来的关系，相关的业务应该转到此地的其他银行。

图恩和俾斯麦事实上都过高估计了自己的能力。图恩因为草率地开除了一名供职于联邦财政部的普鲁士官员——他也反对向罗斯柴尔德借款的提议——而遭到了希瓦曾伯格的训斥；而在柏林，保德史威瀛和海外贸易银行的总裁都明确指出，贝特曼不可能替代罗斯柴尔德家族，后者不仅持有海外贸易银行大量存款，而且还持有1850年普鲁士贷款的巨大份额。

这些理由俾斯麦应该清楚，尽管他是如此喜欢刺激图恩。俾斯麦总是能抓住政治中经济利己主义的关键。在解决海军争端（大家同意把军舰全卖了）的那几个月里，他完全改变了自己的腔调，此时他完全是以罗斯柴尔德家族的立场讲话，反对由奥地利支持的法兰克福天主教徒提出的一项抗议（他们反对1848年和1849年通过关于授予居住在该城市里的犹太人完全的公民权利的法律）。当罗斯柴尔德法兰克福银行申请成为普鲁士朝廷的“御用银行”头衔时——曼图菲尔倾向于同意，因为“罗斯柴尔德会因此而在某种程度上从为改善维也纳的货币局势的热情中转变过来，而且会比较倾向于支持他们正在打算筹集的铁路贷款”——俾斯麦表示支持，以他特有的冷嘲热讽的口吻把关于海军贷款的争吵抛在了一边：

罗斯柴尔德家族从来没有犯过反对普鲁士的错误，过去所发生的只是在我们与奥地利之间发生争执时……他们对奥地利方面的担心甚于对我们的担心。现在，由于我们不可能期望罗斯柴尔德家族恰当地表现出像“坚强的人和正义的愿望”这样的勇气，来抵御像图恩伯爵在这种情况下所造成的“错误从众”决定，而且，由于这个家族的其他成员已经对阿姆谢尔的态度道了歉——他们说他是老糊涂了——我认为，考虑到这个金融巨人所能提供的服务，他们这次所犯下的错误可以被赦免。

事实上，不只如此，他建议授予迈耶·卡尔普鲁士荣誉——三级红鹰勋章——目的是想争取罗斯柴尔德家族脱离奥地利。这引发了典型的中欧官僚辩论中的浪漫思维：如果这个荣誉授予得再晚一点，罗斯柴尔德所表现出的善意是否会更多一些？如果对勋章进行重新设计，以便能把传统的十字图案换成另外的图案，是否会更适合于犹太人？所有这一切的底线是普鲁士需要罗斯柴尔德家族：曼图菲尔否决了保德史威瀛的意见，授予了罗斯柴尔德家族银行御用银行的头衔，这让贝特曼很恼火，他仍然只是普鲁士的领事。

这个做法达到了预期的效果。迈耶·卡尔随后马上暗示俾斯麦：如果他能有机会按3.5%的利率来安排他的钱的话，他将会感到万分荣幸。1854年春，当有迹象表明普鲁士也可能会被拖入战争的时候，曼图菲尔派他的顾问尼布赫去与罗斯柴尔德家族就1 500万塔勒[①]的贷款进行了谈判。这项交易未能达成，尽管双方在海德堡（詹姆斯和纳特也赶来与迈耶·卡尔一起跟尼布赫谈判）进行了漫长的商谈，6月又在汉诺威再次举行了会谈。保德史威瀛成功阻击了把所有主要的普鲁士贷款的利息通过罗斯柴尔德法兰克福银行支付的提议。然而，迈耶·卡尔在1856年再次卷土重来，放出了700万塔勒的普鲁士新贷款。更重要的是，俾斯麦认可了以一种现实的态度来委托普鲁士利息支付的想法："我们当然可以认为银行有自己的理由来提出这个建议，因为这个建议本身并不会在处理相关事务时把普鲁士的利益放在脑后。它的利益与我们的利益一致的这个事实，并代表我们忽视了自己的利益。"这个申请最终在1860年获得了批准，当时保德史威瀛已经离开他的职位。在其他方面，俾斯麦也维护着罗斯柴尔德家族的利益。当对迈耶·卡尔获得红鹰勋章——这是第三次而且为二级，但是用椭圆设计替换了通常的十字架——的程序进行了特殊处理后，俾斯麦马上否决了对他过去曾擅自佩戴基督徒版的勋章的指责。1861年，詹姆斯也获得了普鲁士勋章。

到19世纪50年代末时，罗斯柴尔德家族已经确立了他们作为欧洲地区最卓越的政府贷款人的位置。英国、法国、土耳其、奥地利和普鲁士都通过一家或者多家罗斯柴尔德银行发行过债券。列在他们名单上的国家还远不止这些。那段时期的其他重要客户还包括比利时（尽管这里的业务与过去相比，必须更多地与新的国家银行分享），在这个领域，罗斯柴尔德家族很早前就有了考虑，希望通过资助教皇重返皇城

① 塔勒（thaler），德国15~19世纪的银币。——译者注

而使罗马的犹太人得到承认。然而，谈判的艰难程度远比当初所预计的要艰难得多，因为梵蒂冈竭尽全力反对为贷款设定的条件基于正式的，哪怕是对犹太人最低限度的解放，尽管教皇确实单独向詹姆斯保证过，犹太隔离区政策将会取消。金融条款本身也很难达成一致。当卡尔准备在教皇返回罗马前只支付1 000万法郎的时候，教皇想要的却更多。甚至卡尔希望这笔贷款用教会的土地进行抵押担保的要求也被拒绝了。

最后的条件——由詹姆斯自己处心积虑提出——出乎意料地慷慨，特别是在教皇有着破产记录和地位仍然十分不稳定的情况下。总体来看，在教皇返回之前（1850年4月），罗斯柴尔德家族银行购买了年利率为5%的面值5 000万法郎的债券，随后又分两期各购买了2 800万法郎。其他的贷款在1853年（以95的价格购买了2 600万法郎8%年利率的债券）和1857年8月，当时的想法是把教皇的债务进行合并，并稳定罗马的货币。新的5%年利率的债券在巴黎市场上市，总值1 420万法郎——大约相当于教皇总债务（大约35 000万法郎）的40%。罗斯柴尔德家族与教廷关系之间的矛盾之处是，只要圣座不改革它的金融体制，罗斯柴尔德家族就可以获取巨额的利润；但是，如果它不改革金融体制，似乎也就不会改变对犹太人的态度。在选择抵制梵蒂冈——因此失去他们对教皇对外借款的垄断——还是接受在犹太问题上失败的两难之间，罗斯柴尔德家族选择了后者。

罗斯柴尔德家族传统的金融控制无法达到的地方，除了俄国——它有很明显的不被包括的理由——还有另外两个例外。一个是西班牙，它在1856年通过米勒发行了贷款，尽管人们一直都无法确定罗斯柴尔德家族是否有重新进入西班牙债券市场的打算，他们很早之前就从这个曾经偏好水银预付款的市场体系退出了。另一个更为重要的例外——尽管只算是部分例外——是皮埃蒙特·撒丁尼亚王国。

在1849年，詹姆斯曾经控制了对皮埃蒙特的巨额贷款，所采用的手法让野心勃勃的年轻金融家和政治家凯沃尔也甘拜下风。通过两次将奥地利人赶出意大利的失败的计划，使自己国家的负债增加了三倍的皮埃蒙特，自然成了罗斯柴尔德金融渗透的目标。当詹姆斯在1850年回来与皮埃蒙特财政部部长康斯坦丁诺·尼格拉谈判新的贷款时，凯沃尔只能以厌恶的心情干瞪眼。对于凯沃尔对尼格拉“很可悲地”依赖詹姆斯的批评，我们应该谨慎地解读：当时的情况是皮埃蒙特的信用水平是非常不理想的，因此并不是詹姆斯有意要打压其债券的价格。从另一方面看，詹姆斯看待皮埃蒙特时，毫无疑问与农夫看待一头瘦弱的奶牛是一样的，他要把它催肥，然后才可能挤奶。关于1850年的贷款，詹姆斯在给他的侄子们的信中很高兴地说道，那是“我迄今为止做得最漂亮的一桩生意”。除了2.5%的佣金，它本质上是一项未来的投资：对于新发行的总额为12 000万里拉的5%年利率的债券，詹姆斯以85的价格买断了2

000 万，同时同意代表该政府在巴黎出售 6 000 万，余下的留在尼格拉的手里。事实上，詹姆斯很快就把头 2 000 万中的一半多转给了都灵当地的银行家，剩下的打算留在手里等待皮埃蒙特的信用水平的恢复，他对此非常有信心。

凯沃尔的机会很快就降临了。1850 年 10 月，他当上了农业、贸易与船务部部长，并在两个月之后对已经形成了的罗斯柴尔德垄断进行首次挑战，当时他听到风声说要发行新的债券（去偿还都灵中央银行垫付的对奥地利的赔款）。凯沃尔很急迫地希望为新发的债在法兰克福和维也纳找到买主，催促他的朋友德 · 拉 · 路去找戈尔德施密特和辛纳。“这会让我很高兴，” 他宣称，“与那个卡我们脖子的犹太人玩点手腕。”随着凯沃尔在 1851 年 4 月被任命为财政部部长，他迎来了一个与罗斯柴尔德完全决裂的机会。当时凯沃尔所面临的政府的金融状况非常可怕：除了欠詹姆斯 2 500 万里拉——这些钱是詹姆斯给尼格拉“输血的”各种短期预付款，他还面临差不多 2 000 万里拉的赤字，以及总额 6 800 万的其他债务。在都灵货币市场筹得 1 800 万里拉来应急后，凯沃尔命令他在伦敦的领事寻找一家新的愿意为皮埃蒙特筹措巨额新债的银行。“我们必须不惜代价，将我们从目前由罗斯柴尔德银行为我们设置的这种悲惨地位中解放出来。”凯沃尔坚称，“在英格兰达成贷款协议是我们可以重新赢回自由的唯一方式……如果我们不抓紧取得伦敦贷款的胜利，我们将会发现自己又将被逼迫着在罗斯柴尔德家族的老鼠夹上受气。”为了协助大使的工作，凯沃尔派出了他的老对手瑞维尔伯爵。瑞维尔发现巴林对于做这件事太勉强，而比较新一点的汉布罗银行愿意做这笔生意，以 85 的价格发行 360 万英镑的皮埃蒙特债券。

毫无悬念的是，詹姆斯一发现这种新的企图，就竭尽全力来阻止新的贷款。凯沃尔很坚定地相信，詹姆斯是《时报》上一篇关于皮埃蒙特金融情况负面报道的幕后主使；詹姆斯毫不犹豫，竭尽所能地抛售皮埃蒙特债券。事实上，这正是那句十分残酷（但对当时的人来说具有某种程度的破坏性）的话所说的情况，而且这句话在第二王朝时期一度成为了詹姆斯的标志：“贷款已经开始，但是没人认购。”詹姆斯离胜利已经不远了：这批债券在巴黎出现了很高的折扣，凯沃尔一度十分焦虑。然而，结果情况超出了詹姆斯的控制，在市场上出现了很坚定的反弹，特别是在詹姆斯曾经负责推广皮埃蒙特债券的那些初始市场。“我们可以做我们想做的任何事，”詹姆斯告诉他的侄子们，“但我们无法阻止皮埃蒙特债券上涨，因为是我们自己在 85 价位上发行的债券。”詹姆斯不会在经济问题上如此不冷静，不会在“整个世界”都在帮它上涨的时候继续抛售。到 1851 年底，他自己所持有的皮埃蒙特债券变化不大，大约为 100 万法郎。凯沃尔声称詹姆斯“已经大部分出手”，其实他错了。

然而，凯沃尔从来也没有想过“马上打破与罗斯柴尔德的联系，而只是告诉他，没有他也能做”。从这个意义上说，詹姆斯应该很佩服凯沃尔；在他很难得一见的对一个政治家的赞扬中，他说，这个人有“个性”。当阿方斯在1852年受命到都灵报出愿意以92的价格接下尼格拉留下的1850年债券（大约4 000万里拉）时，凯沃尔再次强调了这一点。一得到皮埃蒙特议会按照他不需要这笔钱的暗示做出的否决决定，他立即很客气地请阿方斯走路。但他满心希望能在不远的将来再次与罗斯柴尔德家族合作，他所希望能达到的是提高他讨价还价的实力。因此，当詹姆斯在1853年1月再次重新报出上年的报盘的时候，凯沃尔——此时已经是首相——将这4 000万从开始的88的报价谈到94.5。当凯沃尔考虑另一份新贷款的时候，他同时向汉布罗、巴黎的福尔德以及詹姆斯发出了询盘。詹姆斯再次派出阿方斯到都灵。对于凯沃尔来说，这场竞争是无价的：逐步升级的克里米亚危机造成了所有债券价格的大幅下挫，这当然也包括皮埃蒙特债券在内。汉布罗为新的票面利率3%债券报出的价格是不超过65；福尔德稍高；而阿方斯决定重新赢回其父亲最喜欢的客户，报出了70加上2%佣金的价格。正如凯沃尔所说的，“福尔德的竞争价值几百万”，而詹姆斯后来抱怨他出现了“巨额损失”。同时，在克里米亚危机的初始阶段，凯沃尔需要詹姆斯帮助支付汉布罗贷款的利息，这种情况一直持续到皮埃蒙特参战反对俄国获得英国政府补贴时，他才得以松了一口气。

“为罗斯柴尔德说句公道话，”凯沃尔在1855年1月的一份非常精彩而又小心翼翼的评论中这样说道，“我们必须说，他从来没有对钱斤斤计较过。这是他比较好的一面。”凯沃尔要表明的是，政府通过对19世纪50年代竞争更为激烈的金融市场的多方比较，看到的更多是那比较好的一面。当詹姆斯在佩雷尔家族的一败涂地中成为新的皮埃蒙特投资银行的主要外国股东时，表明詹姆斯在都灵将再次受到欢迎。“佩雷尔简直是暴跳如雷，”凯沃尔在1856年2月时写道，“而罗斯柴尔德似乎是兴高采烈。他说他之所以想搞个意大利信托，‘因为，您看，您不能没有意大利。赶快，如果和平到来（在俄国与西方列强之间），你必须有个平台让你马上行动’。”他和凯沃尔同意，新的银行应该是“意大利的大事，而不只是皮埃蒙特的事情”。詹姆斯以惊人的洞察力开始准备资助下一场欧洲战争——他预见到奥地利与皮埃蒙特之间的战争。这已经是第二次，他暗示凯沃尔在这样的一场冲突中，凯沃尔会得到他的支持。

大反击

在之前的经济繁荣期，罗斯柴尔德家族迎来了大量的竞争者；而当经济衰退来临的时候，他们开始送别这些竞争者。19世纪50年代的情况就是这样。从某种意义上说，新建的银行和铁路公司对国际资本市场的需求，还有卷入克里米亚战争的那些国家的借款，这些都不可能是永远持续的；而且可以肯定的一点是，这种情况也不可能与货币的稳定相一致。经济放缓的迹象甚至在战争结束前就能够看到。1857 年 8 月，风暴终于来临，当时俄亥俄生命信托公司停止支付，引发了美洲银行倒闭的多米诺骨牌效应。这场危机很快越过大西洋，迅速蔓延到格拉斯哥和利物浦，在这些地方至少有四家银行倒闭，另外还蔓延到汉堡，而且，如果不是从英格兰银行获得了 80 万英镑的贷款支持，位于伦敦的盎格鲁 · 美洲银行皮多迪公司恐怕也难以幸免。根据我们可以确定的资料，罗斯柴尔德家族的银行没有一家受到了这场危机的严重影响。罗斯柴尔德伦敦银行 1857 年的利润大幅下滑（到了微乎其微的 8 000 英镑），但它毕竟仍然盈利；罗斯柴尔德那不勒斯银行做得更好，尽管 1858 年对它来说应该算是非常糟糕的了。

在这段困难的日子里，法国的货币政策是罗斯柴尔德家族对佩雷尔家族的阴谋进行大反击的关键手段；对于这一点，很多人都不理解。在他们的竞争中，一个最关键的转折点出现在 1855 年阿方斯 · 德 · 罗斯柴尔德当选为法兰西银行的董事的时候。如果严格按照罗斯柴尔德家族作为银行股东这件事情本身的重要程度看，家族中的一位成员按例成为董事之一是一件很理所当然的事情。罗斯柴尔德家族巴黎银行在 1852 年持有法兰西银行超过 1 000 股的股份；普勒西斯还证明了这个数字处于上升的趋势之中，1857 年达到 1 499 股，1864 年达到 1 616 股。另外，家族成员在自己个人的资产组合中还持有 200 股。如果对这些股份的所有权进行合并，罗斯柴尔德家族很有可能是法兰西银行的最大股东。

阿方斯的当选引起了很大争议的理由有很多。第一，在 1855 年之前，尽管罗斯柴尔德家族持有大量的股份，但他们还没有被接纳进股东大会（大概是因为詹姆斯从技术层面看仍然算是个外国人）。第二，尽管改教的艾希塔勒在之前就已经当选为了董事，但阿方斯是当选的第一位犹太人。第三，也是最为重要的是，他的当选正好遇到了一场关于银行自身未来走向的至关紧要的大辩论。这就解释了为什么 1855 年 1 月 22 日的那次会议——阿方斯的名字在这次会议上出现在候选董事的名单上——会成为那段时期里出席率最高的会议：米勒、佩雷尔家族名列 138 名投票的成员之中，而且十分例外地——选举还进入了第二轮，一直到阿方斯超过另外两名候选人，获得了无可争议的大多数票支持才结束。尽管法兰西银行董事并不是法国政治传奇中十分炙手可热的职位，但阿方斯的胜选仍然是一个重要的分水岭，最终把罗斯柴尔德家族送上了与马勒家族、达维利耶家族和霍廷格尔家族同等的位置上。更为重要的一点是，它在一个关键的时点上为罗斯柴尔德家族在银行里安置了一个代表。阿方斯在

19 世纪 60 年代为银行的利益做出了很多贡献。在 19 世纪 50 年代，罗斯柴尔德家族对法国货币政策的影响没有犯过任何错误，而且在罗斯柴尔德与佩雷尔冲突中起到了至关重要的作用。

从本质上看，问题的关键是法兰西银行在对法国的货币市场的影响力方面应该在多大程度上效仿英格兰银行。在 1848 年的危机中，法兰西银行通过关闭区域性的发钞银行，极大地稳固了它的地位，当它的实力相对较小时——其在 1852 年时资本金大约为 7 000 万法郎，远小于罗斯柴尔德家族银行同期的资本金——工业信贷银行的自命不凡对它是一个很大的威胁。1855 年银行业和铁路业的繁荣一路高歌猛进，再加上克里米亚战争的财政需求和农业歉收，使得法兰西银行遭受了空前的压力。在 1855 年 8 月，为了补充几近枯竭的储备，法兰西银行不得不从罗斯柴尔德家族银行购进了 3 000 万法郎的黄金和 2 500 万法郎的白银。一年之后，局势更加恶化，法兰西银行不得不申请暂停货币的兑换。绝大多数董事赞同这个计划，但阿方斯并没有名列其中。在财政部部长马涅的支持下，阿方斯和他的父亲成功地说服了法兰西银行提高贴现率，并大量地买入黄金和白银——包括从罗斯柴尔德家族的银行中购买了 8 300 万法郎——以维持货币支付。在 1855~1857 年间，罗斯柴尔德家族巴黎银行为法兰西银行提供了价值 75 100 万法郎的黄金，这些黄金通过纽考特按大约 11%的升水购买。

在法兰西银行越来越多地依赖于罗斯柴尔德家族来充实自己的储备时，对修改法兰西银行章程的讨论爆发了。尽管阿方斯在上半年基本没有参与法兰西银行的工作，但他的父亲在这场讨论中起到了一些作用，他竭力反对佩雷尔家族提出的对法兰西银行进行激进的机构调整，以使他们的股权组合更加符合新的投资银行的计划。争论的最终结果是保守派取得了根本性的胜利：作为对接受政府 1 亿法郎债券的回报，法兰西银行获得了资本金加倍的许可，同时可以在货币吃紧的必要时刻自主决定将贴现率提高超过 6%的权力。换句话说，最优先的是保持汇率稳定，而不是国内金融市场的流动性；而这正是对工业信贷银行真正的限制。

在进行这场制度性战斗的同时（在 1856 年），詹姆斯发起了金融界联盟——它本质上是一个私人银行和铁路融资财团，比如像巴特隆尼，匹勒特-威尔、布龙特和塔拉伯特的松散的协会型组织，目的是用佩雷尔家族的方式挑战佩雷尔家族涉足的领域。事实上，詹姆斯以联盟作为组建与工业信贷银行类似的新的股份合作制银行的基础的计划，受到了马涅的阻挠，他在 1856 年发布了禁止新组公司的临时禁令，作为他为经济降温所做努力的一部分，并希望借此释放出更多的资金，以缓解政府所面临的严峻的资金需求。对于米勒来说（他的计划也同样受到了禁令的影响），这似乎是佩雷尔家族的胜利，而且没有人会否认，联盟集团控制的铁路资本远小于佩雷尔家族及其同盟（4 900 万~9 400 万法郎）。但是，信号很明显：从那时开始，法国罗斯柴尔德家族至少是已经在筹划采用佩雷尔式的投资银行模式。

事实上，局势不久之后就变得一目了然，对国内资本市场的限制，加上法兰西银行更加严格的贴现政策，这对佩雷尔家族造成的限制远甚于对罗斯柴尔德家族的限制。佩雷尔家族未能阻止大中区铁路与罗斯柴尔德控制的巴黎-奥尔良铁路在 1857 年 6 月的合并，是说明这种情况的最好例子，这次挫败立即引发了佩雷尔家族方面痛心疾首的指控，他们认为这些都是针对他们及其工作的阴谋。“为了打压我们，使我们被拖垮，”他们向拿破仑三世抱怨道，“他们到处放话，说我们是无所不能的。”现实的情况是，随着 1857 年的金融危机强度越来越大，遭受打击更大的是佩雷尔家族。在所有的铁路线中，在危机中最具活力的是北线铁路；法兰西银行对其他铁路公司的贷款支持以及《弗兰克维勒协定》政府以此保证红利和对建设不盈利的支线铁路进行补贴，都是针对“新”银行的弱点所进行的反应，而不是针对“老”银行。

这就解释了佩雷尔家族为什么在 1856~1857 年之后的大型泛欧洲铁路特许权竞争中只能位列第二的原因。这段时期内，铁路业务成为真正意义上国际化的事实，总是被人为地低估为只是众多国际关系中一个普通的因素。那种认为铁路通过创造国内一体化市场而对民族主义者有利的说法，完全是荒诞不经的：欧洲的铁路很快穿过了国家的边界，成为了跨国的网络，而且投资在西班牙、北意大利、哈布斯堡帝国和俄国铁路的资金大多数不是来自英国就是来自法国。铁路的这次国际化时机碰巧与战略规划家们意识的觉醒一致，这些铁路在运送货物和旅客的同时，也在运送军队方面起着相当关键的战略作用。对铁路的控制因此在被看成是金融问题，是政治问题，在促成意大利和德国“统一”进程中的各项因素中，这是一个相当重要的因素。

这个模式在比利时、西班牙、皮埃蒙特、那不勒斯、奥地利、多瑙河地区的各公国、俄国甚至土耳其等国中，不断以各种变种的形式被重复。首先，在这些经济体中，经过竞争建立起了工业信贷银行形式的银行；然后，或者是同时，几乎是同一批人在争夺霸占铁路的特许权。在比利时，罗斯柴尔德家族的老朋友利奥波德国王很明确地鼓励詹姆斯建立一家工业信贷银行形式的银行，但詹姆斯在确定佩雷尔家族没有这样做的打算后，当即放弃了这个想法；只有在必须阻止他的竞争对手的时候，他才会考虑采取那样的行动。实际上，比利时金融机构，像兴业银行，使得佩雷尔家族在这里或多或少显得有些多余。詹姆斯因此可以腾出手来把北线公司的影响扩展到比利时铁路网的重要节点，获得了纳木尔—里兹铁路的控制权，并就修建蒙斯—豪特蒙特铁路与兴业银行达成联盟。他还以董事的身份间接参与了东线对卢森堡铁路的并购——这条线对连接比利时港口奥斯坦德和安特卫普以及莱茵地区起着至关重要的作用。在瑞士，竞争更为激烈：佩雷尔家族在西线沿日内瓦湖建立了大型的股份合作制铁路网，但地位更为重要的中部和东北部铁路仍然留在了瑞士人的手里，一直到金融界联盟从后者手里买到了股权，并与南向的其他铁路合并成立了联合瑞士铁路公司（United Swiss Railway Company）。在那不勒斯，曾经出现过短时间的警报，当时有迹象表明国王似乎打算授予佩雷尔家族一份银行的执照，但是这个事情很快就有惊无险地过去了；波旁王朝对经济创新有着很深的疑虑，使得西西里的铁路建设根本没有可能。

在其他地方，佩雷尔家族的威胁更为严重，并引起了罗斯柴尔德家族一系列的决定性反应。在西班牙，罗斯柴尔德家族成功地建立了西班牙工业信贷银行，随后在1855年12月建立了股份合作制银行。他们并不是这样做的唯一一家法兰西银行：阿道夫·普罗斯特（来自于通用贴现银行公司）建立了通用信贷公司，而罗斯柴尔德家族做出的反应是建立了西班牙工商银行。这些银行总的看起来在它们的规模和目标上都很相似。佩雷尔家族梦想的是融资建立起一条连接他们所拥有的米迪铁路坝甬内终点站，穿越派瑞尼斯并经马德里到达位于西南部的卡迪兹。罗斯柴尔德的反应是很快捷的：詹姆斯与无处不在的默尼联手，在1855年从萨拉曼卡侯爵手里获得了马德里—艾尔曼萨铁路的特许权，两年后建立了马德里—扎拉果扎和阿里康特铁路公司，它的第一条铁路（马德里—阿里康特）在1858年5月通车。与此同时，默尼拿到的特许权包括了连接马德里和葡萄牙，另外还有经科多巴到达马拉加和格林纳达的线路。这样，留给佩雷尔家族的就只剩他们当初计划中的头和尾：坝甬内—马德里连接线，这条线路在1858年12月被命名为西班牙北线；以及科多巴—塞维勒连接线，这条线他们是与查尔斯·拉斐特合作的。尽管这意味着罗斯柴尔德集团未能获得连接西班牙和法国的全程铁路线，但这里问题的关键其实是佩雷尔家族的行动不够果断，最简单的解释就是1857年所遭遇的困难给他们在法国以外的业务踩了刹车。令人吃惊的事情还有詹姆斯居然与默尼甚至米勒（他取得了旁普罗纳—扎拉果扎铁路）都进行了合作，同样令人吃惊的是他们居然也愿与詹姆斯合作。

罗斯柴尔德家族在皮埃蒙特所取得的胜利的脉络更加清晰，尽管从某些方面看，它是一场付出了惨重代价的胜利。1855年12月的某一时刻，凯沃尔似乎与佩雷尔家族（凯沃尔认为他们“拥有让人惊异的才干”）之间就要达成联盟，而这意味着对詹姆斯的沉重打击。但佩雷尔家族很显然要得太多。“垄断。”凯沃尔这样抱怨道。詹姆斯更加狡猾，他成了新建的位于都灵的工商银行的主要外国股权（33%）的持有人，该银行建立于1856年2月，是在皮埃蒙特获得批准的唯一的股份合作制银行。事实上，实践证明詹姆斯在都灵建立一家“意大利银行”的计划的时机尚未成熟；由于当时又发生了 1857 年的金融危机以及银行董事鲁伊吉 · 波尔迷达的去世，使这个计划陷入困境，到 1858 年，“意大利银行”只能被解散了。无论如何，我们可以从一篇关于詹姆斯 1857 年 4 月在波尔迷达死后不久对都灵的一次访问的意大利文报道中，推断出波尔迷达和詹姆斯一直致力于想要达到的目标是什么。按照这篇文章的说法：“他想要恢复波尔迷达的那些项目，包括争取M · 德 · 凯沃尔，把所有的国有铁路交给皮埃蒙特工业信贷银行，以便建立大中线（Grand Central)，同时确保他自己能获得两个里维埃拉之间的大型铁路的特许权。”而在西班牙，换句话说，建立一家新的银行就是一个终结罗斯柴尔德铁路帝国扩张的手段：詹姆斯很显然希望不仅获得对维克多 · 艾曼纽尔铁路公司的控制权——这个公司由查尔斯 · 拉斐特和亚历山大 · 庞克休在 1853 年创立，它的铁路线路将都灵与法国和瑞士连接起来——还想得到将马赛与尼斯和热那亚连接起来的铁路的特许权。尽管当时只是经营着后者（与法国金融家居斯塔夫 · 德拉汉蒂合作），但詹姆斯在皮埃蒙特所取得的胜利的意义不应该被低估。另外，我们可以看到，在法国北部和比利时，詹姆斯正在修建的铁路穿越了不久之后就变成战略敏感区的边界地区：萨瓦和尼斯（拿破仑三世对这个区域一直垂涎三尺），以及皮埃蒙特和隆巴蒂边界。很重要的一点是，原本计划的从意大利北部穿越阿尔卑斯山的铁路线并不走都灵，而是走奥地利控制下的米兰或者威尼斯。

这就解释了罗斯柴尔德家族在奥地利领土上所做的大部分的战略考虑。佩雷尔家族在 1855 年 1 月领先了罗斯柴尔德家族一步，当时他们成功说服了深受金融压力困扰的奥地利政府将国有铁路网的一部分卖给了他们（位于波希米亚的布拉格—布鲁内铁路以及从马奇费尔德向东直抵匈牙利的铁路线)，这成为了又一次早期的私有化。尽管罗斯柴尔德家族一直控制着萨洛蒙的北线，但是在 1848 年之前他们对奥地利的铁路一直都没有什么太大的兴趣，而且在此期间，铁路的建设和管理一直都由国家负责，但佩雷尔家族的举动刺激了安塞尔姆。佩雷尔家族力图建立一个强大的财团：他们新建的帝国与皇家御准奥地利国家铁路公司的董事会包括了默尼、福尔德、卢德维希 · 佩雷拉，以及维也纳的银行家希纳和埃斯克勒斯（他已经控制了维也纳—拉布铁路)。另外，他们明显还占了一个大便宜：以 7 700 万古尔登买到了当初花 9 400 万古尔登修建的铁路。他们同时还为拿破仑三世的外交政策帮了一个大忙：这项并购被广泛地认为是巩固 1854 年建立的奥地利—法国同盟的举措，得到于布内在巴黎给予的大力支持。安塞尔姆抱怨道，这是一桩“可耻的生意”——但他准备立马照搬。当佩雷尔家族建议政府在维也纳成立工业信贷银行——目的显然是购买剩下的国有铁路线时，安塞尔姆和詹姆斯决定组织一个竞争性报价。考虑到拟议中的铁路线的连接是那些维也纳与特瑞斯特（舒德巴恩）以及米兰与威尼斯（隆巴多），我们很容易看到他们的真正关切之所在。

罗斯柴尔德家族具备四个优势。第一个，奥地利与法国间的协定已经被证实是短期的。第二个，由于法国的金融局势恶化，政府规定外国债券不得在交易所里发行；对于佩雷尔家族来说，这是致命的一击——而对于詹姆斯正好相反，因为他可以依靠纽考特和伦敦市场。第三个，罗斯柴尔德家族有能力召集起一群有名的大人物（比如肖特克伯爵和希瓦曾伯格、费斯腾伯格、和奥尔斯培格等）来作为合作者，同时也包括在布拉格很有影响力的人物、银行家里利奥波德·拉梅尔。第四个，他们很可能在商务部部长布鲁克男爵的帮助下，已经看到了佩雷尔家族的标书，这使得他们可以做出一份类似但更有吸引力的标书来，投资金额加倍（以1亿古尔登对佩雷尔家族的5 660万古尔登），更加奥地利化的结构。到1855年10月底，这件事终于定下来了。在11月6日，帝国皇家奥地利商务及工业信用协会（简称商工银行）的章程正式获得批准；一个月之后，第一批股票开始发行，其中，罗斯柴尔德家族及其合作者持有至少40%。

商工银行的分行遍布布拉格、布达佩斯、布鲁内、科隆斯达特，以及后来的特瑞斯特和兰伯格，商工银行迅速建立了自己在哈布斯堡帝国金融界的统治地位，其无与争锋的卓越地位一直保持到了第一次世界大战前夕。对于在中欧重塑罗斯柴尔德家族的经济影响力来说，这已经到了登峰造极的程度了。因而，对商工银行所代表的佩雷尔家族模式的道义上的胜利，怎么赞扬都不过分。为了打败他们，詹姆斯——尽管初期对投资银行的概念做了很多批评——加入了他们，正像他向俄国联邦议会议长奥罗夫所坦诚的：

> 每一次当有政府向我们咨询时，我们都尽可能地指出这种信贷机构可能会产生的风险，但当我们的意见没有人理会时……我们别无选择，只能参与到这些企业中，这对于那些运作这些企业的人来讲是一件再好不过的事……我们不可能完全放弃……

几乎在所有方面，商工银行都照搬了工业信贷银行的模式；如果要说有什么不同的话，就是它的章程给了它对每一种可能的资产类型——工业股票、国家债券、土地甚至是商品的投资或借贷更大范围的自由度，以及以任何可能的方式融资——发行股票和债券、接收存款。罗斯柴尔德在维也纳进行竞争的关键是毫不隐晦地采用他们的主要竞争对手的方法。

从短期看，商工银行确保了罗斯柴尔德一直梦寐以求的开发中部欧洲铁路网的主导地位，在 1856 年，佩雷尔家族在关键的隆巴多和意大利中部铁路的竞争中再次败北，他们之前的盟友加利埃拉叛变，加入罗斯柴尔德阵营是他们失败的关键原因。罗斯柴尔德家族伦敦资本市场的便利也开始发挥作用：当新的帝国隆巴多威尼斯与中意大利铁路公司成立的时候，其 600 万英镑总股本中的 120 万英镑由罗斯柴尔德家族伦敦银行牵头的英国银团所承购，同时他们还为新公司发行了价值 310 万英镑的债券。罗斯柴尔德家族巴黎银行只提供了所需资金总额的一半，商工银行承担了余下的部分。这给了罗斯柴尔德家族及其合作者对 600 英里意大利铁路的控制权，而其中的 260 英里已经处于营运中。

令他们产生同样兴趣的还有从奥地利向西进入巴伐利亚的线路。罗斯柴尔德家族法兰克福银行曾经参与过最早的一条南德铁路，所谓的陶奴斯邦，把法兰克福与维斯巴登连接起来，这条铁路在 1853 年时延伸到了拿骚。1855 年，成立了一个由赫希、艾希塔勒、毕希奥夫赛姆以及其他人共同组成的财团，为巴伐利亚的奥斯特邦铁路融资进行建设后，使这条铁路在奥地利边境上将奴兰博格连接到利坚伯格、慕尼黑和帕骚。另外还有一些工程将这条铁路向北经过希文阁寺延伸到贝拉。因此，罗斯柴尔德财团争取连接维也纳、灵兹和萨尔兹堡（凯瑟琳-伊丽莎白西部铁路）的铁路特许权就显得更加符合逻辑了：这一次，罗斯柴尔德家族巴黎和维也纳银行提供了 6 000 万古尔登资本金中的 3 000 万。连接哈布斯堡东部铁路的工作中存在的问题更多一些。佩雷尔家族很早以前就在这个地区建立起了领先的地位，他们控制了维也纳—布达佩斯铁路，向东延伸到捷格德和提米索拉（弗兰兹—约瑟夫东部铁路），与国有的南部铁路连成了一片。但是，又一次因为缺乏资金导致了它们的解体。继收购匈牙利多瑙河汽动船公司后，罗斯柴尔德财团一直向南延伸到今天的斯洛文尼亚和克罗地亚，通过塔拉伯特收购了通向阿格拉姆（萨格勒布）和西萨克的铁路。同时还出现了一些与奥本海姆的合作项目，获得了连接位于维也纳的维拉希和克拉根福特与位于斯洛文尼亚的玛利伯铁路。

到 1858 年 8 月，通过吞并弗兰兹—约瑟夫东部铁路和南部铁路，将这些不同的孤立的铁路连接到维也纳和特瑞斯特，形成“一个巨型企业”，这个想法使詹姆斯“浑身颤抖”。他不顾一切着手实施：一个月后，他和塔拉伯特花费了 1 亿古尔登从奥地利政府手里购买了南部铁路，然后将它与隆巴多—威尼斯和弗兰兹—约瑟夫东部铁路进行合并，形成了一个铁路巨人：南奥地利隆巴多—威尼斯和中部意大利铁路公司。也出现了关于建设从特兰西瓦尼亚哈兹堡到现在已经取得自治的瓦拉几亚和摩尔达维亚公国铁路连接线的说法。罗斯柴尔德家族一直梦寐以求将铁路网延伸到君士坦丁堡和黑海海滨的理想似乎只是一个时间问题了。

在这个问题上，需要对当时的情况进行一下说明：自从商工银行成立后，就开始了铁路并购的过程，这对罗斯柴尔德的控制是个无法避免的稀释。我们无法确定所有上述的并购过程是否由詹姆斯或安塞尔姆主导，或者是取得了他们的完全授权。詹姆斯很显然保留了建造一条铁路到布达佩斯的项目，这样做（根据所提议的线路沿着哈兹堡战线走）考虑军事的作用远甚于考虑商务的作用。在1858年夏季，安塞尔姆确实威胁要从商工银行董事的位置上辞职，“因为他不同意现在的生意所采用的方式”——这个威胁他在后面一年里真的付诸实施了。这并没有表示在银行与其创始人间出现了永久的裂痕，因为他的儿子内桑尼尔在1861年底的时候接替了他的位置。但这告诉我们，应该意识到罗斯柴尔德家族和商工银行其实是平等的，正像我们需要小心区分，在使用“罗斯柴尔德财团”这个词的时候，我们用它来描述那些购买奥地利铁路系统的投资人的松散联合——或者说，为了同样的目的的罗斯柴尔德家族及其在法国的商业助手。

在欧洲，因为罗斯柴尔德家族放弃而给了竞争对手的重要地区只有一个：俄国。紧随克里米亚战争之后，由于存在开发萌芽中的铁路网的可能，实验性的小额贷款开始提供给新的沙皇政府。而詹姆斯似乎很愿意让佩雷尔家族第一个吃那里的螃蟹，因为他收到的关于新线路业务盈利分析的报告得出的结论很悲观。当巴林银行试图在伦敦为新成立的俄国大铁路公司修建连接华沙和圣彼得堡的铁路筹集280万英镑的时候，这种悲观就显得更清楚了。这次事件是一次失败，而且为巴林银行从反俄的媒体上引来了更多的责难。令人奇怪的是，詹姆斯在1858年似乎又燃起了在圣彼得堡建立一家罗斯柴尔德银行的念头；但是当他很随意地建议阿方斯或者居斯塔夫得花“几年的时间在彼得堡”建立“一家公司”时，唯一的原因是他觉得“这会对犹太人的解放事业做出贡献”，而不是因为他被那儿的商业机会所吸引。

到1858年底，对罗斯柴尔德家族地位的威胁不仅在法国已经不存在，甚至在整个欧洲大陆也都无影无踪了。出现这种情况最主要的可能是在佩雷尔家族的所有资源仍立足于巴黎的时候，罗斯柴尔德家族已经是名副其实的跨国企业，这个商业帝国在19世纪50年代的时候已经扩展到了加利福尼亚和澳大利亚的新的金矿领域。罗斯柴尔德家族无可匹敌的资源使他们可以在克里米亚战争期间重建对欧洲公共金融体系的主导地位。与此同时，他们与法兰西银行的联合确保了他们在1856~1867年经济下滑的时候，货币的可兑换性不被取消，而且能够促使那些很可能提前终止佩雷尔家族过度扩张地位的改革措施的通过。随后出现的对中部和南部欧洲铁路网的竞争因此变成了一种一边倒的不平等竞争。然而，为了确保连接奥地利与德国、意大利、匈牙利和巴尔干地区的枢纽铁路，罗斯柴尔德家族不得不模仿佩雷尔家族，建立他们自己模式的工业信贷银行，不仅是在都灵，而且更为重要的是在维也纳。随着罗斯柴尔德商业帝国变得越来越复杂，人们很难再把这个阶段以后的罗斯柴尔德银行当成是一个单一的一体化的企业，尽管詹姆斯自己毫无疑问仍然一直把它看成是一个企业。在1859年以前，罗斯柴尔德家族很幸运地站对了位置：在克里米亚战争中，它所贷出的款项全部都在胜利一方，没有与失败一方有任何牵连。但是，真正的考验在1859~1870年间到来了，在这个时期，他们发现自己在关键性的冲突中总是不断出现在冲突双方的夹缝之间，而这些关键性的冲突重新绘制了欧洲的新版图。

第七章

民族主义与跨国企业 (1859~1863 年)

THE HOUSE OF ROTHSCHILD

失去隆巴蒂……实际上失去的是他的铁路和贷款应收的红利！

萨夫兹伯里伯爵

1859 年

1858 年 1 月 14 日星期三的傍晚，奥地利驻巴黎大使正在阿方斯 · 德 · 罗斯柴尔德位于圣 · 弗罗朗亭大街的家里吃饭，这时从罗斯柴尔德银行办公室赶过来一名职员，送来了一份紧急的情报。詹姆斯随即离开了房间，但很快又折返回来——按照于布内的说法，“脸色十分苍白”——向在座的人宣布意大利恐怖主义分子想要取拿破仑三世和尤金妮皇后的命。难道是詹姆斯已经洞悉了这可能成为法国再次干预意大利事务的催化剂，而且这一次他会很确定地站在“革命”一方来反对奥地利？但是情况似乎并不是这样；更加符合逻辑的解释应该是，他期待这位逃过一劫的皇帝能够采取行动，镇压意大利的民族主义运动——而且这看上去正是皇帝在开始的时候准备采取的行动。

然而，在菲里斯 · 奥希尼默认自己参与了这场未遂的谋杀行动的时候，拿破仑三世还是很奇怪地决定使用他作为一个向民族主义分子表达同情的沟通渠道：在这次行动之前，曾经在报纸上发表了两封据认为是出自奥希尼之手的公开信，第一封信里宣称“在意大利重获独立之前，陛下您及整个欧洲都不可能享有真正的和平”。即使他自己没有把这个呼吁诉诸武力，拿破仑三世毫无疑问也已经打算对此做出回应。几乎在同一时间，拿破仑三世给皮埃蒙特政府发出了照会；7 月 20 日，又在普隆庇尔会见了凯沃尔，他们所讨论的唯一话题就是重划意大利版图：作为对萨瓦的回报，凯沃尔建议拿破仑三世帮助皮埃蒙特建立意大利王国，“从阿尔卑斯山到亚德里亚海，并与教廷控制的邦、两西西里和意大利中部的其他各邦共同建立意大利联邦”。实际上，直到 1859 年 1 月，法国和皮埃蒙特才就此达成了正式的协议，并以维克多 · 伊曼纽尔的女儿克罗蒂尔德与拿破仑声名狼藉的表弟耶弘王子的婚姻作为标志(为了获取更大的利益，尼斯也拱手送给了法国)。在进行干预的这几个月中所做出的外交举动，同时加上法国媒体对奥地利的不停的攻击，都给詹姆斯表示关切找到了的更多的理由——最起码表面看上去是如此。

12月5日詹姆斯去拜访拿破仑，抱怨头一天的《导报》上发表的一篇文章对金融信心造成了影响，但他所不知道的是，耶弘是这篇文章的幕后主使。在几分钟令人难堪的沉默之后，拿破仑三世向他保证，他“没有在意大利做任何变更的打算”；尽管他反对奥地利的政策，但他“要维护他保持稳定的决定”。然而，一个月之后，拿破仑三世对于布内说得最多的是“即使法国和意大利的关系没有像他所期待的那么好，也不会对于他对自己王国的看法产生一丁点儿的影响”，不过这对詹姆斯来说没有任何实质的意义，他在次日与英国大使考雷一起在一种“极度不安”的状态下拜访了拿破仑。于布内报告说，在巴黎的银行里存在着一种恐慌情绪。因此，詹姆斯再次去面见皇帝，皇帝向他保证他还没有冒犯于布内的打算。詹姆斯“回来后表现得十分满意，并引起了交易所内基金价格的上涨”。然而，仅仅在三天以后，随着耶弘与克罗蒂尔德联姻消息的公布，市场又重新掉头向下；拿破仑三世自己承认，尽管法国站在他的身后，但是他并没有能让交易所跟他站在一起。当詹姆斯在1月23日陪皇帝去打猎时，皇帝直截了当地抱怨奥地利在意大利增兵的举动，并警告说奥地利“可能进攻皮埃蒙特”。因此，猜谜游戏在继续：在接下来的那个周末，詹姆斯询问他是否可以给奥地利提供担保贷款。拿破仑三世没有表示反对；但詹姆斯在2月份明确地对于布内说，罗斯柴尔德兄弟银行已经“决定在所有战争风险消失之前，不再借钱给皮埃蒙特”，就算是直接来自于耶弘的请求也不行。3月10日，在各种关于英国调停失败的流言中，交易所内又出现了一阵恐慌，于布内再次见识了詹姆斯惊人的警觉。但当凯沃尔在两周之后响应俄国关于和谈大会的提议以及奥地利提出皮埃蒙特裁军的要求而亲自来到巴黎的时候，危机从表面看似乎再一次被化解了。“那么，男爵先生，”有人听到他曾经这样问詹姆斯，“听说我辞去首相职务的那天，股票就会上涨2法郎，这是真的吗？”詹姆斯回答道：“您太低估自己了！”大概就在这前后，詹姆斯留下了一段名言，这段名言是对拿破仑三世7年前著名的波尔多讲话的尖刻影射：

> 皇帝陛下不了解法国。20年前，发动一场战争不会引起任何大的动荡。因为除了银行家，很少有人会持有股票或者商业债券，但今天的情况是，每个人都拥有铁路债券或者3%票面利率的国债。皇帝陛下说“帝国意味着和平”这句话是对的，但是，他并不了解，如果发生一场战争，帝国就什么也没有了。

“一个疯狂的协定”，他很隐晦地总结道，在纽沁根“牵一发而动全身”。

在伦敦也遇到了同样的问题，此时，迪斯雷利已经接替了由于奥希尼事件下台的帕默斯顿的首相职务。列昂内尔也在随时向他汇报事情的最新发展。1月14日，他给德比写信，转达了那些毫无疑问来自于纽考特的情报：

> 金融城的警报等级非常高，“所有的地中海贸易都停止了”。债券缩水不少于6 000万英镑，最大的损失部分出现在法国。这样的情况如果再持续一个星期，就会击垮巴黎的资本市场，“所有这一切都是由于某个人决定要让这个世界不得安宁”。金融城里只有一种看法——那就是政府对这个事件束手无策。“尽管事件本身在几天之内就可以解决，但市场信心的恢复需要几个月的时间，因此我们现在正处于一个巨大繁荣到来前最黑暗的前夜。”

列昂内尔在他4月16日的竞选演讲中呼吁“一个坚强的政府”，不管是自由党还是托利党，都必须要有足够的能力应对发生在欧洲大陆的“危机”事件。这可以被解读为对坚决支持皮埃蒙特对抗奥地利的帕默斯顿路线的认同；但也有一些自由党人士怀疑列昂内尔是故意混淆概念，以掩盖自己对奥地利的同情。在众多思考的线索中，首先应该想到的是，在国际关系领域，罗斯柴尔德家族与托利党人的共同点要远远多于与自由党人的共同点。萨夫兹伯里（犹太人解放的反对者，因此很难做到不带偏见）在马真塔战役爆发的前夜描述列昂内尔“几近于疯狂，隆巴蒂落入奥地利之手实际上使他失去了铁路和铁路贷款应收的红利……手足无措、恐惧、屈辱，确实如此，这个民族注定要成为这些异教的犹太人炫耀自己的谈资”。

“统一”时期的金融市场

在1859年与1871年间，欧洲和美洲发生的一系列军事冲突使罗斯柴尔德家族面临新的，而且明显是无法化解的困境。家族的每个分支都处于一场统一战争的某一方——统一意大利、统一美国、统一德国——因此历史学家倾向于认为他们的这种命运从某种意义上说是必然的，特别是如果只考虑政治经济学的规模“法则”的话。现实的情况是，这些战争是发生在多个国家之间的战争，战争的后果并不容易预见。民族主义并不是决定性的因素：波兰的“统一”在1863年宣布失败；第二年，丹麦的“统一”也相继宣布失败；这之后，还发生了奴隶制各州的“统一”，以及1867年墨西哥的“统一”。政治家们想要建立的并不是统一民族的国家，而是联邦。凯沃尔最开始计划的是北意大利联邦；在美洲，所爆发的战争是为联邦主义而战；而在德国，俾斯麦在1866年所做出的决定是“更加坚定联邦的模式，同时在实践过程中赋予它（北日耳曼同盟，然后到日耳曼帝国的）联邦国家的特征，使用具有弹性、一目了然而又意义深远的文字表达形式”。另外，所有这些冲突如果能得到世界上两大超级大国——英国和俄国中的一个或者两者的调停的话，会产生完全不同的结果。但实际发生的情况是，两个大国都选择了隔岸观火的策略，只要欧洲发生的事情还不会影响到近东地区，因为在近东地区它们有更多相关的利益；但这个不干涉政策也并不是完全的铁板一块。

罗斯柴尔德家族所面临的选择相当不容易。当皮埃蒙特在法国支持下对奥地利发动战争时，罗斯柴尔德家族该站在哪一边？他们可是在三个国家都有自己的金融投资啊。当在美洲的联邦各州和邦联各州之间发生战争时，罗斯柴尔德家族应该支持哪边？从南部进口棉花和烟草是他们跨洋贸易的主要组成部分，而同时在北部他们又拥有很多投资和铁路。当普鲁士和奥地利攻击丹麦时，问题似乎要小一些，尽管说英国和丹麦皇室的关系在当时曾经困扰过伦敦的罗斯柴尔德家族。但当普鲁士进攻奥地利及日耳曼联邦中的其他成员时，所引发利益冲突就实在太多了；1870年在普鲁士和法国之间的战争爆发，又使他们再次陷入艰难的困境。

那些从这个角度得出的传统结论认为，19世纪60年代的所有这些战争都造成了罗斯柴尔德家族惨重的损失。为这个说法提供支持的证据，是在那个时期的外交日记中，满是对收到各种坏消息时充满着焦躁如热锅上蚂蚁的罗斯柴尔德家族的描写，上文中所引用的那段描写他们对1859年意大利战争的反应就很有代表性。詹姆斯就很著名地重复了他们家族的反战传统，他在1862年告诉布雷克罗德说：“我们的银行有个原则，就是不向战争提供资金，尽管我们没有能力防止战争，我们至少可以保证说我们没有为战争做出什么贡献。”因此，就人们的第一反应来看，从战争爆发后不断出现的国际金融市场的动荡中推断出罗斯柴尔德家族的资产负债表受到了严重的破坏，应该是很合乎逻辑的。更有说服力的是，第一次意大利的统一和随后的德国统一似乎敲响了五家罗斯柴尔德家族银行中的两家之丧钟。罗斯柴尔德家族那不勒斯银行在1863年关门，这发生在加里波第的红衫军从波旁家族手里夺取了西西里仅仅3年之后。这次胜利加速了萨瓦家族重建他们的古老王国的步伐。M·A·德·罗斯柴尔德父子公司在普鲁士吞并了法兰克福之后跌跌撞撞又走过了30年，而它的衰落（至少从相关的指标上看是这样）似乎要从1866年的时候算起，这个时候，柏林强势地崛起为德意志的新的金融中心。

然而，这个说法中存在一个漏洞，主要来自于罗斯柴尔德银行在这个时期的经济活动所提供的大量的、完全相反的证据。如表7–1所示，19世纪60年代和70年代是罗斯柴尔德家族伦敦银行在 1914 年以前这段时间内三个盈利最多的十年中的两个（另一个是 19 世纪 80 年代）。

将五个银行合并起来看，在 1852~1874 年间，它们的平均年利润达到了空前的水平（参见表 7–2）。在稍后阶段的 1874~1882 年间，而且 1898~1904 年间的利润更加可观，但与过去的日子比较起来，“统一时代的日子”应该算是黄金时代之一。

表 7–1　N · M · 罗斯柴尔德公司利润表，1830~1909 年（10 年平均数）

时期	年利润（英镑）	资本利润率 (%)
1830~1839	65 915	4.9
1840~1849	17 808	1.8
1850~1859	102 837	4.9
1860~1869	221 278	7.0
1870~1879	468 308	9.8
1880~1889	366 819	7.5
1900~1909	265 407	3.3

资料来源：RAL， RfamFD/13E。

表 7–2　罗斯柴尔德银行合并后的平均年利润，1815~1905 年（千英镑）

时期	利润
1815~1818	479
1818~1825	330
1825~1828	85
1828~1836	209
1836~1844	221
1844~1852	219
1852~1862	1 304
1862~1874	1 096
1874~1882	1 912
1882~1887	785
1888~1896	952
1898~1904	1 558

资料来源：Appendix 2, table d。

当然，采用这种平均方法可能会产生误导，因为它的跨度横跨了战争时期和和平时期。但是，就算对年度数据进行更仔细的分析，结果也是出人意料的。图 7–1 显示，1859~1861 年——意大利统一战争时期——事实上是那不勒斯银行历史上最赚钱的时期。

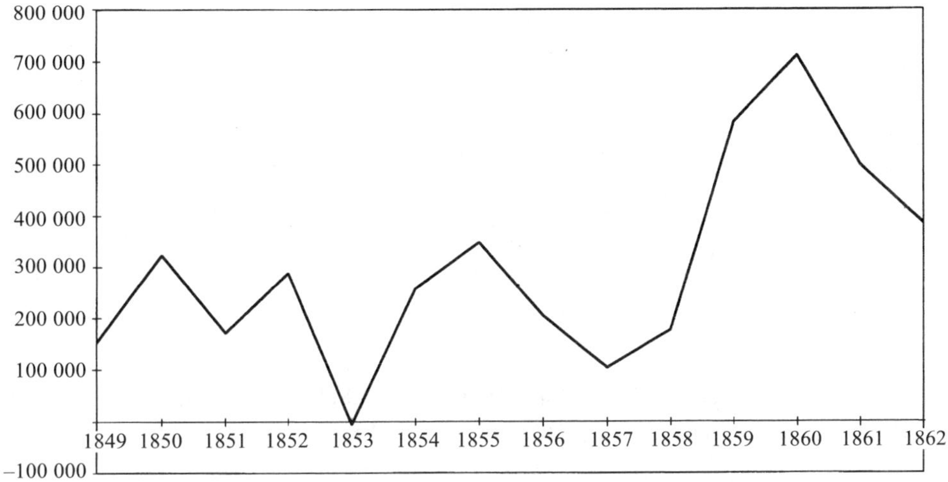

图 7–1　那不勒斯分行利润，1849~1862 年（达克特）

资料来源：AN，132 AQ13 和 14；基尔，《罗斯柴尔德商号》，第二卷，第 573 页。

毋庸置疑，罗斯柴尔德家族伦敦银行的数据更多地支持了战争对战时的罗斯柴尔德家族具有破坏性的说法。为了便于比较，图 7.2 将纽考特的年利润与其他两家同处金融城的竞争对手——巴林兄弟公司和斯罗德公司进行了比较，对每家的数据进行处理的方式是将利润转化成上一个会计年度结束后的资本利润率。结果非常明确地显示，1863~1867 年——德国统一战争的年代——对于罗斯柴尔德家族伦敦银行来说是比较困难的年份，其盈利情况最好的年份出现在和平年代——1858 年、1862 年和 1873 年。巴林银行似乎在 19 世纪 60 年代中期的战火中得以繁荣（斯罗德稍差一点，但也基本是）——尽管对于巴林兄弟公司来说，这些高利润或许更多来自于和平的美洲，而不是战乱中的欧洲。无论怎么说，如果我们坚持说罗斯柴尔德家族在那段时间整体上总的盈利水平与军事冲突的爆发之间没有任何关系，那这无疑是很荒谬的。正如我们将要看到的，罗斯柴尔德家族之所以能够在和平年代大大地提升他们的盈利水平，就是因为他们在战争一出现先兆的时候就为欧洲国家的战争准备提供了金融服务，同时国际局势也急转直下，紧紧跟随着当时战争的步伐。这些发生于 19 世纪中

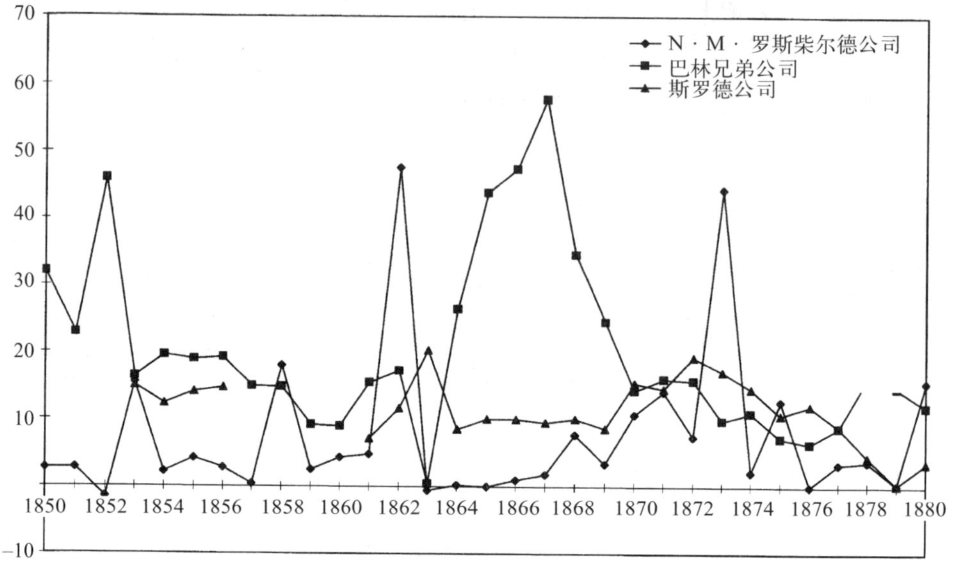

图 7–2 N · M · 罗斯柴尔德公司、巴林兄弟公司和斯罗德公司利润率（百分比），1850~1880 年

资料来源：RAL，RFamFD/13F；吉格勒，《第六帝国》，第 373~378 页；罗伯茨，第 527~535 页。

叶的战事，不仅没能损坏罗斯柴尔德家族作为世界领头的跨国银行的地位，反而为他们提供了前所未有的业务机会，这与 50 年前战争把他们送上发家致富的康庄大道，并同时使他们声名远扬的情况如出一辙。

19 世纪 50 年代和 60 年代的战争基本上是由那些紧缺现金的国家所挑起的；这就最能解释为什么银行在这段时间能起到如此重要的作用，以及它们能获取如此巨额利润的原因。税收的基础仍然很窄。事实上，我们可以这样说，这段时间的现金确实特别紧张，因为越来越多的国家效仿英国的模式进行了贸易自由化运动——奥地利降低了关税并且在 1853 年与普鲁士领导的贸易同盟达成了协议，法国与英国在 1860 年签署了《自由贸易协定》——由于短期内降低关税的效果是减少了财政收入，一直要等贸易总量的增加达到一定程度才能填平这个鸿沟。奥地利政府在理顺它差异很大的各块领地之间的税收系统方面遇到了最大的麻烦，尽管有布鲁克在 19 世纪 50 年代所做出的英雄般的努力，但是它的预算在那段时间内根本就没有平衡过。另一方面，普鲁士政府拥有相对高效的财政筹资体系，用盈利的国有企业来填补其空虚的国库；但是自由党主导的议会与日渐保守的君主之间的政治纷争使得其金融体系几乎同样举步维艰。到底是谁来决定战争的预算——议会还是皇室？这是俾斯麦受命去解决的两个根本性问题之一。为了解决另一个问题——谁来统治德国——俾斯麦不得不极大地增加预算的规模。他为此所采用的那些绕开普鲁士议会的金融手段完全可以与萨多瓦战役和色当战役在德国统一过程中的作用相媲美。

甚至远在几十年以前，政治家们寻求通过税收以外的手段筹集资金的努力就非常有利于快速成长中的多元化的国际银行系统。如果19世纪50年代是工业信贷银行及类似投资银行的时代，那么19世纪60年代人们可以看到出现了很多更具有生命力的机构——股份合作制储蓄银行。在英国，这种情况对于罗斯柴尔德家族来说影响相对有限，因为绝大多数储蓄银行都只关注那些国内的金融业务，而这些业务则是伦敦的罗斯柴尔德家族避之唯恐不及的。然而，随着1856年和1862年英国公司管制的两次放开，出现了很多与雄心勃勃的外国投资人合资建立股份合作制银行的尝试，其中的英国·奥地利银行——由乔治·格兰费尔·格林于1864年1月建立——造成了也许是对罗斯柴尔德家族利益最严重的挑战。这就是那一类用列昂内尔的大儿子纳特的话说，做了“大量草率的业务，而且如此草率，使得穆非叔叔几乎不可能跟他们有任何合作”的新进入者。

在法国，詹姆斯不得不面对在这个时期成立起来的4个主要的新竞争者：工商信贷银行（建立于1859年)、储蓄与贴现银行（建立于1863年）、兴业银行（建立于1864年)以及里昂信贷银行（1865年开设巴黎分行)。事实上，这些银行从严格意义上来说都算不上是竞争者。比如说，兴业银行由一个包括塔拉伯特、巴特隆尼和德拉罕特这些早就通过各种铁路企业与罗斯柴尔德家族有着千丝万缕联系的人所组成的财团所组建，而且新银行通常都与罗斯柴尔德家族采取一致行动。罗斯柴尔德家族与里昂信贷银行的关系也是友好的。要说真有什么事情的话，应该说这些新建立的银行对于工业信贷银行的威胁应该更大一些，原因是这个银行在19世纪50年代雄心勃勃的投资计划获得了几次有限的成功之后，自己却变得越来越像是储蓄银行。尽管如此，它们的存在扩展了法国的金融基础，这只是预示了有罗斯柴尔德在巴黎的势力受到相应削弱的可能。詹姆斯选择自己不直接参与到兴业银行里，尽管他们很明确地邀请詹姆斯“进入它的首脑机关”；很显然，他自己在巴黎建立股份合作制银行的愿望在金融界联盟成立之后就逐渐消退了。在奥地利，也有新的股份合作制银行建立，挑战罗斯柴尔德家族的商工银行。在维也纳建立一个奥地利版的地产信贷银行的想法在1863年首次提出来的时候，或多或少地受到了詹姆斯和安塞尔姆的阻挠。然而，这也就给比利时金融家兰格朗·杜蒙梭留下了足够的空间，他梦想着建立一个抵押贷款银行以及其他金融机构的国际化网络，使自己成为那个取代犹太人罗斯柴尔德家族的天主教徒。

所有这一切给了处于战火中的各个国家比过去更多的选择：如果罗斯柴尔德家

族拒绝为他们提供资金，他们可以去找其他银行。因此，这时已经不再存在罗斯柴尔德家族对好战政策进行否决的任何真正意义上的可能性（就算是这种情况以前确实存在过）。政府或许最后会由于缺乏资金而输掉战争，但这并不能阻止他们发动战争。如果说要为奥地利、邦联合法国的战败找到什么经济学上的解释的话，那就是他们在开发新的金融资源方面不如皮埃蒙特、联邦和普鲁士；或者，换句话说，很可能是金融市场不太愿意借款给他们。这个时代是国际货币体系越来越一体化的时代，赋予了同一个利益集团中的银行家们前所未有的权力，虽然说一家单独的银行不可能再像 1848 年以前的罗斯柴尔德家族那样呼风唤雨。自由贸易，再加上货币复本位制发展成为国际货币体系的现实，大大限制了政治家们随心所欲采取行动的自由；很小的误判——无论是外交还是财政——就可能马上招致来自于投资人的惩罚，其中最明显的表现是政府债券价格的跌落，或者是货币的流出，给货币当局对货币可兑换性的承诺造成巨大的压力。表 7–3 通过比较奥地利与英国和法国的债券表现，说明了 1858~1859 年的危机对奥地利债券的影响。事实上，对于这些大国的债券，军事失利导致的直接结果很可能是失掉一半以上的市值。

表 7–3　意大利统一的金融影响

	最高价格	日期	最低价格	日期	变化比（%）
英国 3% 票面利率国债	98.00	1858.12	89.62	1861.6	–8.6
法国 3% 票面利率国债	72.00	1858.12	60.00	1859.5	–16.7
奥地利 5% 票面利率国债	81.88	1858.4	38.00	1859.5	–53.9

说明：英国和法国的数据为伦敦市场报价的周收盘价格，奥地利和普鲁士数据为法兰克福市场报价的年终价格。

资料来源：《目击者》；海恩，《私人银行与产业化》，第 358~372 页。

“统一”欧洲

在外交家和政治家眼里，罗斯柴尔德家族在 1859 年时看起来有些忧郁。现实的情况是，他们必须得非常小心地算计，以确保冲突的双方都能够为他们所提供的金融服务买单——这一点却被那些主要依靠外交人士的书信和日记进行研究的历史学家所忽视。因此，在詹姆斯敦促拿破仑维护和平的同时，詹姆斯也毫不犹豫地同意了 5 亿法郎的 1858 年法国贷款，这笔钱被很多人看成是“战争贷款”。与此同时，罗斯柴尔德家族伦敦银行在 1859 年 1 月牵头组织了 600 万英镑给奥地利的贷款，期望加强由布鲁克自 1855 年被任命为财政部长以来所形成的财政与货币稳定局面。皮埃蒙特存在的问题更多一些。在1858年夏天，经过艰难的谈判后，詹姆斯帮助组织了4 540万里拉（票面价值）的皮埃蒙特贷款给凯沃尔（债券由罗斯柴尔德家族巴黎银行和都灵国民银行共同承销），之所以这样安排，是因为政府已经意识到要想获得在国内市场上公开让公众认购成功，可能性基本上不存在。

然而，当凯沃尔想在随后的12月到法国资本市场上再募集3 000万~3 500万时，情况全变了。他当时试图修补他与佩雷尔家族之间业已被毁坏的桥梁，说要打破詹姆斯“对我们债券市场的垄断”，而这是佩雷尔已经“梦寐以求了很多年的理想”。“如果在我们与罗斯柴尔德分手后，我们与佩雷尔先生联姻，”凯沃尔审慎地说道，“我相信我们将会成为幸福的一对。”但是这一次，挑动这两个老对手互相争斗的策略没有成功：没有一方愿意接受凯沃尔所设想的条件，因此他被迫退回到有限的公开认购，发行了150万法郎的债券，价格与他曾经给银行建议过的相比，低了很多（79相较于86）。这并不是一个典型的罗斯柴尔德家族通过拒绝在奥地利债券市场表现已经很差的条件下大规模发行债券为其提供帮助，来避开自己对战争的资助的案例，更何况还是在得到了工业信贷银行的认同的情况下。然而，我们应该注意到，无论詹姆斯对于布内说了些什么，罗斯柴尔德家族确实参与了凯沃尔战前的最后一次发债行动，他们自己认购了100万里拉，同时承销了另外的400万里拉。

因此，当奥地利在错误地认为俄国和普鲁士会站在自己的一边而草率地发出了最后通牒后，战争最终在1859年4月底爆发，之后，罗斯柴尔德家族在所有的三大战役的金融准备过程中，多多少少都起到了一些作用。如果只是简单地说他们试图阻止战争——因为假定战争的爆发是对他们的打击，就犯了与于布内以及其他人在当时所犯的同样的错误：只是按詹姆斯说了什么而不是按他做了什么来对他做出判断。他无力阻止战争的爆发，而且他很清楚这一点；他的目标是尽可能减少他已经开始的那些生意的损失，同时寻求在战争可能产生的新的生意上能够获得最大的利润。对这个说法最典型的证明就是1859年4月30日——奥地利军队越过边境进入撒丁尼亚的当日——从伦敦发给巴黎银行的电报，上面说：对抗已出现，奥地利需要两亿弗罗林。

所有战争的结束都有其内在的规律。当奥地利在索弗林诺遭到了看上去似乎是致命一击的时候（6月24日），拿破仑三世很快就提出了条件，他担心——而且也可以理解——普鲁士在莱茵地区进行战争动员后可能引发的问题。在维拉弗兰卡（7月12日），他与弗兰兹·约瑟夫达成了妥协，这似乎使凯沃尔陷入了孤立无援的境地：奥地利保留威尼西亚以及隆巴蒂的那些要塞，并且做出了一个模棱两可的承诺，其他的意大利统治者——目前饱受民族主义者起义的威胁——可以恢复他们的统治。一切都很明确地显示，只有当莱茵地区出现的危机已经完全地转移之后，统一意大利的计划才会重新实施。到1859年12月底，拿破仑三世似乎已经准备好了抛弃教廷（名义上，法国军队一直保卫着）；1860年1月，凯沃尔回到了办公室；在3月23日，两个人重新修订了普隆庇尔计划。作为对获得萨瓦和尼斯的报答，法国支持在意大利各邦进行公民投票，投票最终结果与当初预想的结果一致。这样，就产生了两个问题。凯沃尔是否有能力控制他自己发动的革命？只有当加里波第的大军在那不勒斯被挫了锐气，而且凯沃尔的军队冲破了教廷控制的各邦，才能够说他已经成功了，而且新的意大利将会按照皮埃蒙特的愿望建成君主制国家。另一个问题是，那些大国是否会再次干预，以保持那种梅特涅似的国际秩序？在意大利他们已经这样干预过很多次了。但普鲁士只会以取得对德国的统治权作为交换来救援奥地利，而这个方案已经遭到了奥地利的拒绝；如果要俄国要与法国绝交，则必须以恢复1856年的《黑海条约》为交换，而这个方案也已经被英国否决。

现在很难说罗斯柴尔德家族对1861年正式宣告成立的新的意大利王国总体上是一种什么样的看法。詹姆斯曾经在两个场合暗示凯沃尔他支持统一；而这个家族里的一些身处英国的年轻成员则很明显地表现出了他们对意大利文化习俗的热衷，安东尼两个十几岁的女儿康斯坦丝和安妮在1860年“用短短半个小时就将加里波第的《自由之歌》翻译成了英文诗歌”。而在另一方面，詹姆斯又被加里波第所扮演的角色所困扰。这用不着多想，因为他在1860年9月对那不勒斯的入侵，把罗斯柴尔德家族在那儿的银行送到了一个万分困难的境地。阿道夫选择与波旁国王法兰西斯二世一起逃往那不勒斯以北的加埃塔，但是不久之后，大家都很清楚，无论是詹姆斯还是安塞尔姆都不准备贷给流亡的国王所要求的（分别为150万和200万法郎）贷款。阿道夫遭遇的尴尬可以部分地解释他的姐姐夏洛特对加里波第的反感，这位“意大利叛乱分子”在1864年访问英国时受到了辉格党精英分子的“没有任何道理的接待”，这使她感觉非常遗憾。像她稍后在1866年对俾斯麦的谴责一样，她的这些评述同时也反映了这个对1848年革命曾经如此热情欢呼的女人已经是多么接近她的叔叔詹姆斯在那些干涉年代所秉持的态度。

詹姆斯的理念本质上是超民族的，他对民族主义的那些巧言辞令或多或少都有些充耳不闻，他把民族主义看成是令人惋惜的国际关系民主化潮流的一个组成部分——这是他猜疑加里波第的原因，而对加里波第的每一个举动的猜疑似乎都会使金融市场深受打击。在詹姆斯的眼里，拿破仑三世在制定外交政策时将考虑法国主流大众的感受，而这种情况是拿破仑三世走向衰落的征兆；之后同样的情况是，俾斯麦利用德国民族主义者的情绪来终结普鲁士，也是俾斯麦不可靠的信号。按照詹姆斯的喜好，1860年和1866年的事件具有太多1848年的意味。从另一方面说，詹姆斯并不是一个顽固不化的反动分子，他总是喜欢把国家事务看成是生意——考虑一下有多少意大利政治家（比如凯沃尔和巴斯图吉）有银团背景，可以看到这并不是一个毫无道理的说法。因此，历史学家（紧跟着那个时代的知识分子）看到了国家的建立，而詹姆斯看到的只是合并和分离，这也就解释了他对奥地利 1859 年后所面临的困境时的态度。皮埃蒙特对意大利的敌意吞并有其道理，而且获得了成功，奥地利跟以往一样，战败之后在经济上非常贫弱，因此，它应该把它对威尼西亚和霍斯坦的权利出售给那些有能力出得起价格的大国——意大利和普鲁士。让詹姆斯十分不解的是，奥地利皇帝宁愿遭受进一步的军事失败，也不愿意让哈布斯堡商业化，以便能够采用这种方式。不管怎么说，对于詹姆斯来说，威尼西亚是由维也纳还是都灵或是佛罗伦萨来统治并没有什么区别，在他的欧洲版图里，他一直是按铁路而不是边境线来划分国家的。事实上，正如萨夫兹伯里所预测的，意大利战争对罗斯柴尔德家族来说，最重要的后果就是战争将他们的帝国隆巴多威尼西亚与中意大利铁路所覆盖的绝大部分领土从奥地利转到了新的意大利王国治下。《苏黎世协定》（1859 年 11 月）中最关键的条款中确认了由奥地利所授予的在隆巴蒂地区现有的铁路特许权依然有效，只需在合同中用新的意大利政府来替换奥地利，同样的原则也适用于由老意大利政府在 1860 年 7 月所授予的特许权。在正式的文件中，处于意大利—奥地利边界两边的铁路线由独立的公司管理；实际的操作中，还是那些股东在巴黎聚会，并在詹姆斯的主持下，讨论整个的北意大利铁路网的事务。

在这样的情况下，我们应该能够理解罗斯柴尔德家族对意大利统一的态度。詹姆斯最开始时的反应是同时向战败方和战胜方提供金融服务。早在 1859 年 8 月，奥地利政府惊奇地发现罗斯柴尔德家族巴黎银行为托斯卡纳发行债券，尽管事实上这只是一项早期交易的后续工作。第二年的 3 月，詹姆斯通过安塞尔姆宣布他也很愿意帮助奥地利财政部，为解决他们赤字问题提供融资服务。与通常的情况一样，他会利用哈布斯堡的财政困境提出很多条件，而第一个条件是，他可以认购计划发行的 2 亿古尔登贷款中的 2 500 万，没有其他外国银行参与。“部长一般总是想要避开把这个业务委托给我们的银行，”他略带威胁地写道，“而且他想象不到他损害了自己多少的信用，并且在多大程度上危及了这项计划实施成功的可能性。公众现在已经习惯了由我们的银行资助所有的奥地利人，当然形式可以多种多样。如果这项计划不是独家委托罗斯柴尔德家族，公众就可能会猜测我们在撤资，并因而对奥地利的金融形势失去信心，这将会造成很坏的影响。”

在 8 月，詹姆斯给都灵也发出了类似的信号，那里在 1860 年 8 月发行了 15 000 万里拉的新债。尽管詹姆斯认购了 1 750 万里拉新发的 4.5% 票面利率的国债（发行价 80.5)，但他觉得自己应该得到更多。他宣称，这是“制造财富的地方，而且它们都是为我们而造”：

> 我还不想说我们应该提出新的业务，或者说我们愿意使他们的债券上涨。不，因为如果加里波第还在坚持，我当然不会让它上涨，而且如果他保持安静，我会觉得需要卖掉一点……如果我们现在……卖出 100 万份债券来显示我们的力量，我不会对此表示反对。

正如我们将看到的，罗斯柴尔德家族也能够使用意大利战争的结果来重新主张他们在法国的金融影响力，尽管这种遮遮掩掩的威胁最后证明在这里其实并无必要。

詹姆斯甚至试图想要重塑他与教廷长久以来建立起来的关系，他在 1860 年 12 月时很草率地停止了对他们债券利息的支付。如果这样做是基于推测凯沃尔和加里波第不久就会在罗马建立新的意大利首都的话，詹姆斯马上就会意识到他的错误：尽管拿破仑三世愿意将教廷所控制的邦留给凯沃尔，但从政治上他不可能从罗马自行撤出法国军队。在这个问题上，皇帝仍然受教皇至上的那种认知所禁锢。当长期处于破产状态的梵蒂冈在 1863 年被迫将目光转回到拉斐特大街的时候，罗斯柴尔德家族打算继续履行义务，尽管只是以一个很小的规模开始。从 19 世纪 30 年代开始的这种关系，似乎始终让人觉得难以置信。考虑到此一期间教皇庇护九世（Pius IX）激进的态度，这种关系显得十分奇特，而且人们毫不奇怪，教廷在巴黎的大使因此受到了嘲弄：“想要烧死德 · 罗斯柴尔德先生，但前提是与他共进晚宴。”但现实的情况是那些像兰格朗 · 杜蒙梭那样梦想着用“天主教徒的金融力量”来替代“犹大”的人，都不具备罗斯柴尔德家族的金融实力；而且在 19 世纪 60 年代梵蒂冈的信用状况出现剧跌时，对这种实力的要求就显得尤为突出。另外，至少罗斯柴尔德家族里的部分成员对天主教徒感情的尊重是有目共睹的。我们已经看到，夏洛特就对英国天主教徒的祈祷仪式和慈善机构留有非常正面的印象；而在 1867 年，詹姆斯在拒绝批准一项很大的以教会财产做担保的意大利贷款时，也表现了他对天主教教义的仁爱之心。

从 1867 年贷款中退出的决定也应该放到罗斯柴尔德家族对新的意大利政府金融政策的认识不断清晰的这个大背景下来看。早在 1861 年 12 月，詹姆斯就开始怀疑新政府财政的稳定性。他抱怨说，财政部长都似乎打算好了决意要“破坏”自己的信用，将很多钱投入到新的军费开支中（在完成统一的进程中，预计还有更多的仗要打），而投入到政府现有的债务中的却很少。在整个 19 世纪 60 年代，詹姆斯从来没有放弃他早先对新政府长期经济前景的乐观态度：按照他的说法，意大利是“我们的旋转木马”。问题是，只要新政府迫切希望插手罗马和威尼西亚，它的军费开支就存在膨胀的可能。而在意大利南部，存在着对皮埃蒙特强权统治进行的坚决抵抗，这将进一步拉大新政府的支出和财政收入之间的差距。在1859~1865年间，新政府的借款不少于18 750万里拉，从税收和其他途径获得的财政现金收入仅能满足其支出的一半。不可避免的是，这对意大利债券和新的货币都产生了影响。詹姆斯曾经预测，意大利国债到1862年“如果不到80的话……也会到75”，而实际上却跌到了1866年最低时的54.08——甚至低于罗马债券的价格。1866年月1日，在加入复本位制的包括法国、比利时和瑞士的“拉丁货币联盟”一年后，在与奥地利重新开战的前夜，意大利不得不暂停了里拉的兑换。

新的意大利政府因此在金融方面引发了业界的很大怨气。罗斯柴尔德在19世纪60年代的书信中满是对新王国的辱骂：意大利人是“暴民”，继任的部长们是一群“蠢驴”和“傻蛋”，意大利只是一个“自欺欺人的大国”。在1864年9月，阿方斯很让他的表姐（也是岳母）夏洛特吃惊，“因为银行对意大利问题有了不堪重负的感觉，他说意大利王国不可能持久”；他同时预测“仇恨在那不勒斯、西西里、托斯卡纳和皮埃蒙特之间”日益蔓延。詹姆斯充满信心地预计意大利会像是一个扩大的皮埃蒙特，而且正如阿方斯在1866年时以一种无可奈何的口吻所评论的，意大利的信用越来越靠近西班牙和墨西哥的水平。“这些意大利人简直就是无赖。”在听到对外国资本征收新的税种时，他气愤地写道，“而我起码还会为他们考虑，在英国和法国总是通过为他们讲好话来增加其信用。”

从另一方面看，一个软弱的政府也有可能是产生好生意的源泉。尽管詹姆斯一直在抱怨，罗斯柴尔德家族还是在自1862年开始的几次行动中，帮助补充意大利国家银行日渐匮乏的贵金属储备。6个月后，罗斯柴尔德家族伦敦和巴黎银行安排了一次大规模的价值5亿法郎（票面价值）的国债发行。然而，意大利政府紧接着又提出了更多的需求，而在1864年所看到的是意大利政府和银行之间关于债券价格的无休无止的争吵，这次争吵是有关他们准备推出的短期国债的。由于罗斯柴尔德家族已经开始筹备新发15 000万的国债，所以他们不希望看到意大利政府按这种可能降低市场对他们债券的预期价格的方式，来出售这种短期的品种。为了防止出现价格的进一步下滑，詹姆斯和列昂内尔同意用黄金支付1 700万~1 800万里拉。

尽管意大利政府在平衡预算方面非常无能，并且由此导致的债券价格的下滑对这些债券的外国委托行来说，面子上也有些过不去，但并不是所有这些交易都毫无利润可言。然而，詹姆斯和列昂内尔并不满足于代理业务所产生的那点佣金。除此之外，他们寻求利用政府周期性出现的现金流困难的情况，迫使它授予他们的铁路公司更多的特许权。这一点都不假，他们一直希望“融合”隆巴蒂铁路及其他所有未完工的在利夫诺、罗马和那不勒斯以北的铁路，但他们的这个希望在新意大利议会遇到了对外国控制国有铁路网所设置的政治障碍，议员们很自然地认为意大利应该像拥有自己的政府一样拥有自己的铁路网。但是到了1865年，意大利政府的财政需求终于战胜了这种经济民族主义：它同意以2亿里拉的价格将现有的国有铁路出售给隆巴蒂公司。这使得公司自身的财务受到了很大的压力，需要从罗斯柴尔德家族和兴业银行得到短期借款支持，同时也希望通过发行新的债券筹集必要的资金。然而，考虑到在奥地利和瑞士的类似并购，这项计划更多的是一项战略投资。

1865年同时又发生了关于建筑跨越阿尔卑斯山的铁路所引发的争议。在其他人为弗雷吉斯（法国）、鲁克马尼尔/圣·格特哈特（瑞士）和布勒内（奥地利）关隘的相关政治利益吵得不可开交的时候，詹姆斯在一旁冷眼旁观，表现得相当冷静，因为几乎所有的选择方案都在他的掌握之中。原因是，当其他人在忙着统一民族的时候，罗斯柴尔德家族正静悄悄地“统一”着欧洲。正如詹姆斯在12月份对兰道所说的：“所有这些问题都是有关联的。”“根本用不着怀疑，”詹姆斯在给银行家德·艾希塔尔的一封信中满腔热情地说，“布勒内铁路……将会是跨越阿尔卑斯山脉的首选路线，它处于欧洲的正中心，它会将它的效益带给东部、地中海和亚得里亚海通向欧洲西部总体交通的广大区域……”这就是詹姆斯的欧洲地图：一张铁路线路图。

阿方斯在西班牙所描绘的那条平行线是很有用的，因为事实上罗斯柴尔德家族在这个时期与西班牙所进行的交易，同他们与意大利进行的交易看上去具有很多相似性。在这里，铁路是关键，扎拉果扎铁路在詹姆斯的西班牙计划中具有隆巴蒂铁路在意大利所起到的同样的作用。与意大利政府一样，马德里政府也一直出现预算赤字——从19世纪20年代开始就或多或少地存在着赤字，从未间断过。在两国的具体情况中，罗斯柴尔德家族的金融援助几乎都带有与铁路特许权有关的条件。然而，在西班牙和意大利之间存在三个方面的不同。首先，前者的政治动荡更严重：1854年爆发的皇室以反对专制主义者为借口发动的军事政变，演变成了一场彻底的革命，但保守派和激进派一直存在不合——每派都有他们自己的将军——因而在1856年引发了宪政危机。利奥波德·欧·丹内尔将军领导的保守派政府在1863年被另一次宫廷政变推翻。3年后，又有另外一位将军发动了一场流产的政变。有些时候，这种政治上的混乱局面很容易被人忽视。正如詹姆斯在1864年12月所说的：“这没有什么新奇的，只是在西班牙又换了一届政府。”但是，到了1867年2月，他很有预见性地警告他的儿子等待在西班牙历史上出现“一个1792年”。“总的来说，”阿方斯在当年的晚些时候认识到，“西班牙与其他国家不同。当世界上的其他地方麻烦不断的时候，西班牙是平静的；而当其他地方安静下来后，它又在闹着革命。”西班牙是“充满惊奇的国家，在那里你甚至不能指望着明天会来临”。

在西班牙和意大利之间的第二个不同，也是纳特从来没停止过提醒其兄弟们的，就是西班牙拥有非常悠久的破产历史：每一次，在西班牙政府企图进入债券市场的时候，它总是要遇到那些满脸不高兴的、持有以前政府拖欠很久的“不生息”债券的人。在19世纪60年代中期控制着西班牙的严重的通货紧缩危机，对增进西班牙的信用几乎没有半点帮助。最后，西班牙的铁路跟意大利比起来盈利状况也要差很多。到19世纪60年代中时，当政府的补贴枯竭后，萨拉戈萨铁路已经欠了罗斯柴尔德家族巴黎银行高达4 000万法郎的债，而且每年还有高达150万法郎的赤字。罗斯柴尔德家族巴黎银行这个时期的信函中充满了对这个金融“噩梦”的悔恨。

所有这些都帮助我们解释了詹姆斯和他的侄子们在19世纪60年代期间，为什么每当碰到继任的西班牙政府向他们申请贷款的时候，总会表现出如此审慎的态度的原因。在1861~1862年间，他们同意了一笔小的贷款；而1864年一个规模较大的业务由于遭到了竞争对手——比如佩雷尔家族和巴林——的搅和而告失败。两年后，詹姆斯准备为西班牙政府提供一项新的贷款，贷款条件只要求用税收补贴或者是补贴他的铁路公司作为回报（这在短期看起来，似乎将罗斯柴尔德和佩雷尔的利益很好地调和在了一起）。然而，一个由法兰西银行家福尔德和霍廷格尔领衔的银团抢先了一步，他们给马德里政府提供了一项新的价值7 900万法郎的债券发行业务。后来在1867年由兴业银行（巴林银行在其间起到了协助的作用）提出了一项贷款安排，计划将所谓的“不生息”债券（这些债券的利息支付早已停止）进行转换。尽管这些竞争让詹姆斯非常不舒服，但历史其实也不过是在不断地重复：英国罗斯柴尔德家族对陷入新的西班牙债券事务中的态度跟以前一样地勉强，他们更希望继续按照埃尔梅登矿山的产量来安排适度的贷款额度。其他所能提供的担保形式——盐垄断、烟草垄断或者从古巴来的殖民地收入——没有水银那么有吸引力：英国罗斯柴尔德家族向来喜欢金属，而是越贵的越好。

法国罗斯柴尔德家族恰好相反，他们主要关心的是获得处境艰难的萨拉戈萨铁路的特许经营权，而且为了达到这个目的，甚至不排除提供更高额度贷款的可能性，甚至可以提供新的贷款。正如安东尼恰如其分的比喻中所说的：“铁路总是男爵考虑业务的底线。”1867年，这场繁复的谈判始终围绕着法国交易所对西班牙债券的禁令在进行，这项禁令颁布于1861年，目的是制止资本输出。法国首相尤金·罗伊尔宣称，他愿意结束这项禁令——因此又向批准新的西班牙贷款的目标迈进了一步——条件是西班牙政府要恢复自己金融市场的秩序。问题是这个重启的贷款之门是否会包括詹姆斯所寻求的对萨拉戈萨铁路的那些补贴；尽管对于西班牙政府之所以为了借入 1 000 万到 1 亿法郎而把它移交给法国人控制的铁路公司的原因，从来就没有完全理清过。由银行家萨拉门卡代表纳瓦埃政府所进行的谈判一直到革命爆发的时候都还没有什么结果——而这个时候纳瓦埃已经辞世而萨拉门卡则已经破产。阿方斯抱怨道："政治体制能提供一点保障和稳定比任何补贴都有效果。"这是一种奢望：由胡安 · 普利姆为首的军人集团在 9 月份成功地发动了一场革命，推翻了伊莎贝拉女王。事实上，在此之前的各种谈判都没能谈成功的一个原因，可能就是各家银行都早已意识到了这场酝酿中的风暴。正像阿方斯所说的，维斯维勒尔早就已经"在等待着这场灾难的到来"。

与拿破仑三世的亲密关系

阿方斯在他与西班牙的谈判中能够依靠法国政府的强大支持这件事本身就很值得关注。因为意大利战争中，人们最不希望看到的后果或许就是它对罗斯柴尔德家族与波拿巴法国之间的关系产生影响。表面上看，法国在意大利统一中所起的作用是拿破仑三世统治时期中少有的几大亮点之一，而且第二帝国再也找不出比 19 世纪 60 年代初期的时候更让人印象深刻的年代了。当列昂内尔在 1861 年 4 月到访巴黎的时候，他被乔治 · 豪斯曼对这个城市所做的改造惊得目瞪口呆。"我必须说，"在看着那些取代了原先老城中七弯八拐的小巷而新建成的宽阔大道后，他半真半假地评论道，"我希望我们能有一位像皇帝陛下这样的人过来三个月，对伦敦老城也进行一些改造。"然而，在这些表面的光鲜之下，这个帝国却越来越虚弱。从某些方面看，这些属于外交问题。没有其他任何事情能比拿破仑三世于 1860 年 3 月掠取了萨瓦和尼斯更让英国的自由党人大失所望；这件与他的叔叔有些类似的"宏才大略"之事一出，立刻抵消了在同一个月所签订的《英法贸易协定》所带给法国的正面外交形象。对于詹姆斯来说，英法之间出现对抗的唯一结果就是可能给法国带来麻烦；这种情况在过去是有过教训的，他曾经亲身经历过路易 · 菲利普的退位。"法国内部政策的任何最革命性的变革对本国金融界的影响，"詹姆斯在 1859 年 10 月对新上任的奥地利大使理查德 · 梅特涅说，"不会比他们与英国断交所带来的影响更深远。""确实非常遗憾，"迈耶 · 卡尔在第二年的 3 月这样说道，"这份协定带给世人的良好印象都被这些意大利的不幸的言论所破坏了，这些言论没有丝毫的好处，而且正肆意地扰乱着应该存在于英法两国之间的那种事关整个欧洲安全的相互谅解。"按照一位外交观察员在次月所观察到的情况，"巴黎的那些伟大金融家，特别是罗斯柴尔德家族，正在对一场恐慌进行着准备，并且到处宣扬这场在两个大国之间的战争是不可避免的"。

这次外交上的疏远也有一个经济方面的影响。渐渐接近尾声的美国内战导致黄金从欧洲流出到大西洋对岸，这种情况最初开始于1860年。这对伦敦和巴黎都造成了影响；但是，当英格兰银行主要依靠提高银行利率来保护其储备的时候，法兰西银行并没有亦步亦趋地紧跟英格兰银行的做法。这部分原因是为了避免再次提高其贴现率——提高贴现率遭到了部分董事的反对——法兰西银行行长因此决定于1860年11月授权购买伦敦市场的黄金。很遗憾的是，他的代理人犯了一个错误，自己直接从英格兰银行提走了30多万英镑，这是一个让阿方斯深感痛惜的对抗举动。他采取的用英格兰银行5 000万法郎的黄金换等值的法兰西银行的白银这一补救措施，只为法兰西银行提供了短暂的宁静，更大的压力很快就降临到了银行的头上——这些压力来自法国贸易极不正常的巨额赤字和政府巨大的融资需求。

这些困难迫使政府转向罗斯柴尔德家族求助。在1861年10月，罗斯柴尔德兄弟和巴黎的另外五大银行（霍廷格尔、福尔德、皮勒·威尔、马勒和杜朗德）之间达成了一项精心谋划的交易，他们共同从罗斯柴尔德家族伦敦银行及巴林银行借入价值200万英镑的三个月票据，其目的是减少标准银票据的升水，并阻止黄金再流到海峡对岸。与此同时，法兰西银行卖出国债（尽管表面看起来，发行5 000万法郎小面额纸币部分抵消了这样做给这些开放式的市场行动所带来的通货紧缩效果）。然而，所有这些努力都没有能真正帮助法兰西银行摆脱所面临的困境，这种局面一直持续到了1862~1864年，这时黄金和白银流向了埃及和印度，这些地方在美国南方被封锁后，成为了欧洲纺织工业所需棉花的主要来源地。

对于巴黎的罗斯柴尔德家族而言，货币紧缺意味着影响力的复苏；或者说，它意味着那些竞争对手影响力的下降。在1861年，尤里斯·米勒因为欺诈被逮捕，这是詹姆斯很高兴看到的一个结果。“罗斯柴尔德是胜利者，”梅瑞美观察道，“而且据说，他是这个行业中独一无二的男爵。”在19世纪60年代早期，人们看到了工业信贷银行死亡的最初征兆。由于通过其下属的不动产公司对不动产进行了过度投资，到1864年，佩雷尔家族发现自己很难平衡资产负债表。由于这些19世纪50年代出现的巨星的陨落，阿方斯在法兰西银行以主流经济人士的名义发出的声音影响力变大了。阿方斯在1864年时认为，工业信贷银行是货币危机的“始作俑者”，而“唯一的补救措施在于法兰西银行的强力抵抗”。他担心，“暂停货币兑换”会成为佩雷尔家族的最后一根救命稻草。“这种局面确实十分危急，因为这是业务的老系统和新系统之间、工业信贷银行和国家银行之间的生死搏斗。”他和他的父亲给1865年的货币听证提供的证词提前宣告了佩雷尔家族以前一直想以一个更具扩张性的信贷体系取代法兰西银行的野心的彻底失败。“您希望建立几十家银行吗？”詹姆斯反问委员会，矛头指向佩雷尔家族关于放松货币监管的要求：

> 您希望授予他们发行钞票的权力吗？那么，保障在哪里？假如我是一家小银行的头，我们只有很少的资金，但是资金的需求量却很大。我没有什么好担心的，我会说：随便，反正其他的银行到时候不得不来救援我。这是所有小银行都会干的事情，而且是注定要发生的，它们肯定期盼着法兰西银行像一家母亲银行一样有义务去为其他银行所干的蠢事买单。

詹姆斯和阿方斯一致认为，货币政策可以成为法兰西银行自己的事情；如果它发行的钞票的可兑换性受到威胁，信心就会消失；它的运作方式应该尽可能地向英格兰银行靠拢，但一个重要的例外是白银应该继续留在法兰西银行的储备里，并与黄金享有同等地位。佩雷尔家族试图反击，将他们所遇到的困难怪罪于法兰西银行的高贴现率，并且指责是受到了罗斯柴尔德家族的操纵，将法国的资本转移到了海外。艾米尔·佩雷尔在1865年11月时这样说道：

> 在法兰西银行里有人希望看到我倒下……但是给萨拉戈萨和埃里康特铁路融资的人不是我，给隆巴蒂铁路线融资的也不是我，该为15亿意大利贷款、比利时贷款、奥地利贷款、罗马贷款、西班牙贷款负责的人也不是我，在这些项目中签过字的那些人现在就在那些谴责我们为了外国人的利益而抽干了国家财富的人中间！

而罗斯柴尔德家族以有点幸灾乐祸的超然态度，冷眼旁观工业信贷银行经历着死亡的阵痛。詹姆斯甚至兴致勃勃地对工业信贷银行的股票做了一些很随性的投机，尽管他也许对这些股票在1864年最后出现的大起大落没有什么责任（很多他同时代的人这样认为)。“老的”银行因此变成了新的，而“新的”银行却已经作古。

事实上，19世纪60年代早期的货币问题并不只是缘于那些人力无法控制的全球经济力量；这些问题中有些部分是政府的财政政策所导致的后果。意大利战争促使了公共借贷的增加，举个例子说，仅在1859年一年，法兰西银行必须借给财政部1亿法郎来支付国债费用，并对价值2 500万法郎的财政票据进行贴现。然而，这些钱只是政府在整个19世纪50年代总借款额的一个很小的部分，总借款——就算没有克里米亚和意大利战争——总计大约20亿法郎。意大利前国务部长阿齐尔·福尔德对这一政策的批评态度为一个不太现实的政治调整铺平了道路，这种情况在10年之前是根本无法想象的。

出现在从前的对手之间的那些亲善关系开始的时候只是在原野乡间可以看到。

早在1860年11月，就有报道称皇帝“与福尔德和罗斯柴尔德先生在圣·杰曼打猎”；在第二年10月，有谣传说“福尔德先生、德·杰米尼法兰西银行行长先生和阿方斯·罗斯柴尔德先生在康皮埃尼与皇帝陛下一起举行了长时间的会谈，商讨金融局势”。然而一个月以后，巴黎传来的公告称福尔德回到了意大利政府内阁，出任财政部部长——这个公告很显然得到了罗斯柴尔德家族和整个市场的欢迎。“我很高兴地注意到……你的好朋友……福尔德听从了你聪明的建议，不调低法兰西银行的贴现率。”仅仅几周后，詹姆斯在写给阿方斯的一封信中这样写道。阿方斯应该“去拜访福尔德，并且非常开诚布公地、非常坦诚地跟他谈谈”，还应该清清楚楚地告诉他“我们非常愿意与他携手，一起工作”。

在罗斯柴尔德、福尔德和波拿巴之间出现了新的蜜月关系的确凿证据，出现在1862年的1月，当时在为将（相对很少见的）4.5%利息的国债转换成3%的做准备。尽管当时正在尼斯过冬的詹姆斯对这个计划有些小的保留，但最后福尔德还是得到了罗斯柴尔德毫无保留的完全支持，这种支持不仅只是在法兰西银行里，而且是在整条拉斐特大街。在第一阶段，罗斯柴尔德家族巴黎银行借给政府3 000万法郎（5%的利息，为期4个月），目的是把3%票面利率债券的价格推高。另外，阿方斯同意购买8 590万法郎的30年期政府债券，这些债券也将被政府逐渐转换成了3%票面利率国债。对于政府来说，这次转换工作是成功的；而对詹姆斯来说，他非常高兴他又再次向世人表明了罗斯柴尔德家族在法国公共金融中的优势地位。

1862年12月16日皇帝到费里耶尔打猎的这次著名的出巡，需要放到当时这个大背景下来看。历史学家常常把这个事件看成是波拿巴与这家老奥尔良派支持者的“金融高手”之间和解（如果不算是他缴械的话）的标志性事件，而且，事实上看起来好像也确实是这么回事。在福尔德、他的国防部长（也是他的表兄弟）瓦卢斯基伯爵、英国大使考雷伯爵以及福雷瑞将军和内伊将军的陪同下，拿破仑三世乘火车在上午10：15到达了欧祖尔·拉·费里耶尔，受到了詹姆斯四个儿子的迎接。走过站台上绣着金色蜜蜂图案的绿色天鹅绒地毯后，拿破仑三世和他的随员们换乘五辆装饰着罗斯柴尔德家族绿色和黄色色彩的马车前往庄园。他到达的时候，庄园的四个角楼都飘扬着皇旗。家族的其他成员（包括安东尼、纳特和他的姐姐伊芙林娜）在庄园的正厅里被正式介绍给了皇帝，皇帝驻足欣赏了挂在那儿的范·戴克、维拉斯克和鲁本斯的画作。然后，他走出门外，在花园里种下了一颗纪念雪松树，种完树后，享用了一份奢华的早餐。“所用的银盘子用铸模制造，而为了保证盘子的独一无二，模具一用完就被销毁”。《时报》以崇敬的语调这样报道，“随后是著名的塞夫勒瓷器，每个盘子上都是布歇的真迹画。”打猎活动也非常成功：据报道，猎杀的猎物有1 231只。

下午以安排在大厅里的自助餐作为结束，从艺术馆里传来的是由已略显老态的罗西尼特别创作的《民主猎人大合唱》。这首歌没有什么艺术价值，配了男高音、男中音以及男低音的声部，伴奏中增加了有两架鼓和一面铜锣。下午 6 点，皇帝一行回到了车站，一路上由“侍卫、猎人和其他从这个领地上雇用来的人手执火把提供照明”。

然而，这次在所有的罗斯柴尔德的好客表演中最具炫耀色彩的活动是否真的代表了与拿破仑三世的和解仍然值得怀疑。尽管皇帝自己确实留下了十分愉快的记忆，纳特在他给他父母的函件中还是捕捉到了当天一些不太愉快的事情：

> 我必须说这是我所有坐车的经历中最不舒服的一次，因为（从车站出来的）道路就像是玻璃窗格……如果是在英格兰，周围的民众应该会显得更加热情，“皇帝陛下万岁”的呼喊大部分来自于那些雇来的人……早餐持续的时间比较长，要是食物能保温，那就更完美了。早餐后，参与活动的人转移到了花园里。这里展示了宏大的狩猎场面，但是由于大多数猎手都喝了 10~12 种不同的酒，他们的枪法实在是不敢恭维。总共被射杀的野鸡约 800 只，而当初计划的是 1 500 只。

另外，按照一份记录，詹姆斯在跟皇帝告别的时候，忍不住冒出了一句有些不中听的话。“陛下，”据推测他这样说，“我儿子和我永远不会忘记今天的一切。我们今天的这份账单可是够贵的。”就像（龚古尔）一样，对于他们来说，拿破仑三世只是最近的法国统治者“对钱做了一次国事访问”。当时的德国卡通作家描绘拿破仑三世猎杀金鹿或者是肥大的金钱“猎物”，看起来似乎毫不相干（参见图 7–3 和图 7–4）；他们都本能地感觉到了这种场景里面的虚假成分。这场费里耶尔招待会如果不是为了英国与法国的和解——所有到场的有考雷和不少于 4 名英国罗斯柴尔德家族的成员，那么就什么意义都没有了。然而，大家所期待的这种和解从来就没有出现过。相反，每一次外交危机的出现似乎都把法国和英国两国之间的距离推得更远。

从公开的情况看，波拿巴家族和罗斯柴尔德家族的关系很不错，而且詹姆斯和他的家人经常被邀请出席宫廷的社交活动。比如在 1863 年 1 月，龚古尔在皇帝的表妹玛蒂尔德公主举办的晚会上就看到了詹姆斯。几个月后，阿方斯再次去贡比埃尼与皇帝讨论货币政策，他很满意地记录道：“陛下似乎明白了采取严厉措施的必要性。”4 个月后，他和他的妻子又回到了那里参加猜字游戏晚会——一种最受欢迎的宫廷消遣，晚会上，莉奥诺拉表现得像“拥有荷罗孚尼大脑的朱蒂丝①”，到游戏结束时

① 犹太女英雄，她杀死一名亚述大将而拯救了她的全族。——译者注

图 7–3　《小金牛》（1862 年）

资料来源：考勒斯，《罗斯柴尔德家族》，第 136 页。

图 7–4　《费里耶尔：罗斯柴尔德家的野生大猎场》（1862 年）

资料来源：威尔森，《罗斯柴尔德》，第 19 版。

“她的头上和颈上已经戴满了钻石”。次年，福尔德担心佩雷尔家族可能会说服拿破仑放弃对货币可兑换的坚持，特别要求詹姆斯去与皇帝讨论货币局势。但詹姆斯自己没去，而是派了阿方斯去，他不去的唯一的理由就是嫌皇后太唠叨，而且“对犹太人的好奇心实在太重”。在 1865 年 11 月，莉奥诺拉又再次被邀请到贡比埃尼参加业余剧社的演出。她和她丈夫与居斯塔夫和他的妻子塞西尔还一道参加了皇帝 1866 年 2 月举办的化装晚会，在这次晚会上，皇后非常不吉利地扮成了玛丽 · 安托妮特①。

当然，那时的人们无法不去注意他们之间关系中的种种微妙之处。与詹姆斯相比，拿破仑三世显得年轻：他到费里耶尔的那年是 54 岁，而詹姆斯是 70 岁。然而，拿破仑三世的健康状况一般，一些危急的关头会耗费掉他很多的精力，而詹姆斯——尽管视力越来越差，而且双手的关节炎也更严重——却一直精神矍铄。当夏洛特在 1864 年到拉斐特大街去探望她的叔叔时，她“见他正在吃午饭，第一道菜吃的是牛排配土豆，然后是一份数量很大的龙虾。一个人必须要有很好的健康状况，最起

① 玛丽 · 安托妮特，路易十六之妻，生性奢侈，声名狼藉，被革命法庭审判并被处决。——译者注

码是基本上接近这种状况，才有可能有这么好的胃口来消受这么大分量的饮食”。同样令她吃惊的还有他“让人极度疲劳的”生活方式——“永远往来于巴黎和费里耶尔之间，”另外还有博罗尼、尼斯、威尔巴德和洪堡。他一直是罗斯柴尔德家族巴黎银行最主要的中坚力量，整日不知疲倦地联络，一个接一个地开会，这种状况一直持续到他生命中的最后一年。驱动他这样拼命的那种工作伦理观，是他的后辈们永远也不可能理解的。1867 年 8 月，安东尼给出了一个关于随詹姆斯访问伦敦的痛苦记录：

> 今天早上，我需要去一下交易所——9 点时，男爵来了，我得陪他去见威尔士王子——剑桥公爵，然后是埃及总督，之后又是苏丹[①]，简直就像走马灯一样，然后如果谁不在办公室，准会被劈头盖脸骂一顿，所以你根本不可能像往常一样写东西。

尽管如此忙碌，詹姆斯仍然能给自己找到时间在费里耶尔建立了一个举世无双的野生珍禽园，同时还与威勒丝卡伯爵夫人——一位部长的太太——保持了很长一段时间的情人关系。他每年要花很长时间做温泉疗养，这不应该被看成是身体日渐衰弱的迹象，因为当他在享受这些水疗的时候，他似乎觉得“比以前更年轻、更有活力”。“他在公共餐厅吃饭，并且与每一位女士交谈，但前提是她必须又年轻又漂亮。”当法国媒体在 1866 年刊发了一份夸张的报道说他的视力完全丧失了的时候，詹姆斯：

> 勃然大怒，而且非常迫切地想要给这些正在为他的失明作文章的穷酸文人们一个最有力的驳斥。因此他随即带着他的儿子们到所有的戏院走了一遭，给所有的女演员抛了数不胜数的媚眼，同时也让那些坐在包厢里的以及大厅里的观众看了个够，最后又到俱乐部玩惠斯特（一种四人玩的牌戏），并且大赢特赢，而且还很煞有介事地介绍了被他那杆非常准的猎枪打到的鹌鹑、野鸡和麋鹿。

詹姆斯超级自信，或许这时还有点倚老卖老，他随心所欲地发泄他过去一直压抑的那种刻薄的幽默。有一些是有关股票交易的知识：“在交易所里，如果你想要成功，那么当你不得不讲希伯来语的时候，机会就来了。”“你问我知不知道交易所里价格起落的原因？如果我要知道，那我早就是一个有钱人了！”有位发财心切的经纪人问他，如果安装一个旋转栅门并且向进入交易所的人收取入场费，对国债的价格会不会有什么影响。詹姆斯满脸木然地回答道：“我的康（看）法是，这样每天会邀（要）

---

① 指前奥斯曼帝国的最高统治者。——译者注

我付出20苏[①]的成本。”而他最有名的笑话——就像在费里耶尔说到“账单”——都是巧妙地嘲弄皇帝的。“帝国意味着一个下跌的市场”，这句话比照的是拿破仑三世的著名论断，他说帝国意味着“和平”。事实上，这句话成了拿破仑三世统治时期一个无法躲避的魔咒。[②]

这样，我们就不难理解为什么当时的人会把这位老奥尔良分子的笑话理解成是他认为他和他的家族才是法国真正的统治者的原因。那些心怀不满的同时代的日记作家，包括龚果特兄弟，描绘了74名出现在居斯塔夫婚礼上的罗斯柴尔德家族的人：

> 我想象他们身处于伦勃朗[③]创作的那些犹太礼拜堂和神秘庙宇中，在阳光的照耀下宛如金犊[④]。我看到这些人里的所有男性，有的身着用几百万根丝线纺织而成的华丽的绿色服装，有的身着白色以及其他色彩暗淡的宛如银行钞票的服装。一场在银行洞穴里的盛宴……这个世界的金龟子王，今天，他们觊觎着所有这一切，控制着所有这一切，报纸、艺术、作家和王室随心所欲地将音乐厅以及世界和平玩弄于股掌之间，控制着国家和帝国，随意用他们的铁路来贴现，就像高利贷者控制着一个年轻人，对他们的各种梦想进行贴现……因此，他们统治着人类生活的方方面面，包括歌剧本身……不是巴比伦的囚徒，而是耶路撒冷的囚徒。

对于龚果特兄弟来说，詹姆斯“是一个巨大的怪物……最粗俗，长着最恐怖的青蛙脸，眼睛通红，眼睑就像盾牌，嘴巴有钱包那么大，而且流着口水，就像是一尊金色的萨悌[⑤]”。但那些见识过詹姆斯的“天然本色”——在办公室里——的人，比如费多，却总是情不自禁地被他所散发出来的那种绝对生命力所感染：

> 他具备非凡的、难能可贵的能力，可以不受干扰地集中自己的思想，甚至身处地狱般的嘈杂吵闹中也可以十分专注。通常情况下，当那些重要的交易接近尾声的时候，他会关上自己的门，谁也不接待；还有，他能很轻松地在指导最重要的大生意的同时又管理好最不起眼的业务，这都发生在同一时间内。他

① 苏（sou），旧时法国的一种硬币，币值很小。——译者注

② 这句话的双关主要来自于法语单词paix（和平）与baisse（下跌）的发音非常相近。——译者注

③ 伦勃朗，荷兰画家。——译者注

④ 金犊，以色列人崇拜的偶像。——译者注

⑤ 希腊神话中一个被描绘成具有人形却有山羊尖耳、腿和短角的森林之神，性喜无节制地寻欢作乐。——译者注

指挥着他的儿子，基本上都是大儿子，在他的主办公室里接待从交易所过来的办事员，而他则蜷缩在同一间办公室的一个角落里，与某些部长或者大使愉快地讨论着涉及数亿元的某项计划……他有时候会在一项可能给他带来几千万盈利的贷款合同条款谈判中，向那些倒霉的廷臣提出一些无理要求，这些要求在有些小得可怜的交易中价值可能也就是大约50法郎，而这些大臣别无选择，只能同意……这位金融天才具备一种令人完全无法想象的能力，他可以洞察一切，而且每件事都亲力亲为……这位巨人……阅读所有来信，收取全部包裹，而且还能在晚上找出时间来履行自己的社会责任，尽管每天早上5点他就又必须投身于他的生意里。而且，你还应该留意到，在他巨大无比的银行大楼里，所有事情都是那么井井有条！这是一种多么了不起的秩序啊！多么忠诚的员工！

因此，尽管甚至连拿破仑三世都开始放松了对政治势力的控制，詹姆斯却越来越加强了对巴黎金融的绝对独裁。正如（龚古尔）所说的一样，在这个“最圣洁的金钱圣物”面前，“所有的人都是绝对平等，而且这种绝对性就跟你必须面对死亡一样。”

但问题依然存在：罗斯柴尔德家族的势力对波拿巴的统治到底有多大的危害？这是当时的人普遍想的一个问题。如果说在公开场合，詹姆斯对于帝国的统治至少还表现出了一些友好行为的话，那么私下里他和他的家族则仍然持有完全的敌意。就像他的法国亲属纳特所感觉到的，变得“荒谬地比以前更倾向奥尔良派，看不惯任何与皇帝有关的人和事”。这个观点得到了本杰明·戴维森的验证，他曾经与贝蒂会过面。起初，詹姆斯对于朝更有议会宪章性质的方向转化表示出了谨慎的欢迎，但又很担心拿破仑三世会通过政变再一次复辟。当阿方斯决定学习他叔叔列昂内尔的榜样，参加选举时，他是以一名反对党候选人的身份参选的——尽管詹姆斯对于使罗斯柴尔德家族的反对形象搞得如此“昭然若揭”一直持保留态度。

罗斯柴尔德家族为什么会反对一个在19世纪60年代对自己的业务几乎没有任何不利影响的政权？比那个挥之不去的奥尔良情节更为重要的是，詹姆斯和他的儿子们看到了在福尔德所提出的那个完善的金融新时代理念与皇帝的对外政策之间存在着根本性的矛盾，这个矛盾像以往的情况一样令人难以捉摸——而且在他们看来还充满了危险。19世纪60年代早期出现了一系列的国际危机，而且拿破仑还蠢蠢欲动地想去“插一脚”；每次有这样的迹象，对增加军费和因而导致更多政府赤字的预期就会给国债的价格以打击。例如，早在1863年7月，对新的法国贷款就展开了谈判；法兰西银行周期性的货币困难可能也会以影响金融信心的方式对帝国的对外政策产生作用。正如我们所看到的，甚至在意大利战争之前，詹姆斯就已经总结出了他自己的波拿巴政治理论：“没有和平就没有帝国。”在随后的几年间出现的事件只是使他对这一点更加坚信不疑，而且他的很多信件也都指出了金融弱势与需要进行操纵的外交空间之间的关系。他在 1863 年 10 月对他的侄子们说：“就像我说过的，皇帝应该以和平的口吻来发表谈话。如果他想拿到钱，而且确实也在准备一项贷款，他就必须这样做。”“我相信，”他在 1865 年 4 月写道，“弱势的市场将会帮助皇帝保持一种更平和的心境。”在 1866 年 3 月，他又说：“我们能够把和平维持一段时间，因为那位伟大的人物（拿破仑三世）无法负担发动一场战争所需的财力。”他反复忧虑的是国内的政治软弱仍然会诱使拿破仑三世去拿国外冒险进行豪赌。拿破仑三世越是证明了詹姆斯这种担心的可能性，詹姆斯就越预见到了金融的困境，这就是他说帝国是“下跌的市场”而不是“和平”的真正含义。

英国中立的根源

对拿破仑三世的不信任为我们提供了了解罗斯柴尔德家族对 19 世纪 60 代年所发生的那些事件所做出的反应的途径。在同一个时期，英国罗斯柴尔德家族所发挥的政治和外交作用也具有同样重要的意义，具体来说，就是他们能够接受对这些冲突所谓的不干预政策。这些冲突不仅指发生于欧洲大陆的冲突，也包括发生于美洲大陆的冲突。

勾画 19 世纪 60 年代英国罗斯柴尔德家族的政治道路并不是一件容易的事情。在确定进入下院以后，列昂内尔从来也没有对他们的议员同僚们发表过讲话，但如果以此来认定他在政治上不活跃，那就大错特错了。他很频繁地出席议会——甚至有一次在关节炎严重发作而造成行动不便时，被抬入会场出席辩论——而且还很频繁地在纽考特和皮卡迪利大街接见资深政治人物和记者，致使他的妻子在 1866 年这样写道：“对政治的兴趣让你的父亲对其他一切都漠不关心了。”由于列昂内尔在争取进入下院的运动中一直得到自由党的支持而保持着竞选上的优势，很自然地一直留在自由党人的阵营中。他那位满怀浪漫的乡村情怀的弟弟迈耶也是同样的情况。在经济政策上，他也属于自由派，在对自由贸易的推崇方面一点也不亚于他的朋友查尔斯 · 维利耶这位自由党对外事务秘书克拉伦敦的兄弟，以及未来的自由党首相罗伯特 · 罗。但是，友谊的力量使他开始偏向迪斯雷利——假如说不能算是偏向迪斯雷利的党的话。他和夏洛特与其他托利党人相处得也不错，包括乔纳桑 · 皮尔将军（罗伯特爵士的兄弟，但是他并不是皮尔派保守党人）以及亨利 · 朗诺克斯，一位代表齐切斯特的下议院议员。1865 年，列昂内尔以他特有的方式要求德莱恩减少《时报》对罗素政府的攻击，而与此同时又在纽考特欢迎最能击中政府要害的批评家——迪斯雷利。1866

年4月，在对罗素的改革法案的辩论进行得最激烈的时候，罗斯柴尔德家族的餐桌上却迎来了“两位最大的对手——在周六是辉格党（格莱德斯通），在周日是托利党（迪斯雷利）。纳特说这两场招待代表的就是虎穴和狼窝——这两天当中，我们肯定会因某一天弄得下不来台，并且被搞得气急败坏，要是运气不好，说不定两天都这样”。

纳特是列昂内尔最疼爱的儿子，而且是所有英国罗斯柴尔德家族成员中与政治关系最深的人，他也在某种程度上操纵着一条之字形的路线。在能找到的他的最早的政治评论中，他很明显地表明了自由主义的政治立场，同时夹杂着对格莱德斯通的英雄崇拜，对迪斯雷利的冷嘲热讽。在自由贸易方面，他则是一个狂热的科布登主义者。但是他对帕默斯顿的赞誉也毫不吝啬，而且似乎从来不把贸易协定看成是军事备战的替代物（这个观点可以从他的军事训练以及在白金汉郡义勇骑兵队服兵役的事实得到支持）。当他首次来到下院（旁听1866年的改革法案辩论）时，“他发现格莱德斯通的演讲沉闷而且华而不实，并认为迪斯雷利先生熠熠生辉”。罗反对改革的论断让他有些动摇，然而布莱特——这位最有激情的支持者——仍然是一位英雄。

当支持改革的游行在1866年7月出现在伦敦街头的时候，罗斯柴尔德政治态度的暧昧被暴露得一览无余。伊芙林娜藏好了她的瑟夫勒花瓶并且决不踏出房门半步；然而，当“某些保守派的先生们对纳特说，他们正在防范那些愚蠢的改革者，并且说他们觉得很遗憾，因为我们家的窗子没有被砸碎……你的哥哥回答说我们非常安全，因为人们知道我们愿意做他们的朋友；人们为我们欢呼，而且纳特和艾尔法就在人群里”。当艾丽丝 · 皮尔夫人告诉列昂内尔“士兵会开枪射杀20名或30名暴民，这场骚乱马上就会平息”时，他给出了一个很典型的回复：“您可以告诉我任何事情，艾丽丝夫人，但是我建议您不要让这样的说法传遍伦敦的大街小巷。”夏洛特谴责托利党内务秘书斯宾塞 · 瓦勒坡挑起了暴力冲突，因为他把示威者驱逐出海德公园；但她同时又认同“托利党政府只能被逼迫采用自由党人的政策，这样人们就再也没有理由不让它证明自己与辉格党政权一样有用”的说法。列昂内尔在政府里“表达了对迪斯雷利先生获得成功的祝愿” ——但他这样做的部分原因是，他不想看到如果托利党组阁，他又得再去搞一次普选的情况出现。当迪斯雷利在1867年2月新一届国会组成的前夜说“当我们再次相见，我有可能是人，也有可能是老鼠，但我们不辞职，坚持住，不要对国家做出任何的请求”时，他几乎一点信心都没有了。在增补、通读迪斯雷利的改革法案的漫长过程中，罗斯柴尔德的家门一直对所有派别的政治家们敞开着；夏洛特如饥似渴地阅读约翰 · 斯图尔特 · 米尔的文章（他走得太远，已经在倡导女性参政的权利），给格莱德斯通沏茶，又与迪斯雷利吃饭。列昂内尔认真地参与对增补内容所进行的辩论并积极投票，其间经常与（“我们的朋友”）迪斯雷利交换意见，并以一脸的不屑“看着情绪激昂的议员对通过的这些条款如此兴高采烈，而同样是这些人，对同样的内容在上一年却是以最极端的态度进行了反对”。

英国罗斯柴尔德家族政治诉求中越来越明显的跨党派形式的基础与过去一样仍然是对外政策。通过应用学自于巴黎罗斯柴尔德家族的日臻成熟的政治智慧，他们有能力把握住任何当政者的关注点——无论是自由党的还是托利党的。由于认同詹姆斯的目标——限制拿破仑三世可能导致大战的侵略野心——他们也寻求对英国的对外政策进行相应调整（相反的是英国罗斯柴尔德家族成员根本就不对普鲁士有什么担心）。安塞尔姆无疑是有些夸张了，但他 1866 年 3 月所做的分析中提到了很多他从纽考特接收到的信件的内容：

> 不要有任何的幻想，英国对欧洲大陆事务的政治影响力可以看成是零。并不是把谁的剑永远地插在鞘里，或者谁的全副武装的战舰停泊在港口平静的水面上就可以充分展现自己的优势，并且令对手胆寒。无论如何，改革法案及牛群的传染病在约翰牛[①]的心中远比希勒斯威格和霍勒斯坦的领地更为重要。

这个矛头所指非常准确：毫无疑问，迈耶在 1866 年对在门特摩尔牛瘟传染的后果的担心和关注，就远远超过对德国统一的关注。很富戏剧性的事件——欧沃伦、格尼的失败（5 月 10 日）、罗素政府的倒台（6 月 26 日）、伦敦改革骚乱（7 月 23 日）——分散了英国对欧洲大陆关键时刻所发生的事件的注意力。无论列昂内尔对俾斯麦的疑虑有多深，他都没有太强烈的欲望让英国去干预欧洲大陆的事务；就算他想做，他也基本无法突破几任外交部长所传承下来的孤立主义政策的限制。只要格莱德斯通主义的财政公正原则依然被奉行，英国的预算就是平衡的，因此就算当防务预算增加，它们也是通过税收而不是借贷来解决：1858~1874 年间，只有 4 年政府财政出现赤字，而且每一次的赤字都很小。对于国债的长期趋势，也一直是清偿而不是增加：在 1858~1900 年，债务金额从 80 900 万英镑降到了 56 900 万英镑（这也许是格莱德斯通最实在的成绩）。一个不借钱的政府对于罗斯柴尔德家族来说只是一个可以提供意见的政府，而不是可以施压的政府。

美国的战争

英国不干预的习惯可以说始于罗素对意大利统一所表现出来的那种情绪化的欢

---

① 约翰牛，指典型的英国人。——译者注

迎，这或多或少打消了他和帕默斯顿对法国政策的疑虑。美国内战的爆发转移了英国对保卫加拿大的关注，并因此为英国的对外政策建立起了这种持续了10多年的模式。罗斯柴尔德对于美国发生的冲突所持的态度常常被误读；事实上，它说明列昂内尔在这个时期对于对外政策所起的作用从根本上看是被动的。因为贝尔蒙特（时任民主党的全国委员会主席）在1860年首相选举的辩论中是斯蒂芬·A·道格拉斯的主要支持者，而后者则是列昂内尔的对手，他以及他后面的罗斯柴尔德家族在随后一年爆发的战争中同时遭到了来自两边的责难。北方共和党人指责“道格拉斯全国主席”在废除奴隶制的问题上是机会主义者；南方的民主党人也是同样的做法，只是从相反的观点提出。

按照贝尔蒙特的一位传记作家的说法，他在整个冲突过程中一直在努力争取罗斯柴尔德对联邦的支持：他最害怕的是他的欧洲“主子们”可能会对南方提供金融支持。但是他和罗斯柴尔德家族一直被反反复复地指责为邦联的同情者，特别是在乔治·迈克勒兰将军在1864年被提名为民主党候选人后，因为他支持南方以谈判促和平，而不是那种被贝尔蒙特称做是林肯的“查没和强制解放的致命政策”。“我们是要那种让人鄙夷的和平，以便中饱贝尔蒙特、罗斯柴尔德家族，以及整个犹太人团体的私囊（因为他们已经倾囊购买了邦联的债券），”1864年的《芝加哥论坛报》这样发出了振聋发聩的质问，“还是要那种让人尊敬的和平？这种和平要用格兰特和谢尔曼的加农炮炮口去赢取。”“让我们来看几个无可辩驳的事实，”《纽约时报》在同年10月这样写道，“在芝加哥（大会）上那位臭名昭著，无可抵赖的民主党领导人是罗斯柴尔德家族的代理人。是的，伟大的民主党已经堕落到如此不堪的地步，它只能找一名国外的犹太银行家的代理人来做它的领导人。”下面是由一名宾夕法尼亚的林肯支持者在随后一个月的某一天举行的集会上以极端的方式发表的讲话：

> 罗斯柴尔德家族代理人是民主党的主要领导人！（“是这样”的呐喊声和欢呼声）……如果迈克勒兰先生成功当选，他将是多么合适的一位一流的财政部长（笑声）。在基督教世界，没有哪一个民族或者政府的财富能够逃开罗斯柴尔德家族的魔爪或毒牙的深深噬咬……他们也想来这里做同样的事情……我们不借钱，那么犹太人就该发疯了，而且从此以后得一直疯下去（欢呼声）。他们和杰夫·戴维斯以及那些妖魔鬼怪永远不可能征服我们（长时间的鼓掌）。

那么，对于支持南方的这种说法能找到什么依据吗？就算是纽考特没有，在拉斐特大街也确实弥漫着对南方的理想所怀有的深深的同情。这主要与詹姆斯三儿子萨洛蒙的一份报告有些关系。萨洛蒙在1859年被送到了大洋彼岸（而阿方斯在1848年也去了一次）作为他的商业教育的一部分，并且在那一直待到了1861年4月战争爆发的时候。尽管他惊奇地发现美国政治生活中很多方面真真切切地以狄更斯的方式展现在他的面前，但是萨洛蒙还是倾向于同情南方，并且在他给巴黎的最后一份报告中明确表示欧洲应该承认邦联，以便制止战争。除了南方应该有权决定自己的法律这个理由以外——这条理由使很多像格莱德斯通这样不太支持蓄奴州的人改变了立场——由于北方对南方棉花出口的封锁而造成的对欧洲经济的破坏，也提供了一个很有说服力的理由来支持尽快到来的和平——如果不是南方取胜的话。至少与罗斯柴尔德家族伦敦银行有联系的一家美国银行——位于弗吉尼亚彼得堡的切夫斯与奥斯本银行——曾经反复敦促“英格兰应该在考虑利益和人道的基础上马上承认南方邦联”。而贝尔蒙特自己（与卡兹的说法相反）在1863年访问伦敦的时候，明白无误地告诉列昂内尔“不久北方就将被攻陷”。然而，在对战争的爆发进行了大量的谴责之后，罗斯柴尔德家族在战争的初期保持了中立的姿态，表示不赞成英国或是法国出手进行干预。1863年，美国驻法兰克福总领事在与迈耶·卡尔会谈后告诉《哈珀周刊》：

> 这里的M·A·罗斯柴尔德公司反对奴隶制并且支持联邦。改变了信仰的犹太人艾兰格尔为叛乱分子提供了300万英镑的贷款，并且他就生活在这座城市；罗斯柴尔德男爵告诉我，所有的德国人都谴责这种借钱给一个目的是建立蓄奴政府的组织的行为，而且公众的舆论也是如此强烈地反对，艾兰格尔公司根本不敢拿到法兰克福交易所里来进行交易。我还进一步了解到，犹太人承认借钱给那些追求上面所提到的那种目的的人并不违反他们的任何教义，但是他们说，这是专门留给那些变节的犹太人去做的事情。

确实是艾兰格尔与美国的詹姆斯·斯莱德尔联手在1864年3月发行了第一张“棉花担保”邦联贷款债券；同意参与发行的唯一一家伦敦银行不是M·A·罗斯柴尔德公司而是J·亨利·斯罗德公司，这家公司以前从来没有发行过政府债券。罗斯柴尔德家族伦敦银行通报贝尔蒙特：“邦联贷款投机性太强，很有可能会吸引来所有疯狂的投机者……这是由外国人推出的，我们没有听到任何一个受人尊敬的人与它有任何的关联……我们一直很好地保持着中立，跟它一点儿关系都没有。”一直到1864年，詹姆斯才介入到针对北方从欧洲进口的融资业务中，并批评贝尔蒙特对支持林肯政府的态度不积极，敦促他那位还在迟疑不决的侄子纳特，告诉他北方债券有着很好的投资价值。当对资助南方的指控在1874年再次被提出来的时候，贝尔蒙特有点夸张地说：“大概在9年以前，已故的詹姆斯·德·罗斯柴尔德男爵在巴黎展示了他的账簿……当时我在场，他是在战争期间对我们的债券最早和最大的投资人。”罗斯柴尔德家族支持南方的说法只是一个传言，就像后来对贝尔蒙特的指控，说他试图拖延美国对芬尼亚会援助的支付一样。

一个无法否认的事实是，相比较于竞争对手比如巴林以及在伦敦的美国人乔治·皮博迪和朱尼尔斯·斯宾塞·摩根，罗斯柴尔德在美国金融界——包括北方和南方的利益是非常有限的，而且在19世纪的余下时间里也一直处于这种状况。当那些后来者像瑟利格曼家族已经有一名家族成员在纽约进行运作的时候，罗斯柴尔德家族还仍然只是间接地参与到美国市场，而且由于贝尔蒙特将其更多的时间和精力放到了政治上（他在这个过程中又得罪了太多有权有势的敌人），因此情况更是每况愈下。另外，内战的爆发让詹姆斯更多地认清了美国。尽管他过去曾对在1865年和平到来之后的跨洋贸易的发展持有很乐观的态度，但他总是被对政治骚乱可能再次出现的担心所困扰。1867年，他对这件事情的最后一句交代，就是售出美国基金，因为“我非常确定尽管美国是一个非常具有前景的国家，但是大家不应该抱有任何幻想，这场又要重燃的战火不仅是直接反对总统的，而且也是反对南方的”。

尽管詹姆斯的儿子们继续在棉花市场上保有利益，阿方斯在1868年还是很严肃地告诉他的堂兄弟们“我们不希望对在南方出现的黑奴暴动或者任何类似的事情进行投机”。他对美国的铁路也是同样冷淡。在伦敦也有类似的，但要缓和得多的反应。当美国金融家杰·库克在1870年访问伦敦，希望能找到500万的北方太平洋铁路债券的认购人的时候，他遭到了列昂内尔的冷遇。罗斯柴尔德家族对美国经济越来越多的参与主要局限在为各州或者是联邦政府发行债券上。就算是这样，还是遇到了问题：当罗斯柴尔德伦敦银行投资了50万美元的宾夕法尼亚州债券的时候，战后经济恢复的开局却很糟糕。一年之内，美国州政府很显然打算用贬值的美元来清偿给它的债权人，但是当贝尔蒙特表示抗议的时候，他从州财政部部长威廉·H·坎贝尔处得到了一个反犹太人的回应：“我们打算给你们一磅肉，但是不能有一滴基督徒的血。”1870年由罗斯柴尔德家族巴黎、伦敦和法兰克福银行与阿道夫·汉斯曼合作发行的纽约州债券相比起来要成功一些，因此又在1871进行了另一次成功的增发。罗斯柴尔德家族总是喜欢与中央政府做生意，从1869年开始，他们游说了尤利西斯·S·格兰特总统，获得了帮助他稳定联邦金融体系的工作。罗斯柴尔德家族伦敦银行位列5家为1871年再融资贷款的发行银行之一；两年之后，这个程序重复了一次；1878年又进行了一次。可以肯定的是，罗斯柴尔德家族仍然被贝尔蒙特的敌人称为“欧洲的夏洛克”，认为他们主要的目的是通过将美国拉入金本位体制来对美国各州的债券进行重新估值。但现实的情况是，内战不仅导致了英国大陆的影响力出现短期的下降，而且还导致罗斯柴尔德家族跨洋贸易的影响力出现了永久性的衰落。

里约·格兰德河以南的一系列事件为罗斯柴尔德家族不插手其他国家内战的说法提供了最好的例证。尽管拿破仑三世未能实现其影响美国内战结果的企图，但他还是通过另一种方式达到了干预美洲大陆事务的目的。法国对墨西哥的入侵是整个19世纪帝国主义冒险扩张中最不成功的范例之一，它部分源自于拿破仑认为墨西哥应该从美洲合并的浪潮中保留下来的信念。另一方面，也是让原奥地利隆巴蒂总督能够“再就业”的一种方式，尽管马克西米廉大公接受墨西哥王廷只是因为无法抵御他那来自于萨克森·科堡王室的妻子夏洛特的野心，并且也遵从了他的兄弟弗兰兹·约瑟夫皇帝的意见。从表面上看，入侵是为了钱。由法国、英国和西班牙在1861年对墨西哥的入侵起初是由于新上台的进步党政府拒绝继续支付国家所欠外债的利息；而且在随后的几年间，债券持有人的利益经常被引用来证明这场侵略的正义性。但实际的情况是，债券持有人中大多数是英国人，因而法国人必须提出自己的主张或者（像默尼所做的那样）附和别人的主张。英国和西班牙做出的在1862年4月撤军的决定，以及随后派遣3万多名法国士兵的做法，马上就将墨西哥事务变成了一场损失惨重的惨剧。占领一个国家并建立起马克西米廉王朝是可能的，但是法国财政部无法维持一个看不到结果的承诺，因此《米拉马条约》规定新的墨西哥统治者欠法国27 000万法郎——4 000万是债券持有人和其他的私人利益，其余的是侵略行动的费用。这些欠款只能通过在欧洲筹集新的贷款来支付，而这样的做法必须要保证新政权稳定性。但是美国内战一结束，美国就发出信号，表示它不承认马克西米廉是这个国家的合法统治者，因此，占领变得岌岌可危。1866年，拿破仑三世被迫屈辱地撤出了他的军队，只留下倒霉的马克西米廉独自应付随后几年中烽烟四起的局面。

曾经有说法认为罗斯柴尔德家族对这次墨西哥的冒险行动持反对态度，但是真实的情况恰恰与此相反。罗斯柴尔德家族在墨西哥有自己的利益，这点我们在以前的章节中已经讲到了。事实上，内森尼尔·戴维森很焦虑地眼睁睁地看着自己损失至少1万美元，原因是胡阿雷政府不承认其保守派前任政府所签订的法律协议，特别是那些与教会土地有关的协议，而戴维森的70万美元的贷款正好用的是教会土地做担保。他购买的桑·拉斐尔炼铁厂也面临着威胁。戴维森因此欢迎欧洲军队进驻威拉·克鲁兹，唯一使他遗憾的就是他们的进军速度还不够快，没有能够推翻胡阿雷。他急不可耐地去帮助法国远征军的军需官，帮他贴现票据，并从加利福尼亚向他提供了几百万美元的黄金。马克西米廉还有间接的利益：他的妻子是比利时里奥波德国王的女儿，是罗斯柴尔德家族的世交，她早在1848年就把她的遗产交给了罗斯柴尔德家族巴黎银行帮忙打理。法国政府一提出墨西哥贷款的问题，罗斯柴尔德家族也就再也捂不住他们自身利益的秘密了。

可以肯定的是，詹姆斯对于这样一份贷款成功的可能性一直持有疑虑。“我并不是太清楚，”他在 1863 年 8 月时心事重重地说，“奥地利王子应该怎样在法国军队的保护下取得皇帝的头衔，如果他们不能长期驻守，谁能保证税收的持续征缴？这些贷款的利息又将怎样保证按时支付？”他同时也正确地预见到美国内战的结束会削弱法国的地位。尽管操作贷款可以拿佣金，詹姆斯还是对参与到很可能会一文不值的债券的各种事务中不是很有热情，说这个债券会一文不值，是因为其赖以为继的整个冒险活动，可能会以大崩溃的结局收场。但这些疑虑还不足以说詹姆斯会反对贷款，它只是说明了他不急于紧随巴林的步伐，并因此限制了风险的扩散，进而减轻了他和阿方斯为确保伦敦债券持有人能遵守他们之间的协定所需要付出的辛劳。从根本上说，他对在墨西哥贷款上输给了工业信贷银行和格林银行感觉上还是很不舒服，并且对此一直耿耿于怀。他认为建立新墨西哥银行的想法从长远看是“一个黄金般的交易”，因而在最终不得不放弃的时候还是感到非常失望。就算是没有参与贷款活动，罗斯柴尔德家族还是发现自己身陷困境——因为戴维森过分热衷于票据的贴现，不仅为法国的军队，也为马克西米廉自己。当法国撤军的消息一公布——这使得戴维森一下子乱了阵脚——这些与马克西米廉的倒霉政权一同留下来的票据价值大约有 600 万法郎。

因此这就为支持墨西哥冒险提供了合理的——如果不能算是根本上绝望的——商业理由。然而，还有一个更敏感，而且也许也是更重要的支持性辅助论据：在遥远的墨西哥花费大量的财力和人力转移了法国对中欧的注意力。私人间的通信往来证明了这样的说法。正如詹姆斯在 1863 年 6 月非常直接地说的，把财力和军力放到墨西哥是“一件对财政不好，但避免了对波兰开战的事情”（详见下一章）。然而，由此产生的对法国实力的削弱的后果最终证明远远超出了他的想象。阿方斯在听到马克西米廉去世的新闻后所做出的评论毫不过分：

> 我们不应该自欺欺人：可怜的马克西米廉的悲剧性死亡是一件可能产生严重后果的事件。在这个国家（法国）里，弥漫着一种源自于对无论是内政还是外交问题的草率处置而产生的不满情绪，进而产生的普遍的信心不稳以及对未来的不确定，这些将会对所有的交易产生影响。

这个信心不稳就是“空头”，这就是詹姆斯一直在警告并提醒人们注意的事情。

第八章

鲜血和白银
（1863~1867 年）

THE HOUSE OF
ROTHSCHILD

我们不是在为普鲁士国王打工。

詹姆斯·德·罗斯柴尔德
1865 年

当奥托·冯·俾斯麦1851年6月在法兰克福接受阿姆谢尔的邀请与他共进午餐的时候，他根本没有意识到他正在追随着谁的榜样。30年前，梅特涅也曾经与阿姆谢尔一起“喝过汤”，这是一个奥地利首相与罗斯柴尔德家族之间长期互利的友谊的开端。他们参与了他的个人金融服务（通常以优惠的条件），并且成为他的一个快捷和隐秘的外交联系渠道；反过来，他给他们提供敏感的政治消息，给予了他们特殊的地位——不只是在哈布斯堡的金融界，而且是整个奥地利社会。很明显，阿姆谢尔的希望是罗斯柴尔德家族与俾斯麦的关系也能遵循这样的模式；在一定的时期内，这种希望似乎很有可能成为现实。

尽管俾斯麦在法兰克福作为普鲁士特使期间，因为他的反奥地利政策使他与罗斯柴尔德家族产生了冲突，但双方都未把这件事看成是个人间的问题，而且俾斯麦通常都把他个人的金融事务委托给罗斯柴尔德家族法兰克福银行处理，这个银行同时也作为普鲁士代表团的官方银行。M·A·罗斯柴尔德公司一直到1867年之前都是俾斯麦的委托银行。与梅特涅一样，在1867年以前俾斯麦不是一个有钱的人；而与梅特涅不一样的是，俾斯麦从来没有试图从罗斯柴尔德家族借支很大的金额，尽管他在1866年进行过适度的透支，当时他的支出（27 000塔勒）超出了他作为首相的薪水（15 000塔勒）以及他的资产收入（大约4 000塔勒）之和——这点欠债在他获得普鲁士议会因为他战胜奥地利而奖励给他40万塔勒后，很轻松就清偿了。在这之前，俾斯麦主要是依靠罗斯柴尔德家族为他提供现金账户方面的便利，比如说，在他1865年访问比亚里茨的时候，利用了罗斯柴尔德家族巴黎银行支付他的巨额支出

（10 550法郎）。每年年初的时候，俾斯麦都要求为他的账户都提供一份账单，“以便我自己能计算一下，就像是根据日晷来设定我的时间”。另外，因为他的账户经常出现盈余——比如在1863年6月，当时他账户上有存款82 247古尔登——罗斯柴尔德银行给他支付了利息（按4%），并偶尔还会代他做些投资。在1861年的某个时点上，他们替他购买了柏林提沃丽酒庄的股票，这个公司主要由罗斯柴尔德家族法兰克福银行控股（其他主要股东包括克罗涅的奥本海姆）。

正如弗利兹·斯丹所证明的，在1859年以后，俾斯麦将他个人金融事务中越来越多的份额委托给了格尔森·布雷希罗德，布雷希罗德在其父塞缪尔去世前4年继承了他在柏林的银行生意。但是，凭这件事还不足以认为他断绝了与罗斯柴尔德的联系。布雷希罗德曾经作为罗斯柴尔德家族在柏林的主要合作者一起做过生意，而且很显然，还是迈耶·卡尔第一个把他介绍给俾斯麦认识。另外，布雷希罗德还尽自己最大的努力，把他在柏林收集到的所有政治消息一字不差地报送给罗斯柴尔德家族，比如，在1861年3月，他非常准确地预告了自由党在选举中更进一步的胜利将会导致皇室与议会之间的关系完全破裂，这“主要是关于军队的问题”，随后的“三个月再一次破裂，最后是对选举法的修改，原因是有一名反动的部长，或者可能是对内阁的全面改组”。他所提供的情报在俾斯麦从圣彼得堡回到柏林后得到了稳步的增加，在这之后，“根据来自于冯·俾斯麦先生的个人信息”这样的字眼开始成为他通信的特色。首先，布雷希罗德认为“反动的”而且“不受欢迎的”俾斯麦不太可能持久。然而，逐渐地，他与这位深受孤立的首相建立了亲密的关系，最重要的一点是因为俾斯麦希望利用他作为与巴黎的詹姆斯进行沟通的渠道。按照俾斯麦的助手罗伯特·冯·库德尔的说法，詹姆斯“总是可以自由地接近拿破仑皇帝，皇帝允许他畅所欲言，不仅是关于金融方面，也包括政治方面的。这样就可以通过布雷希罗德和罗斯柴尔德给皇帝传一些不太适合通过官方管道来传递的话”。布雷希罗德与库德尔和俾斯麦本人的会面越来越规律化；不久之后，他的信中充满了对其“优质信息来源”的沾沾自喜。

迈耶·卡尔在法兰克福也没有忘记他这位影响力日益增加的客户。我们已经看到，他在1860年的时候是怎样取得普鲁士宫廷银行家的头衔以及一枚不起眼的勋章的——这里有俾斯麦的部分功劳。为了获得一份更高的荣誉，他在1863年给俾斯麦写了一封信，信中满是阿谀献媚之词，而这种做法早已被他的英国和法国兄弟所不齿：

阁下，您了解我长久以来对您个人久经考验的无限的奉献，而且也了解我是多么看重普鲁士的利益，尽管我所做的这些巨大的、长期的努力一直没有得到令人关注的重视……我现在请求您，充分相信您是一位高贵的、宽宏大量的，而且无所不能的典范，同时也毫不怀疑阁下您会根据您所掌握的事实给予我适当的关照，并且授予我那些崇高的荣誉中具有尊严的标志……愿天堂的眷顾总是环绕着您，并且希望您每天都充满快乐，您家庭的所有成员享有无尽的财富，希望我毕生之中一直都能得到您高度的关爱和悉心的呵护，而且使我能够成为您最诚挚的崇拜者和仆人中的一员。

然而，事情的结果却远不是想象中的那样。在罗斯柴尔德家族和梅特涅的金融联系渐入佳境的时候，他们与俾斯麦的联系开始疏远。布雷希罗德处于对罗斯柴尔德家族的半依赖的地位，而引发后者的不快可能对仍然是一个小公司的前者产生不利，但布雷希罗德似乎还是有办法将俾斯麦的账户从罗斯柴尔德家族法兰克福银行挖过去。刚开始，他所做的只是收取俾斯麦在柏林的正式工资，并替他支付一些家用开支。而在俾斯麦 1862 年回到柏林之前，布雷希罗德开始以投资顾问的身份为他提供服务，在福利公司未支付红利的时候代表大家一致公认为他的客户的俾斯麦提出投诉。不久，他为俾斯麦相继提供了普鲁士铁路和银行的股票期权，同时还定期为他提供柏林交易所的报告。到 1866 年底，他终于达到了他的目的：这个时候出面处理俾斯麦 40 万塔勒奖金的投资事务的，是布雷希罗德，而不是罗斯柴尔德，而且在 1867 年 7 月的某一时点，俾斯麦销掉了他在罗斯柴尔德家族法兰克福银行的账户，并将账户余额（5.7 万塔勒）汇到了布雷希罗德银行。“不应该让犹太人占上风，”俾斯麦后来这样说道，“或者说不应该让在金融上对他们的依赖达到如此高的程度，这种情况已经在某些国家造成过令人追悔莫及的结果。我以一个大臣的身份与犹太人的高端金融之间的关系一直是这样的，债务一直在他们那一方，而不在我这一方。”这个说法是正确的：（相对于迈耶·卡尔那些花哨的说法）布雷希罗德对俾斯麦一直是毕恭毕敬，这种毕恭毕敬的方式，就算是俾斯麦继续一直使用他们的银行，罗斯柴尔德家族也不可能做到。1862 年之后，俾斯麦领导普鲁士所走的道路简单来说就是与罗斯柴尔德家族在奥地利、意大利和法国的利益相冲突的道路。

我们后面将会看到，罗斯柴尔德家族马上就会以一种既憎恶又钦佩的复杂感情来看待俾斯麦。他是一个“狂妄的人”，詹姆斯在 1866 年 3 月宣称。大约在同一时间，安塞尔姆很特别地把俾斯麦比做是“一头狂野的野猪，狂躁得满嘴白沫”。詹姆斯在一个月之后写道，俾斯麦是一个“一心只想着战争的人”。“可怕的俾斯麦，”夏洛特惊呼，“他是一个铁石心肠的人，他是 19 世纪下半叶一个明火执仗抢劫的大强盗。”然而，或许这些谴责表达的意思更多的是钦佩，因为罗斯柴尔德家族也明显感觉到了“白色革命”的临近。早在 1868 年，夏洛特就把“俾斯麦智慧”作为挑选女婿时的条件。阿方斯这个最有理由痛恨俾斯麦的罗斯柴尔德家族的一员，提到他时也只是有点苦涩地称他为“这个世界的主宰”，“站在幕后的人……他操纵着整个欧洲那些政治表演的木偶”。当俾斯麦最终在1890年从权力的巅峰跌落时，阿方斯对这位老对手的评论却是令人惊异的赞誉：随着俾斯麦的离去，他写道，“欧洲的国家当然不再可能保持在稳固的根本原则基础上”。俾斯麦对罗斯柴尔德家族却从来没有让人感觉过真正的尊重，他在很多场合都用一些反犹的说法来指桑骂槐。但是他也从来没有低估他们在金融方面的敏锐嗅觉。或许他也从他们的身上看到了自己那种精明而实际的“现实主义”影子。在后来的生活中，他将他的政治原则定义得与阿姆谢尔非常相似，他略带调侃地回忆道，阿姆谢尔已经养成了询问他的秘书主管的习惯：“迈耶先生，如果您方便的话，能告诉我今天对美国土地政策的原则是什么吗？”

德国统一：金融背景

从某种角度上，人们很容易了解俾斯麦能够成功避免“依靠”罗斯柴尔德家族或者任何其他银行到底采取了什么样的手段，而这种手段是当时那些奥地利政治家做不到的。从金融的角度看，普鲁士属于另外一个集团。表8–1给出了一些简单的数据，说明了这一时期三个主要的交战方战争支出的名义增长情况。法国和普鲁士的数据事实上非常类似，但奥地利的数据——战争支出在1857年和1867年间出现了接近3倍的增长——毫不含糊地表明哈布斯堡君主不可能持续推进他的军事承诺。导致支出增长的因素是军队和防务预算，而不是（人们通常可能会自以为是地这样认为）通货膨胀，相比较而言说是紧缩可能更为准确（价格只是上涨了5%，这与那些年巨额的货币扩张相比简直是微不足道的）。

表8–1　统一时代的公共支出（1857~1880年）

	法国		奥地利		普鲁士	
	（百万法郎）	指数	（百万古尔登）	指数	（百万塔勒）	指数
1857	1 893	100	371	100	122.8	100
1867	2 170	114.6	943	297.5	171.0	139.3
1870	3 173	167.6	422	113.7	212.9	173.4

资料来源：米切尔，《欧洲历史数据》，《公共财政》。

然而，银行家的态度更直接地决定于军费开支的筹措方式。在这里，普鲁士相对于它的两个主要竞争对手的优势将会被更多地提及。在1847年和1859年，奥地利的总债务上升了 2.8 个百分点，而普鲁士的相对数字只是 1.8 个百分点。更为重要的是，普鲁士以一个低得出奇的债务负担进入了这个时期：18 世纪 50 年代公共债务占国民收入的比例大约是 15%，一直到 1869 年也不足 17%；而法国相关的数据却从 1851 年的 29% 上升到 1869 年的 42%。偿债的支出数据同样清楚地说明了这个差异：1857 年，奥地利政府为其债务的还本付息开支了其普通财政总收入的 26%，而普鲁士的相关数据只是 11%。对于整个波拿巴时代，法国的相关数据平均为 30%；就算在最高峰的时候，普鲁士的偿债负担也很小（27%）。这就意味着，从债主放债的角度看，普鲁士的信用风险最小，法国次之，奥地利是彻底的糟糕透顶。另外，这些差异可以通过债券价格反映出来。奥地利票面利率 5% 货币债券在 1859 年和 1866 年出现了两次探底，价格大约在 42（这样的价格水平在拿破仑时代以来很少见到）。相反，普鲁士票面利率 3.5% 债券从未低于 78（参见表 8–2）。

表 8–2　德国统一的金融影响

	最高价	日期	最低价	日期	变动（%）
英国 3% 票面利率国债	93.75	1862 年 11 日	86.25	1866 年 5 月	–8.0
	94.12	1870 年 5 月	90.375	1870 年 8 月	–3.6
普鲁士 3.5% 票面利率债券	91.25	1864 年 12 月	78.25	1870 年 12 月	–14.2
法国 3% 票面利率国债	71.00	1862 年 5 月			
	65.05	1864 年 3 月	–8.4		
	69.4	1865 年 9 月	60.8	1866 年 4 月	–12.4
	76.98	1869 年 5 月	50.8	1871 年 1 月	–34.0
奥地利 5% 票面利率金属债券	60	1864 年 12 月	42.38	1866 年 12 月	–29.4

注：英国和法国国债为伦敦报价，普鲁士和奥地利债券价格为法兰克福报价。
资料来源：下议院，《账务与债券》，第 27 卷，第 31 卷；《经济学人》；海恩，《私人银行与工业化》，第 358~372 页。

为了能更清楚地辨别差异，1851~1868 年的整个期间段，普鲁士和奥地利债券之间的收益分布范围在 2.7~8.6 个百分点之间，平均下来几乎正好是 5%（参见图 8.1）。普鲁士和法国之间的差异虽然提及不多，但差异也是存在的：将 1860~1871 年之间的数值进行平均计算后，大约只是略高于 1 个百分点。正像塔勒兰德在 1865 年 1 月所观察到的（带有一点可以原谅的夸张）："普鲁士在政治上出现了溢价，这与交易所的情形类似。"因此，尽管可以用发言人或是将军们的冒险战略来解释 1858~1871 年的各种冲突所造成的后果，但金融方面的解释也是很有必要的，虽然可能还不足以完全说明问题。另一种解释是，奥地利的政策彻底失败了，因为它在经济上是不可持续的：没有能力同时支撑打击意大利和德国所必需的军事行动经费，奥地利人不得不接受这样的选择，通过出售一方的土地，来确保他们去攻击另一方。这从根本上说就是詹姆斯和他的侄子们所倡导的战略。由于试图挑战经济的现实，奥地利在两条战线上都吃了败仗。

然而，如果认为俾斯麦的胜利是由金融优势注定的，那就大错特错了。他在关键性的1862~1866年动用政府的财政收入从技术上讲是非法的，因为没有得到议会的批准，甚至他自己的“鸿沟理论”也无法轻易掩盖远高于他最后一次获得批准的预算的那些超支金额。平均来看，1863~1866年的支出每年比1861年经过批准的正常支出多出了3 800万塔勒。俾斯麦冒险在没有获得国会批准的情况下自作主张筹措资金。1864年1月，由自由党主导的议会否决了他提出的仅仅1 200万塔勒的贷款计划。从此，他别无选择，只能（如他自己所说）“利用可以从任何地方找到的（资金）”。但是，正如我们将要看到的，说起来容易，做起来难，当他在1864年夏天向奥地利临时代办处保证他已经储备了7 500万塔勒时，完全是虚张声势。事实上，对于市场对这一时期普鲁士经济的信心在某种程度上看是否过度，也一直存在争议。与丹麦的战争一结束，俾斯麦马上倡议降低国防开支来作为筹集资金的一种方式。“如果这个想法能够实现，”他辩解道，“就没有人能够估量出普鲁士的经济实力。”这就从另外一个完全不同的角度推高了普鲁士债券的价格。

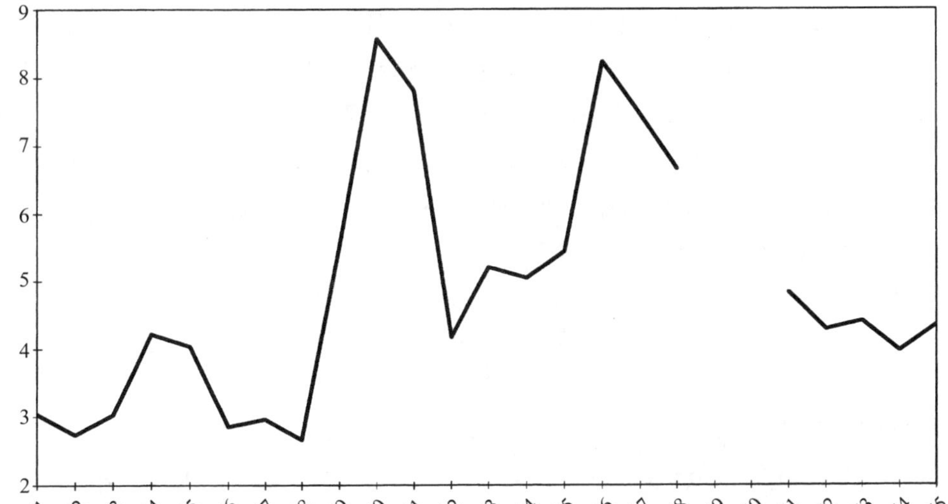

图 8.1　普鲁士—奥地利收益差异（奥地利债券收益减去普鲁士债券收益），1851~1875 年

资料来源：海恩，《私人银行与工业化》，第358~372页。

不管怎么说，在对德国控制权的争夺中，外交与战争同等重要：金钱可以成为战争的动力源泉，但金钱在19世纪60年代的外交过程中的作用相对有限。得出这样的结论让詹姆斯非常失望。如果不考虑奥地利的软弱，詹姆斯曾经有好几次机会来阻止——如果不能完全挫败的话——俾斯麦的野心，不过我们永远也不应该忘记19世纪60年代的外交环境中的偶然事件。比如，要是俄国的政策对奥地利不如此敌视，俾斯麦就会暴露在来自东方的压力下，迫使普鲁士接受1849年在奥尔木兹达成的协议，由日耳曼恢复对德国的统治。要是英国的政策不如此被动，那么波兰和丹麦危机就可能不会对普鲁士产生如此大的威胁。如果拿破仑三世不用德律安·德吕替换图翁内尔，法国政策就会更有连续性：放弃行动开始时对意大利（如果不是罗马就是威尼西亚）的兴趣，拿破仑三世就有可能预见到一个奉行扩张主义的普鲁士对法国可能产生的威胁。奥地利对日耳曼联邦进行改革的企图也不应该只是像白日梦一样流产。每次只要奥地利提起这个话题——在1862年2月、1863年1月，以及对于俾斯麦来讲最危险的1863年8月——普鲁士的地位看上去都是岌岌可危的。奥地利在日耳曼的其他各邦得到了更多的支持。而且，弗兰兹·约瑟夫或许已经暗下决心，决定用威尼西亚或者侯斯坦来交换现金，以及一块给丧失掉的领土找来的"遮羞布"，从而找回在一场战争和另一场失败中可能会丢失掉的颜面。

因此说，是其他人的错误给予了俾斯麦机会：丹麦人在1863年11月决定吞并希勒斯维格和侯斯坦，1866年6月奥地利向联邦提出要求拥有直辖的领地，稍后法国人画蛇添足地要求将霍亨佐棱的主权与西班牙朝廷在1870年永久性地合并。甚至军事行动的结果都比通常认为的要更加均衡：当战争于1866年爆发的时候，奥地利似乎得到了强大的法兰西以及其他主要的德国属邦的强有力支持，而普鲁士主要的盟友只有——按照一位普鲁士官员的观察，可能略微有点夸张——"美克棱堡公国和加里波第"。尽管普鲁士士兵训练有素而且装备精良，他们后膛装填的"撞针枪"却无法保卫在孔尼格拉兹所取得的胜利果实。

彩排：波兰

1863年1月由于反抗俄国的统治而爆发的波兰起义使危机进一步深化，而且也为1864年和1866年的战争提供了一次彩排的机会：一旦俄国要对波兰挑起战争，波兰可以迅速采取行动，而且尽管海外一片鼓噪，却也没有遭遇到任何干预。这次俄国侵略的经济意义不是太明显。从罗斯柴尔德家族的观点看，波兰这场起义是非常不合时宜的。因为在整整40年间，罗斯柴尔德家族直到1862年4月才第一次得到了一个俄国大额贷款的业务。这似乎是一块肥肉：发行5%票面利息的债券，价值1 500万英镑，其中500万英镑直接由罗斯柴尔德家族巴黎银行和伦敦银行按94的价格认购，剩余部分向公众出售，收取佣金。但债券的市场反应没有詹姆斯所希望的那么好。因此，在波兰起义爆发的前夜，罗斯柴尔德家族伦敦、巴黎和那不勒斯银行留在手里的债券价值至少有200万英镑。詹姆斯曾经希望，如果俄国不卷入到战争里，债券的价格会上涨；但是波兰的危机使这个期望落空了。使这场危机如此令人惊慌失措的原因与俾斯麦很轻率地对沙皇提供支持（这使得他失掉了所有的朋友）的表态关系并不大，因为与此同时，拿破仑三世力挺波兰，这种局面很像1830年时的情况，很容易引发一场法国与俄国之间的战争。俾斯麦很幸运：要是英国对法国的支持更加积极一点，或者如果亚历山大二世能被说服，他的狼子野心就大白于天下了。而现实的情况是，德律安·德吕恢复克里米亚联盟的努力遭到了悲惨的失败，而且同时疏远了俄国和英国。

当时，迪斯雷利对这些经常被重复提及的作为罗斯柴尔德家族势力证据的事件，提供了一个充满想象色彩的说法。在7月21日，他警告布瑞吉斯·威廉斯——他众多的中年女性仰慕者之一——“一场以光复波兰为借口的战争将出现在欧洲中部地区，这将是一场全面的战争，而且持续时间会很长。”他补充道，“罗斯柴尔德家族今年签了两个贷款合同，一个是给俄国的，另一个是给意大利的……他们现在非常焦虑。”三个月后，他依然很悲观：

> 波兰问题现在是一个外交上的弗兰肯斯坦[①]，这是由那位神秘而且鲁莽的罗素爵士采用死尸的残留器官创造出来的。现在世界和平得以维持，并不是得益于那些政治家，而是得益于那些资本家。在过去的三个月里，在秘密的社团与欧洲百万富翁之间展开了一场角斗。目前来看，罗斯柴尔德取得了胜利，但是彼劳特（Billault，法国参议院主席，危机期间皇帝最信任的顾问之一）之死对于他来说，与波兰爱国者的“利剑”同样致命，因为我相信，在世界的那个角落他们被称为爱国者，尽管在那不勒斯，他们只是匪徒。

这纯粹只是一个幻想。现实的情况是，危机已经远远超出了罗斯柴尔德家族控制的范围，詹姆斯和列昂内尔所能做的一切只是在无能的法国政府打压了俄国和意大利债券价格后骂骂娘。正如詹姆斯在听到俄国大使很热情地评说拿破仑三世强烈希望

① 弗兰肯斯坦（Frankenstein），玛丽·沃斯通克拉夫特·雪莱所著的小说中的一个人造怪物，用来形容脱离了创造者的控制并最终毁灭创造者的媒介或作品。——译者注

"将整个欧洲版图打乱"的时候所说的,"在目前这种状况下发行债券根本一点都不合时宜",但他在开始的时候根本不相信会有一场大战——只是认为"市场太糟糕",处于"水深火热"之中。这种相对乐观的态度反映了詹姆斯掌握的内幕远胜于迪斯雷利的一个事实:他知道法国和奥地利两国政府对这个事情的态度都分裂成了两派(在法国,沃鲁斯基支持战争,佩希尼和福尔德反对),因此可以推断出危机很快就能挺过去。让他真正有点动摇的情况出现在6月17日,当时第二份英—法照会送交俄国,再加上德律安·德吕的一次专访,促使詹姆斯下决心出手了2.5万英镑的俄国债券。到7月底,与爱登堡王子在威拉巴进行了长谈后,"老交易员"(詹姆斯这样称呼自己)确信和平能够得以维持。在伦敦,列昂内尔也基于对"更美好时代"的政治智慧的信赖而充满信心。"波兰什么事也不会有,"他告诉他的儿子里奥,"我们不应该为波兰人出手,他们一点都不见得比俄国人好。"

波兰危机造成的最严重后果是阻碍了罗斯柴尔德家族与俄国建立长期关系的计划。镇压波兰起义的经济成本高得足以危害新发债券的利息支付,逼得詹姆斯和列昂内尔拿出了大约100万英镑来发行更多的俄国债券,而与此同时,又使他们不大可能向市场投放更多的债券。这似乎证实了纳特对俄国金融市场习惯性的悲观,在整个19世纪60年代余下的时间里,他反对参与任何俄国债券的发行。与圣彼得堡保持一个安全的距离也还有其他的原因:同情波兰的支持者势力在巴黎和伦敦都很强大,夏洛特和阿方斯两人都同时引用这一点来作为把俄国业务留给别人去做的理由。"我非常高兴是巴林银行而不是罗斯柴尔德银行承接了俄国的贷款。"夏洛特在1864年4月,在听到一个关于新的债券由罗斯柴尔德银行的老对手来负责的公告后写道,"如果我们的银行参与了谈判,可以肯定地说,社会上将会出现很可怕的针对那些被吓坏的犹太人的喧嚣浪潮,说他们帮助残忍的俄国人迫害可怜的波兰人。"

在整个19世纪60年代余下的时间里,俄国人重新转回到了传统的银行,霍普和巴林,在1866年提供了一笔巨额的600万英镑的贷款。而詹姆斯也一直希望能够染指其间。他"由衷地后悔",当在那里可以酿造"甘醇美酒"的时候,他"却放弃了这个国家"。早在1867年2月,他就开始考虑这种他早先严词拒绝了的机会的可能性,试图直接参与到俄国铁路的建设中,这个计划他们曾经在沙皇及其首相戈尔察科夫1867年访问巴黎期间进行过探讨。然而,他仍然坚持认为应该以俄国政府作为借款人的方式在巴黎和伦敦发行普通债券,而不是试图发行铁路债券,谈判最终不了了之,另一个与俄国按揭银行讨论的项目情况也差不多。一直到詹姆斯死后,罗斯柴尔德银行才最终同意了发行俄国铁路贷款债券。

奥地利衰败的影响

正如詹姆斯一直所关心的，奥地利1859年在意大利遭到的失败是一个决定性的转折点：它再也不会被看成是一个经济大国。在詹姆斯的眼里，此后需要考虑的主要问题是怎样结束奥地利在意大利的困境，就像一个破产的企业所需要做的善后一样：他认为一个资不抵债的帝国需要清算那些它不可能再继续履行下去的义务，以便使自身更加合理化。詹姆斯始终想不明白，他的这个想法不仅遭到了奥地利政府的反对，同时也在某种程度上遭到了自己的侄子安塞尔姆的反对。安塞尔姆（与他的父亲在他之前所做的一样）越来越认为自己与哈布斯堡政权是一体的，特别是在他于1861年被任命为雷切斯拉特帝国议会金融委员会委员后，更是表现得忠心耿耿。在很多方面，詹姆斯对奥地利软弱程度的判断是正确的，但是因为奥地利毅然决然地否认存在的事实，它开始显得有些自不量力起来。

就在双方的敌意于1859年爆发之后不久，正如我们所看到的，奥地利政府发出了一个2亿古尔登贷款的有些疯狂的申请。詹姆斯开始时候的反应就好像是奥地利笃定会照顾他一样，坚持不让其他的外国银行参与到其间。然而，此时有太多的竞争对手都急于借钱给维也纳，因为这样的垄断太容易实现了。彼希奥夫斯海姆和苟斯米德获得了新贷款的第一部分，这一部分以彩票型贷款的方式发放。詹姆斯的报复有两个手段：抛售奥地利债券，以及当安塞尔姆按照1859年贷款合同应该向奥地利政府支付1 100万古尔登时不予合作。“我们从奥地利货币债券上什么也没有捞到。”詹姆斯满腔怒火地写道，“甚至连一个我们能够出手的价格都没有。”詹姆斯一想到在政府什么实在的担保都提供不出来的情况下，就要向对方付款，就感到“头痛”，他甚至略带威胁地说，赞同对奥地利政府提出法律诉讼来保护“我们的钱”。这种关系在1862年的时候达到了冰点，而关于1859年债券应付佣金一事的争吵也一直在持续，并就暂停对他们应收利息支付进行了谈判。当面对1862年准备筹措5 000万古尔登的新奥地利贷款的机会时，詹姆斯完全麻木了：

> 我不认为我们能拿到多少，所以我们应该告诉安塞尔姆提前24小时用电报通知我们能拿到多少，因为在维也纳，没有什么事是能够完全按计划行事的。我必须说，对我来说大家都是一样的，但我很希望安塞尔姆没有借口说我们把他置于困境中不管不顾，而且也不要说我们对他的银行不支持。

一直到安塞尔姆威胁要成立一个包括厄兰格尔和其他人在内的银团的时候，其他的罗斯柴尔德银行才匆忙同意参与到1860年奥地利政府有奖债券的第二次发行中。

这个威胁是一个信号，它说明维也纳分行与其他罗斯柴尔德银行之间的距离已经越拉越开，并且它的所作所为已经激怒了迈耶·卡尔和詹姆斯。同样的情况在一年之后又重复了一遍，当时，奥地利财政部部长布罗涅塔诺寻求筹集另一笔贷款。而安塞尔姆的做法再一次让詹姆斯大光其火，因为他居然同意与两家对手辛迪加结盟，共同对贷款进行投标，而参加的银行中包括了工业信贷银行，以及它的伦敦模仿者国际金融协会和新设立的英国—奥地利银行（该银行在同年的早些时候由乔治·格伦菲·格林创立）。事实上，这个松散的银团到结束的时候也只是向布罗涅塔诺支付了400万英镑。当政府寻求通过在次年发行7 000万古尔登债券为这笔预付款进行融资时，商工银行是仅有的两家参与投标的银行之一，而且报出的认购数额只有1 900万。

因此，从根本上说，罗斯柴尔德之所以继续对奥地利政府提供财政方面的支持，是出于一种为维护家族团结而甘冒天下之大不韪所做的努力。詹姆斯仍然从整体上看淡奥地利债券，继1862年夏天大量抛售后，1863年11月又再一次抛出。1863年11月，希勒斯维格—侯斯坦问题令人措手不及地再次冒头，只能是让詹姆斯的悲观看法雪上加霜：他看不出与普鲁士联手对抗丹麦对希勒斯维格—侯斯坦的吞并能够给奥地利带来什么好处，特别是他们的联合攻击行动并没有得到在法兰克福的日耳曼联邦议会的授权。不可否认，从技术层面上看，丹麦是违反了《伦敦条约》，但是这场爆发于1864年2月的战争在大多数家族成员的眼里看起来是荒谬的，夏洛特称之为“国王、皇帝和王公贵族们的变态行为”！如果要说有什么不同的话，那就是她倾向于同情丹麦人，这种同情在伦敦和巴黎成为了一种主流。站在詹姆斯的角度，他看到的只是不断增长的开支，这种压力可能让奥地利无法承受，因而使得其最近一批债券的销售更加困难——尽管毋庸赘言，詹姆斯很快就会看到给丹麦放贷的机会，因为基本上可以肯定它将面临战争赔款的情况。

让詹姆斯更加警觉的情况是丹麦的战败一成事实，奥地利和普鲁士的联盟就随即烟消云散：虽然在抗击丹麦（同时反对由法国和英国联手发起的外国插手调停的企图）的问题上双方走到了一起，但是它们对于领土的纷争仍然无法达成一致。当两个王朝在希翁布隆谈判的时候讨论过各种组合方案，但是奥地利不同意对方提出的用希勒斯维格—侯斯坦这两个地方来交换它占领着的普鲁士土地的提议，而同时，弗兰兹·约瑟夫也拒绝普鲁士一直谋求的在德国北方的军事霸权。越来越明显，奥地利开始倾向于德国自由派所支持的解决方案：几个公国应该交给奥加斯滕堡大公。然而，在1865年2月，俾斯麦宣布，他只有在这些公国完全附属于普鲁士的条件下，才会接受这个方案，这个方针（就在他否决了奥地利参与关税同盟的申请几个月后提出的）骤然间使得战云密布，另一场更严酷的在奥地利与普鲁士之间的战争一触即发。这种焦虑只是使奥地利的地位更加岌岌可危。令人不解的事情是，罗斯柴尔德银行居然选择在这个时候认购了1859年英镑贷款中剩下的300万英镑，其中包括了50万英镑的福费庭[①]贷款。对于这种蛮干似的做法，我们所能给出的相对合理的解释，还是只能把它看成是他们当时需要打击另一位竞争对手的野心，这位对手叫兰格朗·杜蒙梭，他当时正在四处兜售建立奥地利按揭银行的计划，而且提出以皇室的土地作为担保发放贷款的方案。当贝尔克雷迪自1865年7月从希梅尔林手里接过首相的相印时，奥地利已经没有了任何的追求和目标，这个时候的赤字高达8 000万古尔登，并且没有任何可能的资金来源，唯一的办法就是从银行拆借更多的资金。

在詹姆斯的眼里，随着埃斯特哈齐家族慢慢陷入资不抵债的困境中，奥地利也随之堕落得更加声名狼藉，因为从19世纪20年代以来，罗斯柴尔德法兰克福银行和维也纳银行都在代这个家族办理贷款事务。在1861~1864年间，以埃斯特哈齐家族的土地作为抵押所发行的债券融资金额已经不少于630万古尔登。之后，在1865年6月保罗·埃斯特哈齐被迫暂停支付以他的名字发行的债券的红利，这一举动马上引来了公众对这些债券的发行银行的口诛笔伐。在莫瑞奇·埃斯特哈齐主导奥地利对外政策期间，他自己家族的金融败落与帝国本身的衰败走势几乎完全吻合。这个败局所造成的困窘，为罗斯柴尔德家族敲响了警钟。

私有化与外交政策

那么，既然是这样，为什么又要保持与维也纳的业务联系？这个问题的答案是詹姆斯自信他手里持有奥地利问题的解决方案。早自1861年12月，他就已经开始谋划一项交易，按他的理解，这项交易给奥地利政府带来的不仅有金融方面的好处，也有外交方面的好处，同时他自己又有巨额的佣金收入，那就是：把威尼西亚卖给意大利。1865年8月的《加斯滕协议》暂时性地把侯斯坦划给奥地利，希勒斯维格划给普鲁士，这个协议没有排除一个类似交易的可能性，就是奥地利可以把侯斯坦卖给普鲁士。事实上，俾斯麦一年前在希翁布隆就提出过类似的建议，而《加斯滕协定》通过将劳温伯格从奥地利转给普鲁士，获得250万丹麦塔勒的安排已经开了一个先例。大家要考虑的似乎只是一个简单的问题：能否找到一个各方都能够接受的价格。如果价格能够谈拢，那么奥地利和它的敌人之间关于贯穿南北方的土地争端就可以转化成单纯的地产问题，它的可交易性就与过度抵押的埃斯特哈齐家族的私人地

① 福费庭指一种无追索权的银行业务。——译者注

产完全一样。

要想弄明白罗斯柴尔德家族在1865年的几场离奇曲折但具有决定意义的谈判中到底想做什么，很重要的一点是不要忘记普鲁士、意大利和奥地利的地位事实上具有着某种程度的相似性。每个国家都奇缺现金。因此，对于争议土地的潜在买家来说，都必须要能够借贷到钱。但是，这对哪个国家来说都不是容易的事——普鲁士是因为宪法冲突，意大利是因为信贷评级越来越低。对于罗斯柴尔德家族来说，答案似乎是很明确的：两家都必须对国有的资产——最好是铁路——进行私有化，再用得到的资金去购买侯斯坦和威尼西亚。与此同时，奥地利的金融状况处于非常危险的状态，甚至就算是卖出了这两片领土，也很难平衡其预算。而奥地利的铁路大多数都已经出售，因此，私有化铁路在这里行不通；所以，詹姆斯考虑应该寻求将这些已经私有化的铁路线的税收权从政府剥离，作为金融融资对价的一部分。这是1865年詹姆斯所有想法的根本所在：通过设计一系列相互依存的复杂交易，来清理奥地利无法再继续维持的皇权，从而避免一场由经济纠纷所引发的战争。

对于普鲁士的情况，大家应该了解得更多些。从经济上看，普鲁士比奥地利强大；但从短期看，由于宪政危机以及丹麦战争，造成了现金流危机。事情一度很明显，议会不会同意授权政府去使用任何类型的贷款，因此俾斯麦不得不为他的武力诉求另辟蹊径。在1864年很快就浮出水面的一种选择是由拉斐尔 · 艾兰格尔领衔的银团提供1 500万塔勒贷款。对于布雷希罗德来说，这是一个警报：他知道詹姆斯对像艾兰格尔这样的暴发户一向没有好感，便赶快向詹姆斯保证这个报盘已经“彻底被否决了”，但真实的情况是海外贸易银行与艾兰格尔在此之后确实做过一些交易。最难办的事情是罗斯柴尔德家族想要布雷希罗德阻止艾兰格尔，但是自己本身又不愿借钱给柏林。当布雷希罗德推荐说普鲁士政府通过抵押贷款方式用4.5%票面利息的债券筹集2 000万塔勒的计划已经得到了议会的批准，用西里西亚的铁路（但是不出售）来偿付时，詹姆斯让他去找迈耶 · 卡尔，但是迈耶 · 卡尔把球又踢了回来，他回答说，巴黎银行对于这一类交易要“保持完全敬而远之的态度”——布雷希罗德觉得这种说法很聪明，可以不刺激俾斯麦：“我尽量让他相信那些令人尊敬的银行会很高兴对普鲁士的金融活动提供支持。”普鲁士政府由于对金融问题的纷争已经出现了很深的裂痕，财政部部长伯德尔希温反对将铁路债券转换成军事目的，并且逼迫俾斯麦向议会申请，希望能得到一份贷款的授权。这种通过对丹麦战争的胜利来说服议会中的自由党转变态度的愿望在1865年破灭了，当时，普鲁士政府的行动被议会宣布为非法，而且所有的资金申请都被毫不留情地驳回了。

这就引发了一个重要的问题：如果奥地利接受了把侯斯坦卖给普鲁士的提议，

普鲁士将怎样支付？早在 1864 年 11 月，俾斯麦就承诺过“巨额的货币等价物”，如果这个等价物“值得”，埃斯特哈齐告诉普鲁士大使维特，“他不会拒绝这个提议”。在这一点上，罗斯柴尔德家族开始首次尝试扮演经纪人的角色，由布雷希罗德和维也纳银行的莫利兹·戈尔德施密特前后传话，寻找双方都能接受的价位。正如戈尔德施密特所说，谈判中的金额“必须要有足够的油水去克服对于现金结算的那种强烈的抵触情绪，这可不是什么光彩的事情”，这种说法得到了奥地利财政部部长普勒内的呼应。之后渐渐明朗的情况是普鲁士的心理价位是 4 000 万古尔登（大约 2 300 万塔勒）。但是，这笔钱从哪儿来？布雷希罗德可能会说普鲁士的“国库是满的”，但伯德尔希温已经向议会报告，与丹麦的战争花费了 2 500 万塔勒，其中半数花的是国家“财富”（意思是储备资金）；按照布雷希罗德的说法，储备中还留下来了 3 700 万塔勒。那么，如果普鲁士买下了侯斯坦，国库中就所剩无几了。

另外的可能性是普鲁士可能会出售自己的国有资产来筹集所需的资金。事实上，这里有两条路，而且在 1864 年前布雷希罗德就对两条路都提过建议。第一条路与克罗涅和明登（汉诺威附近）之间的铁路有关，“德国西北地区的铁路运输中枢”；第二条路，是一个与萨尔中部地区的皇室土地有关的更加雄心勃勃的计划，具体来说与当地的煤矿有关。普鲁士政府起初计划提供克罗涅–明登铁路总共 1 300 万塔勒资本的 1/7，但是按照与普鲁士商务部部长奥加斯特·冯·德·海伊特男爵达成的一个交易，要求整个交易过程必须保证权益的完整性，而且作为回报，普鲁士拥有在 1870 年收购所有其他股东手上股票的权利。1862 年 12 月，布雷希罗德向奥加斯特·冯·德·海伊特的继任者冯·伊曾普里兹提议政府将全部的“股票认购权”以 1 400 万塔勒的价格回售给公司。另外的一个可能性由布雷希罗德在 1863 年 11 月提出，他建议政府应该出售在萨尔地区的皇室土地给一家专门组建的合资公司，由政府控股，但是吸收其他公司股东的现金投入。这样的出售事实上早在 1861 年时就有谣传，我们并没有在相关的资料中看到，尽管罗斯柴尔德家族法兰西银行曾经为矿山出过报价 2 000 万塔勒的报告。私有化除了能够给政府提供它所急需的现金这种明显的好处外，其他的好处还有，按照俾斯麦可能想到的，如果法国因为普鲁士在其他地方的领土扩张而提出以萨尔地区来作为“补偿”的话，矿山仍然能够留在普鲁士的手里。按照布雷希罗德的说法，私有化可以大大拓展莱茵地区业已存在的奥本海姆的巨大产业帝国，而他们两人也有很紧密的业务联系。

从这个意义上说，要是罗斯柴尔德家族和他们在普鲁士的经理人员能够解决奥地利和普鲁士之间的争端，这或许真的是一着妙棋。但是这中间存在着陷阱。如果普鲁士能够拿到钱，俾斯麦或许就会用它去与奥地利决一死战，而不是用来买侯斯坦。事实上，普鲁士政府甚至在《加斯滕协定》签署之前就一直在考虑这些问题。当1865年7月18日达成了关于克罗涅–明登交易的协议时，普鲁士政府以1 300万塔勒的价格出让了它的股份选择权，俾斯麦马上报告了皇太子："完成战争动员和一年的战役所需的财政条件已经满足了，金额大约是6 000万塔勒。""我们有钱了，"战争部长卢恩嚷嚷道，"足够让我们在对外政策上放开手脚了，足够了，如果需要的话，我们可以动员整支军队并为整个的战役提供军费……钱从哪里来？用不着违犯法律，只需要通过对克罗涅–明登铁路做些调整，对于这些调整，我自己甚至是伯德尔希温，都认为条件非常优惠。"很快，奥地利领事秋泰克就报告说普鲁士拥有"如此重要的资金供应渠道，这跟人们随时存放在手里准备着应战没有什么两样"。从另一方面说，克罗涅–明登铁路的出售还不足以确保胜利；卢恩也一直在考虑普鲁士从它大张旗鼓的备战中赢得的外交杠杆效应，也不一定是要真的去打。8月，俾斯麦通知布雷希罗德不要用他的账户销售债券，防止"对战争的莫名其妙的担心"。他在《加斯滕协定》签署后这样评论道："我们的金融及军事方面准备工作的条件使大家期待不要迫使战争太早爆发。"具体来说，俾斯麦有理由担心，如果奥地利也成功地筹集到了资金，任何冲突都可能是（至少在金融方面）太过于势均力敌，难分伯仲。因此，他在1865年夏天的目标就很简单：通过他可以采用的各种手段阻止奥地利政府从资本市场上成功地融到资金。

奥地利在1865年的时候非常明确地提出需要一笔贷款。或许是为了鼓励政府来找他，詹姆斯在8月中旬以78.9这个相对大方的价格购买了30万英镑的英国—奥地利债券。一开始的时候，他真的不太愿意再提供大规模的新贷款。在9月9日，他确实对派到巴黎与他进行协商的财政部官员贝克男爵说："让我们现在来办理贷款根本就不可能。"但是贝克男爵的反应感动了他——"这个人完全崩溃了，并且说道，'这么说，政府就只能坐等破产了'。"这是一个令人震惊的悲壮场景，让人不禁回想起了拿破仑战争期间崩溃的奥地利经济，这感动了一位对当时的惨状至今仍然历历在目的人。詹姆斯匆忙地提出了一个折中的方案：100万或200万英镑的一年期贷款，由罗斯柴尔德家族伦敦和巴黎银行与巴林（他们知道奥地利人也去找过他）合作，之后看情况再决定新的长期贷款。

这次一反常态地与巴林携手——同时参与进来的还有兴业银行以及地产信贷银行，这些银行都曾经被拜访过——表明詹姆斯并没有低估借款给维也纳所面临的风险。然而，他非常希望通过"做些事情"来向贝克表示"我们不反对奥地利"。这样做的理由并不难猜到。在众多的原因当中，最关键的是罗斯柴尔德家族仍然持有巨额的奥地利债券。正如詹姆斯所说："我们投了太多的钱给这个政府。"如果奥地利真的宣布破产，那些债券的价值一定会贬得非常厉害："这些讲信用的人只是想要钱去支付到期的利息，而且我也可以看到这样做的必要性。巴林对奥地利也很支持，所以他也有利益牵涉在里面。"另外，这种在极端困难时期提出的短期贷款，条件一定是优厚的，因而利润也肯定相当丰厚："很显然，在这种情况下它肯定会同意别人随心所欲地从它身上赚取足够多的钱，奥地利不管怎么说，总算是一个大国。"

开始的时候，詹姆斯不假思索很快就接受了兰格朗·杜蒙梭早些年的想法，用皇室土地来为贷款做担保。但是隆巴蒂铁路所面临的金融困难——刚从罗斯柴尔德家族巴黎银行和兴业银行注入了6 300万现金——为他那层出不穷的业务想象力提供了另一种新的想法。按照公司章程的规定，它将从1868年起开始向奥地利政府交税。詹姆斯看到了一种推动公司疲软的股票价格上涨的办法——争取免税，正如阿方斯所说："对我们隆巴蒂的未来寄予了太沉重的希望。"最后，贷款谈判给对奥地利施压提供了途径，要求奥地利同意给普鲁士和意大利提供一些便利，以求避免战争。阿方斯在9月16日与意大利大使讨论了用现金或者用多瑙河公国（罗马尼亚）交换威尼西亚的可能性；三天后，詹姆斯表达了希望就"意大利问题做出决断"的想法，并建议加入众所周知的"罗斯柴尔德条款"，要求贷款必须坚持维持和平的先决条件。到9月23日，他想的更加激进：

> 可能还应该加入与英国或许还有法国贸易协定方面的条款……确实，我们可以把它做成一桩辉煌的交易。这些人想要我们从他们身上赚钱。我们开出的条件是建立一个审批贷款以及裁军的委员会。我认为，在《宪法》之下，人们一定会享有以前连想都不敢想的更加完善的信用体系。

仅仅三天后，詹姆斯和阿方斯在与贝克进行了一场"马拉松式的谈判"后，似乎得到了"所有我们想要的"：

> 至于说贸易协定，将它与贷款联系起来并没有任何困难……相互间的谅解似乎与隆巴蒂铁路的税收问题同等重要。最终会在今天获得最有利的条件（如果我们同意贷款），因为政府还有一定的运作空间，它需要钱来巩固它的政治地位，并且希望不惜一切代价获得成功。

我们从奥地利外交人士姆赫林能的报告中了解到，贝克在这个阶段为了确保詹姆斯的合作做出了多么艰辛的努力。按照贝克的观点，奥地利的"经济命脉"掌握在"他（詹姆斯）的"手里，而且他毫不犹豫地提出了具有很多个人性质的优惠条件：

如果我们不能成功地说服他，我们就无法继续推进其他的任何事情。只要有一分的希望，我们就要尽十分的努力，特别是要让詹姆斯他老人家高兴。任何能讨他欢心的事情都能值1%或者2%……如果我们能授予他一枚“大绶章”的话，情况会是什么样？就是一枚斯坦尼斯劳斯勋章促成了俄国贷款。他有一级铁冠勋章了吗？如果没有，我们能否让他想要得到这个勋章？

到了10月3日，这项交易似乎只等着签字了。

比亚里茨会议

然而，忽然间，节外生枝的情况出现了。当然，对于这项交易的争议一直没有停止过。争议的焦点主要集中在经济方面：1865年夏天巴黎金融市场的不景气首先迫使阿方斯认为发行新的奥地利贷款债券“在目前的形势下是一件不可能的事情”。当安塞尔姆在这种情况下很意外地修改了奥地利的需求，把金额提高到1.5亿古尔登时，他的法国堂弟被惹恼了。他发现：

很难理解一个已经具备了丰富的商业经验……对奥地利的金融市场如此了解，又是议会金融委员会委员的人，居然会在奥地利已经处于危机边缘的时候，还不给我们发出警报，反而还让我们保留所持有的全部（奥地利）债券，而且他甚至还一直鼓励我们尽可能多地购买，然后，忽然间他过来，很平静地告诉我们说，如果奥地利不能够贷到1.5亿古尔登，它就别无选择，只能宣告破产。

按照安塞尔姆的测算，政府真实的需求是4 900万古尔登（690万英镑），但是这只够支付到期应还的债务。纳特一点都不怀疑，任何新的奥地利债券都只可能是“垃圾”。在10月初的关键时刻，迈耶·卡尔的疑虑更深了：

我只能后悔，只要欧洲大陆还是关注的重点，特别是德国的前途仍然具有如此之大的不确定性——钱就会显得非常宝贵，而且流动性会更差，我们的公众已经在英国发行的奥地利债券上遭受了惨重的损失，他们不会再相信市场……我必须得承认，我对奥地利政府一点信心都没有，他们总是在欺骗我们……他们根本就靠不住……关于这个问题我们应该已经写了很多信给巴黎，而且也完全表达了我的意见，我真的不知道该怎么做了。我担心这一次如果你跟他们达成了协议，你将会像我们的朋友和堂兄弟一样被欺骗。这里的公众每天都在售出巨量的奥地利债券。

同时，与迈耶 · 卡尔所指出的一样，也存在着政治上的反对理由。奥地利和匈牙利之间发生的《宪法》纷争，在 1865 年 9 月导致了议会休会，同时这场纷争似乎在奥地利也提出了普鲁士业已存在的问题：政府是否获得了筹集新的贷款的法律授权？这个争论对伦敦银行界的影响远比对法国的影响严重。

导致奥地利贷款谈判最终失败的原因到底是不是如奥地利人自己所声称的，是由于俾斯麦与詹姆斯为否认奥地利罗斯柴尔德家族对奥地利的支持而达成了某种秘密协议的结果？对这个问题，历史学家至今也无法找到答案。毫无疑问，俾斯麦是决心要制止这项贷款交易的。早在 6 月 19 日——按照“外国局势的复杂因素可能产生的机会”的说法——俾斯麦已经“注意到通过适当的金融行动，来深化奥地利贷款所依赖的金融市场目前的颓势可能是明智之举”。事实上，他在一份外交报告中引用的奥地利官员所说的“由于缺乏信贷的支持，奥地利政府可能会暂时放弃它的大国地位”这句话下面画了条线。“通过我们的侵入行动，”他告诉卢恩说，“普鲁士需要打破奥地利的那些计划。”也许是因为心中装进了这个目标，他建议布雷希罗德采取行动，诱使罗斯柴尔德银行购买海外贸易银行的普鲁士债券，然后把收益转给政府，因此可以名正言顺地绕过议会对贷款授权所做的限制。

这个掩藏的动机是否可以解释交易失败的原因？迈耶 · 卡尔拒绝购买 900 万塔勒的 1859 年普鲁士债券，这些债券由海外贸易银行在 7 月份时以面值提供给他，这个回绝不可能没有受到政治因素的影响。假定他准备将债券价格推高到 99.5，然后在一周之内卖给柏林的银行家，之后在 101 进行交易。詹姆斯与阿方斯毫无疑问开始怀疑普鲁士的真实动机。8 月 4 日，在《加斯滕协议》之前，詹姆斯附和他儿子“对德国政治不满”的说法。他不愿意相信战争会爆发，“因为奥地利太弱了，一定会放弃”，但是同时谴责俾斯麦图谋进行“野蛮的政变”，并且表达了对布雷希罗德的“不信任感”正在进一步加剧。相应的，他发出指令卖出了 40 万塔勒的普鲁士债券。这可把布雷希罗德吓坏了，经过一个朋友的介绍，他急匆匆到奥斯登去见詹姆斯，“他来告诉我，”詹姆斯很平淡地说，“一切都运行得多么正常。”詹姆斯对普鲁士局势的判断表明他在这个紧急关头把俾斯麦和布雷希罗德看得多么渺小：“俾斯麦绝对不可信赖，因为他在国内的地位非常糟糕。布雷希罗德认为将会爆发一场革命，这真是可笑的胡说八道。对这样的说法我连一个字都不会相信，因为一个人不应该为了稳固自己的地位而拿自己的国家去冒险。”当俾斯麦再一次进行尝试的时候，詹姆斯完全明白了他的目的。甚至在两人于 9 月 2 日会面之前，詹姆斯就已经得出结论，认为提高海外贸易银行的贴现率是“一个政治动作，目的是防止奥地利获得贷款，并强迫它出售两个公国（希勒斯维格和侯斯坦）”。

然而，这次会议后詹姆斯的语气有些变化。“俾斯麦昨天告诉我，”他在会后这样告诉他的侄子们，“奥地利人现在根本就不想卖，但是最后他们肯定会屈服的。”俾斯麦首次提出了这样的说法，如果詹姆斯把款贷给了奥地利，就会减轻而不是增加迫使皇帝同意出让侯斯坦的压力。不过这并没有阻止罗斯柴尔德家族与贝克之间那场几近达成协议的谈判。但当俾斯麦在一个月后到比亚里茨拜会了拿破仑三世之后，他明显加大了破坏贷款谈判的力度——而且这一次他似乎得手了。在10月6日，詹姆斯通知他的侄子们，他已经推迟了与贝克的下一步谈判，“因为现在这个时候根本不可能考虑这种大规模的交易。这里的人都说，俾斯麦在跟德律安·德吕谈话的时候一直是以一种趾高气扬的方式”。第二天，在费里耶尔狩猎后，詹姆斯与俾斯麦开了两小时的秘密会议（俾斯麦高度赞扬了詹姆斯的优质红酒）。很是恼火的姆赫林能这样向维也纳报告：

我不知道他们之间谈了些什么，但我确实知道在费里耶尔的头一晚，这位老男爵还非常有所指地提议为我们的心想事成干杯……但在这次问题很大的访问之后，谈判的发展转向了坏的方向。有谣传在四处传播，说德·俾斯麦先生为侯斯坦出价8 000万塔勒。罗斯柴尔德家的一个儿子——阿方斯走得更远，他告诉我的一位同事，我应该接受这个建议，而且要是这样的话，我们也就不再需要贷款了。

事情马上就真相大白了，俾斯麦再一次告诉詹姆斯，如果借钱给奥地利就会妨碍对争议中的土地的和平出售。姆赫林能所说的这些话中，只有对俾斯麦心中对于侯斯坦的出价的猜测是错误的（布雷希罗德只是提出了2 100万塔勒，只是克罗涅-明登交易所得收益的2/3）。根据姆赫林能给奥地利外交部部长蒙斯多夫的报告，几天之后（在10月15日或者之前），詹姆斯重复了俾斯麦的说法，尽管詹姆斯很小心地否认了这些说法的原始出处。他同时还额外透露了几乎同时在秘密进行中的意大利的另一份提案——威尼西亚也被打算出售：

在我们的谈话就要结束的时候，詹姆斯·罗斯柴尔德很突然地对我说：“你们为什么不接受那个据说已经对你们提出来了的方案呢？让他们购买侯斯坦。”……我当着他两个儿子的面答复男爵，我无法回答他所提的问题。尽管对这个问题我没有接到什么指示，但我认为我应该向他表明我个人的意见，告诉他帝国政府并不考虑这种可能性。男爵打断我说，这只是在股票交易所里流传的传言，就像是关于出售威尼西亚的说法一样，这些消息并不是来自于任何政府部长或者是外交人士。我回答说，我有太多的理由推断这些精心编制的说法的来源（提到了俾斯麦的名字），这些说法我已经从很多途径听到过，而且也有些时日了。由于他只提到了威尼西亚，我觉得我有必要对那些企图误导公众错误理解我的政府意志的人强烈表达我们的不满。这种想法根本不可能，甚至仅以此为基础，对通过提出侯斯坦问题，以便为威尼西亚购买案铺平道路的企图进行讨论，都没有任何的可能……我相信奥地利就算是只剩下最后一个人以及最后一分钱，也不会允许别人对帝国的统一进行干预……如果外国的资本去为我们的敌人服务，最早遭到打击的必定是它们。没有什么能阻挡我们找到自己的方式，击败他们对我们的攻击。

詹姆斯连续几日闭门不出，遭受着疑惑与痛风的双重折磨。在维也纳，这次谈判延期的事件甚至变成了公众谈论的粗俗话题。伊芙林娜就提到，安塞尔姆到戏院去“看一部新剧，剧中的主角有句台词是，‘我们需要钱，钱，钱’……整个戏院的所有观众就转过头来看着安塞尔姆。被现代的阿尔戈斯①——公众——这样盯着看，使他感觉到非常不自在”。

然而，俾斯麦并没有达到他的目的，因为在10月18日，詹姆斯与他在伦敦的侄子们决定继续向前推进。两天后，条款似乎基本谈定了，4 900万古尔登的短期借款或者是9 000万到1.5亿、价格为68的贷款，附加条款为免除隆巴蒂铁路的税收20年，作为补偿，詹姆斯宣布免除政府对特瑞斯特和威尼斯铁路网债券担保的责任。罗斯柴尔德家族的家书显示铁路免税政策——其价值按照阿方斯的测算每年为1 400万古尔登，而按姆赫林能的算法是总计2 800万——事实上是最关键的问题，其关系是如此重大，以至于詹姆斯把它列为了合同谈判的必要条件，不仅是针对贷款，也针对短期借款。按照阿方斯的说法隆巴蒂特许权是“资本的基点”。他和他的父亲没有意识到的是，由于提出了侯斯坦和威尼西亚的问题，他们很不明智地跨越了奥地利政府所关注的红线。当阿方斯醒悟过来，认识到维也纳变成了“烫手山芋”事实时，一切都太晚了。通过维也纳银行家赛缪尔·哈伯的介绍，姆赫林能和贝克与巴黎的一个银行家集团建立起了关系，这些银行家包括霍廷格尔、马勒和福尔德，由地产信贷银行牵头。当詹姆斯提出（用姆赫林能的话说）“无法接受的条件”并且要求“真正的让步——对隆巴蒂的税收豁免”的时候，竞争银行的报价“远比罗斯柴尔德的好，而且并不要求什么回报”。“这些报价可能会被回绝，” 姆赫林能很直接地写道，“这

① 阿尔戈斯（Argus），希腊神话中的百眼巨人。——译者注

个后来的银团没有罗斯柴尔德-巴林的声望。我承认这点，也就是因为这个原因，我们才花了 7 周来谈判这个根本不可能的价格，耐心地倾听詹姆斯男爵嘴里冒出来的一些实在难听的话，目的只是希望能跟他谈下去。”在 11 月 14 日，他和贝克完成了与地产信贷银行银团的谈判。因此，不仅没有能在破坏奥地利的贷款事情上与俾斯麦保持一致，詹姆斯反而是羊肉没吃到惹了一身膻。当他和阿方斯意识到地产信贷银行已经把他们赶出局的时候，都觉得非常震惊：它对阿方斯的打击如此之大，让他惊呼“荒谬到了令人难以置信的程度，那些先生们一定是相当臭名昭著和厚颜无耻，才会冒这天下之大不韪”。詹姆斯对这些“奥地利流氓”大为光火，并指责贝克收受了贿赂。安塞尔姆和费迪南德觉得“德 · 贝克先生的行为非常恶心”，他们认为他，“不仅没有绅士风度，而且做的也不是正常的商业行为”。事实上，这件事情让安塞尔姆是如此激动，甚至以从国会辞职相要挟，尽管詹姆斯建议他不要这样做（“在这种关头奥地利人不会再重新任命一名犹太人”）。

问题的症结仍然未能解开，也许是因为他像奥地利人所宣称的，强硬地坚持隆巴蒂铁路的免税要求，而这已经证明成为了不可逾越的障碍。作为回应，詹姆斯给出的说法是奥地利人只是用他的隆巴蒂要求来作为一个借口，其根本性的原因在于政治决策，要支持一个纯粹的法国贷款。事实上有很多现象可以支持詹姆斯的这个说法。在地产信贷银行的条件事实上很明显赶不上詹姆斯所提出来的组合。后来居上的银团按实际价格 61.25 购买面值大约 1.5 亿古尔登的债券，因此，在支付完佣金后，奥地利政府真正到手的只是 9 000 万古尔登。按照詹姆斯的说法，当市场对奥地利的债券报价还在 70 的时候，这完全就是在放高利贷。相比较而言，罗斯柴尔德给出的价格是比较合理的 68，如果考虑隆巴蒂优惠减少一个百分点，是 67.1。因此，更加合理的解释似乎应该是詹姆斯对出售侯斯坦和威尼西亚这种可能性的暗示，使得奥地利谈判者开始寻找其他银行。当弗兰兹 · 约瑟夫从他派驻巴黎的官员的报告中得知詹姆斯把所建议的贷款的条件设定为承认意大利的王国地位时，他在报告的空白处潦草地写道：“这个问题根本就没得谈。”约翰 · 罗素爵士也支持出售威尼西亚的事实在加重他们疑心的程度上并不比詹姆斯与俾斯麦会面给他们造成的压力小。一笔由纯粹的法国银团在得到拿破仑三世和德律安的认可后放出的贷款，似乎不会有太多的附带条件限制；事实上，它似乎增加了把法国卷入反对普鲁士和意大利的联盟中的机会。当戈尔德施密特听到贝克接受了地产信贷银行的报盘后，他就下了结论：“对于购买侯斯坦的业务，绝对没戏了。”

因此，在最后的分析中，最关键的是奥地利人对出售侯斯坦或者威尼西亚的根本性否决——既不是因为俾斯麦的阴险，也不是因为詹姆斯对铁路的自私要求。对于这种强硬的态度，一般总是归咎于弗兰兹 · 约瑟夫那种不合时宜的哈布斯堡荣誉感（甚至连他自己后来都说奥地利的政策“非常崇高，但是非常愚蠢”）。然而，这种对侯斯坦或者威尼西亚所做出的各种报价固执的拒绝到底蠢到什么程度，确实很值得深思。如果 4 900 万古尔登只够用于满足奥地利的债权人在 1866 年 2 月期间的债务，那么普鲁士为侯斯坦所报出的 4 000 万古尔登的价格也许就“太少了”。因此，戈尔德施密特的说法也不是没有道理，他建议普鲁士用一小片西里西亚（俾斯麦自己在谋划格拉兹国）或者位于魏滕伯格的赫亨佐冷飞地（普鲁士皇室的祖地），来给这个药片上抹点糖。（维克多 · 艾曼纽尔不是将他的祖地萨瓦奉献给法国了吗？）蒙斯多夫或许也是对的，他认为出售一个多民族帝国的一部分所开先例带来的危险，可能会比通过武力失去它们更严重。至少，在战场上人们总还有胜利的机会，实在不行的话再投降也不迟。

战争中的家族策略

当我们认识到自己身陷困境的时候，是我们对对方最感到愤怒的时候。詹姆斯清楚，由于代替俾斯麦提出侯斯坦或者威尼西亚的问题，他已经在无意间破坏了可能会给隆巴蒂铁路带来好处的一项交易。然而，当他和他的亲戚们不得不重新返回到黑板前，为他们的铁路设计那些后来被证明成本很高而且难度不小的新权证发行时，他们并没有自责。另外，他们也没有责怪奥地利，虽然他们似乎完全有理由这样做。事实上，给维也纳提供的新的短期借款早在 1866 年 2 月 1 日就已经开始了。他们带着异乎寻常的激烈情绪，一致谴责普鲁士。不过在表面上，詹姆斯在 11 月给俾斯麦送去了一箱勃艮第酒，作为对他访问费里耶尔的纪念。而罗斯柴尔德家族私底下对这位普鲁士首相的看法，经过了很多年才得以从这次失败的奥地利贷款事件中恢复过来。1866 年 1 月 16 日，迈耶 · 卡尔从法兰克福写来了一封通篇都是愤怒语言的信，这封信简直就像是一份宣战书：

> 世界上这一地区的局势变得一天更比一天复杂，普鲁士的行为表现出了一种自从有历史记录以来人们闻所未闻的特质，而且几乎每个人都持有这样的观点，认为普鲁士应该为它糊弄整个德国的这种可耻行径接受一次惨痛的教训：它的这种行为方式是史无前例的，而且对可能发生或者即将发生的事情形成的意见也根本毫无用处，事实是整个德国普遍都反对一个狼子野心的政府所提出来的政策。

这种情绪得到了列昂内尔最小的儿子里奥从剑桥发出的呼应："普鲁士看起来是如此残暴，好像他们的野心永远都无法得到满足，似乎他们仍然在迫不及待地想要摧毁其他所有的弱小国家。"在维也纳，戈尔德施密特的心里对俾斯麦的好斗也越来越感到不安。当普鲁士大使高兹坦率地——而且可以肯定并没有得到政府的授权——警告他，与奥地利的战争已经箭在弦上了，因为"关于侯斯坦，奥地利已经给了普鲁士一个否定的回答，它一口回绝了出售它在那儿的权利"，但是詹姆斯的情绪并没有得到任何的改善。对于阿方斯来说，普鲁士是"盛宴上的怪兽"：只要俾斯麦还在掌权，并且推行他的"吞并政策"，他就看不到金融市场稳定的希望。这就帮助我们解释了为什么詹姆斯对这个提议如此不友好的原因——在接受布雷希罗德的助手勒赫曼的拜访，并在与高兹进行了两小时的会晤后，他在3月14日一口回绝了——这个建议是让一个由罗斯柴尔德家族组成的辛迪加以2 000万塔勒来购买政府留在手里的80 000股克罗涅－明登股份。

这个回绝经常被用来作为罗斯柴尔德家族"不给战争目的借钱"政策的证据。在这个事件中，神话与现实或多或少有些联系。这个说法事实上引自1862年的一封信，不过詹姆斯在这个事件中的表现或多或少确实如这句话所说的那样。他对在伦敦的侄子们说："我回绝了布雷希罗德的助手提出来的建议，我们这样做是坚持我们不向发动战争的人提供资金的立场。只有当我们能确切地知道这两个政府已经达成了协议时，我们才能清楚我们应该怎么去做。"詹姆斯有很好的理由相信俾斯麦的地位已经大不如前，因为议会的一个委员会裁定以前的克罗涅－明登交易是违法的。他认为普鲁士确实面临金融困难。如果此时俾斯麦想以2 000万塔勒为侯斯坦提出一个新的报盘，那么詹姆斯可能会非常有兴趣；但高兹私下告诉他，俾斯麦打算以武力方式来解决德国问题。甚至布雷希罗德也承认：他能说的最多只是"如果这个事情无法避免的话，（在奥地利和普鲁士之间的）决裂在4月或5月之前也肯定不会爆发"。在这样的情形下，去购买克罗涅－明登的股份不仅是公然藐视议会——同时我们也不应该低估罗斯柴尔德家族对议会禁令的尊重——同时也为普鲁士的战争准备提供了资金。一点不奇怪，俾斯麦在3月13日的信中责备高兹在如此敏感的时刻亮出了他的底牌：

> 我们希望推迟战争的全面准备，以便首先展开金融行动，因为如果局势由于军备竞赛而变得更加紧张的话，进行这样的行动就会面临更大的困难。从这个角度来看，我可以很肯定地说我们已经与罗斯柴尔德银行进入了初步谈判阶段……按照事情本身的性质来说，罗斯柴尔德银行应该是不欢迎任何战争可能性的，而且会采取所有可能的手段来防止战争的爆发；我可以更具体地报告阁下，罗斯柴

尔德男爵在几周前通知我们的代表（布雷希罗德）他或许不应该反对与普鲁士进行交易，而且或许他早该满心欢喜地这样做了，但是由于目前的紧张局势，而且特别是他与阁下进行过一次谈话后，现在他无法这样做了。我觉得我应该提到这个事实，因为它告诉了我们在与罗斯柴尔德打交道时应该多么小心谨慎。

安东尼此时恰好在巴黎，他对普鲁士的建议非常蔑视：普鲁士可能“非常迫切”地想开战，但“他们的资金状况与以前一样糟糕……整个国家都在反对它。普鲁士的部长……在刚过去的2小时中要求男爵……给政府提供2 000万塔勒的短期贷款，政府以大量的铁路垃圾债券作担保”。3月17日，高兹很坦率地报告国王：“罗斯柴尔德银行已经决定尽其一切影响力来防止普鲁士发动战争。”按照皇储的说法，“罗斯柴尔德正在调动天地来共同对抗俾斯麦。”5月20日的慕尼黑《幽默》（*Punsch*）杂志的封面上出现了一幅漫画，标题是《罗斯柴尔德的备战》，上面描绘了詹姆斯死死抱住他的钱袋子，并且宣称：“我什么也不给！我们什么钱都没有！我的唯一的愿望就是中立。而且你们肯定也不会拒绝我的愿望吧？”(参见图8–2)。

我们知道詹姆斯最终未能阻止战争；但这不应该让我们对这一时期俾斯麦地位的岌岌可危视而不见。当普鲁士的部长们在高兹写信的当日会聚在柏林的时候，他们的所面临的选择面非常狭窄，正如会议记录中所指出的：“资金的筹集遇到了困难。克罗涅–明登股份的擅自出售只会造成损失。萨尔布鲁肯的出售也被提了出来。第三种可能性是向议会申请以取得一项贷款，然后是一个大德国计划以及大德国议会。”最后的选择似乎暗示着对自由党的投降。这是所谓的“科堡阴谋”时期——“科堡阴谋”是一项解除俾斯麦职务的计划，据认为牵涉到了维多利亚女王、罗素、迪斯雷利以及罗斯柴尔德家族。3月20日，詹姆斯急不可耐地从柏林向四处传播谣言，说“俾斯麦就要辞职了，和平将会得到保障”。两天之后，迪斯雷利告诉迈耶说俾斯麦“应该被绞死”。当居斯塔夫听说“为了解脱自己，俾斯麦考虑召集一个全

图8–2　M·E·希勒，《罗斯柴尔德的备战》，慕尼黑《幽默》杂志原创版，19，Nr，20（1866年5月20日）

资料来源：赫丁，《漫画中的罗斯柴尔德家族》，插图16（Marburg Universitatsbibliothel）。

德国议会"时，他觉得很震惊，因为这超出了"底线"，而且令人"难以置信"——这进一步证明了他的绝望。迈耶·卡尔在信中写道，普鲁士首相"把自己带入了一个可怕的混乱中，而且认为武力可以解决所有的问题"。这表明，罗斯柴尔德家族一直在担心内部的压力可能只会增加俾斯麦对战争的狂热——这期间他们对俾斯麦的讥讽最为尖酸刻薄，说他"狂妄"而且"像只野猪一样满嘴沾满了白沫"。用詹姆斯的话说："没有谁会知道他想要做什么，而且只要他能得到国王的支持，他就会宣战，简直视战争如儿戏一般。"

然而，就算是俾斯麦确实得到了国王的支持，但是他怎么来支付战争所需的开支仍然是个问题。伯德尔希温下拨了他最后的 4 000 万塔勒；5 月 2 日，内阁排除了出售萨尔矿山的可能。在这样的情况下，期望俾斯麦下台似乎是顺理成章的事。奥地利在 4 月 7 日提出的裁军建议更是让俾斯麦雪上加霜。两周之后，他不得不表示接受。至于说到他提出了通过普选为联邦建立议会的建议并因而披上民族革命的外衣一事，似乎与他 1848 年以来的所有言行都是完全水火不相容的。一直到了 4 月 27 日，布雷希罗德都还无法排除普鲁士放弃强权而且俾斯麦引咎辞职的可能性。在 5 月份的第二周和第三周，人们看到了普鲁士政府内部一系列的混乱状况：一项针对俾斯麦的暗杀行动；议会的解散；柏林交易所的危机；卢恩提出的预算——认为动员九个军团的军队需要 2 400 万塔勒，此外，只要战争的脚步不停，另外每月还需 600 万。5 月 18 日，普鲁士政府颁布了紧急信贷条例，暂停货币的兑换；三天后，当海外贸易银行试图在巴黎出售短期国债的时候，詹姆斯再次宣布了他对高兹的反对。一直到 6 月 9 日——正好是在伯德尔希温的继任者向由布雷希罗德和奥本海姆牵头的银团出售克罗涅-明登股份失败整整一周后，勒赫曼又被派往巴黎"来询问我们是否愿意用金条或者白银给银行借款，可以用克罗涅-明登股份或者是海外贸易银行的票据做担保"。他再一次被回绝了。正如阿方斯所说，这项交易会产生"不错的利润"，但是詹姆斯对帮助一个勒赫曼自己都认为是步履蹒跚的政府"在此刻不是很有兴趣"。

詹姆斯不仅拒绝了俾斯麦的资金需求，他还试图在他认为普鲁士有需要的其他方面拒绝了俾斯麦，例如与意大利结盟。意大利的状况在很多方面都与普鲁士和奥地利类似。自 19 世纪 50 年代开始，罗斯柴尔德家族对意大利金融稳定性的信心出现了急剧下降，而且，詹姆斯在 1865 年 8 月还出售了意大利债券。他和他的儿子们在 1865 年 9 月听到意大利政府宣布 2.8 亿里拉赤字的时候受到了很大的刺激。然而，对于保持与意大利的业务往来还是能够找到很好的理由。首先，如果威尼西亚从奥地利转入意大利的想法能够通过和平的手段顺利实现，意大利在购买的过程中需要获得金融服务。其次，而且也许是最为重要的是，意大利目前控制了隆巴蒂公司铁路网所覆盖的大部分地方。因此，1866年出现了第二次让罗斯柴尔德家族获得特许权的机会——作为给政府提供一笔贷款的回报。这所面临的风险也像普鲁士一样，意大利有可能使用所获得的资金进行一场战争，而不是通过和平购买的方式来取得威尼西亚。因而，当意大利政府在1865年9月找到詹姆斯，要求提供一笔总额为3 500万里拉的短期借款的时候，他并没有反对帮忙；但是在进一步推进这个项目之前，他仍然很留意地关注着意大利裁军的任何可能的迹象。

1866年初发行1.5亿里拉债券的消息开始几乎没有引起任何重视，因为意大利政府最初只是要求朗道拿1 400万里拉。然而，到了3月份，政府提出了一个新的方案，向隆巴蒂公司提出了一个新的而且更加慷慨的合同，目的是换取1.25亿里拉的借款。这似乎给了罗斯柴尔德家族一直在寻找的杠杆支点，尽管之后不久宣布的对于政府债券的税收法令表明意大利政府的意图是既使用大棒，同时也使用胡萝卜，来确保罗斯柴尔德的合作。如果意大利人可以接受采用和平的政策——最理想的方式是使用一笔贷款的收益来向奥地利购买威尼西亚——那么，俾斯麦可能就会受到外交上的孤立。意大利大使尼古拉警告詹姆斯说，意大利可能会在与奥地利的战争中与普鲁士联手。然而，3月22日，意大利政府出人意料地邀请朗道这位罗斯柴尔德家族的代理人以调停人的身份“来传递对于（购买）威尼西亚的提议，并以此来避免战争”。阿方斯对这个提议的评估表示：

> 人们担心我们这方面的这样一个举动可能会遭到严重的误解，并且使我们在维也纳的地位变得非常脆弱。在很多场合下我们在这方面吃了亏，而且我们要明白我们根本不应该再卷入到这类问题之中，这应该激发公司所有人员的警觉。或许，在某些危急的关头，奥地利政府自己会改变主意……可以从意大利政府的方针中推断出来的一个结果，就是如果战争发生，他们会参战，但是他们并没有与普鲁士签订什么协议。

朗道的提议是一份得到了英国支持的强迫奥地利和意大利对威尼西亚问题采用和平协议方式来解决的方案的一个组成部分。与此同时提出来的其他可能的解决办法包括用威尼西亚交换罗马尼亚——当时，罗马尼亚刚爆发了一场革命，推翻了通过选举上台的尼古拉斯·库杂王子，另外就是用侯斯坦交换格拉兹（再次提出）。

针对第一种情况的所有努力都再次失败了，因为奥地利人根本不愿意听到出售的说法。在向埃斯特哈齐转达朗道的建议之前，安塞尔姆强烈要求朗道不应该接受这个意大利任务，因为他相信出售威尼西亚的提议会被一口否决。如果朗道带着这种可耻的建议来到维也纳，他会进一步以“意大利党人”的名声将罗斯柴尔德家族带入到更加声名狼藉的境地：

> 这里的内阁什么也不怕。如果需求增加了，他们就会手执牛角来要求我们。如果得不到法国的支持——而且我也希望没有这个支持——意大利军队将把自己白白地消耗在对这个四方形的堡垒的对抗中。这些公国（希勒斯维格和侯斯坦）的问题总体来说被当成了事关荣誉的问题，而威尼西亚则是一个实际存在的问题。政府对普鲁士所报出来的价格装聋作哑，对于意大利的报价更加不理不睬，因为意大利的口袋里怎么看都是空空如也。

埃斯特哈齐回绝了朗道的报价，而普鲁士对于奥地利军队调动的说法仅仅是为了配合这个险恶的用心。到英国政府正式提议以4 000万英镑的价格来出售威尼西亚的时候，一切都已经太晚了。意大利宣布在国内发行价值2.5亿里拉的债券只能被解读为军事备战做资金准备的一个手段。到4月8日，意大利秘密与普鲁士签订了一个协议，有效期只有3个月，同意如果普鲁士对奥地利发动战争，它就会跟进，对于这个行动它得到的回报就是可以获得威尼西亚。这就给意大利在与罗斯柴尔德的批评进行对抗方面提供了足够的信心——而这些批评由于意大利政府对所有的债券持有人加征税收的决定而更加激烈。在谴责意大利的外交和金融政策造成了“对它自己的信用体系带来了致命打击”的同时，詹姆斯发出了一个公开的威胁：如果意大利政府想再找到另外一笔外国贷款，“我以最郑重的方式向大家宣布，我，曾经一直是意大利债券在巴黎的参与人，将拒绝与意大利的所有新的交易，而且，我将从此拒绝参与到对意大利债务的任何利息支付的业务中”。他对俾斯麦也是同样大为光火：他们与意大利的联盟向詹姆斯证明，俾斯麦是“一个一心只想着战争的狂人。我在此郑重宣布此人实在太坏，我将以极大的荣幸站在奥地利一边，共同打败可恶的俾斯麦”。

然而，不是因为普鲁士好斗，而奥地利人不妥协；当然也不是意大利人的漠不关心最终导致避免战争的努力功亏一篑。事实上，尽管维也纳的这些政治家嘴上说的那么动人，但是一旦嗅到了战争迫近的味道，他们就开始低头寻找妥协的方案。4月9日，奥地利驻巴黎大使梅特涅向詹姆斯明确表示，如果法国站在普鲁士一边，奥地利会“让步”。第二天他又重复了这句话，正如詹姆斯所记录的：

> 看上去奥地利像所有的大国一样需要钱，这使得我能继续对和平怀有信心……梅特涅说奥地利愿意为和平付出一切，而且最后可能会屈服……奥地利需要800万到1 000万古尔登，他们愿意满足我们的所有要求，并接受所有的条件。如果他们被迫向普鲁士低头，会让我觉得非常难受。

按照最后的评论所说的，詹姆斯对奥地利所处地位的同情与日俱增。但最关键的问题是他一直期待着奥地利的投降。而且事实上这是非常可能的事，甚至在俾斯麦提出明显不会被接受的加布兰兹提议，要求把希勒斯维格和侯斯坦交给一位普鲁士王子之后。一直到5月28日，奥地利才最终回绝了这个“妥协建议”。到了6月1日，奥地利请求设在法兰克福的联邦议会出来解决这个问题——这种做法违反了以前奥地利–普鲁士双方签订的关于公国地位的协定，而正是这件事给俾斯麦提供了发动战争的理由。就是在这样的情况下，奥地利军队完全放弃抵抗撤出了侯斯坦。

使和平最终未能实现的是法国的政策。从开始，罗斯柴尔德家族就已经意识到法国的作用是决定性的：如果它能够在奥地利和意大利之间做一个实实在在的中间人，按照詹姆斯的看法，就非常有可能达成一致；但是如果它鼓励意大利人将他们的利益与俾斯麦搅在一起，战争几乎就成了不可避免的事情。这可能是拿破仑三世的政治生涯中最重要的机会，而他很典型地想做到左右逢源。在维也纳，安塞尔姆得到的消息是法国在战争中将会站在普鲁士的对立面。詹姆斯和阿方斯也开始想这些问题，尽管他们怀疑拿破仑三世只是想“浑水摸鱼”，而并不是真的想威慑普鲁士。他们想对了：拿破仑三世不仅一点都没有要求双方克制，而且事实上秘密地劝说意大利接受普鲁士的要求。正是拿破仑三世不仅没有劝阻反而推动了战争的做法，促使了詹姆斯去做他最后但又显然毫无用处的维护和平的努力。而颇具讽刺意味的是，如果他扭转法国政策的努力获得了成功，或许具有同样的反作用。

詹姆斯不需要引发一场金融危机来支持他反对战争：欧洲的股票交易已经下跌到了全面恐慌的程度。对战争的担心还只是一小部分原因：当它发生的时候，外交危机正好碰到了英国和法国同时出现的金融危机，危机的根源在于随着美国内战的结束，国际棉花市场恢复了正常。罗斯柴尔德银行也受到了危机的影响，但严重程度远不及股份合作制银行和投资银行：事实上这场危机的主要受害者还是欧沃伦格尼银行和工业信贷银行。对于列昂内尔和他的儿子们来说，危机已经糟糕到在安息日期间他们也必须留在纽考特，而且“大量的金融破产”这个话题成了所有对话的主题，不论是在下院，还是在丹西尔夫人的舞会上。然而，对于詹姆斯来说，股票和债券价格的下跌几乎可以看成是个大好事——与他的竞争对手不一样，他“感谢上帝，我不欠谁的债”。事实上，他给罗斯柴尔德家族伦敦银行送去了15万英镑，以帮他们解脱困境，而且危机给他提供了一个理想的外交杠杆。他的目标是说服拿破仑三世，让他相信战争的负面后果要远超过它可能带来的国际（而且随后也会包括国内）政治收益。

拿破仑三世在4月8日开始了他的战役，正好是普鲁士和意大利秘密结成同盟的时候。正如纳特所报告的，他“昨晚与皇帝在图勒瑞斯进行了长谈，他希望能够让国王陛下明白维护和平的必要性”。当他三天之后再次见到皇帝时，他又重复了这个说法，力图让皇帝“信服对于经济来说战争是最大的不幸”——这个观点也得到了佩雷尔的赞同。阿方斯说拿破仑三世也试图向他做出保证：

> 普鲁士认为它可以得到法国的支持，但事实上并不是这样，而且尽管在私底下它鼓励俾斯麦去冒险，但是法国将会保留采取行动的自由，保留按照局势的变化进行应对的权利。皇帝很希望看到威尼西亚问题的顺利解决。如果奥地利同意，他会坚定地与它共同前进，而普鲁士将会为它的荒唐付出代价。

两个星期后，当瓦卢斯基言之凿凿地告诉他战争无法避免后，詹姆斯又再次去见拿破仑三世“宣扬和平”。他发现皇帝“早已有准备”，就像阿方斯所记录的：

> 他说他很仔细地考虑过这个问题，他认为俾斯麦不可能保住他的地位，而对他自己来说，他根本就不想卷入到这场争吵中，因为所有的问题都可能由于他的干预而更加恶化……但他收到的最新消息表明，奥地利正将它的兵力部署在与意大利可能爆发战争的前沿……我的父亲询问他为什么不出手干预，以求在奥地利和意大利间达成一份谅解，他回答说，要想做到这点就只能通过战争，因为奥地利不希望听从任何人的建议，而且以前曾经建议过（多瑙河地区的）公国，但是他们想要的是西里西亚。

按照这里所说的，拿破仑三世仍然倾向于支持意大利，坚持认为他们不得不开始进行战争准备。支持各个地方一触即发的革命是他惯用的伎俩，而当他信口开河，于5月6日在奥克塞尔公开抨击1815年的协定时，罗斯柴尔德家族被惊呆了。这番讲话对巴黎交易所的影响是灾难性的。阿方斯在第二天写道，它标志着“一个新的世纪，而且人们甚至不会再猜想这个世界上现在会发生什么，在欧洲重新恢复秩序之前，欧洲将经受怎样的动乱”。当晚在忒勒蕊由皇后主办的一次舞会上，梅瑞美注意到“大使们的脸都拉得很长，让人不由得会把他们与那些被判死刑的犯人联系到一起。而其中脸拉得最长的是罗斯柴尔德，有人说他在头一天晚上损失了1 000万”。事实是在奥克塞尔讲话——这个讲话造成了巴黎交易所的再次恐慌——之后，詹姆斯创造出了他著名的格言：“帝国就是空头。”

可以想见，如果拿破仑三世能一直支持意大利，而且通过暗示让普鲁士去攻打奥地利，奥地利人可能早就已经放弃了他们的立场。然而，到了最后的关头——或许部分是因为詹姆斯的骚扰——拿破仑三世似乎开始考虑援助奥地利。外交上的妥协出现了经济方面的预兆。首先，地产信贷银行根据梅特涅的请求提供了一笔现金借款。

其次，隆巴蒂公司4月15日在巴黎召开的公司年度大会取得了“辉煌的成功”——这次大会同时似乎也巩固了法国和奥地利之间的经济联系。最关键的成就出现在5月份，当时奥地利出人意料地将威尼西亚割让给法国（然后可以再转交给意大利），作为对法国支持抗拒普鲁士的回报。尽管这让拿破仑三世有点措手不及，只好采用他惯用的把球踢给国会的伎俩，但这个异乎寻常而且让人误解的热情做法在6月12日终于有了结果，那一天奥地利和法国签署了协定，确保法国中立。在整个谈判过程中，詹姆斯在推动法国“对奥地利亲善”方面起到了积极的作用，他经常拜访罗希尔、英国大使考雷和拿破仑三世本人。具体来说，他有自己私下的反意大利日程安排，力争在他个人与意大利关于国债征税的争吵中获得法国的支持。同时他也把握着奥地利人希望能够重续罗斯柴尔德已经放给维也纳的短期信贷的希望，尽管奥地利人对他们与隆巴蒂铁路所签订的合同在进行着狡辩。

俾斯麦在5月23日时曾经告诉布雷希罗德：“皇帝（拿破仑三世）只要真的想做，他还是能保住和平。”但事情并不是这样，因为通过支持奥地利的立场，拿破仑三世事实上对战争的爆发做出了决定性的“贡献”。6月12日的协定基于这样的假设——在法国严守中立时，奥地利不仅能够打败而且还能够分解普鲁士和意大利；作为放弃威尼西亚的回报，奥地利打算最起码要在两西西里恢复波旁家族统治，在中意大利恢复教皇统治，甚至要恢复过去的托斯卡公国、帕尔玛公国和姆蒂纳公国。普鲁士将会退回到1807年时候的边界，将西里西亚送给奥地利，将卢萨西亚送给萨克森，将莱茵的几个省分别归还给汉诺威、黑森—达姆施塔特、巴伐利亚和惠滕伯格。尽管在布雷希罗德的讲话中似乎从5月4日战争就已经开始，实际上在6月12日之后，奥地利才真正决定选择战而不是降。而詹姆斯一直到6月13日才认为战争正式开始了。因此，这才是法国的真正意图——鼓励意大利和奥地利马上开战——这就把原本可能是一场虚张声势的为了希勒斯维格和侯斯坦的假战争，转变成了事关德国和意大利未来的全面战争。无意间，詹姆斯为保卫和平所付出的努力把拿破仑三世的态度从支持意大利转为支持奥地利，这实际上诱使哈布斯堡政权的位置站到了两条战线上，并两面同时作战。

白银通道

罗斯柴尔德家族曾经一直很努力地想制止1866年的战争，但他们失败了。这次奥地利人所付出的代价非常高昂：与大多数当时那个时代的人——包括罗斯柴尔德家族所期望的相反，奥地利和它的日耳曼盟友在战场上遭到了普鲁士致命的重创，这次重创所导致的损失远大于即使奥地利对意大利胜利了所能获得的利益。这一次，罗斯柴尔德家族支持的是战败的一方。更严重的是，孔尼格拉兹战役的后续影响力似乎是无穷无尽的。“天都塌下来了。”教廷公使这样说，而且意有所指。俾斯麦的盟友普鲁士左翼保守党、克莱恩德意志自由党、意大利民族党以及匈牙利革命党，确实把整个世界闹了个天翻地覆。

奥地利罗斯柴尔德家族的沮丧很容易理解。“随着战场上传来一个接一个的可怕消息，” 安塞尔姆的儿子内桑尼尔在孔尼格拉兹战役后这样写道，“我感觉自己的悲伤和沮丧是如此深重，以至于我几乎都无法写字了。”这并不是装出来的爱国热情——尽管安塞尔姆在捐出 10 万古尔登作为伤员护理费用的时候肯定有这样的成分在里面。(他还很坚定地抵制在奥地利军队中区分犹太人和非犹太人的企图)。一直到 7 月 26 日草签和平协定之前，一直都有普鲁士军队继续向南推进到维也纳的迹象存在。这就意味着在战场附近的罗斯柴尔德资产将直接置于普鲁士的控制之下。由于与罗斯柴尔德所拥有的位于维特克维兹炼铁厂的通信中断，导致那里的工人领不到薪水。有报道说希勒斯多夫已经被占领——据说是被普鲁士支持的匈牙利军团所属部队占领，而且“占领区的绝大部分地区”被洗劫。事实上，当费迪南德在 9 月份到达那儿的时候，他看到了几个普鲁士骑兵军官。在他们离开的那天，他很恼火地报告道：“他们在园子里的砂石小道上四处遛马。其中一人在我的窗子下放了个障碍，然后在那儿来来回回地跳。所有的英国仆人就在那儿看着，并且嘲笑他那差劲的骑术。”

在法兰克福也有恐慌，而且这次也直接来自于普鲁士军队对城市的威胁。还在很早以前，迈耶 · 卡尔就意识到了法兰克福面临的威胁“是其中最要害的”，而他希望“与两边都保持好关系”的愿望不久之后就破灭了。他自己也情不自禁地随了德国各邦以及联邦中的反对普鲁士的大流。“既然敌意已经产生，”他在 6 月 11 日写道，“普鲁士应该遭到有力的打击，而且为它这些令人不齿的行为被好好地教训一顿，我们大家都认为，这些行为无论是在古代还是现代的历史记录中都是闻所未闻的。”到 6 月 20 日，“拒普鲁士于法兰克福之外”的准备工作已经就绪；但是很显然，当普鲁士人 7 月 8 日准备攻城的时候，他们发现这些抵抗根本没有用，因此迈耶 · 卡尔赶紧把他的女儿们送往了法国。7 月 17 日，在普鲁士又一次决定性地击败了联邦军队后，他们占领了城市。“在一种非常混乱和焦虑的状态下”，迈耶 · 卡尔的妻子路易丝这样向她的儿媳妇夏洛特描述：

> 傲慢的普鲁士人其实是在抢劫，因为他们几乎逛遍了所有的商店，挑选了最漂亮也最值钱的商品，而且从来不考虑支付任何东西。在威利的公司里，士

兵们抢占了所有的房间，只留下了玛蒂（汉娜·玛蒂尔德）的卧室，而吃饭的时候，除了香槟酒，其他什么东西都不喝！

如果罗斯柴尔德家族在这个时候能够认清他们相应的国家背景，那么保持中立的伦敦和巴黎对这种感受应该就不会太强烈。但他们没有，整个家族似乎把自己都摆在了奥地利—日耳曼一方。当意大利在库斯妥扎受到了奥地利军队被詹姆斯称为“一场真正的打击”的时候，他感觉非常开心，“他的结论是这对他们是件好事”，“这会为通向和平打通道路”。对于普鲁士，迈耶·卡尔所担心的罗斯柴尔德家族法兰西银行会顶不住压力屈从于布雷希罗德要求他们协助的事情根本没有发生。詹姆斯痛心疾首，他“衷心希望奥地利给挨千刀的普鲁士一次真正的教训，因为他们把所有的事情都搞得一团糟”。奥地利在孔尼格拉兹战役前夕不断失利的消息则使他“处于半疯狂的状态”。“我宣布，”他对他的侄子们说，“这一次我是完全支持奥地利的，因为战争实在是太不公平了。”甚至他年仅 8 岁的孙女贝蒂娜都“因为俾斯麦先生夺取了威尼斯①而对他非常生气”。“如果要由俾斯麦先生来决定的话，”她问她的英国祖母，“您是去加奈斯贝里还是去其他什么地方？”

但是这又有什么用呢？鉴于皇帝身边的很多人都一直在向他灌输反对奥地利的政策，阿方斯早在 4 月份的时候就已经意识到了一场针对法国的德国战争的危险。拿破仑三世的决定——他鼓励意大利和奥地利双方交战——留给他的不再是他所希望的裁判员的角色，而仅仅只是一个投机者。7 月 1 日，阿方斯很敏锐地总结出了法国政策中自相矛盾的特点：

> 如果奥地利胜利了，我们的政府将会与他们结盟，如果他们失败了，我们就向他们进攻……有可能将会很快组成两支观战部队，一支驻防在莱茵河地区，另一支驻防在阿尔卑斯地区。这只是作为预防性的措施，而不是一个预先设定的目标，因为据说皇帝非常迟疑，而且在与普鲁士的关系方面采用的是冷淡而且保留的态度。实质上看，法国是在做一次大冒险。普鲁士在德国的优势地位可能会是一个巨大的危险，这个危险甚至用取得莱茵地区省份的机会也不对等……因此，公众的同情全部都在奥地利人一边，但没有人知道皇帝的真实想法，人们对他们获得成功的担心就与他们对法国的期待一样多，因为拿破仑三世的朋友们正在煽动人们支持普鲁士。

---

① 原文如此。

阿方斯十分正确地认识到，如果拿破仑不下决心站在奥地利一边加入战争——或者是还没有从军事上为此做好充分准备——他根本没有任何可能去向一个拥有战胜者身份的普鲁士要求任何“补偿”。在罗斯柴尔德的眼里，法国对德国、比利时或者卢森堡的任何领土要求，注定都要一事无成；法国人可以做的最多就是说服战败的意大利接受威尼西亚，不要再提任何其他要求。而对“残暴的普鲁士在帝制的法国手上接受一顿深刻的教训”的渴望，詹姆斯认为是不可避免的：“如果我是皇帝，我会为自己感到脸红。”对于他以及他的儿子们来说，法国攻击普鲁士的战争只是推迟了一些时日而已：最终，拿破仑三世将会“被逼迫与普鲁士开战，因为这些人都认为欧洲属于他们”。任何在法国和普鲁士之间的和平都只是“表面上的虚假和平”。

英国罗斯柴尔德家族也对普鲁士的胜利感到不安。对于夏洛特来说，1866 年的战争根本不是德国统一之战，而是它的分裂——事实上是它的失败，罪魁祸首就是普鲁士。在 7 月 10 日，她甚至预言说普鲁士的野心注定要引起英国的干预：

> 普鲁士人……在庆祝他们的胜利的时候根本就没有节制。在那种情况下，具体说，就是如果他们想吞并新教德国、法国，或许不用抽出它那所向披靡的利剑，只需要向这个新的北方帝国所辖的莱茵河畔的天主教省份提出要求，而且几乎不会受到干预。尽管受到了德比爵士那丝毫没有政治家风度的讲话的影响——他认为大陆事务不大可能引起我们的兴趣——我们还是有可能被拖进一场武装干预的行动中，防止文明世界在法国和普鲁士之间被绝对割裂。

当然，按照阿方斯的说法，要是法国在对阻挠普鲁士的干预中能得到英国的这种方式的支持，拿破仑三世或许会行动得更加坚决。但是情况并不是这样。俾斯麦的条件——授予普鲁士对美茵河以北的德国领土的军事控制权，但是它保证德国南方各邦的“国际独立存在”——在伦敦看来已经是足够缓和了，没有必要进行任何的联合干预行动。 正如夏洛特在回复路易丝“请德莱恩先生在《时报》上发一篇有分量的文章”的请求时说的：“俾斯麦伯爵会关心我们英国报纸上的文章吗？他已经征服了世界，要是他不能打下如他所想象的那么广阔，而且又不用担心革命和侵略，能随心所欲地进行统治的帝国的话，他是不可能同意和平的。”夏洛特所能做的也就是加入“那些愿意为可怜的奥地利士兵募捐的妇女委员会”。

然而，总的说来，孔尼格拉兹在政治上的重要性超过了其经济上的重要性。不管怎么说，冲突的迅速解决，使得经济在总体上得以恢复，很快地结束了先前几个月出现的资金紧张状况。如果记住这一点，我们就不应该过分夸大战争给罗斯柴尔德家族造成的经济成本。正如我们已经看到的，对风雨欲来的预感促使詹姆斯减少了他的损失，并且在战争开始前几周将自己可能遭受的影响降低到了最小。早在4月9日，他就给他在伦敦的侄子们提出了建议，这些建议像他的那些广受关注的格言一样流行。他告诉他们抛光手上所有的债券，就算亏损也在所不惜。“我觉得战争太可怕了。”他写道，“为了能保证把现金紧握在手里，宁愿做出些牺牲，因为在战争中，你只要有钱就能生出钱来。”一周之前，詹姆斯在确信战争已经不可避免的情况下，就已经通知布雷希罗德开始在柏林出售罗斯柴尔德所持有的债券（尽管他对布雷希罗德过早地抛售的做法很是生气）。4月10日，他告诉伦敦，他已经“结清了他手上的所有隆巴蒂债券”，而且可以“冷眼旁观任何战争”。“现在，我的好侄子们，”他这样写道，思考着巴黎交易所中“全方位的恐慌”，“世界的末日并没有到来，而且如果战争真的来了，人们会找到其他的赚钱途径。”在最后的分析中，詹姆斯的首要原则是：任何代价都无法保证和平，但是任何情况下都要盈利，不管是和平还是不和平。

战争开始后，詹姆斯做出的判断是他毕生金融战争与和平经历的成果：“从远期看，所有的债券价格都会下跌，因为每个人都需要贷款。意大利同样需要，而且没有哪个大国能够支撑两个月。或许战争因此会非常短。”他的儿子阿方斯也能够很准确地看到战争带来的经济上的好处，尽管他也谴责它所带来的政治问题。正如他提醒在伦敦的那些堂兄弟的，隆巴蒂铁路的收益最好的时期就是1859~1860年，由于奥地利政府必须给公司付钱，以便把它的军队运送到意大利，盈利会再次出现大幅增长。这种在政治和私人利益之间进行辨识的能力是这个家族的特质。在战争开始前被责骂为“死心塌地的奥地利人”的安塞尔姆反驳道，他是“更加死心塌地的真正的罗斯柴尔德”。

另外，无论在感情上多么同情奥地利，罗斯柴尔德家族对于战败各邦在经济上的支持确实是非常有限的。在整个6月份，他们在维也纳对奥地利政府的支持只是些小额的短期借款，并在法兰克福出售“英国—奥地利”债券。迈耶·卡尔对于那些与奥地利共同作战的其他日耳曼各邦的贷款请求一律不予理会。他拒绝了拜登在4月份提出的300万古尔登贷款请求，拒绝了巴伐利亚在5月份提出的1 200万古尔登的贷款请求，也拒绝了6月17日魏滕伯格提出的任何方式的金融支持的请求——尽管仅仅在4个月前，他还在与艾兰格尔竞争给斯图加特贷款的权力。在经过很慎重的考虑后，罗斯柴尔德家族巴黎和法兰克福银行才同意给这个王国提供微不足道的400万古尔登借款——而且期限只有6个月。

可以肯定的是，詹姆斯一直没有重视布雷希罗德对于贷款给胜利者普鲁士的那些理由：在8月份，他“很干脆地拒绝了”普鲁士大使提出的2 000万法郎的请求。但是对于意大利提出来的请求，詹姆斯没有正面作答。按照长期协议的条款，罗斯柴尔德银行应该在巴黎支付意大利债券的利息，同时支付隆巴蒂铁路应该分给政府的那部分；由于战争，他们似乎把两件事都往后拖延了，也顾不上来自佛罗伦萨方面越来越紧急的请求。另一方面，詹姆斯拒绝出售他所持有的巨额的意大利国债，一直坐等良机尽失，他非常自信地认为意大利会成为胜利的一方，但是却没有意识到它可能并不在意自己的失败。具有讽刺意味的是，由于战争导致罗斯柴尔德家族法兰西银行所遭受的最大损失，可能就是在意大利国债上的损失。就算因此可以在休战期以及和平谈判期间采用一种经济杠杆的方式对意大利施加影响，也不足以给詹姆斯足够的慰藉，尽管阿方斯7月8日简明扼要的说法堪称经典："当然了，只要和平没有达成，意大利就别想从我们这里拿钱；一旦和平协定签下来了，我们就会随势而行。"罗斯柴尔德的地位又再一次处于这样的位置："人们不可以为延续战争提供资金。"麻烦的是，最有利可图的生意往往是那些在和平协议签署以前就敲定下来的生意，因为之后意大利的国债价格就会复苏，对于这一点，阿方斯和他的父亲看得都很清楚。当意大利政府提出接受隆巴蒂铁路一个亿里拉的远期预付款，给出的贴现率高达40%的时候，詹姆斯终于有些坐不住了。但是，他做出的选择是，没有得到拿破仑三世的明确同意就不采取任何行动，并且遵循了自己在停战协议没有达成之前不做任何行动的原则，取消了朗道过早提出的以国债抵押借贷2 500万里拉的提议。意大利政府所做出的回应是再一次提出了它的要求，而且这次不仅要求威尼西亚，还要求赔偿，以及蒂罗尔，并成功地得到了其他银行（地产信贷银行以及斯登银行）的支持。因此，其实是外交，而不是经济方面的压力诱使他们同意满足于威尼西亚，而且确实为此付给了奥地利8 600万法郎。

这部分还应该感谢詹姆斯，俾斯麦是在没有资金来源的情况下发动的战争。正如他后来所说，他在孔尼格拉兹战役的前夜觉得"他是在以自己并没有真正拥有的数百万元的筹码玩扑克牌游戏"。这个说法真实得有点残酷，而且如果他失败了，他将成为"世界上最大的无赖"。然而，胜利意味着从根本上解决了普鲁士政府所面临的金融危机，而正是这场危机将俾斯麦带上了权力的顶峰，也是这场危机4年以来一直困扰着普鲁士。按照常规的做法，战争中的胜利者可以向被征服者收取赔偿。

战败者中当然包括了普鲁士议会中的自由党敌对分子。俾斯麦对克莱恩德意志运动的支持分裂了自由党。击败奥地利孤立了那些"进步党人"——他们似乎对议会主权的关注要远高于对民族团结的关注。他们在与孔尼格拉兹战役同一日子举行的选举中的失败，对于俾斯麦的重要性不亚于他在战场上对奥地利人所取得的胜利。然而，在基本方面——这有时候会被忽视——俾斯麦也不得不做出妥协。当冯·德·海伊特在战争爆发的前夕取代伯德尔希温出任财政部部长的时候，他坚持要俾斯麦承认前些年的财政政策一直“没有法律基础”，并试图在战后从议会寻求一个补偿法案。（作为一名过去的自由党人以及商人，冯·德·海伊特在1862年从财政部部长任上辞职，也不愿冒违犯宪法的风险。）为了同意这样做，俾斯麦很快放弃了他开始时对威廉一世的许诺，他声称朝廷对军费预算的控制没有道理，因为尽管北日耳曼联邦以及后来的德意志帝国的军费预算从来没有经常投票，但一直都还是进行定时投票的。正是这个“内部问题的解决”（布雷希罗德在他给巴黎的信中这样高兴地宣称，并且在9月份的时候以绝对的优势投票获得通过），使得普鲁士的金融秩序回到了正常状态。

然而，俾斯麦从来就没有想过让普鲁士的纳税人来独自承担胜利的成本。从一开始，他就是以一种几乎像强盗一样彪悍的精神来挑起对其他日耳曼各邦的战争。詹姆斯早在6月28日的时候就听说俾斯麦“派出了他所有的将军去跟着汉诺威国王，以便能更好地得到他的钱、他的人以及他的士兵”。或许俾斯麦整个政治生涯中最为革命性的行动就是吞并汉诺威，并废除它历史悠久的统治家族；他的动机至少是部分出于经济的考虑。萨克森王国被完整地保留了下来，但俾斯麦仍然向它征收每天1万塔勒的占领捐（这些钱用于资助急匆匆建立起来的匈牙利军团），最后的赔款总共达到了1 000万。当然，只要俾斯麦只是一位被除名的王子，罗斯柴尔德家族就能够冷眼旁观。事实上，他们想起了那些远去的岁月，当时黑森-卡塞尔的选帝侯被迫将他个人的巨额财富藏匿到拿破仑一世的军队找不到的地方。当萨克森大臣威杂姆被派到慕尼黑将他的政府所拥有的黄金和白银储备（这些都是匆忙间从德累斯顿运过来的）转运到中立的地方时，他决定将白银——已经封装进罐子里的大约100万塔勒的银币——运送到罗斯柴尔德家族巴黎银行。当这些银币抵达巴黎后，詹姆斯想要把它们换成法郎——这样可以获得手续费。但是威杂姆提醒他选帝侯宝藏的传说，这个传说罗斯柴尔德家族也经常用来为自己宣传：“萨克森国王对您表现出了类似的信任，而我坚信您不会让他失望。”詹姆斯并没有因此被唬住：当普鲁士确定萨克森的赔款为1 000万塔勒的时候，他要求布雷希罗德确保获得参与贷款给德累斯顿政府支付赔款的份额。

要求奥地利支付3 000万古尔登的“战争献金”也是由一个第三方银行组成的银团借款支付，银团中包括了罗斯柴尔德家族维也纳银行和商工银行；不久，又开始了新的贷款和借款的谈判——尽管按照阿方斯的观察，对于奥地利“是活还是死”的局势最终明朗还需要时日。魏滕伯格也不得不发行1 400万古尔登的贷款来支付他的赔款；这一次，罗斯柴尔德家族法兰克福银行、伦敦银行和巴黎银行占了大头（1 000万），尽管他们不得不挤出自己的利润来迎接无处不在的艾兰格尔的竞争。与过去的情况一样，战后赔款的转账是一笔利润不菲的生意，就算是最终的利润必须得与他人分享。具体来说，当黑森－拿骚公爵从普鲁士拿到了 880 万塔勒的补偿款后，迈耶·卡尔就会去建议他怎么样投资最好。最自然的情况是，当出现类似希勒斯维格－侯斯坦这样的大动荡局面时，会令艺术品市场出现非常火暴的局面：这时，阿道夫才有机会买到巴登大公的水晶藏品。在 1866 年的时候，埃斯特哈齐家族并不是唯一一家家道中落，出售家藏珍宝的中欧名门望族。

这是正常的现象。然而，当法兰克福也被迫支付赔款时，人们就有更多的理由表示关切了。法兰克福没有王公贵族，它只拥有罗斯柴尔德家族。普鲁士人提出的任何赔偿不可避免地需要城里最富有的公民做出个人牺牲。甚至在普鲁士人公开提出他们的要求之前，阿道夫就对这样的暗示感觉到不胜烦恼。“普鲁士人在法兰克福的所作所为让我很心烦。”他从日内瓦的避难所给伦敦写信时说：

> 我也许也要失去我在那儿出租房子所得来的收入。当城里不再有外交使团驻扎的时候，谁还会像我的先父那样在法兰克福住那么大的房子？我不能把它交给那些会把它转成旅社或者宾馆的人，而我们还得支付税金。所以这些都让我很难过，使我抓狂。

当普鲁士人开出他们的单子——第一次是普鲁士军队司令官曼图费尔要的 600 万塔勒，随后显然是俾斯麦追加的 2 500 万塔勒——的时候，这个家族被惊呆了。迈耶·卡尔以法兰克福商会代表的身份，马上就对如此巨大的金额提出了质疑，并以同样的语气电告俾斯麦。对于阿方斯来说，对法兰克福索赔就是“野蛮行径”——“就像是经历了 30 年战乱后发生的事情”——而且他对普鲁士打算用饥荒来迫使整座城市投降的说法深信不疑。夏洛特甚至听到这样的传言（通过“被吓坏的伙计艾兰格尔先生”到处传播），说“查尔斯叔叔（迈耶·卡尔）已被投入监狱。我不希望也不相信这种事情会是真的，但是普鲁士人都是禽兽”。当詹姆斯听到同样的传言的时候，他跳起双脚，狂喊道：“关了一位罗斯柴尔德？这不可能！” 安塞尔姆也写了一份请愿书，反对对法兰克福征收“巨额的战争税”，尽管他对这样做能有什么效果也表示怀疑，因为“普鲁士正盛行用大棒来进行统治的政策”。

事实上，迈耶·卡尔为实现“做适当调整……来……防止这个恐怖灾难”的努力获得了部分的成功。7 月 25 日，他到达柏林，呼吁“普鲁士国王不要对可怜的法兰克福人这么狠心”；一周之后，他又被请回柏林，并且在 8 月 6 日和 7 日与俾斯麦连续进行了两次会谈。他提出的妥协条件再一次表明，对于罗斯柴尔德家族来说，钱的问题比边境问题更重要：作为接受被普鲁士吞并的回应，双方同意法兰克福只用支付 600 万塔勒作为占领军的费用。夏洛特所叹息的“把美好又悠久繁荣的我们祖先的城市转变成了普鲁士大家庭一个不起眼的附庸”，很显然地要比 2 500 万塔勒的牺牲小得多。按照其中的一个说法，“查尔斯叔叔……在与普鲁士人的勒索进行较量的过程中，赢得了城里的 76 000 颗心”；当他以候选人的身份参加俾斯麦的新北日耳曼联邦议会选举的时候，他很小心地提醒选民，他曾经在 1866 年“很勇敢地站出来”面对曼图费尔，而他的竞选对手——自由党记者利奥波德 · 索那曼当时却逃离了城市。他获得了一边倒的优势，以 6 853 票对 311 票的高票，击败了民主党候选人，适时地完成了他竞选时提出的愿望，补偿了另外的 400 万塔勒。

然而，罗斯柴尔德家族依然还有因为拒绝在经济上帮助俾斯麦而必须承担的代价。8 月 14 日，就在最终的《布拉格和平协议》签订前的一周，詹姆斯最终听从了布雷希罗德的意见，提出了发行普鲁士贷款的建议，但柏林给出的反馈非常无理。没有任何的礼节，海外贸易银行通知迈耶 · 卡尔，罗斯柴尔德家族法兰克福银行从此不会再有可能得到在南日耳曼发行普鲁士债券的授权。1865 年 9 月，詹姆斯曾经骄傲地宣称罗斯柴尔德家族“不是为普鲁士国王打工”；现在的情况似乎是，普鲁士国王不再需要罗斯柴尔德家族了。

第九章

债券与钢铁
(1867~1870 年)

THE HOUSE OF
ROTHSCHILD

我们会被迫参加战争，这并不是因为外部的风险，而是因为过早、过快地给予我们过度的自由。

詹姆斯 · 德 · 罗斯柴尔德
1867 年 2 月 1 日

1868年11月15日，76岁的詹姆斯·德·罗斯柴尔德——迈耶·A·罗斯柴尔德五个儿子中的最后一人离开了人世。尽管詹姆斯时不时会受到病痛的困扰——他抱怨最多的是“眼睛疼”——但是，一直到他生命的最后一年，他都一直表现出了十分罕见的巨大活力。1867年2月份，他还曾经提到“想要退休”，并且十分坚决地对他的儿子们说（用那种重现他的拿破仑式青春活力的方式）：“既然要从战场上退下来，就必须把所有可以想得到的权力全部留在将军们的手上”。但是，这种情况从来没有出现。只是在1868年4月，他的精力开始出现了不济的情况。费迪南德报告说：“詹姆斯叔叔的身体情况非常糟糕，他很少去公司，而且在家也几乎大半天时间都坐在他的椅子上。”就算是在詹姆斯最后的这些日子里，他也一直让他的那些年轻的亲属感到敬畏。“他总是很严肃地指责我，说我不给他写信。”费迪南德心有余悸地补充道，“但是一直到现在，我都可以骄傲地说，他没有对我发过火。”危机到来的时候，詹姆斯把自己的状况随时通报给他的亲人，这一点令人印象非常深刻。“难忍的剧痛让我痛不欲生。”他在10月初的时候抱怨道，“我的视力很糟糕，我非常遭罪。”然而，一直到10月31日，尽管已经卧床不起，他居然还有精力口述一封关于给西班牙贷款事宜的信。11月3日，尽管刚排出了“确实异乎寻常”数量的胆结石，而且当阿方斯认定“跟他认认真真地谈业务上的问题变得越来越困难”时，詹姆斯还是发出了他的最后的有记录的指令：售出国债。跟他的哥哥内森一样——事实上他们俩在商人特征方面非常相似——詹姆斯的生命是以卖空来谢幕的。

对于詹姆斯的儿子们来说，他们的世界就像是忽然间失去了主心骨；对于他的侄子们来说，再也看不到詹姆斯的信函标志着一个持续了很久的年代终结，因为他们全都获得了来之不易的自治权——“男爵”曾经一直是家族里的掌门人。“看到所有人都为之悲痛——无论是大人还是小孩，老人还是青年，至少我们感到了些许欣慰。”阿方斯这样写道：

> 再也没有什么人能比我们如此出类拔萃的父亲更受人欢迎，也没有人比他更有资格。他在各种有他出现的社交场合中，给最罕见和最珍贵的精神品质加入了欢乐和随和，这使他赢得了所有人的心，并把他们与他永远地联结在一起。他离开我们的时候仍然充满了……朝气蓬勃的精神，享受着他的能力带给他的欢乐，四周满是尊敬、友爱，以及——我深深相信——广泛的赞誉。

詹姆斯定在11月18日的葬礼事实上变成了法国公众生活的一件大事，同时也成为罗斯柴尔德家族历史的分水岭。来自法兰克福（威廉·卡尔与他的妻姐路易丝）以及伦敦（安东尼、里奥、纳特和艾尔弗雷德）的吊唁团成员，无不为他们的叔叔出殡那天的万人场面所震撼。“整个巴黎都来表达他们的敬意。” 里奥这样报告道，“整个庭院到处都是人，有认识的，也有不认识的，都缓缓地从这座房子前面经过。葬礼仪式开始后，整条大街都站满了围观的人群……这完全是一次公共葬礼，我们的叔叔用他的伟大和魅力为他赢得了这个荣誉，而且由此引发的同情惠及了我们所有的亲属。”“我以前从来没有见过今天早上的这种阵势，这么多人聚集到了拉斐特大街。”他的大哥纳特这样说道，“4 000人走过了画室，他们说还有6 000人在院子里，而且，从拉斐特大街到道佩·拉·蔡斯（墓地），路两边的自行车已经都排成了长长的5行……”

这些说法没有一点家族自豪感的夸张成分。甚至《时报》驻巴黎通信员普雷弗斯特–帕拉多尔都深受感动：“10点以前，拉斐特大街已经满是来自巴黎各个地方的人群，他们到此来向詹姆斯的家人表达他们的慰问。在我的记忆中还从来没有见到过这种场面，无论是在什么场合，从那条大街的角落一路通向圣丹尼斯港的各条道路都这么拥挤，需要很多名警察花费很大的力气才可能维持一条小通道的道路通畅。”参加葬礼的有外交使节（包括奥地利大使梅特涅），各犹太社区的领导人（包括三位总拉比），同时还有来自法兰西银行、交易所和北方公司的代表。此外，还有那些规模稍小的银行家群体——比如格森·布雷希罗德以及西格曼·沃伯格等人，他们都专程来到巴黎对这位“大国的动力”致以他们最后的敬意。尽管家族因为不愿意领受骑兵团大十字荣誉勋章而拒绝了享受军葬礼的机会，尽管詹姆斯的墓碑只有一个简单的刻纹——简简单单的字母“R”，詹姆斯的葬礼仍然让艾尔弗雷德觉得“这不是一个普通人的葬礼，更像是皇帝的葬礼”。

法国皇帝没有亲自出席詹姆斯的葬礼，只是派出了他的礼宾总管，不是很有名的德·康巴瑟公爵。除此之外，没有看到有资深的政治人物出现。另外，在发来唁电的各国首脑名单中，有奥地利皇帝弗朗兹·约瑟夫、美国总统尤利西斯·S·格兰特，甚至还有被放逐的奥尔良皇室（他们的王朝被拿破仑三世千方百计地篡夺了），他们这样做的意义在于不会被他们同时代的人遗忘。正像普雷弗斯特–帕拉多尔发表在《争鸣杂志》上的一篇措辞巧妙的讣告中所说，詹姆斯代表着“金融世界的王权”。而面对政治王权，情况正好相反，他总是被逼在反复出现的政治纷争的旋涡中寻找出路，保持审慎的中立。尽管没有人可以责怪他并不总是非常准时地“把恺撒应得的付给恺撒”，但他算得上是“世界公民，而不只是属于哪个具体的国家”。

> 尽管如此，他也有自己的喜好……当然，对于他来说最开心的时期是王朝复辟的那些年……而奥尔良政府待他也不错……但是出于强烈的本能意识，他知道真正的保障只存在于自由政府的领导之下。他对待生意的态度很严谨，不盲从空洞的理论，也不喜欢冒险行为。也就是这些品质，使他能超然于当下，并赋予了他一种能在风险意识缺失——不仅是商业方面，也包括政治方面——的年代仍保持着一种优雅的古风遗韵。

这在波拿巴政权下有一种欲盖弥彰的挖苦——这种类型的新闻批判只有在 1867 年更为自由的《新闻法》通过后才成为可能，它也很接近事实的真相：詹姆斯对第二帝国的态度确实一直到最后都很矛盾，甚至可以说是充满敌意，这也解释了为什么他的葬礼上会令人不可思议地出现政治人物缺席的原因。

詹姆斯的辞世在很多方面都标志着一个时代的结束。他是这个家族出生在法兰克福犹太人聚居区的那一代人中的最后一位。在 1836 年继承了其兄长内森的衣钵后，他成功地指挥他的家族公司闯过了 1848 年它的发展历史上最为严重的风浪。尽管接受了罗斯柴尔德家族伦敦银行享有更大自治权利的要求，他还是在很大程度上止住了家族内部由于浮躁和利益冲突产生的分裂倾向。他对巴黎银行进行了成功转型，在它原有的接收和发行功能之外增加了新的角色，使之成为一家工业投资银行，并拥有了自己的铁路“帝国”。1815 年，他建立罗斯柴尔德家族巴黎银行的时候资本金是 55 000 英镑；到 1852 年，这个数字是 3 541 700 英镑，而到他辞世 10 年之后是 16 914 000 英镑。让这个成就显得更加非凡的是詹姆斯不仅成功地渡过了那些阶段性的金融危机，还成功闯过了一系列的政治危机：1830 年、1848 年和 1852 年。而且，他从总体上对法国的对外政策和欧洲的国际关系施加了将近 40 多年的影响力。1868 年以后，这样的情况就很难能够再重现了。费里耶尔和加利·杜·诺德——他留给子孙的这两座伟大丰碑——与他的地位非常相称。

从个人的角度说，詹姆斯毫无疑问是历史上最富有的人之一。根据《时报》的说法，他的个人财富按照他的遗嘱给后世分享继承的就高达 11 亿法郎（4 400 万英镑）。而《科尔涅时报》给出的数字更高，达到了 20 亿。这些数字——甚至还没有包括他大量的遍布乡下与城市的不动产，分布在拉斐特大街、费里耶尔、布罗涅和拉斐庄园——是如此的巨大，几乎令人难以置信。（按照法国当时的国民生产总值的百分比来说，11 亿法郎相当于 4.2%，这确实很让人吃惊。）然而，保留下来的文件使我们可以算得出一个更为真实的数字。詹姆斯的遗嘱里规定了他的现金或者说是年金分给他的亲属以及一部分其他的受赠人（包括他的男仆），金额合计大约为 2 000 万法郎，其中的大部分（1 600 万法郎）给了他的妻子贝蒂。另外，他不确定的资产剩余，包括在罗斯柴尔德家族各银行的混合资本金中的股份，由他的三个儿子、他的女儿夏洛特和孙女海伦分享。遗憾的是，有关 1863 年和 1879 年间的公司资本的数据没有留下来，而 1863 年的数据是由基尔估算出来的。1855 年的时候詹姆斯个人的股份是 25.67%，据此我们就能估算出 8 年之后他的股份市值约为 572.8 万英镑，或者是约 14 320 万法郎。要对詹姆斯的不动产给出一个准确的价格，是一件不可能的事情，但是，从费里耶尔的藏品价值 2 000 万法郎，而拉斐特的地产曾经花费了 410 万法郎的这个事实，我们可以粗略地估算出大致为 3 000 万法郎。将所有这些数字加起来，合计是 19 300 万法郎（770 万英镑），这应该是一个很合理的数字，尽管这肯定是被低估了的数字（我们不知道除了在家族合伙中的股份，詹姆斯又积累了多少证券组合；我们也不可能把他庞大的艺术品收藏赋一个现金价值）。“在我看来，”梅里美有些不逊地开玩笑道，“当一个人拥有如此巨额财富的时候，死亡更加是一件令人感到不甘心的事。”

詹姆斯想要留给后人的遗产中，还包括他从迈耶 · A · 罗斯柴尔德那里继承下来的文化。在很多方面，他的遗嘱是对作为罗斯柴尔德成功基石的那些精神特质最后的权威诠释。其中有过去对兄弟团结的要求——他敦促他的儿子们“作为一种责任，对它的履行将会结出最幸福的果实”。他明确要求他们：

> 永远不要忘记相互的信任以及兄弟和睦，这是我亲爱的兄弟们与我之间至高无上的关系，这也是我们那些美好时光中结出幸福果实的源泉，同时也是我们在困难时期的精神庇护所。兄弟间的团结加上我们对工作的热爱与勤恳的努力，一直是我们繁荣昌盛以及公众良好口碑的根源。而兄弟间的团结是我最敬爱的无与伦比的父亲的临终遗愿，它一直是支撑我们的精神力量，也是让我们

避免受伤害的保护盾牌。我希望这个愿望由我在此再次表述，并因此能让我的每个孩子都虔诚地铭刻在心，当成是我作为父亲的慈爱的最珍贵的遗产……

这也是过去所定的原则（自从最早的合伙合同开始就被奉为神圣的原则），要求他的儿子“不得在（家族）公司以外的地方做生意，无论是公共基金、商品交易还是其他的债券”。詹姆斯对于这一点作了更加详细的描述，而这在过去的几十年中似乎并不是太需要：

只有在他的所有员工都在共同的利益驱使下，而且在同一条道路上共同努力时，这家公司才能够管理得好，团结才能有保障。我希望，我留给我的每个孩子的财富足够让他们独立经营，不用再去做危险的生意。我要求他们不要把自己的名字留在别人提供给他们的任何事务上，以便他们的名字能够一直像现在一样被尊重。我要求他们不要把他们的财富全放到纸上，并且要尽可能多地拥有流动资产，以便在很短的时间内就可以变现。

这最后一条原则让我们接近了罗斯柴尔德生意理念的精髓：将你的资产一部分投资在不动产上，而你的证券资产组合要偏向于高流动性。詹姆斯再一次用他父亲在一个半世纪之前所说的话，通过对他的孩子们的生意与宗教信仰之间关系的警示来结束他的指示，他要求他们：“永远不要放弃我们先辈们的神圣传统。这是我们留给你们，而你们又将传递给你们的子孙后代的最珍贵遗产。上帝的意志给了人类在有生之年中的信仰。遵从这个天命的戒律是我们的首要义务，放弃信仰是一种罪过。爱你先祖的上帝，并用你的诚意来侍奉他：愿我能投入到他的怀抱，从上面的天堂来守望你们，就像我曾经在地上守望着你们的那样。”

在这些神圣原则的指导下——人们甚至可以说是由于这些神圣原则的帮助，詹姆斯比他的大部分对手都活得长久。最让人兴奋的是他对那些江湖术士的弟子、佩雷尔家族取得的最后胜利。工业信贷银行面临困境已经有一段时间了，部分原因是因为他们的资产分流到了不动产信贷银行，部分是因为他们试图参与到奥地利与西班牙政府的金融活动的努力没有取得成功。麻烦的迹象首先出现于1866年年初，当时它通过发行大量的认股权证使它的名义资本翻番，并且试图为不动产信贷银行再筹集8 000万法郎。那一年的金融危机由于中欧弥漫的战争紧张空气而更为严重，最终成为致命的打击。尽管佩雷尔家族使出了浑身的解数把工业信贷银行的股票价格从1866年6月最低的420法郎拉了起来，但到年底的时候，他们也只能够支付红利。与往常的情况一样，埃米尔·佩雷尔指责“罗斯柴尔德集团”的“敌视”，并请求他在政府里的朋友提供帮助。但是，来自于地产信贷的2 900万法郎远远无法堵住窟窿。在1867年4月，当不动产信贷银行亏损的全部账目曝光后，佩雷尔家族已经别无选择，只能把自己置于向法兰西银行——这家他们做梦都想取代的银行——祈求怜悯的境地，向它申请7 500万法郎贷款。可以想见，他们遭到了冷遇，主要是由于阿方斯作为银行董事，其影响力不断增强。在9月14日的一次特别会议上，他强调只能提供3 200万法郎，而且这是作为"帮助工业信贷银行破产清算"的资金。当银行股票价格探到140法郎的底部时，这艘旗舰终于沉没了。

佩雷尔家族的没落，并没有引起罗斯柴尔德家族的任何同情。一直到最终的悲剧结尾，詹姆斯对工业信贷银行的所有原则都怀着敌意。"在某一天，"他在1867年3月告诉兰道，"这些金融机构之间会达成协议，拿走所有的业务，什么也不给我们留下，因为他们总是说一套做一套。"他坚决反对任何拯救工业信贷银行的努力。而对于其他人来说，似乎是佩雷尔家族自作自受。在法兰西银行决定性意义的会议之后10天，拿破仑三世事实上的代理人罗谢尔看到："佩雷尔家族真的很令人同情，他们不应该遭到现在这种如此强烈的仇恨。"事实确实是这样。一旦工业信贷银行彻底消失，罗斯柴尔德家族将以近乎掠夺的价格整体收购佩雷尔家族的私人资产。正如我们已经看到的，佩雷尔家族兄弟在乡村和城镇紧邻罗斯柴尔德资产的附近购买房子，曾经让詹姆斯大为光火。所以，人们很容易想见罗斯柴尔德现在幸灾乐祸的嘴脸，1868年，阿道夫从伊萨克·佩雷尔的儿子尤金手里买下了蒙梭大街47号的饭店，仅用了42 000英镑——比佩雷尔家族当时所付出的少了17 200英镑；1880年，埃德蒙买下了佩雷尔的阿蒙维利山庄。然而，放下屠刀似乎还远远不足以让对手解恨，当佩雷尔家族的艺术品收藏在1872年进行甩卖时，阿方斯拒绝购买他们的任何画作。"没有什么太好的作品，"他很轻蔑地说道，"只是些表面光鲜的货品。"人们倾向于把这解读成对佩雷尔家族间接的盖棺论定。

图9–1　列昂内尔·德·罗斯柴尔德男爵

资料来源：鲁本斯，《漫画中的罗斯柴尔德家族》，XVII版。

相反，詹姆斯的辞世似乎把罗斯柴尔德家族推到了无人可敌、至高无上的地位。"毕竟只是走了一位罗斯柴尔德，"1868年一篇颂词的作者这样宣称，"罗斯柴尔德家族还在继续。”1870年，英国杂志《周期》采用了一幅现在大家都很熟悉的画面，描绘列昂内尔作为新的罗斯柴尔德“王”，端坐于他的现金和债券组成的王座上，接受世界各地统治者的参拜——参拜者中有拿破仑三世、教皇威廉一世以及女皇维多利亚等（见图9–1）。

工业信贷银行的失败并不代表着股份合作制银行的整体失败，相反，詹姆斯死后的几年间，人们并没有看到这类银行的涌现出现任何减缓。由于国际金融市场变得更大，更具竞争性，而且联系更加紧密，罗斯柴尔德家族私人资本集中的重要性已经出现相对衰落，尽管它仍然巨大。在詹姆斯辞世两年前，法国记者埃米尔·德·吉拉丁这样评论道：

> 这个伟大的银行企业已经失去了他们的影响力。当政治及货币环境没有对他们不利（但是这种时候越来越少）时，他们仍然能够决定大型的金融行动，但是……从现在开始，投机性的普选将超过这个或者那个银行家的影响力。“银行家”占支配地位的时代行将结束，“机构、大金融公司支配的时代”即将到来。

如果1868年标志着法国金融史上的转折点，那么它是否也标志着政治上的转折点？人们试图说，是詹姆斯的辞世紧随着工业信贷银行的倒闭，在某种程度上敲响了这个政体经济上的丧钟。“帝国意味着空头。”詹姆斯在1866年的时候说。在普鲁士战胜奥地利后，它在政治体制上的终结难道不是已经非常临近了？如果情况确实是这样，那么历史学家可以很容易来解释“正统的银行家”是否真的“对第二帝国已经岌岌可危的信贷体系给予了致命一击”。现实的情况是，1866~1870年这个时期，最令人称道的特点是法国金融市场的乐观氛围。1863~1866年间，毫无疑问是一种空头的趋势。债券从1862年10月末最高位每股71.75法朗跌落到了1864年11月的每股64.85法朗。但是在此之后，它的趋势开始掉头向上。突如其来的奥地利–普鲁士冲突引发的危机，曾经被詹姆斯用来作为他要求改变法国对外政策的理由，但是这场危机从很多方面看，其影响都是暂时的。债券价格在1866年4月28日触底（每股60.8法朗），这个时间差不多是战争爆发前的两个月；而在孔尼格拉兹战役爆发的那个星期，价格却从每股63.03法朗涨到了68.45法朗。之后价格出现了起伏——通常与拿破仑三世的健康状况有关——但是总体的趋势却是明白无误的。1870年5月21日那一周最后的收盘价是每股75.05法朗，这个水平自19世纪50年代的帝国盛世以来就没有见到过。像1870年出现的这种债券市场对于一场崩溃的到来，竟然没有任何一点准备的情况是极为少见的。

我们对此应该怎么解释？最直接的答案是孔尼格拉兹战役后的第二帝国是愚

蠢的食利者的天堂。这是因为由于根本性的国际原因，货币体系的条件已经不复存在了。法国收支平衡情况的改善，再加上拉丁货币联盟的建立，导致黄金和白银流入到法兰西银行的储备中，使得贴现率可以低至1866年8月的3%和1867年5月的2.5%。当时有很多对于同期实业投资活动下降（1862年后铁路投资出现了急剧的下滑）的忧心忡忡的评论，但是所谓的“金银大发现”（指法兰西银行空前的储备）对提高债券价格产生了巨大的正面的影响。在1868年新发行的价值3.4亿法郎的国债出现了严重的超买，而1868年和1869年的情况也非常好。所有这些都是重要的因素，因为它帮助我们解释了为什么法国在1870年的战争失败后，还能够赢得1871~1873年的和平。

金融市场在19世纪60年代出现的乐观情绪在拿破仑三世推出的自由化改革的影响下进一步高涨。从专制下迈出的实验性的第一步出现在1860年和1861年，还是橡皮图章的立法会议的权力得到了一些提升；但是一直到1867年，拿破仑三世才开始向“自由帝国”的体制快速迈进。立法机构中的代表被赋予了质询部长的权力，在1868年，对于报纸的限制被取消。从短期看，这只是揭开了媒体批评的这个潘多拉盒子的盖子，此间最刻薄的讥讽出现在亨利·罗奇弗特的《天窗》中。或许，获得解放的反对者所取得的最大成功，在于揭露出了乔治·豪斯曼在整修塞纳河时为支付他那宏大的重建巴黎计划这个帝国时期最具体的成就的款项过程中，所犯下的特别严重的金融违法行为。在1869年5月的选举中，尽管罗谢尔尽了最大的努力，但是只有57%的选票投给了政府；而在19世纪50年代的选举中，这个数字超过了80%。

在这些事情中，罗斯柴尔德家族起到了重要的作用，但是这种作用从某些方面看又是矛盾的。早在1866年12月12日，迪斯雷利告诉史丹利，他“收到了某个罗斯柴尔德家庭发来的关于法国局势的惊人消息，这个消息说人们对帝制感到越来越厌倦了”。詹姆斯从一开始就用怀疑的眼光来看待帝国的自由化。“我觉得很难让人相信，”他在1867年1月告诉他的孩子们，“这些自由化的改变能对信用的改善或者是对国家有什么好处；事实上，它只是一个大问题即将到来的先兆。”在写给儿子们的一封非同寻常的信里，詹姆斯列出了他事实上的政治遗嘱：

> 你们会说，你们的父亲正在改变思考的方式，而且他站在非常自由化的一方。一方面，我已经在信里给你们讲了西班牙的问题；而另一方面，又在讲关于法国的反自由化。让我这样来跟你们说，严格讲，你们是对的，但我的内心一面是政治性、自由化的人，另一方面是经济的人，而且很遗憾的是，一个国家的经济要是没有自由就不可能前进，但要是自由太多，它所取得的进步反而

更少。我把我的思想转回到过去，转回到路易·菲利普统治的这15年间我们所经历过的一切，这期间政府允许（代表）在议会自由地畅所欲言，给报纸以完全自由的权利。这将把我们引向何处？引向推翻政府，引向所有那些从此以后将会不断发生的变化和革命。因为，我们不得不遗憾地承认法国是一个虚荣的国家，从这个国家，一个发言的人可以为了炫耀他的才能用堂皇的言辞对议会发表演说，可以根本不考虑国家的真实利益。现在我相信，从这个角度说，自由是需要的，人们应该有权发表简单的文章，可以公开地对大家都在议论的问题发表自己的看法，但从这个程度到皇帝愿意赐予的所有自由之间，有很长的路要走。我很坦白地告诉你们一个非常严肃而且很危险的事情。不管我们愿不愿意，我们都将被迫进行战争，这并不是因为外部的危险，而是因为过早、过快地给予我们过度的自由。一个在监狱里被囚禁了很久的人不会很轻松地享受他梦寐以求的空气，当他出来后，马上吸入太多就会要了他的命，而且我担心这种情况在报纸获得充分的自由时可能就会发生……我只希望，法律能够在它的条文中包括制止邪恶的必要的限制条件，因为这种邪恶会因此把我们引向战争。

阿方斯对他父亲的悲观有着一定的同感，尽管他的观点并不是严格的经济性的。正如他所看到的，“在这些时候的某一天，自由化运动会很简单地变得势不可当”；他预言“冲突”以及更进一步的政治变革将会到来。在1866年年底，他告诉他的岳母夏洛特（根据她的记录）：

我相信帝国不可能持续，将会被一个共和体制所代替，但是这个变化还需要等待相当长的时间——整个法国将很高兴地接受这个共和体制，并将之作为一个过渡的过程，这期间将会允许进行那些最急迫的改革，给统治者足够的时间进行选择，以从波旁以及奥尔良家族中选择出国王或者是皇帝。

当夏洛特表达了对拿破仑继续他的自由化政策所持的期望的时候，阿方斯凄楚地回应道：“最有必要的是你必须要有一个战略，因为说实话，他们并不知道他们要到哪儿去，也不知道他们要和谁一起去。”但是，当机会出现的时候，这并没有限制阿方斯积极地投身于反对波拿巴统治的斗争中。1867年夏天，阿方斯参加了塞纳和马恩地区的一个反政府论坛举办的地方议会选举。有意思的是，詹姆斯说“他有点恼怒，因为他的儿子成为了反对派人士”，他并不赞成“公开反对”这种方式。事实上，詹姆斯明确地向拿破仑三世保证“他不站在反对派一边”，但同时他并不限制他的儿子。他告诉他的儿子“没有一个大臣会自己出来承担把我们推向反对派阵营的责任”，换句话说，他把阿方斯的做法看成是向政府施压的一种方式，并且深信法国没有哪届政府甘冒疏远罗斯柴尔德家族的风险。

詹姆斯也不反对居斯塔夫的朋友勒翁·塞的做法，他于1865年发表在《争鸣杂志》上的系列文章在很多领域引发了反对豪斯曼的巴黎地区政权的运动，为尤里斯·菲利著名的书《豪斯曼的奇妙账本》提供了素材。身为扎拉果扎和北方铁路两家公司董事会的成员，塞被公认为罗斯柴尔德家的人，起码也算是罗斯柴尔德家的“仆从”。尽管很显然他也有自己的政治抱负，但在攻击豪斯曼时，他是罗斯柴尔德的“斧头”。自1860年起，当罗斯柴尔德家族巴黎银行为巴黎市承担小规模融资活动时，豪斯曼还是依靠地产信贷来为他的建筑工程融资，同时依靠那些愿意接受以延期付款和“委托债券”的借据承包商。通过对已经关闭的那些账户中违规情况的曝光——账户里面多出了大约4亿法郎的无授权债务——塞间接给了地产信贷一个耳光——这让阿方斯很满意。罗斯柴尔德家族巴黎银行毫不犹豫地参加了用于清算豪斯曼不太规范的债务的新贷款。没有什么可奇怪的，阿方斯对自由派反对党在1869年5月的选举中获得的巨大成功感到（暂时性的）高兴，尽管“红方”的所为很对居斯塔夫的胃口，而纳特对于工人阶级所发出的“呐喊”有了一些警觉。阿方斯在1869年7月写给伦敦的信中说：“在我看来，如果法国想要自由，它的革命精神比以前要少很多，保守主义的情绪比几年前得到了更大的发展，但是我很确信这场风暴还是会来，尽管这次的危机不会伴随着骚乱，也不会有太大的麻烦。”不可否认，很多地方都存在着工人阶级不满情绪的迹象，但是他信心满满地认为一个覆盖更广泛基础的议会机构能够解决这些问题。

这种认为自由派会胜利的看法破坏了具有广泛基础的假设，这种假设认为第二帝国在政治上正滑向革命的泥沼，这种情况甚至在1870年战争爆发前就已经出现了。相反，通过与反对派人士的和解，拿破仑三世似乎把“罗谢尔政府”的倒台变成了对自己有利的事情。在1870年1月2日，前共和倡导人埃米尔·奥利维尔被任命来组建一个新的自由派政府——这个举动早在1869年7月就被纳特言中。阿方斯对奥利维尔并不是很欣赏，但是阿方斯还是很看好他。“巴黎为它的新政府而欢呼雀跃。”阿方斯在1870年1月初时这样说道，“放眼所见都是心满意足的群众，而交易所也以上扬的走势表明它对自由化的支持。所有在这个行业里的人，就算不是天才，起码也都很聪明、很敏感。这一时刻，他们支持议会里的绝大部分人，因此我们有充分的理由对未来保有信心。”按照迪斯雷利在当月与安东尼接触后所给出的说法：“罗斯柴尔德家族……现在非常确信事情会很平稳地发生，他们认为皇帝通过采用一个宪政体系，已经挫败了奥尔良派，并且充满信心地展望着他的儿子们的未来。”就连罗切夫特在

维克多 · 雨果的葬礼上搞出的那些没有规矩的情形，也没有让阿方斯感到过分不安："当一个政府能够接纳公众的意见的时候，它会变得更加强大"。他告诉他告诉堂兄弟们说，"民主党的软弱"是"毋庸置疑的"。

在随后3个月的进程中，《宪法》的修订按照议会的意见按部就班地进行。5月8日，新的政权在取得了68%的选票后获得批准。进行另一次公民投票的决定在一开始的时候让阿方斯感到非常不满——这让他觉得就像"一场小孩子过家家的游戏"，而且新上任的部长们不称职和平庸的鲜活证据，唤醒了他对皇帝第二次政变或者是社会主义者在大城市发动起义的担心。但他还是欢迎这个结果，"因为这是一个有条理的政党的伟大胜利，而且是自由党战胜了混乱的政党"——这个论断很显然得到了交易所新的暴涨趋势的支持。

问题在于自由化的代价是军事上的衰弱。拿破仑三世自己深谙孔尼格拉兹战役的意义，他要求对松懈的军队体系进行改革，以便能使军队编制规模翻番。夏洛特早在1866年8月就曾说过，皇帝"脑子里一天到晚转的都是关于新的后膛炮和撞针枪，以及惨无人道的加农炮的各种规划和项目"，4个月后，詹姆斯听说皇帝计划扩充军队。在立法院投出他的反对票后，他确定这个军队议案将会被大大削减。正像是10年前普鲁士所表明的那样，自由党人并不欣赏增加军事防务的想法，他们为此支付的财政收入远远少于实际的需要。在考虑到浪费在墨西哥以及在对阿尔及利亚的殖民统治过程中仍被继续吞噬的那些巨额军费后，反对提高支出的意见获得了更多的喝彩。

皇帝在这个方面付出的所有努力因此遭遇到了很强硬的政治抵制。罗斯柴尔德家族也反对法国重整军备，因为詹姆斯看到，重整军备会"造成一个很坏的印象，而且人们会更加崇尚战争"。因此，他和他的几个儿子在军队议案被大力削减后并没有表现出任何的悲伤。与他们同时代的大多数人一样，他们似乎都相信法国已经强大到足够挑战普鲁士的程度，而俾斯麦就像阿方斯说的那样，犯了"世界上最大的错误，给了法国一个借口与他发生争端，而这个时候，各种条件似乎又对法国特别有利"。当巴黎博览会的组织者（阿方斯位列其中）很难从下面各省借到作品时，一个笑话开始传开了："普鲁士人可能会来，并把它们拿走。"这个笑话的意义就在于"普鲁士人来"被当成了一个玩笑。按照詹姆斯说的，在法国当时的条件下，里面包含着"无法言明的矛盾"："我们正在举办一届博览会，我们想要把我们所有的资金都引导到工业项目里来发展国家；但是与此相反，我们却被迫去借钱来支付国防开支。"当财政部部长马涅在1868年1月宣布贷款的时候，刺激经济与增加军备在贷款目的中的地位几乎是平分秋色。阿方斯在给他的堂兄弟们的信中反复提到了他对法国扩充军备是否明智的怀疑：事实上，他似乎是军备竞赛引发战争这个错误理论最早的赞同者。迈耶·卡尔在柏林也持有类似的观点，他也认为是法国而不是普鲁士的政策应该受到指责。阿方斯在1869年12月满腔热情地从巴黎发出报告说，财政部长报告了“一个非常欣欣向荣的局势，盈余有6 000万法郎，其中的大部分将会用于公共设施建设，剩余部分用于减税以及改善低级职员的地位”。一个月后的说法又变成了用于铁路建设的新的政府补贴。

如果说政府一直致力于追求应该完全中立的对外政策的话，这个根本性的军事弱势或许也不至于出现问题。但是实际的情况并不是这样。正是由于拿破仑三世在某种程度上想寻求媲美俾斯麦在德国取得的胜利，使法国的弱点一览无余地全部暴露了出来——或许早就应该这样了。

资本与外交

在整个19世纪，存在着这么一种潮流——说它是规则却又有太多的例外——外交的联系如果是建立在资本运转的基础上，会更加稳固。英国是首个有足够大的支付盈余来保证持续的资本输出的国家，它通过这种方式来巩固与对抗拿破仑的大多数盟友的关系；而且在1815年之后，在不断增长的海外借款潮的基础上，正式或非正式地建立起了大英帝国。法国是19世纪另外一个大规模输出资本的大国，事实上，1861~1865年间，在巴黎发行的外国贷款的金额与在伦敦发行的金额几乎持平。正如我们已经看到的，在1850年后，很多国家，比如西班牙、意大利和奥地利新建立的银行和铁路都源自于法国的资本。这种情况在19世纪60年代的时候达到了顶峰。但是，无论它在经济上有多大的合理性（甚至对这一点很多人也存在质疑），其外交或者战略利益仍然还是受到了很大限制。如果普鲁士挑战法国在欧洲大陆的权益，而法国要迎战的话，它就需要盟友。一个不断增大的趋势是，英国开始在欧洲以外的地区投资：1854~1870年，英国的海外投资中，投资于欧洲大陆的份额从54%降到了25%；到1900年时，这个数字只有5%。这帮助我们解释了英国越来越明显的“孤立”外交。安东尼在宣布奥地利-普鲁士战争直接后果的时候，同时为科布登主义的自由党人和孤立主义的托利党人都说了好话：

> 我们愿以任何代价来争取和平。这是我们所有政治家的愿望。拿德比爵士来说，他12万英镑的收入来自于他位于爱尔兰和兰卡郡的那些建满工厂和工业城镇的地产。他会愿意支持穷兵黩武的政策吗？他们都在同一条船上。我们为什么要关心德国或者奥地利或比利时呢？那种事情早就过时了。

而与此同时，在欧洲大陆上，法国资本却流向了那些既不能，也不愿意付出任何东西（除了利息，有些情况下连利息都没有）的国家。

1866 年以后，欧洲经济发展的一个显著特点是资本市场的区域划分越来越明显。法国继续大量地投资于比利时、西班牙和意大利，并且与他们做贸易。这帮助我们解释了由法国、比利时、意大利和瑞士在 1865 年建立的拉丁货币联盟能生存的原因。在 1866 年的大灾难之后，奥地利重新将自己从政治和经济上引向了匈牙利和巴尔干地区。与此同时，普鲁士的北部如雨后春笋般建立的银行开始向其他的德国联邦以及斯堪的纳维亚和俄国的大量投资。法国外交政策的玄机与这些事居然没有能引起关注的原因同样玄妙。因为法国资本正流进两个在势力均衡上完全被忽视的国家——比利时和西班牙，而至于意大利，由于有棘手的罗马问题，因此永远不可能毫无保留地把自己投入到波拿巴法国的怀抱里。为了制衡普鲁士，法国需要俄国；如果这个目的未能达到，还可以考虑愿意重新开启孔尼格拉兹的奥地利。外交可以部分解释为什么这两个联盟都没有能实现的原因：只要俾斯麦能够让俄国和奥地利、匈牙利很暧昧地怀有重建神圣同盟这个想法，法国就不得不为获得它们的支持而付出高昂的代价；奥地利和俄国都索要了一个很让拿破仑三世踌躇的高价——支持它们在近东去对抗对方。然而，不管是奥地利还是俄国，只要它们还是法国巨额资本的债务方，法国讨价还价的地位就很强。没有这些的话，法国就只有它的军事实力可以拿出来亮一下；而对于这一点，我们已经都看到了，很难让人放心。

罗斯柴尔德家族的作用在这个过程中是至关重要的，尽管从很大程度上看是无意识的。英国罗斯柴尔德家族认同广为流传的帕默斯顿的观点，认为威胁欧洲均势的大国是法国而不是普鲁士。1866 年 8 月，在《布拉格和平协定》签订前一周，夏洛特在对她儿子讲话的时候表达了一个非常流行的观点："我们很久前就已经知道，而且知道得很清楚，拿破仑皇帝是战争的挑动者，他还想从中获利。"列昂内尔毫不犹豫地把他从他的叔叔和堂兄弟们那里受到的对法国政策的批评都转给了迪斯雷利。

最能增加英国人对法国的反感的事情，莫过于拿破仑三世愚蠢地重提某种对法国领土"补偿"想法的努力，据分析，这里所指的可能是作为对它在 1866 年保持中立的补偿。那一年中，拿破仑三世曾经两次提出了这个议题，但两次都遭到了否决。1867 年 3 月，他又再次尝试。在俾斯麦对欧洲采用既成事实的手段的怂恿下，他向荷兰国王提出了一项从他手里购买卢森堡公国的交易：这是具有 19 世纪 60 年代特征的另一项失败的地产交易。卢森堡是一个特例——它是荷兰国王的个人财产，但它是 1815 年之后后德国联邦的一部分，而且其边境由普鲁士军队把守；它还是普鲁士关税联盟的成员。被法国吞并的这种可能性因而激起了德国国家自由党（俾斯麦向他们泄露的秘密）的愤怒，而且似乎会再次引发法国–奥地利之间的战争。詹姆斯与阿方斯没有参与到巴黎与海牙之间的谈判中，但我们可以想见，当他们听到这种风声的时候，他们是多么大惊失色，并且不断疯狂地向伦敦发出请求，要求英国调停。就在詹姆斯发出政治自由化可能把法国引向战争的预言后不到两个月，战争的警报似乎就快要拉响了。甚至在拿破仑三世再次低头后，普鲁士可能挑起战争的可能性仍然不会被轻易地解除：迈耶·卡尔对俾斯麦打算和平的保证与布雷希罗德发自柏林的说法出现了明显的矛盾。战争的担忧在双方同意将问题提交在伦敦举行的国际大会进行讨论之后才得以结束。大会上形成的决定是卢森堡将按 1839 年以来的比利时模式维持中立。尽管到了这个时候，妥协似乎也只是一种拖延战术：安东尼在那个夏天访问欧洲大陆的时候，很惊讶地发现了双方在莱茵河两岸进行军备竞赛的证据。迈耶早在 9 月份的时候就形成了一种印象——德国的其他邦在“面对法国行动的问题上”会与普鲁士保持一致。

1867 年危机中更多的积极方面是旧式的罗斯柴尔德非官方外交系统明显又重新启用。詹姆斯和阿方斯在 4 月份时经常拜会皇帝和罗谢尔，布雷希罗德和迈耶·卡尔传送来自于俾斯麦的信息（经常是矛盾的），列昂内尔将这些消息转给迪斯雷利，迪斯雷利把这些消息送给史丹利爵士，史丹利爵士再转给女王。任何英国的回应都会又传回给罗斯柴尔德家族，交给布雷希罗德的“朋友”。很显然，正如史丹利给女王报告的，纽考特“转来的关于欧洲大陆的信息的及时程度与准确程度，和通过外交渠道获得的信息几乎是一样的”。对于将这个问题提交在伦敦举行的大会进行讨论的决定，部分就是通过这些非官方渠道的信息来制定的，这种通过简单编码的电报在柏林与伦敦间所传递的信息为谈判建立起了基础的框架。从很多方面看，阿方斯所希望的由英国出面进行有效调停的愿望因此得以实现了。后续发生的很多问题使这个程序没有能够在 1870 年得以再次使用。第一，保守党政府在伦敦遭到了失败。尽管里奥与外交大臣克来伦敦的儿子关系不错，而且尽管列昂内尔和夏洛特经常拜会格莱德斯通，但是他们之间的关系与迪斯雷利在任时相比还是远不如昔。第二，根据艾尔弗雷德 1868 年 4 月所观察到的，詹姆斯的逝世以及阿方斯对反对派的认同越来越意味着“拉斐特大街很少听到来自法国内阁的消息了”。第三，法国政府通过在 1869 年亲自参与对某些关键的比利时铁路的控制权收购计划，进一步表达了自己对英国方面意见的抵制。

另外，这或许是对罗斯柴尔德家族十分有利的一项交易，但是他们自己对比利时的影响力那些年来一直呈现减弱的趋势。部分原因可能是因为他们的老朋友和老客户利奥波德一世在 1865 年逝世，而和他继位的儿子的关系始终没有能够达到和他以前一样亲密的程度。更为重要的是，比利时银行（特别是国民银行和兴业银行）现在已经足够强大，可以摆脱他们自19世纪20年代以来所一直需要的罗斯柴尔德银行的帮助，以及对罗斯柴尔德银行的依赖。当比利时政府在1865年筹集6 000万法郎贷款的时候，罗斯柴尔德家族巴黎银行只提供了400万法郎。两年之后，当另外新发的6 000万的时候，罗斯柴尔德的份额也只有一点点提高（600万）——这样一个数字在阿方斯看来“几乎就是在嘲弄人”。在法国政府未遂的铁路收购计划中，罗斯柴尔德没有卷入，这次收购计划被广泛地解读为为了一个战略性的目的，以便在与普鲁士发生战争时可以快速地将法国军队部署到比利时。在伦敦，这被看成是一种外交挑衅：保持比利时的中立正在成为英国大陆政策中的重中之重。

法国的金融和外交政策之间水火不容的情况，在西班牙比在其他任何地方表现得都更加明显。正是对于西班牙政治未来的分歧，使法国最终在1870年与普鲁士之间爆发了战争，而历史学家不大会费心来解释为什么会这样。答案就在于19世纪60年代以来法国资本对西班牙经济的持续渗透，而让波拿巴政府的政治家们越来越多地产生出这样的假想，认为这给予了法国对这个国家产生非正式影响力的权力。1868年9月的革命不仅没有影响到各家法兰西银行对西班牙金融、矿山和铁路的各种计划，似乎还对法国更多地参与发出了邀请。事实上，只有在革命之后，才有可能按詹姆斯从1866年以来就一直设想的路径与马德里达成一个贷款协议：这已经不是第一次了，议会体制的轮换总是会让罗斯柴尔德家族受到鼓舞，就算有些时候这种情况是被迫的。尽管在这个协议正式签署前的几天之前詹姆斯离开了人世，但是正如塞当时在《经济学人》上发表的文章中所写的，1868年的西班牙贷款是詹姆斯一生中最后的大动作。罗斯柴尔德家族巴黎银行按33的价格买入了价值1亿法郎（面值）债券的3%，为西班牙债券重新打开了巴黎市场；作为回报，西班牙政府给扎拉果扎公司提供了价值3 000万法郎的补贴。这是近几十年来罗斯柴尔德第一次为西班牙发行债券，并且拟将此作为让这个国家“重新站立起来”的一系列持续努力的开端。

然而，就像在西班牙一样， 巴黎对于这个新的议会体制也只是有着短暂的热情。除了通常的革命后的分裂趋势外，新的政权还不得不为保持对古巴的控制进行一场持久且花费不菲的战争，这就使得金融稳定成为了一种奢望。经典的罗斯柴尔德的解决办法——把岛屿出售给美国——从政治上证明是行不通的，尽管阿方斯发现普瑞姆首相个人对这个想法很支持。这就意味着只能走回到压低债券价格以水银或者烟草作抵押的特别借款、在“铁路这个恶魔”身上继续亏钱的这条老路上，用一句话说，就是过去怎么做，现在还是怎么做。然而，就像在19世纪60年代时的情况一样，其他的银行都很急迫地想要挑战罗斯柴尔德家族在马德里的传统优势。具体来说，巴黎银行发起了一场来势凶猛的运动，它的董事德拉罕特计划“将艾尔梅登、力拓（的众多铜矿）等矿山的收益以及其他大多数国有资产进行资本化，也就是让他自己能挤进政府机构里”。尽管他提出的这个方案是一个他和罗斯柴尔德家族共同实施的投机，阿方斯还是怀疑德拉罕特梦想着让自己代替罗斯柴尔德家族；而一场新爆发的政治动荡以及货币环境的进一步恶化，使这个计划无疾而终。这场斗争的顶峰出现在1870年，当时罗斯柴尔德家族彻底击退了德拉罕特想要获得尔梅登矿区控制权的进攻。不管是从象征意义上还是从经济意义上，这都是一次沉重的打击。

甚至在这场胜利之后，那些作为竞争对手的法兰西银行还在继续与罗斯柴尔德家族竞争对马德里的影响力。但是他们只是取得了局部的成功。1871年，一个再次由巴黎银行为首的银团成功地发行了新的西班牙贷款，只让罗斯柴尔德家族分得了“非常小的一杯羹”。次年，类似的事情再次发生，使得里昂信贷银行信心膨胀，大言不惭地说“罗斯柴尔德”已经“失去了西班牙”。从另一方面讲，对于西班牙政府的长期借款，其风险依然与过去同样高。1866~1882年间，人们看到西班牙的债务迅速增长：公共债务从46亿比塞塔①上升到了129亿比塞塔。大量的新债掌握在外国债主手里：由海外掌握的总债务的百分比从1867年的仅仅18%上升到了1873年的44%。这个增长是不可能持续的：总的债务水平所占国民生产总值的百分比从大约70%上涨到了1879年高峰时的180%。君主立宪体制在1873年的倒台把西班牙债券的价格打到了每股18比塞塔以下，而在1868年的时候这个价格还在每股30比塞塔以上，而且在后面的年份中局势还在进一步恶化。当其他的竞争对手收回被烧伤的手指，放在嘴里舔着的时候，罗斯柴尔德家族还在心满意足地继续着他们传统的以艾尔梅登矿区的产量作为担保的借款体系，这个担保价值的可靠程度是西班牙货币的价值所不具备的。这一直都是很可靠的收入来源，并且一直持续到了20世纪20年代。19世纪70年代初期——这一时期政治的不确定性达到了顶峰，而债券价格在一路暴跌——水银的价格出现了急剧的上扬，从通常的每瓶6~8英镑涨到1873年顶峰时期的22英镑。由于担心这样的价格可能会鼓励其他的商人开发不够经济的矿山，罗斯柴尔德家族急忙扩大矿山的产能：1873~1887年间，产量几乎翻了一番。

艾尔梅登体系运作得如此成功——阿方斯把它描绘成一棵“摇钱树”——以至于在1872年的时候，把这种模式延伸到西班牙政府力拓的铜矿上的可能性也提上了议事日程。1873年出现的共和插曲使这个计划胎死腹中，但是第二年年底，波旁王朝复辟又把这个矿山以370万英镑的价格卖给了英国公司（这个价格远高于罗斯柴尔

① 比塞塔（peseta），西班牙货币单位。——译者注

德家族认为的它们的真实价值)。在此之后，罗斯柴尔德家族开始对力拓产生了兴趣并成为了大股东——这个决定最后证明是非常有利可图的，因为国际上对铜的需求急剧上扬。然而，罗斯柴尔德法兰西银行对于扎拉果扎铁路的参与却完全是另外一番境况。尽管它慢慢地吞并了那些较小的线路，比如可多巴－塞维勒，但是马扎阿铁路从来没有向它的股东分过一分钱的红利。它与佩雷尔家族的北方线网展开了旷日持久的竞争，这场竞争一直持续到 20 世纪 20 年代，而且这项投资应该算是罗斯柴尔德家族的项目中最不赚钱的投资之一——尽管政府总的补贴额达到了 2 400 万英镑，而法国总共的投资是 7 000 万英镑。

但最为重要的是，对西班牙持久不衰的经济兴趣为我们解读了法国政府在 1868 年革命之后对这个国家的政治兴趣。在伊莎贝拉女王被推翻之后，从其他欧洲皇室寻找一个可能的继任者的投机活动马上就开始启动了。罗斯柴尔德家族很精明地并没有轻易放弃波旁：事实上，罗斯柴尔德家族巴黎银行基本上可以说从推翻波旁的这场革命爆发前的几个星期，就直接参与到了对这个皇室的资助活动中。但是在短期看来，一个来自波旁家族的候选人是不会被考虑的，虽然说拿破仑三世比较倾向于伊莎贝拉的儿子、奥地利王子阿方斯。与通常的情况一样，仍然有一位萨克森－科堡候选者——费迪南德。在王位空缺的这段时间内，革命爆发到最后在 1870 年 10 月接受由萨伏伊的阿马德奥（意大利国王维克多 · 艾曼纽的儿子）加冕的过程中，也曾经提到了很多名字。其中之一是霍亨佐兰－西格玛林根的利奥波德，他是普鲁士国王的一位亲戚。法国自然尽其所能来阻止他的候选资格，并暗示说这可能会变成从南边过来的新普鲁士的威胁，就是这种威胁导致了 1870 年战争的突然爆发。

如果比利时和西班牙没有什么实力，那么至少意大利算是一个竞争者。詹姆斯在 1866 年危机期间试图对意大利政府施加经济压力的尝试，基本没有任何效果：最终他从意大利购买威尼西亚的计划是实现了，但却是在他曾经力主避免的战争发生之后。在《布拉格和平协定》之后的那段时间，法国和意大利间结成反普鲁士联盟的可能性曾经不止一次地被提了出来，而奥地利则可能成为加入联盟的第三国。俾斯麦把这样一种联合称为“空中楼阁式的垃圾想法”，但是不管怎么说，这个想法也不会一拍即散。1869 年 2 月，纳特听到有人声称“陛下打算作出开战的决定，以便将公众的注意力从内部事务中转移出来”，而且意大利驻巴黎大使正准备返回意大利时肩负着政治目的，“也就是说服他的政府与这个国家建立进攻（和）防卫协定”。两个月之前，意大利事实上曾经秘密地提出过在发生战争时保持中立的想法，要求以蒂罗尔作为代价。当战争在 1870 年爆发的时候，维克多 · 伊曼纽尔郑重地考虑过与法国联手反对普鲁士的想法；不同寻常的是，他这一次居然出现了被他的大臣们否决的情况。

从金融的观点来看，意大利是应该顺从的。战争的花费——包括外部的和内部的两方面——已经从1862年的9.16亿里拉增加到了1866年的13.71亿里拉；但是财政收入却远远跟不上这个步伐，仅从4.8亿上升到6亿，以至于到1866年时超过一半的支出都依靠借款来解决。在1861年之后的4年间，意大利国家债务翻了一番还多，达到了大约50亿里拉（大约是国民生产总值的55%）。在1867年，意大利面临的问题不仅是债券的价格从大约66下跌到了50多一点儿；在1866年，里拉的兑换不得不暂停，进而导致了货币的进一步贬值。例如以英镑计价，意大利货币1862~1867年期间贬值了差不多12%。意大利的政治局势仍然让外国观察家感觉像云里雾里一般（凯沃尔的弟子昆汀诺·赛拉是唯一得到罗斯柴尔德家族肯定的后复兴运动的人物，而乌尔巴诺·拉提兹则是他们最讨厌的人）。与在西班牙的情况相仿，法国的银行之间为在任何一种金融业务中获得一点份额不得不展开激烈的竞争，而这种业务则只是意大利人为使他们从金融困境中解脱的一种手段。1867年一开春就看到了金融行业特立独行的预言家天主教徒朗格朗-杜蒙苏朝这个方向迈出的最新步伐，而罗斯柴尔德对他却很不以为然。

然而，困扰着意大利和法国结成任何可能的联盟的问题是意大利王国和罗马天主教会之间的关系。对于这个问题的外交钥匙关于罗马城本身的地位，尽管在1864年与法国达成了协议，意大利政治家依然觊觎于此。然而，存在于意大利政府与教会之间的敌意所产生的影响也蔓延到了法国国内。当意大利政府建议通过出售教会的财产来筹款的时候，引发了很多外国银行的兴趣。通过几个月的谈判，一个辛迪加露出了水面——罗斯柴尔德家族、兴业银行和地产信贷银行，后面还跟着朗格朗-杜蒙苏——他们在正式出售之前就先给政府预付款项：谈判的主要内容是贷款5亿里拉，佣金为10%，而教会的土地粗略估算价值超过10亿。但是，当交易一公布，出售教会土地就遭到了教皇的强烈反对，更为重要的一点是，意大利政府希望将至少部分的这种征用土地的责任转给银行，罗斯柴尔德家族开始退缩了。

这次退缩部分是由于商业原因，这种说法是正确的：在所提议的交易中有很多内容是詹姆斯不喜欢的，最起码他不喜欢与像朗格朗这样的“诈骗犯”一起共事。但是根据写给伦敦的家书中所透露的信息，其中最主要的理由是詹姆斯不想招惹在法国影响力正如日中天的教皇势力。这种对天主教好恶的敏感性是詹姆斯晚年很有意思的特征，1865年的时候就已经开始露出端倪，当时他竭力反对马上出售西班牙债券，理由是“与西班牙这样的天主教国家的政府和部长作对，从长远看没有什么好处，更何况这些国家现在甚至连犹太会堂都还不让兴建”。现在，他又再次提出了同样的理由：

作为一个犹太人，我不喜欢与教会作对，因为这样可能会伤害到各地的犹太人……这不只是因为（我们所占）的份额小，还因为这是一项不可能的交易，根本不可能达成。我作为一个犹太人，怎么可能强迫教会出售他们的资产？……我只是一个搞金融的，不想被卷入到政治中，这会让教会转过来反对我们。

很现实的阿方斯认为“把自己与政治活动搞在一起，做事情可能会很方便，但是这既不公平也不公正，相信这会把自己的好名声变成贪得无厌的恶名，而且会把意大利的反犹太人情绪挑动得像中世纪一样疯狂”。

来自罗马的阻碍最终被证明是不可逾越的。地产信贷银行与拉塔兹政府间于1867年7月重新启动了关于一笔更加直接的金额为1亿~1.2亿里拉的借款谈判，但是由于那年秋天在罗马又爆发了危机而使谈判告吹。拉塔兹曾鼓励加里波第对罗马进行第二轮攻击，之后罗马将拉塔兹逮捕。当法国人向罗马新增派军队之后加里波第提出辞职。随后，加里波第从他隐居的位于凯普雷拉的岛上逃脱，但是他发现罗马的民众非常冷漠，而意大利的正规军站在了法国人一边：他的志愿军因此兵败蒙大拿，与5年前在阿斯普罗蒙特的遭遇几乎如出一辙。

这次惨败使战争的幽灵时常出现在法国与意大利之间，而教会土地的问题再次浮现出来，但是，詹姆斯和阿方斯再一次拒绝参与其中，尽管这让伦敦的合伙人觉得非常遗憾。与通常的情况一样，他们这次的保留也存在商业方面的理由：打算对意大利债券征税的说法使詹姆斯很不高兴，而同时地产信贷银行在谈判中采取了越来越独立的方式。但是从根本上说，这是一个宗教问题，而且这是决定性的原因。“我们生活在一个天主教的国家，” 阿方斯遗憾地说道，“人们无法反抗他们所生活的那个国家中普遍存在的宗教偏见，特别是当你属于信仰不同的族群的时候。”纳特对此深表赞同：“参与到教会的生意中对于我们的巴黎银行来说，是一件非常困难的事情。”他认为“只要有机会，教会人士会将我们撕成碎片，而且世界上再找不出比这件事情更让我们不受欢迎的事了。从我的角度看，利润该是多少就是多少，我衷心地期望我们与这种事情不要有任何牵扯”。阿方斯很尖锐地提醒他的伦敦堂兄弟“在几乎完全相同的情形下”，他们已经“拒绝了俄国的贷款，主要是因为英国所弥漫着的自由主义情绪，这种情绪在那些日子里支持波兰而反对俄国”。此外，那时又增加了法国在罗马的这种复杂的政治因素。1868年2月和3月，阿方斯和詹姆斯两人都很认真地征询了拿破仑三世和罗谢尔的意见，他们把就罗马问题达成某种谅解看成是任何类型的意大利贷款的先决条件，但是这样一个谅解从来就没能实现。

甚至与罗斯柴尔德家族那不勒斯银行在1863年关闭的情况相比，1867~1869年间流产的谈判更像是罗斯柴尔德家族在意大利历史上的转折点。迈耶·卡尔抱怨说，这是“一个天大的遗憾，让我们的敌人和那些永远都在世界各地反对我们的人抓到了这么一个赚钱的生意”。他说对了，确实，出售教会土地所筹集到的钱比预期的要少，这个事件的主要作用是压低了意大利土地的价格。不过一直到19世纪80年代，在管理意大利的外债方面，罗斯柴尔德家族一直占着主导地位：1861~1882年间，对债券的外国持有人应付的红利中，70%都是通过罗斯柴尔德的各家银行在进行支付。在意大利政府于1880~1881年恢复现金支付时，需要6.44亿里拉的稳定贷款，他们找的也是罗斯柴尔德家族伦敦银行。然而，阿方斯再也无法恢复詹姆斯在19世纪50年代和19世纪60年代曾经享有的那种对意大利政府的影响力。

从法国对外政策的这个点上说，由于出售意大利教会土地导致的困难显得更加严峻。因为与罗马的纠葛不仅把罗斯柴尔德排除在土地出售的业务之外，还使法国与意大利结成反普鲁士伙伴关系的可能性彻底消失。每一次，当法国罗斯柴尔德银行从教会土地的业务中退出时，那些德国银行家，诸如艾兰格尔、奥本海姆、汉森曼和布雷希罗德就加入了进来。

法国资本在意大利影响力下降的另一个标志是那个曾经由詹姆斯缔造的最使他感到自豪的王国——南奥地利-隆巴多-威尼西亚及中部铁路公司的衰落。与扎拉果扎铁路相比，隆巴蒂是一个成功的范例，它确实在给它的股东们派发着红利，它未来的前景似乎也是一片光明：奥地利的布勒那关隘在1867年对铁路交通开放；1871年，福勒杰斯隧道开通，使意大利到法国的路程一下子缩短了很多。每当英国的家族成员在隆巴蒂铁路网上驰骋时，他们对这个发展都给予了极大的关注。另外，人们似乎也找不到限制隆巴蒂铁路在地理范围上进行扩展的理由。1867年，隆巴蒂公司通过向意大利政府合理支付了1 100万里拉后，获得了对几条罗马线路的控制权。两年后，在听到了它将把网络延伸到巴尔干并到达康斯坦丁堡的说法后，公司的债券涨声一片。

然而，人们也不能无视问题的存在。纳特与他的叔叔安东尼都在抱怨铁路网络的意大利部分冗员太多。更为严重的是，隆巴蒂公司的财政需求似乎是个无底洞。公司所吸走的资金就算算上政府补贴都是令人惊愕的。按照吉尔的说法，罗斯柴尔德家族法兰西银行在1864~1870年间贴进这个公司的钱超过了500万英镑，而且缺口每年都在增加。阿耶尔的数据表明，1866~1871年之间，罗斯柴尔德伦敦银行发行的隆巴蒂债券票面总值合计超过2 460万英镑。这些债券的发行价格本身就很能说明问题：1866年首次发行时的价格是票面价格的93%；同年稍后再次发行的平均价格是

79%；在1871年，价格下降到了43%。仅在1874年，罗斯柴尔德家族伦敦银行在该公司户头上所支付的金额合计为89.3万英镑。在19世纪60年代，现金流危机成了每年的例行公事。无可避免地，公司在金融上的脆弱使它的大股东能掌握的政治杠杆远不如过去那么受人重视。由于它横跨奥地利–意大利边界，又给两边的政府按正常的基数支付巨额的款项，使得这条铁路在过去曾经赋予了詹姆斯真正的政治影响力。而到19世纪60年代末，这种情况就不复存在了。过去那种把应付给政府的钱预先支付出去的老把戏仍然还可以继续，但是各个国家独自向公司发出自己指令的情况却越来越普遍。

比如在1868年，意大利政府威胁把停止对铁路的补贴作为削减开支的一个部分，而且在两年之后它又提出了一个新的税种，阿方斯担心这个税的推出将会吞噬掉铁路网在意大利部分所产生出的全部利润。与此同时，奥地利政府还试图强迫公司在政治敏感的泰罗尔地区修建一条经济上根本不可行的支线铁路。普鲁士政府的企图是修建另外一条通过圣戈特哈德关隘连接德国与意大利的铁路，这在罗斯柴尔德家族成员中间引起了混乱：迈耶·卡尔对所提议的补贴投了反对票，引来了那些希望新补贴提议的通过能促进隆巴蒂债券价格的人的质疑。当奥地利政府宣布它决定强制性地把奥地利南线铁路从几乎不能赢利的意大利铁路网络中独立出来时，也引起了类似的混乱。这个拆分行动从1866年起已经被多次延后，这代表着一个时代的终结。在1875年，罗斯柴尔德家族以7.5亿里拉（3 000万英镑）的价格把意大利铁路网络卖给了政府；自此以后，意大利铁路成为意大利政治精英们自己的保留地。

这些金融和政治上的压力在罗斯柴尔德各银行之间引发了新型的摩擦，在伦敦、法兰克福、维也纳和巴黎之间造成了周期性的“口水战”。罗斯柴尔德家族巴黎银行被其他分行斥责过度偏袒隆巴蒂公司的财务状况，而且对来自于其他的大股东，比如塔拉伯特的压力过于敏感。阿方斯指责安塞尔姆把商工银行的利益放到了罗斯柴尔德家族集体利益之上。然而，这只是影响更加深远的分歧的一小部分，到19世纪70年代，似乎对罗斯柴尔德家族传统的跨国合作伙伴体制的合理性提出了根本性的质疑，而这个体制的重要性詹姆斯在遗嘱里已经做了重申。尽管与个人的差异不相关，但正如我们将要看到的，这个利益上面的分歧主要是因为资本形态的结构出现了变化，这种变化逐渐使中欧可以把自己从西欧的阴影下解放出来。渐渐的，各家分行之间的利益也越来越多地变得具有地理性质的特征。法国在寻找能够有效地平衡普鲁士实力的方法上所遭遇的最终失败，其根源也源于这个变化过程。

奥匈帝国的孤立

法国与意大利之间的结盟就算已经得以确保，但要是没有奥地利的加入，也几乎难有什么战略价值。从表面看，法国–奥地利联盟是1866年之后最有可能出现的合作；事实上，正如我们所看到的，在1866年期间确实已经出现了，而且甚至可以被看成是奥地利敢于冒险反对普鲁士的一个原因。奥地利战败之后，法国曾经多次尝试重提这个想法——1867年4月和8月、1868年的夏天、1868年的12月、1869年的3月和9月。对于德·格拉蒙特公爵——法国驻维也纳大使，在1870年4月成为外交部长——来说，这样一个联盟可以变成现实，他甚至相信已经是现实了。格拉蒙特对待1869年流产的协议的态度就好像它真实存在，同时也"从道义上签署了"（拿破仑三世一相情愿的说法），一名法国将军甚至都已经被派遣到维也纳去讨论联合军事行动的问题。但是，自始至终一直无法跨越的绊脚石是新的奥–匈双重君主制具有不同于过去的奥地利帝国的优先权。就像列昂内尔1867年时在维也纳告诉迪斯雷利的，无论是在德国还是在意大利所产生的雪耻的想法，维也纳都没有严肃对待过，与布达佩斯相比也差得很远：看起来未来似乎寄托于巴尔干。法国面对的问题是奥地利首相贝斯特兴趣所在的波斯尼亚–黑塞哥维纳隐含着与俄国而不是与普鲁士的冲突。除非法国愿意支持奥地利在东方问题上抗击俄国——比如对于反对土耳其统治的克里特岛人起义——否则奥地利–法国联盟就没有什么现实的意义。结果也被证明，确实如此。真正的情况是，1868年年底维也纳的罗斯柴尔德报告了一个很严重的情况，贝斯特打算发动另一场反抗普鲁士的战争，而且这很显然与在罗马尼亚和克里特岛的问题的关系比与法国问题的关系更为紧密。

正如我们看到的，在19世纪50年代和19世纪60年代，奥地利周期性的财政赤字部分由英国和法国的资本提供资助。在1866年的大崩溃之后，詹姆斯努力想把业务恢复如前。尽管他声称"真的不再对烦人的奥地利信用抱有任何大的信心"，但实际上他几乎是马上就开始给他们提供现金借款。詹姆斯在1867年夏天访问了维也纳，试图就新发售"英国–奥地利债券"——这类债券在1859年时发行过——进行谈判。然而，对于家族里的其他成员来说，这似乎还为时尚早，因为当时奥地利与匈牙利之间刚最终达成了协定。迈耶·卡尔对于奥—匈"双重体系"这个新系统的经济可行性持怀疑态度，因为这个体系赋予了匈牙利几乎完全的金融自主权，而相对来说，它对"共同的"奥匈帝国防务预算的贡献相对很低；他一直在谋划发行新的奥地利债券，而剩下的唯一问题就是价格低得过分。纳特在英格兰也怀有同样的谨慎。

他们的担心只有在奥地利政府1867年11月获得来自地产信贷银行和巴黎其他

银行的竞争报价之后，才会得以证实。正如阿方斯所抱怨的："说真的，与奥地利政府打交道非常困难，他们总是迫切地要钱，而且这种要求又总是同时发给所有人。"这种情况下"几乎不可能带给任何谈判一个愉快的结尾"。最为严重的是，尽管这些谈判仍在继续，但奥地利政府却宣布对所有债券征收新的税种，而且强制性地把现行的政府债券利息从5%调成4.5%——这种做法被阿方斯很放肆地宣称为"不切实际的经济激进共和主义"，而且是实际上的"破产"，因为这只会让奥地利的信用雪上加霜。匈牙利政府很幼稚地想尝试，结果直接借款时也遇到了类似的困难。

这些问题需要放到维也纳银行和其他罗斯柴尔德分行之间沟通失灵的大背景下来理解。在1867年，安塞尔姆的做法让他的叔叔怒火中烧，安塞尔姆居然与一个维也纳辛迪加安排了奥地利皇室地产抵押贷款，甚至还让兴业银行在巴黎发行了新的债券。这是安塞尔姆采取半自治做法的第一个信号，这个举动与上面描述的铁路利益的分歧同步发生。匈牙利国民信贷银行由维也纳银行和商工银行在1867年成立，这个银行的成立也是这种趋势的一个产物：安塞尔姆在匈牙利进行投资的时候，对于巴黎和伦敦的意见只是例行公事地进行敷衍。当奥地利的债券在1868年进行强制转换在伦敦被暂停交易的时候，安塞尔姆非常愤怒，坚定地与政府站在一起，抵制这个他自认为是极少数英国债券持有人的行为，而且谴责列昂内尔没有跟他站在同一条战线。他的奥-匈倾向在1870年2月显现无遗，当时他宣布达成了一项新的3 000万古尔登的匈牙利彩票型贷款。他的合作者仅限于奥地利和匈牙利的银行，而且只给列昂内尔提供了很可怜的25万古尔登。一直到1871年，另一家罗斯柴尔德银行（法兰克福）才在一份以国有铁路做抵押的匈牙利贷款中获得了一个稍有价值的份额；而到了1873年，罗斯柴尔德伦敦银行才参与了匈牙利债券的发行。各分行间日益加深的隔阂表现在从维也纳到伦敦的沟通频率日渐减少上：安塞尔姆的儿子阿尔伯特在1871年试图重新恢复定期通报的传统做法，提供奥地利经济和政治的详细报告——除了其他的情况之外，这些报告还揭示了他父亲与贝斯特的亲密关系——但是，这些做法不久也就停止了。

可以想见，安塞尔姆的特立独行让其他分行非常生气。詹姆斯抱怨道，他"不是在协议达成之前，而是在协议达成之后，才告诉我们那些交易的事情"，而且事实是"这些交易中的大部分其实更适合放到国外，最好是巴黎，而不是在奥地利市场"。迈耶·卡尔指责安塞尔姆"总是维护政府的利益，而从来不考虑我们自己"，这与早年对安塞尔姆的父亲萨洛蒙的抱怨如出一辙。在另一方面，阿方斯牢骚满腹地说，"尽管安塞尔姆与政府的关系很好"，他却"常常不了解维也纳在发生什么事。"总体来说，安塞尔姆似乎是"让所有的业务都旁落他人之手"（迈耶·卡尔语）。阿方斯认为："通过向这些新银行提供帮助，我们的好叔叔正鼓励他们在欧洲的每一个市场与我们的银行竞争。"在安塞尔姆对这些抱怨的回应中，人们看到了家族内部的分歧日益加深。他在没有知会巴黎的情况下建立了匈牙利信贷银行，他写道，因为他不希望只被看成是"罗斯柴尔德银行的代理或者是通信员"。安塞尔姆抱怨道，在过去的很多场合中，在罗斯柴尔德的其他银行所进行的交易中，他被完完全全地挡在了外面，而且：

> 在最近的隆巴蒂债券的发行中，我被空洞的没有任何价值的私人信件所蒙蔽，这些信只是说（巴黎）交易所的情况更好了还是更坏了，而对通常很有意思的与意大利、西班牙等的谈判和借款的相关细节只字未提。如果说是我太敏感，我承认，但是如果一个人没有得到足够的重视，他就应该有自然感情的发泄渠道……我与商工银行联手做了很多事，这是一个不争的事实，而且完全可以理解。是我自己而不是任何其他人缔造了这个企业……因而我对这个银行具有某种特别的感情，这家银行由于拥有了5 000万古尔登的资本金……现在已经成为了这里的金融巨人，赢得了应有的尊重，而且在奥地利的经济生活中举足轻重。

在1869年4月，费迪南德向列昂内尔转达了一份来自他父亲的类似信息：

> 他对他已经着手的业务都很满意。罗斯柴尔德家族维也纳银行持有14 000股商工银行的股份，获得的利润为10万英镑。他现在正与匈牙利政府谈出售位于佩斯的一座桥的交易，他希望这项交易能赚20 000英镑——他说在维也纳的交易所有大量的交易业务成交，而公众都是在他的后面盲目跟风，他对于自己在金融家兄弟中的地位很满意。

这并没有说服安东尼，当他在1869年9月访问维也纳的时候，给他的印象是由中央银行宽松的货币政策所驱动的投机泡沫。在商工银行卷入到由罗斯柴尔德家族巴黎银行策划的给西班牙的贷款中时，安塞尔姆的所作所为进一步地激怒了罗斯柴尔德家族法兰西银行和英格兰银行；而安塞尔姆给出的辩解是，作为一个大股东但不是控股的股东，他无法决定一家股份合作制银行的借贷政策，但是这样的解释并没有在巴黎得到认可。

在暴露罗斯柴尔德家族的利益分歧方面，最有说服力的是将奥地利铁路经巴尔干延伸到土耳其的计划，这个计划是安塞尔姆从1869年年初开始努力推动的。让他气愤的是另外几家罗斯柴尔德银行对这个项目都持有很深的疑虑——部分原因是由于土耳其的金融非常不可靠，另外的原因是他们认为现有的铁路投资对他们已经是非常重的负担了。最终安塞尔姆不得不退了出来，把这块业务留给了比利时银行家莫里斯·德·赫希男爵。"对于土耳其铁路我们没有任何兴趣。"阿方斯和列昂内尔很认真地对此表示赞同。从1866年开始，安塞尔姆便不得不硬着头皮去聆听来自他的亲戚们的那些刺耳的话，但他可以同样的以牙还牙。连接君士坦丁堡的铁路规划可以由"规模宏大的欧洲企业、那些来自法国和英国的金融大鳄" 与那些奥地利的金融家联手参与其中。当阿方斯稍后反对安塞尔姆参加新的奥地利-土耳其银行的时候，安塞尔姆并没有坚持：

> 我只是无法理解（罗斯柴尔德家族巴黎银行）对这个企业所产生的这种厌恶的感觉，这个企业从哪方面来说都不会损害我们各家银行的利益，最起码不会损害罗斯柴尔德家族巴黎银行，正如你们所了解的，在君士坦丁堡并不保留代理机构，而且据我所知，与土耳其政府也没有任何的业务往来。如果不是这样的方式，我会毫不迟疑地放弃为其他银行在公司里谋求哪怕是间接的任何利益，但是我应该顺便提一下，这个公司运作得非常好，而且已经完成了几笔较大的给政府的付款业务，证据就是其股价站在了高于面值40%~45%的位置。

接下来，他很气愤地继续写道：

> 罗斯柴尔德家族维也纳银行发现自己处于一个十分奇特且不正常的状态，所以在伦敦、巴黎和法兰克福的大交易都是由这些地方的银行来联合完成。但是对于维也纳，不管是过去还是现在，我们所能做的就只是一些别人不愿意做的事情，而且我肯定我无法解决不断增加的成本所带来的问题，也无法满足人们对我的姓氏产生的期待。一定程度上，我是有些抱负，这当然不应该受到谴责，我想继续前进，如果不能与其他的银行齐头并进的话，至少也不要被落下太远——而且截至目前看，承蒙上帝的眷顾，这个计划的进展还不算坏。

如果伦敦和巴黎的分行逃避了巴尔干和土耳其的挑战，他们还能够指责安塞尔姆在其他领域的特立独行吗？从根本上来说，贝斯特也曾经问过拿破仑三世同样的问题，而对于这个问题，人们找不到真正的答案。

德意志帝国的经济本源

不管他们对巴尔干铁路有什么样的看法，在19世纪60年代和19世纪70年代确实有一个东欧问题引起了其他罗斯柴尔德银行的兴趣：罗马尼亚犹太人的生存条件。由于从俄国帝国迁来了大批移民，这个国家的犹太人人口数量在一段时间内确实出现了增长。1866 年，布加勒斯特提出了一个犹太人解放的立法计划，并进行了辩论；在随后几年，也爆发了类似的暴力冲突。在雅西，犹太人成为残酷且持久的迫害目标。罗马尼亚政府对此表现得很麻木，因此罗斯柴尔德家族再一次试图使用他们的国际政治影响力来代表他们的“穷教友”讨说法。在巴黎，詹姆斯敦促法国政府向布加勒斯特政府提交了正式抗议。在伦敦，罗斯柴尔德家族也动员了对“发生在雅西的对犹太人残忍的猎杀行动”的官方批评，尽管列昂内尔对于理事会提议的派遣摩西 · 蒙特费欧执行又一次海外任务的想法一直持怀疑态度。但是，最重要的行动出现在柏林，在这里罗斯柴尔德家族集中了他们所有的力量。初听起来，人们难免会觉得奇怪；但应该记住的是，在 1866 年的 4 月，一名普鲁士王子（霍亨索伦 · 西格玛林根王族的查尔斯，安东尼的二儿子）成为了罗马尼亚的国王卡罗尔一世，而且人们很自然地会想到，正如戈尔德施密特对布雷希罗德所说的，“有一名执政的王子坐镇布加勒斯特，普鲁士的影响力是首位的，而且也是最大的”。费迪南德也希望迈耶 · 卡尔可以在柏林使用他的影响力“帮助那些可怜的犹太人”。按照普鲁士驻伦敦大使的说法，不少于“12 名罗斯柴尔德家族成员曾经作出了最紧急的呼吁”，希望普鲁士进行干预。迈耶 · 卡尔似乎直接给罗马尼亚王子的父亲写了信。

事实上，俾斯麦确实指示他驻布加勒斯特的总领事调查当地局势，并且“如果合适的话，向相关当局提出一个措词稍缓的抗议”。但是，在得不到俄国的支持时，他不愿意做得太多，因为俄国还一直认为过去的多瑙河公国在它的势力范围之内。尽管很多罗马尼亚犹太人已经逃到了条件更恶劣的东部，俄国外交部长戈尔查科夫仍然面无表情地表示，他“认为是罗马尼亚政府在采取措施来应对那里的犹太人在国内无序蔓延的过程当中犯下了错误”，并且补充道：“如果所有的犹太人都是罗斯柴尔德家族和克里缪克斯家族那样，那么情况可能就不同了，但是在目前这种情况下，如果是政府在力图保护他们的人民免受这些吸血鬼的伤害，那么政府就不应该受到人们的指责。”迈耶 · 卡尔报告说老霍亨索伦“很难过地抱怨奥地利报纸在持续攻击他的儿子……这些报纸大多数都掌握在犹太人的手里”。在 1869 年 10 月，阿方斯以私人身份拜会了罗马尼亚王子，并就这个问题与他交换了意见，王子给他留下深刻的印象——“一个不错的男孩子，表现得既有智慧又精力充沛”，而且他答应“将可怜的犹太人置于他的保护之下”：

> 但是，得到的总是同样的故事：犹太人把自己当成是外国人，他们满是蒙

昧和偏见，而且他们拒绝那些赋予他们相应的权利，以便让他们融入到其他公民社会中，使他们能将自己的才智应用到那些或多或少都有些违法的商业活动之外的地方的努力。

这些努力（在1872年、1877年和1881年又不断重复）产生了多少效果，很让人怀疑。一直到1900年，罗斯柴尔德的各家银行和匈牙利信贷银行都不得不拒绝参与到由贴现公司所提议的罗马尼亚石油交易中，原因就是布加勒斯特政府持续虐待犹太人。这首要的意义就在于证明罗斯柴尔德家族已经作好了修复与俾斯麦的关系的准备，这个曾经紧密的关系由于1866年的变故遭到了严重破坏。

这些关系修复的速度是对迈耶·卡尔聪明才智的验证，同时也表达了对俾斯麦的感激，因为罗斯柴尔德家族尽管曾经竭力为他的德国政策设立障碍，但是对他来说他们仍然还有利用的价值。他们之间的政治和解可以说是始自于1867年2月，当时，迈耶·卡尔被说服——很明显是被俾斯麦，当然还有其他人——出来参加新的定都在柏林的北方德国联邦的议会选举。应该说，他对学着他的英国堂兄弟们参与到议会政治中还有所保留。“他不会答应，”纳特报告道，“他说这里有个党派希望把他撵出来，以便能够垄断所有的业务，而且如果他能去柏林，对德国的货币政策表达他的看法，其他的人对他也不会心存感激。一直以来，在很多的事情中，普鲁士的利益与法兰克福总是相左。”但是，正如夏洛特所写的：

> 法兰克福城将不会再听到另外一个代表的声音，他将被选上，尽管他一再地拒绝，而且他会看到自己在最后妥协，特别是看上去德国议会似乎不会在一年中集中开会几个月……俾斯麦先生和德·萨维尼（卡尔·弗里德里希，他参与了联邦宪法的起草）都写信恳求他接受这份人民给予他的荣誉，说他的能力、知识以及经验都得到了柏林的高度赏识。信里所表达的尊敬和溢美之词已经达到了登峰造极的地步。

对于英国罗斯柴尔德家族来说，迈耶·卡尔接近全票当选的选举是由列昂内尔首开先河的家族传统中的胜利。就其本身来说，这只是个“荣誉的象征”，这个事件所蕴含的重要意义在于他“获得了5 600张选票中的5 300张……而且是在这样一个城市里——在50年以前，这里所有公园的入口都立有一块丑陋的警示牌子，上面用粗大的字体写着：‘犹太人禁止入内’。”还能有什么样的胜利能比罗斯柴尔德“被法兰克福这样一个对犹太人充满仇恨的城市以绝大多数通过的方式选择出来在德国议会的中枢代表它的利益”更具有象征意义呢？从另一方面说，对于迈耶·卡尔来说，这个事件也有现实的考虑。现在他有了正当的理由经常到访柏林，这可以使他“接触德国的所有伟大人物和思想家”。在柏林有罗斯柴尔德的存在这一点同时也受到了俾斯麦的欢迎。他不仅鼓励迈耶·卡尔参选，当他在1867年夏天访问巴黎的时候，他还向詹姆斯抛出了一根精心挑选的橄榄枝，外形是一个印有红鹰标识的勋带。“伟大的荣誉，”正如阿方斯所注意到的，“而且是犹太人在普鲁士所获得过的最高荣誉。”俾斯麦还更进一步，那年11月，他把迈耶·卡尔擢升到了普鲁士上院——实质上是一个终身贵族的封赏，这次封赏比英国罗斯柴尔德家族最终获得可传承的贵族身份早了将近20年。至少有一次，俾斯麦甚至敦促迈耶·卡尔在柏林买所房子，以便他可以在那里消磨更多的时间——对于这个建议，迈耶·卡尔在1871年的时候开始考虑。两人的关系不久就到达了相当亲密的程度：在1867年柏林皇宫举行的一场音乐会上，俾斯麦以玩笑的口吻告诉迈耶·卡尔：“如果英国想要给阿比西尼亚找个王，他会推荐汉诺威的前领主。”这次会面的地址显示，迈耶·卡尔也被当成了近臣（可以出入宫廷）。在1869年3月，他“与王储进行了长谈，王储对什么事情都有浓厚的兴趣，而且得到满意的讲解”，随后又拜访了王后。一年之后，他应邀参加了一个王族们的小型聚会，见到了沙皇的兄弟米盖尔大公；1869年4月，他还出席了在宫中举行的戏剧表演。

对于迈耶·卡尔来说，俾斯麦从孔尼格拉兹时的恶魔转变成了现在的朋友。“老俾”不仅只是表面风光，而具有实用的价值：从1868年4月开始，迈耶·卡尔可以接触来自柏林的第一手政治消息了，而这以前曾经是布雷希罗德的专利。对于俾斯麦来说，最关键的问题是，通过迈耶·卡尔，他不仅可以确保与巴黎的直线联系，还可以确保与伦敦也能直线联系。他们之间新建起来的这种新的关系模式的典型表现出现在1868年4月，当时，迈耶·卡尔为了“海关议会”的召开来到柏林，这个会议把1868年从整个索伦地区民主选举出来的代表集中到了一起，会议的目的是为南德诸邦进入北德联邦铺平道路。但是议会让俾斯麦非常尴尬，因为南德诸邦成员中绝大部分人都怀有反普鲁士情绪，这可以解释他为什么决定通过罗斯柴尔德家族抛出一份法国—普鲁士双边裁军的提议。

4月23日晨，迈耶·卡尔给伦敦银行发了一个电报：“告诉你的朋友（迪斯雷利），自5月1日起军队裁减已经正式决定，而且如果能得到很好响应的话，还将继续进行更大规模的裁军。”他在同日发出的一封信中详细作了解释：

> 我认为俾斯麦采取的这个做法会起好的效果，而法国皇帝将会被请求中断他的军备计划，这会对资本市场产生影响……现在，一切都有赖于法国，而且

如果你的朋友们能应用他们的影响，那么事情将会朝一个全新的方向发展。裁军将会在5月1日开始，但是我不认为这会有什么太大的效果……因为人们最想看到的就是普鲁士追求和平的简单的证据。

迪斯雷利抓住了这点，将这封电报转给了史丹利，并以典型兴奋过度的笔触在电报上写下了这段话：

我认为这很重要：查尔斯（迈耶·卡尔）实际上代表了俾斯麦。几天之前，俾斯麦还要将所有的怒火发到法国人身上，并且宣称法国问题将通过战争解决等。但是在周一，罗斯柴尔德写信告诉柏林，他们清楚英国对普鲁士非常满意，这也证明它真的希望和平……因此英国不会应法国的请求采取什么行动，这会让普鲁士产生怀疑，等等。这就是答案。我禁不住想，您现在面临着另外一个确保欧洲和平，并建立您功勋的大好机会。

两天之后看到迈耶·卡尔的信，首相深受鼓舞：

我感觉真的是英雄所见略同啊。他们（罗斯柴尔德家族）今天早上来了一封详细的信件，对电报做了解释，使内容更加完善。写信者直接从俾斯麦本人那里得到了第一手鲜活的信息，并用比较直接的方式说：他提供了所有从5月1日开始的以及随后马上会开始的更大规模的所有裁军细节，当然前提是法国能有正面回应。

迪斯雷利的正面回应及时传回到柏林。然而，从表面看，史丹利是冷淡的。他清楚迪斯雷利的如意算盘是“我们可以把这个信息提交给法国，作为我们的表示，而且有可能引导他们对其裁军作出某些承诺：当结果全面公开后，英国总体上会获得很多好处，特别是政府的地位会得到增强”。但是他“怀疑这种合作的可行性，因为这种方式以前从来没有过”。显然，他并没有怀疑迈耶·卡尔情报的质量，这可以从迪斯雷利在关于这个问题的第一封信的批注中看出来：“他们（迈耶·卡尔和俾斯麦）几乎每天都会碰面。”1869年3月，在柏林和伦敦之间也有类似的通信。迈耶·卡尔在3月15日报告说“老俾对比利时问题的看法并不是自己的观点，但是他仍然希望不要有任何可能危害和平局面的事情发生；他说全部都取决于法国皇室的态度，而且没有人能预见他可能会有什么其他的计划”。4天之后，“俾斯曼今天在议会里就坐在我的旁边，并且跟我讲了同样的话，但是他很希望知道老拿破仑三世是什么样的计划，而且是否真的有与奥地利和意大利联盟这回事”。

所有的这些往来信件都存在着一个明显的问题：狡诈的俾斯麦是否是利用迈耶 · 卡尔来向伦敦和巴黎传递隐瞒普鲁士真实意图的假消息？毫无疑问的是早在1867年4月，迈耶 · 卡尔就开始把普鲁士的利益当成是他自己的利益了——证据是他开始用“我们”来代替对普鲁士政府的称呼。当他在1870年投票反对圣戈特哈德隧道补贴时，他回应说他不支持，“因为我发现自己在议会里不是作为罗斯柴尔德银行的代表，而是广大人民的代表，从这一点上看，我就反对在政府还在为自己面临的赤字作斗争的时候向任何外国铁路投资进行补贴。”“在普鲁士与所有其他垃圾国家之间有一个非常显著的不同。”他在法国–普鲁士战争爆发的前夕宣称，这是他也转变为野蛮的沙文主义的很多例证之一，这种情况在1866年对激励普鲁士人的士气起到了很大的作用。但是，这不应该被解读成那个耳熟能详的德国犹太资产阶级向容克强人“缴械投降”的通俗故事，也不应该认为这是俾斯麦在设圈套让罗斯柴尔德家族钻。俾斯麦有可能期待着南德诸邦进入他新建的联邦将会在某一天引发与法国的纷争这样的问题，但是在1870年3月之前的任何时候，他都不应该被指责成加快了走向战争的步伐。正如他在1868年2月的时候所说的：“德国的团结可以通过暴力事件得以进一步加强，我也认为有这样的可能性，但是……引发一次暴乱灾难是完全不同的另一件事……德国团结目前还不是一个成熟的果实。”俾斯麦通过布雷希罗德传递给巴黎的信号是和平；然后，在1868年秋季，阿方斯从柏林得到的一个消息说“战争在开春后将不可避免”，迈耶 · 卡尔对此不以为然：“我不太看重布雷希罗德所说的，因为他主要是重复从悲观的人那里听来的说法，而且他自己对那些符合我们要求的事情也总是很悲观。”

迈耶 · 卡尔有充分的理由相信俾斯麦的愿望是和平，短期看是这样的，因为他所有有关俄国经济地位的情报都指向这个方向。这个判断又被1866年战争之后大量涌现的新的私人领域的金融机会大大增强了。

罗斯柴尔德早在1867年1月就重新开始参与到普鲁士金融活动中，当时迈耶 · 卡尔为罗斯柴尔德家族法兰克福银行和巴黎银行争取到了参与票面利率为4.5%的1 400万塔勒的国有铁路债券的发行。这次发行首开了与贴现公司银行进行合作的先河，之后双方又多次合作，该银行董事阿道夫 · 汉森曼被迈耶 · 卡尔很有远见地看成是在新的，而且处于剧变中的普鲁士–德国金融界的一匹黑马。尽管1866年感觉都非常不好，迈耶 · 卡尔仍计划马上就重新进入到普鲁士贷款银团中：就好像1866年所有的重话都没有说过一样。他随后参与了另外的两笔贷款活动，贷款的目的主要是满足普鲁士的战后军费支出，一笔是1867年3月的3 000万塔勒，另一笔是8月的2 400万塔勒。1868年5月，又做了另一笔1 000万塔勒的贷款。在同年11

月，还提出了 2 000 万塔勒的铁路贷款；1860 年 5 月，又提出了 500 万塔勒的贷款。每一次，罗斯柴尔德家族法兰克福银行都与伦敦和巴黎银行均分数额。“你完全可以肯定，”迈耶 · 卡尔在 1869 年圣诞节向纳特保证，“如果不让我知道，或者不让我参与，没有普鲁士贷款或者是用于北德联邦的贷款可以被批准……你知道我与康福豪森的关系非常好，而汉森曼是我最重要的朋友，因此我不担心在我们不知情的情况下会发生什么事。”当康福豪森在 1870 年试图合并普鲁士债券的时候，迈耶 · 卡尔吹嘘说“我们位于法兰克福的银行将会是被授权进行新的配置的唯一企业”。

迈耶 · 卡尔心里非常清楚，这次借款行动在某种程度上可以说是政府持续的预算困难所导致的结果。要弄清楚那些年间普鲁士的经济政策不是一件容易的事，因为战争和政治对官方统计数据造成了严重的破坏，尽管现在可以找到的数据一目了然。根据公布的预算，普鲁士总的公共开支从 1860 年的 1.301 亿塔勒上升到了 1867 年的 1.689 亿塔勒，军队和海军预算的增长占了差异部分的大约 40%。然而，这些数据说明的只是整个故事的一部分，因为实际的支出要远高于这个数字。1863~1868 年间，预算目标连续被突破：实际支付的比预先计划的总共多出了 2.46 亿塔勒。这里军费（包括常规费用、特别费用和预算外数据）同样也是关键：它占总支出的百分比从 1861 年的 23% 上升到了 1866 年的 48%。这些支出靠的是短期借款（向柏林的银行出售短期的财政票据），1866 年之后就是通过发行上述票据来筹款。公共债务的上升非常剧烈：3 年之后就从 1866 年的 8.7 亿塔勒上升到了 13.02 亿塔勒。正如我们已经看到的，战争对普鲁士造成的财政压力比对奥地利造成的压力要小很多，主要原因有两个。首先，普鲁士在发动统一战争的时候债务负担相对较低。其次，经济的增长意味着从宏观经济方面来看债务的增长比较适中——按照某种方式估算，尚不足国民收入的 2%。然而，同时期的债券市场（当时没有现代的这些分析数据）却让人大跌眼镜：1864~1870 年间，普鲁士债券的价格出现了剧烈的下跌，从每股 91.25 塔勒跌到了每股 78.25 塔勒。

迈耶 · 卡尔毫不怀疑，俾斯麦仍然受困于现金短缺。“这里的财政还是非常缺钱。”他在 1868 年 5 月报告说，“如果他们认为可能会发生战争的话，政府的日子会很难过。”政府在 1868 年秋提出的以烟草专卖作为保证发行债券的计划是一个败局。“这里的银根很紧，”他在 1869 年 4 月报告说，“而且最近的普鲁士贷款也没有成功。”再也找不出比迈耶 · 卡尔同年 5 月份的那些信中更显而易见的公共金融、私人利益和对外政策相互交织的交汇点了：

5 月 10 日：这里的政府经济非常困难，俾斯麦尤其痛苦，因为几乎所有的新税种都被联邦议会拒绝……

5月23日：俾斯麦发表了长篇演讲，而且耐心地对反对的议员作了解释，但是……未能在投票中得到自由党人对新税种的支持。与此同时，政府的处境很尴尬，而且如果我们要新换一位财政部长，我也不会觉得奇怪，这可能会是首当其冲的事，因为现在的这位（冯·德·赫伊特）是一个傲慢的“德国佬”，并且与议会不和……

5月25日：议会里的气氛非常糟糕……天知道政府怎样才能脱离这种金融困境。只要人们还关注和平，这就是一个大事情，而我们在塞纳河沿岸的朋友在听到我们困难的时候不会不高兴……

5月31日：我很高兴地说，感谢老天，国王非常不错，但俾斯麦是暴力型的，脾气火暴而且非常乖戾……我所有的朋友都要求我出来说话，并且批评政府的新金融措施，但是我告诉你们这让我有多么不舒服，特别是当你所说的要向整个世界公布而且总是被误解的时候……

6月3日：俾斯麦说他病了，但是我认为他只是太郁闷了，因为他提出来的所有新的计划都面临着失败，而且，自由党决心对那些不可能对体制带来变化的所有提案反对到底……

6月5日：俾斯麦又好了起来，并且认为他的方案会在关税同盟议会获得通过，但是我可以肯定对石油征收重税的提案会被否决，因为所有自由党议员都决定投反对票，最后的结果只能是他向自由党的方案寻求和解……

6月10日：俾斯麦对他所遭到的反对觉得非常恼火，他甚至说想要辞职，但这只是一个老把戏，没有人会当真……

政府面临金融困难最有说服力的证据，是那年秋天对它以普鲁士铁路作担保的1亿塔勒的彩票型贷款案的否决。只是在康福豪森取代了冯·德·赫伊特成为财政部长，迈耶·卡尔对金融的未来才变得更加乐观起来。

然而，尽管俾斯麦使出浑身解数，最终还是功败垂成，未能为普鲁士和新的联邦获得足够的——而且更重要的是没有受到政治控制的——税收收入，但是德国的私人金融却获得了很大的发展。这是后来有名的创建期——创业年代的第一阶段，1866~1873年之间，新建立起了大量的股份制公司。“你根本想象不到现在这里的生意竞争有多激烈，”迈耶·卡尔在1870年3月这样说道，“用狂热已经不足以形容了，完全像是爆发了一场霍乱。”在这个热火朝天的时期，迈耶·卡尔与汉森曼的关系为他在数不胜数的交易中找到了位置：给但泽和孔尼斯堡以及给西里西亚、马吉德伯格和科罗尼-明登铁路贷款。这里也有对国际局势充满乐观的原因；因为在此期间建立起来的最雄心勃勃的新银行是普鲁士中央土地信贷银行，一家以法国地产信贷银行为蓝本建立起来的普鲁士第一银行。一开始，亚伯拉罕·奥本海姆原本计划（尽管没有遵从迈耶·卡尔的意见）这个项目由汉森曼在1870年以保证金的形式发起，并逐步充实到所认购的数额。从俾斯麦的观点看，这个项目的国内政治诉求是显而易见的：这是一个通过成本低廉的信用来调和东艾尔边地主阶级与新兴的自由时代之间所存在着的矛盾的方法。正如迈耶·卡尔所评论的，“国王的远大理想是拥有一个普鲁士的地产信贷银行来取悦那些对银行充满敬畏的新贵。”然而，对于我们来说，这个计划的国际意义更值得关注，因为从一开始就打算把它做成一个法国-普鲁士合作的产物，巴黎地产信贷银行的大股东还有法兰西银行和法国罗斯柴尔德家族。我们没有必要再猜测俾斯麦在这件事中是否有马基雅维利主义的动机。尽管当布雷希罗德通报他地产信贷银行在6月26日新发行债券的时候，他对日益临近的西班牙危机已经有了清醒的认识，但是他对这件事情的沉默并不是有意要在战争爆发前夕把法国资本抽取过来；俾斯麦仅只是希望法国罗斯柴尔德家族继续扮演好他们现在业已在普鲁士经济生活中建立起来的角色。发行债券的真正意义在于它在巴黎所取得的巨大成功：这绝对是在波拿巴政府的交易所里上演的讽刺剧。

在这个背景下出现的一件让人意想不到的事情，是迈耶·卡尔和布雷希罗德之间在这个时期内的交恶。与弗雷兹·史丹的印象正好相反，罗斯柴尔德家族对布雷希罗德感觉越来越不耐烦，并且把汉森曼看成是他们在柏林的主要商业伙伴。从1868年秋季开始，迈耶·卡尔就开始不停地抱怨布雷希罗德的所作所为，对于布雷希罗德自称是罗斯柴尔德家族在柏林的“代理”，他很轻蔑地予以否认。“我认为布雷希罗德给你们和巴黎写信希望你授予他委托是一件十分荒谬的事情，”他在1868年给普鲁士新贷款的谈判过程中告诉纽考特的人，“这跟他一点关系都没有。”一年之后，他谴责布雷希罗德是“一个老笨蛋，想让所有人都认为且相信他是我们的代理人，而同时又与所有给他1/8佣金的人做生意”。“我对他不太了解。”他在1870年3月这样评论道：

> 他很嫉妒汉森曼先生，而且当他与每个人都做生意的同时，又想让其他的人相信他是我们的代理的时候，我对他并不太在意。他这样做也跟自己开了一个很大的玩笑，而追逐名声、名分以及地位、财产，这些都在犹太部落的成员中间变成了一种寻常的癖好……布雷希罗德是一个傻瓜，他只关心个人的荣誉，他对这些领域没有任何的影响。

几周以后，他又同样评论道：

> 布雷希罗德先生非常有意识地想让所有人都相信他是我们银行的代理，而且很多人都认为无论他做什么都是为了我们的利益，并且已经得到了我们的同意。如果你与柏林有什么业务，我强烈地建议通过汉森曼先生，他是一流的人才，而且特别诚实。我们所有的业务都是与他做的，而且我不需要告诉你说我们有完全的理由来对他的服务表示满意。

在10月份他又再次评论：

> 你知道我们主要雇用汉森曼先生为我们处理我们在柏林的事务，而从来不通过布雷希罗德，因为他是一个搬弄是非的人，与此同时又希望让整个世界都相信他是我们的代理，如果没有他的话，我们什么事都做不了。汉森曼先生非常诚实，而且根本不会考虑做任何我们没有参与的事情，同时，我并不十分确定布雷希罗德先生是否能够受到同样的尊重。

迈耶·卡尔对俾斯麦的和平意愿充满信心的最后理由，是他觉得把南德诸邦纳入进来并不需要通过战争手段：经济力量似乎就可以完成统一的进程。1867~1870年间，我们看到迈耶·卡尔不仅奔忙于普鲁士的金融事务，同时还奔忙于其他德国各邦的金融事务，包括仍然游离于俾斯麦的联邦之外的南德诸邦。他参与了对威腾姆伯格王国的一系列贷款，比如1867年总额为1 500万古尔登中的900万古尔登，1868年的2 500万古尔登；同时还为巴登、巴伐利亚和萨克森尼发行了债券。此外，他也为很多规模较小的德国邦安排贷款，其中比较有名的有布罗涅斯威克、萨克森·梅宁根、萨克森–科保–戈萨和汉堡城邦。通常情况下，与这些贷款有关的金额和利润都是微不足道的，但是迈耶·卡尔是“不因事小而不为”、“半个鸡蛋也比空壳好”等信念的坚定信仰者。在任何情况下，这些活动从地理范围来说都具有真实意义：无论从什么角度看，一个统一德国的资本市场现在已经形成，其主要的中心位于法兰克福、柏林和汉堡，服务于一个呼之欲出的南北德联邦——萌芽中的德意志。这些贷款中的大多数都将用于铁路建设而不是军事目的：南德诸邦或许会朝普鲁士吼叫，但他们显然没有真正动武的打算。对于迈耶·卡尔来说，来回穿梭于法兰克福和柏林时，他所看到的德国经济走向统一的证据肯定是不会有错的。那么，为什么还要诉诸武力呢？

俄国的意见

人们事后都明白，只有法国和俄国结盟，才能真正阻止德国在俾斯麦的任期内走向统一。这样一个结盟的外交计划出现在1867年6月，当时戈尔查科夫和沙皇访问巴黎“来做生意”，但是随后在对待克里特岛人起义的意见上出现分歧，成为了双方之间达成谅解道路上一个不可逾越的障碍。另一个障碍——这里存在着1887年后那段时期内的市场反差——巴黎资本市场想在俄国金融领域建立主导地位的尝试遭遇失败。正如我们所看到的，詹姆斯曾经在很多场合下尝试在圣彼得堡“建立新的罗斯柴尔德家族立足点”，但是遭到了失败。1867年秋，俄国向罗斯柴尔德家族巴黎银行申请了半官方的借款，但是詹姆斯在1868年8月会见了其财政部部长鲁滕后，分文未给。在漫长的谈判过程中，詹姆斯建议实施“一个大型的金融行动”，言下之意是大规模发行政府债券，以便为新建铁路项目进行融资。但是鲁滕对此没有兴趣。政府“没有考虑金融行动”，也不希望借钱来是为了把钱存在詹姆斯那里——而且以一个更低的利率。鲁滕希望在俄国的铁路建设中把政府的干预降到最低，不想让政府直接来为铁路融资。他所能提供给詹姆斯参与的是把莫斯科到敖德萨的铁路私有化。尽管对这个项目的谈判断断续续地持续了一段时间，但这显然不是罗斯柴尔德家族想要的结果。在詹姆斯的眼里，“在一个距离我们的活动范围如此偏远的区域”直接参与到私人运营活动中太冒险了。

这种通常意义上的疑虑在詹姆斯死后变得更加严重。正如罗斯柴尔德家族法兰克福银行在1868年年末所指出的，“一直到现在我们与俄国之间的合作都不顺利，而且在所有这些问题出现之后，我们的到来似乎就像是晚宴结束之后所上的芥末，既不令人愉快，也没什么面子。”1869年年初，俄国政府似乎改变了主意。但迈耶·卡尔在想到大笔贷款的时候仍然心有余悸：“通过普通的通信方式根本不可能让我们对如此规模的业务有很强烈的兴趣……但是我们派不出人手到圣彼得堡去，而且一直到现在，我们与北巴巴瑞安人之间也几乎没有找到什么好的机会，因此我们不得不小心谨慎，不要让煮熟的鸭子飞了，让别人坐收渔利。”他不太愿意去圣彼得堡，阿方斯也不愿意去，他怀疑一次高调的罗斯柴尔德访问只是用来给那些在俄国的传统银行——像巴林和霍普施压。到1869年快要结束的时候，整个项目仍然处于一种很初级的状态。与在美国的情况非常相似，罗斯柴尔德家族多次拒绝了在圣彼得堡建立一个家族的代表处。1871年8月，戈尔查科夫敦促迈耶·卡尔说，“我们应该在彼得堡有个银行，”并告诉他“你们根本想象不到在俄国有多少生意可以做”，他的原话是“这是一座金矿”。但是，他的这个建议根本没有得到重视。阿方斯甚至反对安塞尔姆或者迈耶·卡尔间接参与到一个由商工银行在圣彼得堡建立的奥地利–德国合资银行的计划中。

然而，这样的谨慎态度并没有被柏林的其他银行所认可。“柏林的交易所是俄国债券的资本市场。”迈耶·卡尔在 1868 年 5 月以明显怀疑的口吻这样说道，“而且，公众除此以外几乎什么都不买。”布雷希罗德在促进实现俄国地产信贷银行的理想方面可以说不遗余力，他的想法完全是汉森曼–罗斯柴尔德–奥本海姆普鲁士抵押贷款银行的翻版。布雷希罗德和汉森曼对俄国铁路的兴趣也远远超过罗斯柴尔德家族。这应该被看成是早期德国资本东进运动的一部分：19 世纪 60 年代也出现了各种源自于柏林和汉堡对瑞典和芬兰（尽管受沙皇的统治，但是拥有自己的议会并享有相当的自治权利）的贷款建议。欧洲大陆的罗斯柴尔德家族对这些项目都表现得三心二意，例如 1867 年认购了 5 000 万卢布俄国抵押贷款中的 5%，但是当两年后增发同一债券的时候，拒绝了增持的选择权，而且此后完全陷入了摇摆不定之中。

十分奇怪的是，他们在 1863 年对给俄国提供借款的建议表现得非常保守，但是向人们证实俄国业务价值的却是伦敦罗斯柴尔德家族。纳特批评迈耶·卡尔没有能够在流产的 1869 年谈判中及时赶到莫斯科，而且在他的鼓动下，罗斯柴尔德家族伦敦银行在同年的 12 月份了结了此事。以 80 的价格发行 1 200 万英镑的俄国票面利息 5%的债券是这一时期最雄心勃勃的罗斯柴尔德事业之一，而且在所有接受订购的市场都取得了全面的胜利：巴黎和柏林还出现了严重的超买。正如迈耶·卡尔所宣称的，这是“当时众所周知的最伟大的胜利，而且俄国政府应该对你感激涕零，从今往后不应该再去找别的其他任何人，我希望他们会给你提供数不尽的新业务”。事实上，这是截至 1875 年罗斯柴尔德家族连续承担的 5 次主要俄国债券发行的第一次（票面价值合计为 6 200 万英镑），但是，罗斯柴尔德家族与圣彼得堡的联系仍然表现得非常脆弱。

罗斯柴尔德家族想要俄国政府只做这一类债券的发行，停止为私人铁路公司债券提供担保的做法，但是事实证明，只要布雷希罗德以及其他人还愿意直接投资俄国铁路，要想达到这样的目的存在着非常大的困难。“真是天大的遗憾，”迈耶·卡尔不止一次地抱怨道，“俄国政府居然允许所有的铁路公司发行他们的债券，而且全部都由公众认购，这损害了我们的市场。”另外，早在 1870 年 10 月，随着俄国对 1856 年黑海中立的谴责，英国与俄国之间的关系在东方问题上开始走向恶化，尽管阿方斯在他和埃德蒙上一年对圣彼得堡的访问过程中曾经表达了良好的愿望。这种关系重大的金融版图的重新调整把法国和俄国，最后还有英国都包括了进来，聚集在一起来共同重新审视新兴的德国，而且这种调整在此之后持续了数年之久。

THE HOUSE OF ROTHSCHILD

附录一

价格与购买力

不言而喻，19 世纪的英镑比现在要值钱得多，这主要是因为 20 世纪 50 年代以来的通货膨胀一直持续着。更准确一点说，1800 年的英镑价值大约相当于现在的 25 倍。由于物价在 19 世纪趋于下跌，因此英镑在 1900 年价值甚至更高：接近现在的 50 倍。换种方式来说，在过去的一个世纪里，英镑的购买力大约下降了 98%：按照 1900 年的标准，今天的 1 英镑只相当于当时的 2 便士。

为了让现代读者对历史价格有更直观的了解，历史学家经常采用价格指数来计算 19 世纪的一笔钱现在值多少英镑。这很容易做到。我们就拿内森·迈耶·罗斯柴尔德在 1836 年去世时的财产作为例子，我估算他当时的财产为 350 万英镑。按照传统的换算方法，要将那个数额"转换"成 1995 年的英镑，需要考虑过去 160 年间的通货膨胀，读者需要做的就是再乘上 35.5，所以最后的数额是 1.242 5 亿英镑。

这其中的问题是，它没有考虑过去两个世纪中经济结构和相对价格的剧变。较长的一段时间内，生活费用指数实际上是一个没有什么意义的概念，因为生活费用本质——即我们用钱所买的东西——在过去的 200 年里发生了太大的变化。詹姆斯·德·罗斯柴尔德的传记作者一句话说得很对："财富……从本质上来说就是购置这么多亩土地，雇用这么多工人，维持这么多所住宅的财力。"150 年前，欧洲的劳动力要便宜得多（因此大量的人受雇当了仆人），税收也几乎可以忽略不计；但形成对比的是，现在被认为是“日常用品”的东西，那时候却极其昂贵。用于此类换算的长期价格指数也存在问题，这是因为定义方面的改变（财富代表物的变化）。

一个更为准确的方法是，将货币的价值与现在的国内生产总值（GDP）联系起来。这种方法的优势是，它反映了一定量货币的购买力——我们能够大致了解用现在的价格表述出来的当年总产出能够买多少东西。比如，内森去世时的财富相当于当时英国GDP（1836年为5.62亿英镑）的0.62%；而1995年英国GDP（6 021亿英镑）的0.62%相当于37.52亿英镑——这个数额比只乘上通货膨胀系数得出的数额要大得多。

解读原始数字重要性的另一个方法是将其与人均生产总值联系起来；这种方法的好处是将人口的变化考虑了进去。当时，与内森的350万英镑相对应的英国人均生产总值是22英镑——这就是说，内森的财富大约是人均生产总值的16万倍；1995年人均生产总值（约为10 430英镑）的16万倍是16.69亿英镑。因此，按照我们现在的标准来看，内森是当之无愧的亿万富豪。

但是，即便这样的方法也具有误导性，因为它没有考虑19世纪社会分配巨大的不平衡性。由于缺少再次分配的税收体系以及一个福利国家，收入分配以及一小部分财富的分配与今天相比非常不平等。非常富有的个人和家族与今天相比非常稀少，罗斯柴尔德家族的财富几乎与所有英国人之间都横亘着一条巨大的鸿沟。一直到1911~1913年，英格兰与威尔士不少于87%的25岁及以上的人（1 600万人）财产少于100英镑，只有0.2%的人（3.2万人）的财产多于2.5万英镑。罗斯柴尔德家族一直处于财富金字塔最顶端的位置。当内森的孙子纳特、莱奥和艾尔弗雷德相继在1915年、1916年与1917年去世的时候，他们留下了649.4万英镑的财产——几乎是全英格兰以及威尔士所有成年人财产总额的0.1%。换种方式来说，他们留下的遗产相当于底层19.1万人的总财产。

罗斯柴尔德家族是19世纪最富有的家族吗？鲁宾斯坦的英国百万富翁榜，并没有具体指明1858年前财富超过100万英镑的人；但是榜单上罗列的1810~1856年间的其他11个人，其留给继承人的财产没有一个能比得上内森。最接近的是银行家威廉·J·丹尼森，他在1849年留下的遗产为230万英镑，其中包括价值60万英镑的房产。直到1857年，才有留给后代的遗产多过内森的人——纺织品仓库老板、英国裔美国银行家詹姆斯·莫里森，他留给后代400万~600万英镑的遗产。内森死时不仅比钢铁大亨理查德·克劳谢和棉花纺织商罗伯特·皮尔和理查德·阿克赖特富有，同时也将昆斯伯里公爵、萨瑟兰公爵和克利夫兰公爵远远地抛在身后。1860~1899 年间，只有 23 个人留下的房产价值 180 万英镑或更多：其中 4 人是罗斯柴尔德家族成员（内森的儿子列昂内尔、安东尼、纳特和迈耶）。尽管从个人来说，他们并不是当时最富有的人——鲁宾斯坦就列了两个房产价值超过 300 万英镑的人——但是没有一个家族的财富能够与他们的集体财富相提并论。几兄弟总共留下了 840 万英镑的财产：如果内森与所有贵族百万富翁一样，将他的财富留给一个继承人，那么列昂内尔毫无疑问会是英国最富有的人。实际上，当时世界首富可能是他的叔叔詹姆斯，后者在 1868 年去世时，据称留下了 11 亿法郎（4 400 万英镑）的遗产，尽管更为真实的数字可能是 1.93 亿法郎（770 万英镑）。

从 1900 年开始，英国罗斯柴尔德成员不再因百万富翁的身份而鹤立鸡群。纳特是他那代罗斯柴尔德成员中最富有的人（留下了 250 万英镑）；但是在 1900~1939 年之间，至少 46 个英国百万富翁留下了与他相当或多于他的遗产。但是，需要再次注明，法国和奥地利分行的合伙人要比他们的英国堂兄弟富有得多。1905 年，爱德华、居斯塔夫和埃德蒙在罗斯柴尔德合伙总资产中各自拥有价值 580 万英镑的股份，维也纳分行掌门人艾伯特则拥有总值为 590 万英镑的股份。这还没有算上合伙资产外的庞大资产。鲁宾斯坦的单子上，1940 年之前，只有 7 个人能够达到这个档次；如果算上南非两个钻石和黄金巨头，则有 9 人。按照 1899 年 12 月罗斯柴尔德家族鼎盛时情况来说，合伙总资产为 4 140 万英镑，由 10 个合伙人出资。这同样也没有计算他们的私人财产，后者大多以昂贵的艺术收藏品和房产形式存在着。在这方面，同样也没有其他家族能够与之媲美。

放眼 100 年后，现在有人能够匹敌当时的罗斯柴尔德家族吗？答案是“没有”。即便沙特王室拥有的世界资源份额也难以与他们匹敌；即便现在世界上最富有的商人，其地位也难以与内森去世时同日而语。这本书撰写时，比尔·盖茨（微软公司创始人）的个人资产大约为 364 亿美元（217 亿英镑），有很好的理由成为世界首富。但是，如果我将其与当时的美国 GDP（74 876 亿美元）进行对比，我们发现盖茨先生的财富占美国 GDP 的 0.49%。这一数字要小于内森在 1836 年的 0.62%，尽管盖茨的财富积累要快得多。我们只有将盖茨的财产与美国人均生产总值（27 730 美元）进行对比，他才比内森有一点优势：盖茨的财产是美国人均生产总值的 130 万倍，而内森只是英国人均生产总值的 16 万倍。但是，差异主要反映了 19 世纪初之后，人口的迅猛增长，这限制了美国人均收入的增长。

附录二

汇率与财务统计精选

在18世纪末和19世纪初的欧洲，各种货币之间的汇率根据钱币的质地不同而各色各异，货币相互兑换并不是一件容易的事。在法兰克福，古尔登是最常使用的货币单位，尽管有时会用泰勒元来计数。1泰勒元大约等于1.79~1.89古尔登。1英镑等于10.2~11.2古尔登。英国重回金本位制之后，英镑对于古尔登的汇率走强，在19世纪剩余的时间里，1英镑可兑换12古尔登（见表格a）。

表格a：英镑对法兰克福古尔登的汇率，1798~1836年

每英镑兑换古尔登(£)	
1798	11.25
1807	10.16
1809	11.24
1828	12.00
1836	12.00

数据来源：罗斯柴尔德家族信件。

但是，简单地将古尔登转换成英镑会产生误导，因为这没有考虑购买力的差异。通常认为，英国尤其是伦敦的生活费用要比欧洲大陆高些，但是由于殖民和工业化使得这个时期特定的商品（比如棉纺织品）在英国变得相对便宜。由于这个原因，我在文中将古尔登计量的数据转换成英镑，只是为了提供某种有帮助的对比。

5 家罗斯柴尔德分行在这个时期组成的公司属于私人合伙性质，因此无须提供数据来编制资产负债表或损益表。罗斯柴尔德父子公司损益表的数据来自 1829 年开始编制的（年度）小结（这样做的用意现在仍不清楚）。表格很简单：一边是全年卖出的所有商品和股票；另一边是全年买进的商品、股票和其他成本；两者差异便是年度利润或亏损。表格 b 提供了“承接上年”的数据以及合伙人资金份额的净变动（撤出或新增资金）。

19 世纪的银行没有按照标准的格式编制资产负债表或损益表，因此用现有的数据与其他银行进行对比时一定要万分谨慎。

表格 b：罗斯柴尔德父子公司：损益表（1829~1848 年，单位：英镑）

	利润/亏损	变动净额	资本金(日历年末)
1829			1 123 897
1830	–56 361		1 067 536
1831	56 324		1 123 860
1832	58 919		1 182 779
1833	75 294		1 258 073
1834	303 939*		1 562 011
1835	69 732*		1 733 404
1836	–72 018		1 661 386
1837	87 353		1 747 169
1838	83 124*		1 820 706
1839	52 845*		1 773 941
1840	30 937*		1 804 878
1841	–49 769*		1 755 109
1842	40 451		1 795 560
1843	23 766*		1 819 326
1844	170 977		1 990 303
1845	82 755		2 073 058
1846	73 080		2 146 138
1847	–660 702		1 485 436
1848	132 058		1 617 494

备注：利润和亏损数字由总开支和总收入的差异而得。

*从账目来看不完全清楚，比如 1834 年，这里出现的利润数额与实际账目中的数额不同；1839 年年底的资金总额与利润数额不符。

数据来源：档案文件。